中国近现代中医药期刊续编

第三辑

大众医学月刊

王咪咪　侯酉娟◎主编

2022年度北京市优秀古籍整理出版扶持项目

北京科学技术出版社

图书在版编目（CIP）数据

大众医学月刊 / 王咪咪，侯西娟主编. — 北京：北京科学技术出版社，2023.11
（中国近现代中医药期刊续编. 第三辑）
ISBN 978-7-5714-3357-4

Ⅰ. ①大… Ⅱ. ①王… ②侯… Ⅲ. ①中国医药学—医学期刊—汇编—中国—近现代 Ⅳ. ①R2-55

中国国家版本馆CIP数据核字(2023)第207611号

策划编辑：侍 伟 吴 丹
责任编辑：吴 丹 杨朝晖 刘 雪
文字编辑：王明超 刘雪怡 李小丽 毕经正
责任校对：贾 荣
图文制作：北京艺海正印广告有限公司
责任印制：李 茗
出 版 人：曾庆宇
出版发行：北京科学技术出版社
社 址：北京西直门南大街16号
邮政编码：100035
电 话：0086-10-66135495（总编室） 0086-10-66113227（发行部）
网 址：www.bkydw.cn
印 刷：北京捷迅佳彩印刷有限公司
开 本：787 mm × 1092 mm 1/16
字 数：853千字
印 张：46.5
版 次：2023年11月第1版
印 次：2023年11月第1次印刷
ISBN 978 - 7 - 5714 - 3357 - 4

定 价：**890.00元**

《中国近现代中医药期刊续编·第三辑》
编委会名单

序

2012年，上海段逸山先生的《中国近代中医药期刊汇编》（下文简称“《汇编》”）出版，在中医界引起了广泛关注。这部汇集了众多中医药期刊的著作为研究近代中医药发展提供了宝贵的学术资料。在《汇编》的影响下，时隔7年，中国中医科学院中国医史文献研究所的王咪咪研究员决定仿照《汇编》的编纂模式，尽可能地将《汇编》中未收载的中华人民共和国成立前的中医药期刊进行搜集、整理，并将其命名为《中国近现代中医药期刊续编》（下文简称“《续编》”）。

尽管《续编》所收载期刊的数量与《汇编》的相当，但其总页数仅为《汇编》的1/4，约25 000页。《续编》中绝大部分内容为中医期刊及一些纪念刊、专题刊、会议刊。除此之外，还收录了1915—1949年《中华医学杂志》（合计35卷，近300期）中与中医发展、学术讨论等相关的200余篇学术文章，其中包括6期《医史专刊》的全部内容。值得注意的是，《续编》还收录了1951—1955年、1957年、1958年出版的《医史杂志》。尽管这与整理中华人民共和国成立前期刊的初衷不符，但是段逸山先生已将1947年、1948年（1949年、1950年《医史杂志》停刊）的《医史杂志》收入了《汇编》。王咪咪等编者认为，将这7年的《医史杂志》全部收入《续编》，将使《医史杂志》初期各种学术成果得到更好的保存和利用。我认为这将是对段逸山先生《汇编》的一次富有学术价值的补充与完善，对中医近现代的学术研究，以及对中医的整理、继承、发展都是有益的。医学史的研究范围不只是中国医学史，还包括世界医学史，医学各个方面的发展史、疾病史，以及从史学角度探讨医学与其关系等。《续编》中收载的文章虽有些出自西医学家之手，但提出来的问题对中医发展具有极大的推进作用。例如，陈邦贤先生在《中国医学史》的自序中指出：“世界医学昌明之国，莫不有医学史、疾病史、医学经验史……岂区区传记遽足以存掌故资考证乎哉！”陈先生将他所研究内容分为三大类：“一关于医家地位之历史，一为医学的知识之历史，一为疾病之历史。”医学史的研究具有连续性。例如，在中华人民共和国成立初期，《医史杂志》登载了一系列具有开创性和历史性的文章，无论是陈邦贤先生对医学史料的连续性收集，还是李涛先生对医学史的断代研究，都对医学史的研究做出了重要贡献。范行准先生的《中国预防医学思想史》《中国古代军事医学史的初步研究》《中华医学史》等，具有极高的学术价值，自出版以来未曾被超越。这些文献多距今已近百年，能保存下来的十分稀少。今天能把这样一部分珍贵文献用影印的方式保存下来，是对这一研究领域最大的贡献。此外，将1951—1958年期间的《医史杂志》也纳入收载范围，完整保留医学史学科在20世纪50年代的研究成果，这很好地保持了学术研究的连续性，故而我对主编的这一做法表示支持。

《续编》借鉴了段逸山先生《汇编》的编纂思路，旨在更为全面地保存和整理中华人民共和国成立前的中医及相关期刊。愿中医人利用这丰富的历史资料更深入地研究中医近现代的学术发展、临床进步、中西医汇通实践、中医教育改革等，以更好地继承、挖掘中医药这一伟大宝库。

李经纬 九十老人

2019年11月于中国中医科学院

前　言

《汇编》主编段逸山先生曾总结道，中医相关期刊文献凭借时效性强、涉及内容广泛、对热门话题反应快且真实的特点，如实地记录了中医发展的每一步，展现了中医人为中医生存而进行的每一次艰难抗争，是记录中医近现代发展的真实资料，更是我们今天进行历史总结的最好参考资料。因此，中医药期刊不但具有很高的文献价值，还对当今中医药发展具有很强的借鉴意义。

本次出版的《续编》具40余册之规模，主要收载了段逸山先生《汇编》中未收载的中华人民共和国成立前50年间的中医相关期刊，以期为广大读者进一步研究和利用中医药近现代期刊提供更多宝贵资料。

《续编》所收载期刊的时间跨度主要集中在1900—1949年。之所以不以1911年作为界限，是因为《绍兴医药学报》《中西医学报》等一批在社会上具有深远影响力的中医药期刊是在1900年之后才陆续问世的。这些期刊开始关注并讨论中医的改革、发展等相关话题，是承载那段岁月的重要历史载体。

在历史的长河中，50年或许很短暂，但在20世纪上半叶的50年却是中医曲折发展并产生深远影响的50年。随着西医东渐，中医在中国社会上逐渐失去了主流医学的地位，学术传承面临危机，以至于连中医是否能名正言顺地保存下来都变得不可预料。因此，能够反映这50年中医发展状况的期刊便成为重要的历史载体。据不完全统计，这批文献有1 500万～2 000万字，包括3万多篇涉及中医不同内容的学术文章。虽然这50年间所发生的事件都已成为历史，但当时中医人所提出的问题、争论的焦点、未完成研究的课题一直在延续，促使今天的中医人要不断地回溯过去，思考答案。

中医究竟是否科学？如何改革才能使中医适应社会需要并有益于其发展？120年前，这些问题就已经在社会上引发广泛讨论。在现存的近现代中医药期刊中，有关这类主题的文章不下3 000篇。

关于中医基础理论的学术争论仍在继续：阴阳五行、五运六气、气化的理论要怎样传承？怎样体现中国古代的哲学精神？在这50年间涌现出不少相关文章，其中有些还是大师之作，对延续至今的这场争论具有重要的参考价值。

像章太炎这样知名的近代民主革命家，曾对中医的发展有过重要论述，并发表了近百篇的学术文章。他是怎样看待中医的？他的观点可以在这些期刊中找到答案。

最初的中西医汇通、结合、引用对今天的中西医结合有什么现实意义？中医如何在科学技术高度发达的现代社会中建立起完备的预防、诊断、治疗系统？这些文章可以给我们以启示。

为适应社会发展，中医院校应该采取何种办学模式？中医教材应该具备哪些特点？在收集期刊的过程中，我们发现仅百余种期刊中就有50余位中医前辈所发表的20余类80余种中医教材。以中医经典的教材为例，有秦伯未、时逸人、余无言等大家在不同时期从不同角度撰写的《黄帝内经》《伤寒论》《金匮要略》等教材20余种，它们在学术性、实用性上堪称典范。然而，由于当时的条件所限，这些教材只能在期刊上登载，无法正式出版，因此很难保存下来。看到秦伯未先生所著《内经生理学》《内经病理学》《内经解剖学》《内经诊断学》中深入浅出、引人入胜的精彩章节时，联想到现在许多中医学生在读了5年大学后，仍不能深知《黄帝内经》所言为何，一种使命感便油然而生。我们真心希望尽可能地将这批文献保存下来，为当今的中医教育、中医发展尽一份力。

中华人民共和国成立前这50年也是针灸发展的一个重要阶段，在理论和实践上都有很多优秀论文值得被保存下来。除承淡安主办的《针灸杂志》专刊外，其他期刊上也有许多针灸方面的内容是研究这一时期针灸发展状况的重要文献。

在中医的在研课题中，有些学者在做日本汉方医学与中医学的交流及相互影响的研究，而这一时期的期刊中保存了不少当时中医对日本汉方医学的研究成果。但如今这些最原始、最有影响的重要信息载体却面临散失的危险，保护好这些文献可以为相关研究提供强有力的学术支撑。

在这50年中，以期刊为载体，一门新的学科——中国医学史诞生了。中国医学史首次作为独立学科出现在世人面前，为研究中医、整理中医、总结中医、发展中医，把中医推向世界，再把世界的医学展现于中医人面前，做出了重大贡献。创建中国医学史学科的是一批中医专家和一批虽出身于西医却热爱中医的专家，他们潜心研究中医医史，并将其成果传播出去，对中医发展起到了举足轻重的作用。《古代中西医药之关系》《中国医学史》《中华医学史》《中国预防医学思想史》《传染病之源流》等学术成果均首载于期刊中，作为对中医学术和临床的提炼与总结，这种研究将中医推向了世界，也为中医的发展坚定了信心。这些医学史文章大都较长，因此在期刊上发表时大多采用连载的形式进行刊登。此外，这类文章也需要旁引很多资料。为了帮助读者更全面、连贯地了解医学史初期的演变过程，以及该学科对中医发展的重要作用，我们决定将《医史杂志》的收集范围定为1958年之前刊行的内容。《医史杂志》创刊于1947年，在此之前一些研究医学史的专家利用西医刊物《中华医学杂志》发表文章，从1936年起《中华医学杂志》不定期出版《医史专刊》。（《中华医学杂志》是西医刊物，我们已把相关的医学史文章及1936年后的《医史专刊》收录于《续编》之中。）这些医学史文章的学术性很强，但其中大部分只保存在期刊上，一旦期刊散失，这些宝贵的资料也将不复存在，如果我们不抢救性地加以保护，可能将永远看不到它们了。

此外，值得一提的是，近现代期刊中的这些文献不只是资料，更是前辈们智慧的结晶，我们应该尽最大的努力把这批文献保存下来。这50年的中医期刊、纪念刊、专题刊、会议刊等，都为我们提供了一段回忆、一个见证、一种警示、一份宝贵的经验。这批1 500万～2 000万字的珍贵中医文献已到了需要保护、研究和继承的关键时刻，它们大多距今已有百年，那时的纸张又是初期的化学纸，脆弱易老化，在百年的颠沛流离中能保留至今已属万分不易，若不做抢救性保护，就会散落于历史的尘埃中。

段逸山先生、王有朋先生等一批学术先行者们以高度的专业责任感，克服困难领衔影印出版了《汇编》，以最完整的方式保留了这批期刊的原貌，最大限度地保存了这段历史。《汇编》收载的48种期刊的遴选标准为中华人民共和国成立前保留时间较长、发表时间较早、内容较完备，其体量是中华人民共和国成立前中医药期刊的2/3以上，但仍留有近1/3的期刊未被收载出版。正如前面所述，每多保留一篇文献就是在多保留一点历史痕迹，故对《汇编》未收载的近现代中医药期刊进行整理出版有着重要意义。

北京科学技术出版社有限公司秉持传承、发展中医的责任感与使命感，积极组织协调《续编》的出版事宜。同时，在该出版社的大力支持下，《续编》入选北京市优秀古籍整理出版扶持项目，为其出版提供了可靠的经费保障。这些都让我们十分感动。希望在大家的共同努力下，我们能尽最大可能保存好这批珍贵期刊文献。

近现代中医可以说是对旧中医的告别，也是更适应社会发展的新中医的开始，从形式上到实践上都发生了巨大的改变。这50年中医的起起伏伏、学术的争鸣、教育的改革、理论与临床的悄然变革，都值得现在的中医人反思回顾，而这50年的文献也因此变得更具现实研究意义。

《续编》即将付梓之际，我代表全体编委向曾给予本书出版大量帮助和指导的李经纬、余瀛鳌、郑金生等研究员表示最诚挚的感谢。

王咪咪

2023年2月

内容提要

本书是《中国近现代中医药期刊续编》第一辑、第二辑的延续之作，又为收官之作，收录了包括《医学扶轮报》在内的文献11种。

本书所收录的期刊除来自江浙一带外，尚有广东、山东、四川等地方性中医期刊。受环境和经费等因素的限制，地方性期刊通常存续时间较短、存留期数有限，能够保存至今实属不易。本次将有较高学术价值、历史意义且保存比较完整的地方性中医药学术期刊整理、影印出版，不仅有助于完善近代中医药发展脉络，而且可以间接反映出一些地区近代中医药发展情况，让更多人看到近代地方中医工作者为了传承和发扬中医所做出的努力与贡献。

《医学扶轮报》

中西医汇通报刊，1910年创刊，月刊，发起人为吴鹤龄，扬州南河下中西医学研究会发行，现存1～6期（1910年）。

此刊在第1期的发刊词中详细介绍了办刊宗旨："世界医学开化以吾中国为最先，秦汉以后虽见退化，然犹代有贤豪，如孙思邈之裒集古方，许叔微之传记方案，张子和之发明三法，李东垣之发明脾胃……倘能举中国古今来固有之医学与今日东西洋之学说，合一炉而熔冶之，取其精华，弃其糟粕，实事求是，锐志图存，安见吾中国医学不能驾东西洋而上哉！"这是出版此刊的初衷，也是目标。

此刊内容既有中医学术，也有西医学知识。当时西医东渐对中医学的发展具有重大影响，此刊第 1 期第 1 篇文章即陈邦贤先生的《中西医学分科相同论》，第 2 期则有袁焯的《论今日医学界急宜扩张其势力以图自存》，可见此刊编者对中医结合西学非常重视。此刊所载文章学术水平较高，其中《心理疗病法》《切脉为传声之学说》《脑与心互为功用说》《痘科明辨》《察舌辨证法》等文章有很高的临床价值。另外，此刊还引录了许多优秀医案，如《扁仓医案合解》《勉吾轩医案》《春泽堂医案》《春在寄庐医案》《杏雨草堂医案》等。

《现代国医》

中医学术期刊，1931 年创刊，月刊，谢利恒主编，上海市国医公会发行，现存第 1 卷 1 ~ 6 期、第 2 卷 2 ~ 7 期（1931—1932 年）。

此刊编委会成员均为中国近代名中医，包括丁仲英、蒋文芳、陆士谔、吴克潜、张赞臣、陈存仁、秦伯未等。此刊设有医事杂评、言论、专著、学说、医案、方剂、纪载、案牍等栏目。在第 1 卷第 1 期的医事杂评中，谢利恒先生写道：“吾今不辨国医之是否不合科学，独问国医之是否不适于现代社会？从国内观之，西医之不能战胜国医，固成绩昭著。即从国外观，德美之赞美中药，日本之复兴汉医……不在国医学术之本身上，而在国医之缺乏时代精神耳。”从这段杂评可以看出将此刊定名为《现代国医》的初衷。

此刊内容丰富，涉及中西汇通、中医办学相关内容。此刊第 1 卷第 1 期就刊登有商复汉的《中西医治疗之比较》、聂崇宽的《中西医之科学观》、严苍山的《中西医之门户见》、胡树百的《中西医之脏燥病比观》等多方面阐明对中西医学汇通看法的文章。首刊刊登了秦伯未的《医校之教材问题》一文，此文提出了当时中医发展迫切需要解决的关键问题。此刊第 2 卷第 2 期特别设立了“中国医学院专号”，专门刊登医学院教师职工的中医研究论文及中医学生的研究成果，以增加中医院校在社会上的影响力。此刊还刊登了有关中医发展问题的文章，如日本富士川游的《日本医学之变迁与中国医学及西洋医学》、郑守谦的《各国趋重中医学说》、李怀仁的《中国医药研究之法门》、姜子房的《中医与中药同时改进说》、陆士谔的《论国医》、俞大同的《中央国医馆与振兴中医药具体方案》等，对中医的发展和改革提出了多种可期的设想。

此刊收录了诸多学术水平较高的名家论述，如朱懋泽的《伤寒温病之我见》和《气病概论》、胡安邦的《伤寒以六方提纲论》和《书阴阳应象大论后》、王辉中的《外感成温与伏气成温的研究》等。此刊亦登载了一些知名医家的医案，如《一瓢砚斋医案》《碧荫书屋新医案》《潜庐医案》《澄斋医案》《尤在泾晚年医案》等。

此外，需要说明的是，在第2卷第2期封面上清晰地标注着“第二卷第二期”字样，但其目录页却标为“第二卷第八期”，此期又为“中国医学院专号”，其目录与正文内容完全相符，故目录中的“第八期”为误。这种文字错误在第2卷第7期也出现了。第2卷各期出刊时间均为民国二十一年（1932年），第2卷第7期却注为“民国二十年（1931年）”。此刊各期也并非完全按月出刊，如第2卷第3期出刊时间为1932年1月，但第2卷第4期的出刊时间是1932年8月。故读者应以各期实际内容为准，注意时间标注即可。

《中国医学月刊》

中医学术期刊，1928年创刊，不定期，现存1～11期（1928—1931年）。

此刊有一篇很有特色的发刊词，提出中医应勇于革新，向西医学习，指出中医不能“只知抱残守缺，凭借特效之方药以自足，绝不思极深研几，以求学理至当……急起整理，力谋发新，焉可墨守旧说，划地自限，不事创作……抑集思广益以求迈越于西医乎！由前之说，则必尽弃其学，醉心欧化，如戴季陶先生所言，近时青年对于五十年前读物便不肯寓目，是直丧心病狂，自暴自弃，既显示我国无一学术可以独立，尚能免除劣等民族之恶谥乎，此则一国人民之奇耻大辱，非仅医学本身问题而已也……为谋人类健康问题、生命问题，关系至重，本极艰难困苦，而在个人，则有学术之兴趣，引人入胜，不能自已者也。现在受环境压迫，既不能望有力者之提倡，惟凭借社会之信仰，勉自支撑，若再不从学术根本上谋其发展，吾恐数千年圣哲相传无尽藏之义蕴，皆将自吾而斩。医学亦随此潮流而汩没不复矣。故就医论医，吾人应急起直追，以冷静态度，做忍耐工夫，出之以敏锐之视察力，绵密之思考力，精微之判断力，以引动其日新月异自得之兴趣，为中国医学放一异彩，开一新纪元”。

20世纪20年代末正是中医发展最艰苦之时，此发刊词不仅体现了办刊宗旨，更反映出当时的中医人对中医改革的强烈愿望。当时的中医人坚信“吾国固有宝藏，得以由整理而尽泄，俾出陈而发新”，并且对中医的改革发展有着明确的目标和长期奋斗的思想准备。此发刊词鼓舞着新一代中医人不断前进。

此刊发刊地为上海，现存的部分没有关于主编、编委会组成的介绍，但从所载文章可知此刊主编应为民国著名医家陆渊雷。此刊1～7期连载了陆渊雷先生的《改造中医之商榷》一文（其中第6期无刊载），这篇数万字的文章中讲到了改造中医之动机、医药的起源是单方、《内经》学说之由来、病理学说与治疗方法之不相应、中西学派之不同、中国的科学趋势、唐宋以后的医学、伤寒之外没有温热、中医方药对于证有特效对于病无特效、中医不能识病却能治病、中医有吸收科学之必要、科学头脑与中国学术的柄凿、细菌原虫非绝对的病源等，这些内容对中西汇通初期一些存在争议的问题明确地提出了自己的观点，吸引着当时的中医人投身到中医继承、改革的队伍中来。陆渊雷先生的这篇文章不仅是几十年前有关中医改革问题的宝贵历史资料，而且对今天的中医发展具有借鉴意义。

此外，此刊还刊有研究医经及临床疾病的70余篇学术论文，这些论文充分体现了此刊的学术价值。

《卫生杂志》

中医学术期刊，1932年创刊，月刊，张子英主编，中医书局发行，现存第1～2卷1、2、5、6、8及13～20、22～24期，第3卷5～6期，以及第4卷1～5期（1932—1935年）。

此刊在“编辑大意”中描述了创刊目的：“我国卫生问题太不讲究，死亡率来得很高……使人人都知道卫生问题的紧要，同时发扬我国医药的精华……非但不反对西药，不攻讦西医，又共同联络研究。”刊中有多幅名人题词，如谢利恒先生的“吾道干城”、蒋文芳先生的“养生宝筏”及钱今阳先生的“康强之道”等。

此刊不仅载有常见病防治方面的文章，如《冬日滋补问题》《皮肤病与血液之关系》等，还收录了《痢疾商榷》《肺结核之超早期诊断》《疟疾经验谈》《喉痧与白喉之别》等涉及传染病防治内容的文章。同时，此刊还设立有特别专刊，对日常多见疾病的相关知识加以普及。例如，“性病专号”收录了有关性病、白带、男女之阴阳痿病等的文章；“服装专号”收录了有关服装与疾病关系等的文章。

另外，此刊也收录了有关学术讨论、医案验方等的论文，如《内科病理治疗大要》《六气致病之原理》《骨蒸的病原和证状》《国医三焦通义》等；同时还收录了一些具有前瞻性的文章，如《中西医学术之趋向解》《中西医药优劣平议》《中医学理是否合乎科学平议》《国医以维护同道改进学术为先务》《关于医药之空间性的讨论》等。

《大众医学月刊》

中医学科普期刊，1932年创刊，月刊，杨志一主编，大众医刊社发行，现存第1卷1～12期（1932年）。

此刊可谓是中西医汇通临床应用的百科全书。其内容十分广泛，包括卫生常识、胃病指南、吐血概论、四季时症、精神病学、肺病讲义、脑病研究、大众医药顾问、小药囊等。此刊所载文章的作者有杨志一、时逸人、张山雷、宋大仁、尤学周、蔡济平等，他们都是当时的名医大家。

在此刊第3期中宋大仁写道："伤风……最初为呼吸郁闷，其次为鼻炎，鼻流清涕，发热咳嗽。其在消化器之病，为口中无味，食欲不振，或则腹痛，或下痢，或则为春温诸病，久咳则延成肺痨……通用金沸草散、川芎茶调散加减。有虚体受风，屡感屡发，形气病气俱虚者，又宜顾正解肌，亦不可专泥发散。正气益虚，腠理益疏，病反增矣。李士材曰：风邪伤人，必从俞入，俞皆在背，故背常固密，风弗能干。已受风者，常曝其背，使之透热，则默散潜消矣。"第4期中则有一篇探讨食补、药补的文章，该文章提到："食补之原素，一为炭水化物，二为蛋白质，三为脂肪质，四为无机物质，五为维他命，凡此种种，多混合于谷畜果蔬之中。药补之功能，一为温补，能使神经活泼，局部血行畅利，加增脏腑阳气，二为凉补……食补为日常所需要，药补为一时所需要。"此刊还设有"小药囊"栏目，以西医学科对所列各药进行分类，并以中医知识对其进行解说。

由以上内容可以看出，当时中医学者对西医理论的接受程度很高，且西医理论已得到一定的普及。因此，此刊在当时具备了较高的科学性与实用性，同时具有时代价值，值得后世研究。

《幸福杂志》《丹方杂志》

《幸福杂志》：中医验方验案期刊，1933年创刊，月刊，朱振声主编，上海幸福书局发行，现存1～8、11～12期（1933—1934年）。

《丹方杂志》：中医验方期刊，1935年创刊，月刊，朱振声主编，上海幸福书局发行，现存1～12期（1935—1936年）。

《幸福杂志》每期列有10～12个专题，其重要内容会在多期中连载，如"胃病研究""吐血概论"等。此刊还载有"长篇专著"，向读者介绍优秀的中医著作，最大程度地向读者普及医学知识，介绍各类疾病的治疗方法。

《幸福杂志》内容全面、浅显易懂。此刊重视养生，所载文章观点独特。如有文章提出要养成良好的卫生习惯，不要吸烟；吃饭要细嚼慢咽，不使脾胃受损；要注意食品卫生、居室卫生、个人卫生等。此刊收载了有关各类人群精确细致的养生方法的文章。

如有文章认为健忘大多由精神衰弱引起，健忘者在生活中要保护与保养脑力，不要过多刺激，勿用脑过度；小儿要注意睡眠卫生；女性要注意月经卫生、孕期卫生、产褥卫生、女子阴部卫生等；要从环境、心理、饮食等多方面对病人进行调理。

此刊的撰稿人多为当时的临床名家，他们所撰有关各种常见病的文章都具有较强的实用性，可称得上是当时的常见疾病手册。例如，尤学周的《脾胃虚弱之简治法》《胃气痛》《胃酸过多》，丁仲英的《胃病与失眠》《胃口不开》，陈存仁的《吐血治疗大要》，严苍山的《便血之研究》，张锡纯的《因凉而得之吐血治法》等。由于这些文章为读者提供了许多疾病的防治知识，因此，此刊成为20世纪30年代具有较大社会影响力的刊物。

1935—1936年，为扩大影响力，《幸福杂志》更名为《丹方杂志》，专门收载有关民间丹药验方之应用研究的文章。尤学周在《丹方杂志》的序中写道："今有《丹方杂志》之刊行，探秘搜奇，深入民间，将灵方妙药尽量披露，介绍于人群，不特为病者谋幸福，而国医药前途亦发见不少光明，实堪钦佩。"张赞臣则在序中表示："今朱君有鉴于此，搜集古来丹方，以为骨干，下及近世丹方，旁及乡村丹方，秘及私家丹方，而为之五官百骸，编为杂志，非其体，达其用，以为苍生。"另外，此刊主编在自序中写道："而于无意中发见不少治病之法，今之所谓丹方者，即道家所赠遗之品也。道家推千其教义，深入民间，同时为人治病，以眩其术，以坚人信仰，丹方亦传入民间，书中偶有记载，皆由道听途说，偶然录下者。关于单方之专书，则少有所见，鄙人于丹方之应用，往往发见不可思议之效力，对于丹方之信力甚坚，故有本刊之发行。"此刊12期共登载了约千首治疗临床各科疾病的方剂，其价值有待后人进一步挖掘。

《中国医药杂志》

中医学术期刊，1934年创刊，月刊，赵恕风主编，中国医药研究社发行，现存第2卷1～12期（1935年）。

此刊为地方性中医药期刊，内容广泛。此刊设有学说、临床各科、医案、验方、来函等栏目，并且非常重视学术讨论，如刊登了唐映书的《瘟疫与温病不同说》、姚肃吾的《春令流行性时疫的病因和治法》、单生文的《中医学理之科学观》、梁惠群的《湿温病与伤寒少阳病异同之点》、林志生的《论气血与风》等。

此刊实用性较强，较为重视验方和医案。除刊登了《隔食症验方》《治疗淋病的效方》《经过实验的喉病奇方》等验方类文章外，还刊登了《治验笔记》《诊伤寒笔记》《论瘟疫之症治》《咳嗽论治》等医案类文章，并引录《植林医庐笔记》《也是斋随笔》及邢锡波的《怀葛斋医案》等。另外，此刊也连载了一些有实用价值的书籍，如《张五云痘疹书》。

综上所述，此刊在一定程度上起到了传播和推广地方中医药的作用。

《医药改进月刊》

中医学术期刊，1941 年创刊，月刊，本刊编审委员会主编，现存第 1 卷 1 ~ 12 期（1941—1942 年）。

此刊发行于四川成都，为地方性中医药期刊。此刊第 1 期的发刊词阐明了创刊宗旨："本社有鉴于此，乃联合同志创办社刊，特辟学术论文、学术研究、整理珍闻等各栏，意在以科学之方法，发皇古医之奥义，且整齐同一步调，一致向前，务使古圣之遗意无余，中西之各美兼备，而我国医之伟迹长留于万世，始可稍尽本社同人之素志。"为体现创刊宗旨，此刊第 1 卷第 1 期便刊载了具有针对性的论文，如《我们对于国医科学化的意见》《为什么要改进中医》。第 2 期《中医管理权》一文指出："我们主张西医应该研究中医学术，中医也应该研究西医医理，两者融会贯通，自不难产生新的医术，为世界医学放一异彩。"此刊连续数期刊登的评论文章《对于建设中国本位医学的意见》对当时中医的改革与发展具有较大影响。

此刊比较注重经方的学习与应用，除刊登一般性中医学术研究文章外，每期都刊登有关于经方的文章，如《桂枝十九方合论》《甘草干姜汤》《芍药甘草汤》《三承气汤麻仁丸》《大青龙汤》《四逆十一方合论》《理中九方合论》《泻心十一方论》等，非常值得经方研习者及临床医生研究学习。

从以上内容可以看出，此刊学术水平很高，是近代中医期刊中的上乘之作。

《广东医药旬刊》

中医学术期刊，1943 年创刊，旬刊，吴粤昌主编，广东医药旬刊社发行，现存第 2 卷 1 ~ 8 期（1943 年 7—11 月）。

此刊是地方性中医药期刊，内容丰富，有较强的理论性与学术性，连载了较多理论性文章，如梁荫天的《中医学术源流》、梁乃津的《略论中西医学之特质及中西汇合问题》、曾天治的《整理中国医学之我见》、蔡适季的《现阶段中医进修问题》等。

其中，《现阶段中医进修问题》具有很强的前瞻性与实用性，其内容包括中医进修的意义、步骤、原则、条件、方式及方法等，对当时乃至现在的中医药发展都有很强的指导意义。

此刊保留了许多具有全局性的中医学术文章，如姜春华的《伤寒新论》及《中医基础学》、钟春帆的《近世内科学》、梁乃津的《霍乱》、缪俊德的《疾病之本相与现象》、袁鉴韬的《中国物理医学之针灸》等。

另外，此刊还刊登了《本草脞识》《中医应用处方集》《实用方剂学总论》《药物各论》等长篇文章，这些文章展现了当时一批致力于研究、发展中医的学者们的学术思想，虽然数量有限，但值得被保存和研究。

《医药卫生专刊》

又名《济世日报佑仁医药卫生》，中医学术期刊，1947 年创刊，周刊，施今墨主编，济世日报社发行，现存 1 ～ 15 期（1947 年）。

此刊的办刊宗旨是“建医、强种、救国”，即“不攻击西医，也不攻击中医，我们一心一德，把中西各方真实的医药卫生常识，介绍给水深火热中的同胞，同时提供有心沟通中西学术的朋友，及贤明当局，作为参考的资料”。

此刊与报纸类似，没有栏目分类，每期 20 余页。每期都有相当篇幅的普及卫生知识的内容，如《细菌常识》《为什么会发炎》《蛔虫的生活史》《如何避孕》等。此刊既收录有《伤寒质难》《国药性赋》《法定传染病概说》等学术文章，同时也向读者普及医学器材的知识，如介绍什么是注射器、显微镜等，具有一定的学术性和科普性。

另外，此刊还载有用通俗易懂的语言探讨中医发展的文章，如《中医为什么要争管理权》，强调中医机关“不但要负管理的责任，还要负规划中医药教育方针的责任”，提出科学化的中医仍是中医。

王咪咪

目　录

中国近现代中医药期刊续编·第三辑

大众医学月刊

國醫楊志一編

大衆醫學月刊

（第一年彙訂）

王碩 廿三年一月

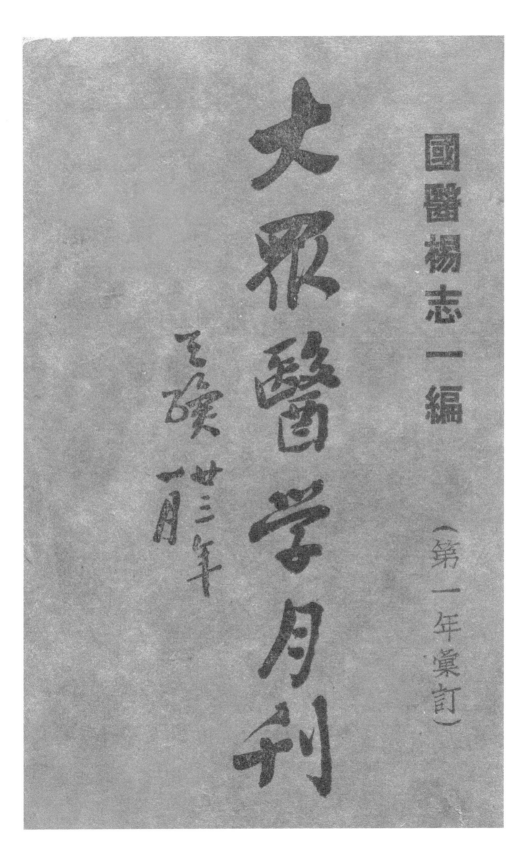

衛生常識

養生之道

九四老人

養生之道，一言以蔽之，在不摧殘本性。本性的摧殘。是從浪用精神起頭。精神是要用的，可是浪費了，就要傷元氣。

喫，着，嫖，賭，都是浪用精神的表現。官僚政客的奔走，鑽營，興風，作浪，也無非是浪用精神。

你若要問吾如何養生，吾除了保養本性以外，根本就說不出什麼大道理來。衛生固然要緊，可是衛生亦未必定能延年益壽。

孔子是最講衛生的。孔子最講究飲食。他飲食的條件最嚴格。「食饐而餲，魚餒而肉敗色惡，不食。臭惡，不食。失飪，不食。不時，不食。」甚至「割不正，不食。不得其。孔子這樣講究飲食，結果僅活得七十三歲。

吾的父親享年七十五，母親享年八十九，姊姊享年九十二，他們對於飲食，並不如何講他們都有一種統一的好習慣，就是早起，他們都有古人「鷄鳴而起」的精神。

吾從小就有早起的習慣。吾的母親在老清早就要吩咐吾念經，背書，有時，吾剛起床，連衣裳都沒有穿好，嘴裏就要喃喃的念經了。

上海人大多數沒有早起的習慣，其實以前也很能早起。吾初來上海的時候，店舖在日出以後就要除排門開店，否則閒人就要來敲門吶喊：

「害病麼？爲什麼還沒有開門？」

吾想到了現在，若在日出時候開舖門，人家定要笑他發神經病。

吸煙之害

梅詠仙

芳香辛辣之物。耗血傷精。世人不知省悟。日躭於濃雲密霧之中。以爲趨時者必需之物。消遣者利用之品也。或嗜芙蓉。或啣雪茄。或吸各種菸葉。隨個人性情所喜愛者而配之。久則成癮。如飲食之一日三餐。莫可間斷。日積月累。視若恒業。孰知臟腑已暗受其害毒矣。血輪日漸消滅。精神日漸頽廢。腦汁日漸枯竭。筋骨日漸脆弱。痳木眩暈之病。紛至沓來。肩聳肉削之形。在所不免。損於內者。必形於外。因是作事無恆心。而畏勇往。生子多瘦弱。而少健全。既自誤其身。又貽誤其子。而家資稍裕者。日供滋養品。以補生理之不足。然此乃舍本逐末之計。不謀其本而務其末。欲求身體之康健。永安無事。竊恐戛戛乎其難之哉。嘗攷人之一身。內爲營外爲衛。內營者。藏血之所。外衛者。藏氣之地。血之源。生於心。氣之源。生於肺。氣爲血帥。血隨氣行。不受烟霧薰灼。則氣機流利。血脈活潑。內之臟腑安和。外之毫毛緻密。而發血迴血兩管。循環不已。其發也。如長江之水。滔滔不絕。灌溉全身。感覺器因之靈動。其迴也。養氣新入。達于肺之中央。所含之炭氣。由口鼻呼出。復還於心房。則周行不息。人得以安。由是精神充足。若龍馬之不倦。而華體胖。氣象光昌。而生子必強壯健全。此不嗜煙之有益於生理也。豈不大哉。若同胞中有好煙霞之癖者。當亟亟以猛省焉。

家庭衛生要法

陳幹卿

一房屋務必灑掃。勿被塵污。四壁宜用石灰刷新。或兼用蒼朮白芷焚燒。以杜濕毒之患。

一各種生冷之物。俱有微生蟲含其中。故食物必須煑透煑熟。各物勿越宿再食。且勿與未煑之物。置在一處。庶微生蟲不致侵入。水未煑過。愼勿入口。嗬囒水。冰凍水。皆與人有害。瓜果亦易致病。均宜少食。

一蚊蠅最能傳病。故食物必須遮蓋。以免蚊蠅散毒。碗盞用時。須先洗淨。外宿須垂帳子。勿使蚊蟲吮血。致生傳染之病。

一罐罎瓶鉢。一切器皿。積儲宿水。最易生蚊。內地已設自來水。宜將此項屏棄弗用。天井陰溝。時常冲洗。勿任閉塞。若將火油灌入陰溝。以免穢濕。斯爲更妙。

一有汗之衣。亟宜洗濯。愼勿於汗乾之後。再穿身上。致滋疾病。

一吐痰於地。最爲穢德。且易傳病。宜向水盂吐之。方可無患。

一垃圾爲穢氣所乘。不宜任意傾倒。宜倒在桶內。候清道夫挑除。挑後勿再作踐。大街小巷。時常清潔。可免一切疫癘。

一晨起須將窗戶洞開。以出炭氣。而入養氣。夜則不然。臥不息燈。與貪涼露宿。均戒。

一早起早睡。爲養生要訣。貪逸畏勞。乃致病根本。講衛生者。起居飲食。均宜有節。

一小兒當種牛痘。若依舊法。用痘痂塞入鼻孔。雖一人不染天花之毒。而其餘則被彼傳染。爲患不淺。

一停棺於家。最能遺患。設死者係患傳染之症。其害更不堪設想。故喪家宜將棺柩速葬爲要。

神經衰弱

青年之神經衰弱

丁仲英

衰弱之症。多發生於暮年。蓋人之一生。與四季相彷彿。春日草木萌動如童年。夏初發榮如青年。長夏暢茂如壯年。秋冬漸寒。草木零落。則由老而衰矣。青年正勃發之時。何來暮年之衰弱現象。此非性慾不節。即用腦太過所致。

莘莘學子。迫於校課。孜孜不休。精神過勞。腦力之耗費太甚。故易罹本症。又有爲色情所誘。犯手淫之惡習者。亦足以誘起神經之衰弱。

本症之特徵。爲神經異常興奮。而易於疲勞。其次如失眠。常覺頭痛。頭重而眩暈。記憶力減退。鬱鬱寡歡。動輒發怒。臨事恒易沈於悲觀。且易發生疑慮恐懼之心。蓋神經之爲物。散佈周身。而總樞於腦。血液之循環。食物之消化。知覺之靈敏。一切器官之動作。無不與神經有關。神經而果衰弱。全體器官。將受極大影響。不特肉體方面。感受種種不快。而精神方面。亦爲之大變也。

青年正發育有爲之時。來日方長。家庭。社會。國家。所需賴者孔多。所期望亦孔殷。然有健全之身體。方能求健全之學問。而有爲於家庭社會與國家。若不幸而患神經衰弱之症。則學難深造。業亦不成。譬諸苗壯之草木。忽呈萎黃之象。尙有吐蕋結果之望乎。

調治神經衰弱之法。最要先去其病原。禁止有害之嗜害。戒酒烟。戒手淫。保衞精神。多作運動。睡眠宜充足。飲食宜求滋養而又易於消化之品。作業與休息。宜有調節。以減少用腦時間。庶易於恢復健全。（參閱「神經衰弱淺說」一書國醫出版社發行）

健忘之故

郭柏良

一 健忘與神經衰弱

同是一人。或窮年兀兀。學而不倦。且其所肄習者。能常存於腦。牢記不忘。或則治事未久。即生厭倦之念。精神昏昏。如欲睡眠。且其所肄業者。不能常存於腦。事隔數日。即已忘却。甚則於數小時後。已模糊莫辨。同具五官。同具四肢。何以其記憶力之强弱。其相差如此之甚。無他。神經之衰弱與健全之關係耳。前者之神經作用健全。後者則爲衰弱之徵象。

二 神經衰弱之原因

神經之所以衰弱而造成健忘之證象。有由先天之不足者。然大部分之原因。則在於後天。大約可分爲四端。如營養不足。操勞過甚。疾病影響。性慾不節等是。四者之中。又以操勞過甚。與性慾不節所發生之影響爲最大。吾人受生活之驅使。因經濟之壓迫。欲求自身之出路。及解決子女等等之教養及種種之問題。不得不用力掙扎。向前奮鬥。於勞心焦慮。精力之耗費過甚。有妨腦力之發達。腦爲神經之中樞。腦力不健。神經安得而不衰弱。又如一般青年。外受不良環境之影響。內爲性慾所驅。發生手淫之惡習。沉溺不返。最易發生本症。

㊂年齡與健忘

健忘與年齡之高下。頗有關係。幼時腦力未健。對於種種事物。尙不能留深刻之印象。及老年時代。日暮途窮。不特腦力減退。各種組織。皆呈萎縮之象。其機能亦日漸減退。因神經之衰弱而發生健忘。有所來矣。至於壯年時代。正蓬勃發榮。精力充足之時。神經決無衰弱之理。健忘何由而起。證諸事實。則又不然。神經衰弱。甚爲普遍。此非生理之關係。即受上述四端之影響也。

神經衰弱與失眠

周進之

凡神經衰弱。已成爲症候者。則精神抑鬱。思慮紛然。臥時常覺睡意毫無。而精神又非常疲倦。勉强入睡。有徹夜不交睫者。有終夜爲惡夢所擾。而疲憊不堪者。有祇睡三四小時。一到習慣醒時。即不能睡者。此所謂習慣醒者。惟親歷者方知之。譬如第一夜於午前三時醒。第二夜亦復如是。以至於以下諸夜。無不皆然。一到此時不能入寐。不眠之時。心焦氣悶。痛苦已極。倘力爲排解。則妄念乘之。於是追想既往。懸念將來。一切喜怒哀樂之妄想幻境。均乘機竊發。不可制止。精神已疲極思睡。而種種之妄想幻境。尙恍惚如在目前。有不能斷絕之勢。愈欲睡而愈不能睡。轉瞬晨鐘破曉。意態始覺朦朧。日間勞頓異常。心緒惡劣有不得不從事於晝寢之勢。或有全然與此相反者。其精神疲倦。日夜思睡。偶或醒覺。輒感不快。且睡時恍恍惚惚。鼾聲已達於戶外。而自己或不覺其睡。且自謂未嘗交睫也。此種似眠非眠之症狀。較失眠者其神經之受病。恐猶深一層。蓋其腦系已由衰弱而入於昏朦之境矣。

性神經衰弱之水治療法

明仁

水治療法。宜依患者之症狀如何。而適當定水之溫度囘數時間等焉。生殖器性神經衰弱者生殖器之過敏性著明亢進之際。若於背部。生殖器等。施以冷水灌漑法。或冷水坐浴。則爲禁忌。是等方法。僅可施之于生殖器無過敏性。完全陷于衰弱。即所謂陰萎症也。夢遺遺精。頻繁而起。及早期射精之際。可取二十五度乃至三十度之溫湯中之坐浴。若生殖器之過敏性強度者。則以三十五度乃至三十七度之半身浴爲適當。溫泉療法。則與水治療法有同一之意味。同時有變更環境而轉地于山林或海濱。避去日常生活之繁雜。浴于新鮮空氣之中。而旺盛新陳代謝之效焉。

中国近现代中医药期刊续编·第三辑

目疾須知

天行赤眼

余彥怡

天行赤眼爲一種流行性之疫病。爲天地間一種疫厲不正之氣。行動極速。亦能傳染。往往一家一村之中。在同一時間內。不論老小。皆患此病者。當今天時寒暖不一。馬路之中。颶風塵沙。相迷而起。此症頗有發生之機會。故爲之說。

（一）症狀　此症初起。即爲目赤腫痛。而流膿淚。與平常赤眼頗相同。迨其甚後則見身熱。頭痛。大便祕結。久而久之。則眼即尖起旋螺。蟹睛高突。更甚則眼珠爆裂。目即盲瞎失明矣。

（二）原因　此症乃由空氣中之厲氣。乘正氣之不足。由口鼻皮毛。犯入肺部。肺爲嬌嫩之藏。一受邪氣。即化爲火。上擾清空。即成目赤。此乃由肺之目赤也。若肺中邪氣。傳入肝經。則爲目痛。脾則爲目腫。

（三）治法　目爲五藏六府之精華所在。故治目者。宜觀其顏色。而知其病之在於何處。如眼白本色白。今見赤者。即可知邪之干於肺也。此爲目赤之初步。病尚輕。速用清散以去邪熱。即可痊愈。並無危險。若目腫目痛者。此邪已傳入肝脾。較爲難治。但須投以清熱解毒之劑。內服外治並進。亦可見愈。除此以外。則症危而治難矣。

（四）結論　天行赤眼之症狀。原因。治法既明。而對于世俗誤謬之諺語。極無意識。不得不苦口闢之。蓋世俗謂目赤過七日。即可不治自愈。此種無理由之俚諺。不知害却多少生命。且目在人身。占重要之地位。其發病當然亦極危險。豈可不治。若謂過七日即可不治自愈。則疾病不必醫。醫生不必開業矣。豈有是理耶。

多年目疾

宋慧身

予二女。去秋八月間患左目紅腫。紫硬作痛。內起翳障。因其不肯服藥。祇外用藥搽敷。亦須候其熟睡時。方可使行。時愈時發。不及二月。白星上罩。瞳神縮小。上下眼泡相連。予恐其殘疾。給其服藥。先將其四肢捆綁。後方可再灌入湯藥。藥後次日腫見略消。翳障仍在。纏延三月。去冬十一月覆發更重。白星漸大。遮沒瞳神。幾至盲瞎。因其不肯服藥。以致今日之患矣。予往藥舖購買木鱉子。藥舖拒之。給以名片一張。先買四五粒。用生鷄蛋一只。將鷄蛋中間挖破一洞。放入木鱉子一粒。蓋好。放茶杯內。次日在飯上蒸熟。將蛋內木鱉子取出不食。給鷄蛋與患者食之。連食三天。腫已去大半。第五天翳障亦減。但木鱉已服完。仍向藥舖買回八粒。繼續給其食之。並不間斷。連食鷄蛋十三只。共計木鱉十三粒。十三天告痊。目力照常。幸哉幸哉。惟眼紅破爛者不可服。

今將眼紅破爛丹方附後。

白礬一小塊放酒杯內。放滾開水浸化。常在眼邊破爛處輕輕頻搽。如此方不效。再用銅綠方無不取效。

銅綠外搽方

銅綠二錢研細末。以生蜜濃調塗粗碗內。用艾葉燒烟。將碗覆艾烟上熏之。須熏至銅綠焦黑為度。取起冷定。以人乳調勻。飯上蒸過。搽之。諸藥不效者。用此極效。

內服方　（眼紅破爛）

荊芥一錢　赤芍錢半　穀精艸錢半
防風一錢　菊花二錢　刺蒺藜二錢
玉竹錢半　蟬衣錢半　生甘艸八分

頭二道藥內服。三道藥洗眼。

對于沙眼之我見

項玉璋

吾人生存在世界上。要成大事業。和享受快樂。沒有一個不靠五官。既可以知覺外界的情形。又能表現自己的意思。論到這五官中的眼睛。是要站重要地位。但是他的毛病亦很多。最普通的即是沙眼。（癆傷眼）我國人得着這個毛病。要佔百分之九十五。能叫眼睛發生許多不方便的地方。漸漸到不能看見物質底程度爲止。現在分「病體」「病狀」和「害處」「診斷」「預防」四節。說明于后。

（一）病體

沙眼就是上下眼皮裏面。有多數極小的微㿟。如同沙子一樣。與魚子相似。

（二）病狀和害處

（一）被染之後。眼力漸減。不能診治斷根。

（二）時發時愈。（多因夜間用眼時間太久。而致復發。）

（三）平時眼泗排洩多。而清晨尤甚。

（四）傳染易。而且速。（故多數人家中。一人得此症。全家染之。）

（五）眼皮內捲。眼毛刺眼珠。則生翳或生瞭瘍。

（六）眼皮內沙子形之微。磨擦眼球。則生翳。或成瞭瘍。

（七）眼皮內沙形之微㿟。日久成疤。磨眼球更甚。易生瞭瘍。

（八）迎風流淚。常時拭眼。則易爛眼邊。

(九)瞭瘍破穿。則成瞭凸。並有瞎眼之虞。
(十)瞭瘍愈。則成瞭斑。防礙視力。
(十一)能令眼乾燥。因上下眼皮不能閉合的原故。
(十二)可得眼球相粘症。使眼不能活動。
(十三)絡瞭即瞭體內微血管。被刺激而溢血。日久不散。而絡瞭。
(十四)翳之面積大。遮蓋瞳人。而瞎不能見物。
(十五)小兒眼之反應力最大。不能如大人之忍受。可受醫生之治療。和檢查。故小兒得之不易診治。

(三)診斷

鄙人最希望的。是要認識清楚這個毛病。免得亂用藥治療。及叫江湖醫生包治。不獨無效。危險實多。今將其最易診斷的方法。說在下面。

(一)迎風流淚。(二)早晨眼泗特多。(三)眼向下視。如半睡未睡的式子。自覺眼內有砂且癢。有以上三種現狀之一的人。應用下法檢查之。

用一根火柴。橫壓在上眼皮上。以左手翻之。檢查裏面有沒有沙形小粒。如同魚子一樣的東西。下眼皮內亦須檢查。如此就可定有無這病了。有則可往醫院。求醫診治。用藥治療。或用手術。(至其他治療的法。好相不在我這篇敘述範圍以內。是醫生的責任。可以不必論他。)不可因循。說到預防的法子。也很多。現在把最簡易的。寫在下面。

(四)預防

(一)凡我們不應當與眼接近的時候。就絕對不可拭眼。即是迫不得已。定要接近時。也應當先用石炭酸皂洗手。後再用清水復洗。始可與眼接近。若以上手續。因時間關係。或有不方便的原故。不能實行。但是在接近過後。亦用硼酸水百分之二。洗眼爲妥。

(二)各人所用之毛巾。須浸於硼酸水中。或每星期置於水中。以火沸之一次。

(三)每日洗面用之水。最好沸過之水。否則亦須加硼酸水百分之五少許。惟不如沸水爲妥。

(四)鼻架眼鏡。可避灰塵。侵入眼內。

(五)浴室。茶肆。及公共機關。所用之毛巾。絕對不宜拭眼。

餘論

普通人缺乏醫學常識。眼球上的翳子。都認是眼上生出來的。其實不然。眼球好像一個玻璃球。如同用沙紙去磨擦。那末球面成了毛光。毛光的地方。就不透光了，照以上的道理。推想起來。眼球等於玻璃球。眼皮內沙子形的微栅。等於沙紙。因爲沙紙式的眼皮。磨擦玻璃式的眼球。使球面粗毛不能透光。就是眼球之本體剝去了一層。世人多以爲翳子。可以用手術刮去的。是因爲不明病理的原故。要知道是愈刮愈不透光了。

肺病講義

肋膜炎治驗記

楊志一

上海無綫電台職員徐君。寓本埠城内安仁里四十八號。其夫人患咳嗽甚劇。經中西醫診治。經月未愈。心甚焦灼。嗣於友人處探詢。始悉余擅治肺病。乃急足延余赴診。其症狀爲肌熱不揚。額汗如瀋。咳嗽痰鳴。氣促胸高。欲寐不能。舌苔厚膩。肢冷脈微。余曰。病本飲邪内停。肺氣閉塞。祇以心陽衰微。正虛邪實。恐有旦夕之變。惟有溫開扶陽并進。或有一綫生機。遂處方如下「川桂枝一錢。白芍（酒炒）二錢。淡乾姜一錢。五味子五分。薤白頭錢半。白芥子（炒）八分。硃茯神五錢。黃鬱金三錢。白杏仁（壓）四錢。仙半夏三錢。橘紅錢半。紫菀一錢。北細辛四分。」純用小青龍湯加味。囑服一劑。次日復診。肢冷漸溫。肌熱轉壯。欬嗆鬆暢。頻吐膿痰。脈亦漸起。顯係氣陽來復。肺氣鬆動之象。佳兆也。惟舌苔厚膩。不思納穀。乃將原方去細辛。加生蒼朮三錢。囑服二劑。厚苔漸化。略能啜粥。氣轉平順。漸能入寐。似此。病之危機。幸已度過。惟元氣未復。

虛熱留戀。因再用桂枝湯二陳湯合劑。調理而愈。

(按)此症余未診以前。其經過治療。西醫斷爲「濕性肋膜炎。」外敷消腫膏。內服鎭咳劑。而置衰弱於不顧。宜其無效。而中醫處方。大都清肺化痰之品。更其去題千里。此無他。因不識爲何症。聊以普通藥方搪塞耳。實則中醫對于此症。何嘗無精確之研究。金匱云。「肺脹欬而上氣。煩躁而喘脈浮者心下有水。小青龍湯主之。」又云。欬逆倚息不得臥。小青龍湯主之」以上證之。益信其語語精絕也。

肺癆與性情之關係

陳存仁

疾病之發生。有隨年齡大小而異者。如痧疹。如百日咳等症。多發於童年。陽虛不寐等症。多發於老年。至於肺癆。患者以十八歲至三十歲爲最多。童年雖有患之。數亦不多。四十歲以上。患者亦少。五十歲以上。罕有發生此症者。即有之。亦爲未曾就痊之舊病耳。

人在青年時代。情感之作用甚[illegible]。勇於進取心。好競功爭名。事事不落人後。富於責任心。受熱情之支配。不肯遷就推諉。務方愈甚。精力愈耗。家境在中產以下者。受生活之壓迫。忙於操作。爲父母者。又喜早爲子女完婚。家室爲累。擔負愈重。謀生愈急。而心力亦愈頹。皆爲癆菌投間抵隙之好機會。一經傳染。以職務之羈縻。經濟之束縛。無閒暇得以休息調養。即休息。亦不過一二日。何濟於事。亦有自信力堅强。自負不凡。不肯示人以弱者。以爲本體頑强。病魔何能纏身。癆菌其何有害於我哉。不知竟染癆瘵。因放任不問之故。坐失調養時機。此即世人所云『體質强壯者。恒不能盡其天年』之謂。又有不自檢約。縱情聲色。淫慾無度。精力虧耗。因而病機銳進。莫能遏制。此所以傳染肺癆者。以十八歲至三十歲之間爲最多也。

以上就其行動方面而言。其生理方面。亦與癆菌之傳染有莫大關係。青年時代。體內各臟器之發育盛旺。而活動之時又甚多。故新陳代謝之機能速。以新陳代謝機能之速。故消化力堅强。食慾振大。因是體內所含之資養分亦甚豐富。惟其活動之多。體力之消耗亦多。增加勞疲之時間。減少其抵抗之力。而授癆菌以侵襲之機。惟其資養分之豐富。愈適於癆菌之生活與繁殖。病機之進行愈速。童年臟腑柔弱。肺部尤爲嬌嫩。然天真活潑。優遊自得。無七情之擾神。無生計之勞形。又無色慾之傷精。雖爲適合癆菌生活之佳境。然無可乘之機。故發生較少。至於老年。體質衰耗。精神頹墮。抵抗力不足。癆菌之侵襲甚易。則肺癆發生之多。當超過於青年。而反罕有患之者。又何故哉。蓋老年生機枯萎。各器官發生硬化。於病機之進行。頗多阻力。有如斥鹵之地。植物不繁殖也。

癆瘵之傳染與共食問題

賓

吾人之習慣飲食用箸匙。而箸匙忽出入於口際。忽出入於肴羹中。使涎沫可以沾及肴羹。復可使甲之涎沫。間接達於乙之口中。設或同桌之人。有患癆瘵。頻頻咳喘者。必可令其餘之共食者。易得同病也。

憶昔年余友華君。病癆瘵。養疴於醫院中。其時院中屋頂花園內。豢一猿。常跳躍於花木間。頗解人意。華君鍾愛之。但因乏常識。竟以自己咀嚼之渣滓。及剩餘食物。吐出喂猿。且常以涎沫吐於花盆。觀猿之舐食以為樂。猿以身嘗試。初亦恬然。惟活潑力日漸減少。未幾猿病矣。頸中結核。而釀成膿潰。骨瘦如柴。毛羊脫落。不數閱月。結核症逐漸蔓延。而猿竟因飲食不愼。以致癆瘵淹纏。先華君而死矣。

凡與病癆者共食。均有傳染之慮。而年齡在幼稚。或二十歲左右者。更易得之。染病者細菌入體內。不即發出。俟本原虧損。抵抗力單薄時。病狀逐層見叠出。而施治為難。觀於猿。可知炯戒矣。

余之摯友王君。日與同事共飯。一日余見其獨坐而分食。余訝問其故。答曰。因患咯血。此後擬用分食制矣。余敬之佩之。以其常識之富。且能知行合一。不使其同儕佔染咯血疾也。在家庭之間。辦公之所。及學校工場之內。凡有供給飯食之處。宜行分食制。或每人二副箸匙。一副運肴於飯碗。一副納食於口際。不使紊亂。則傳染之患自可防免矣。

君共食者。有患癆之人。其人當深自覺悟竭力預防。不使共食者有所傳染。亦為公德心中所不可少者。倘患癆。不自覺悟。則同席之人。宜自謀防衛之法。切勿因情誼之關。徒自因循。卒蹈危境也。故深冀對於癆瘵傳染問題。苟不能執行分食。或兩副箸匙之法。則不如另起爐竈。獨供飲食之爲愈也。

抑又有進者。無論行分食與兩副箸匙之法。在每次食畢以後。宜將各人所用之箸匙。置入沸水中。務使所沾細菌或病毒。盡行消除。否則徒有表面之潔淨。而實際仍未得其當也。某年余過扶桑。飯於逆旅。見所用之箸。有皮紙包封。啓封抽出。乃半連半劈之竹竿二。食者自行分開使用。用畢拗斷而棄之。故每次用新箸。不致有傳染之患。可見該地人民衛生常識之一斑矣。

肺癆養生法

陳宗良

肺癆養生之法甚多。茲擇其要者。簡單陳之。有如下之五種。

第一清氣療法 清氣療法云者。病者住落於清潔空氣之中。常呼吸新鮮空氣之謂也。清潔空氣者。空氣中不含有形及無形之不潔物也。有形之不潔物。如塵埃細菌等是。無形之不潔物。如人所吐出之炭酸氣。及由口中鼻腔身體表面等所發出之蒸發氣。此外如廚房廁所垃圾堆積處污穢之溝渠等所發布之瓦斯（即種種惡臭氣味）皆屬之。此皆有害于健康者。而在肺上生瘡口之結核病者。爲害尤烈。故住室之內。無論晝夜。必須使空氣流通。更宜常與戶外空氣接觸。最妥善之法。莫如選擇空氣清潔之處營住所也。

第二滋養療法　滋養云者。非必須山珍海錯之謂也。要以食物之能使體量不減輕而漸能增重者爲貴。心中喜食何物。即食何物。並以多食爲必要。（按多食即多滋養）惟以不損害胃腸爲度。酒類及一切辛辣物。皆須忌食。飯前飯後三十分鐘。心身俱以安息爲宜。

第三靜動療法　安靜與適度之運動。同爲衛生之要道。凡痰中含血及體溫在三十七度以上者。及疲勞衰弱者。均宜安靜。又體溫在三十七度以下及雖疲勞而無惡影響者。均宜常在戶外散步。同時呼吸清氣。爲促進營養之助。或練皮膚。以爲容易安眠之助。

第四練膚療法　皮膚以能耐寒爲要。否則易受感冒。感冒頗于肺病者有害。故須强固皮膚以抵抗寒暖之變化。平日衣服。宜薄不宜厚。（即宜少不宜多）又以乾布或冷溼布磨擦身體。予皮膚以機械的或慣例的刺激。及此種練習完了後。乃以冷水澆身。隨即以乾布擦乾皮膚。能如是即不畏寒矣。

第五安心療法　精神以安靜爲主。遇事以樂觀爲懷。則病易于治。如有恐怖心或多憂慮。則病難治。又關于此種病者。以有所信仰爲必要。信醫而服從其指導。實行其養生法。毫無不安之念。則病自輕。並可得全治之結果矣。

（編者按）篇中所述練膚療法。直接鍛鍊皮膚。間接强健肺臟。法至善也。惟病肺者。肺氣已弱。皮膚空虛。驟然以冷水澆身。反易致病。故練膚療法、自宜逐漸而行。非可急切從事也。

胃病指南

關於消化不良之常識

丁仲英

(一)消化不良與胃部之關係

胃為消化之主要器官。食物入口。先落於胃。由胃中分泌胃液。使食物成為粥糜狀。再由胃之蠕動。而入於腸。故消化不良之症。與胃部有莫大之關係。而胃之消化力充足與否。又隨感情體力病况及一切不良之影響而轉移。又非片言所盡也。

(二)消化不良之種種原因

感情之衝動。足以影響於消化。如人當喜悅之時。食慾較盛。因喜悅足以促進消化力之故也。如悲哀及憂鬱。皆能阻滯消化。減低食慾。試觀悲憂之人。雖珍饈當前。亦着筷蹙眉。而不能下咽。體力疲乏。胃之收縮。因而弛緩。不克盡其職責。其結果亦為消化不良之症。其關於疾病者。如神經病。精神病。血虧。虛癆。腸病。皆能誘起消化不良。其他如手淫。房事過度。勤學。少眠。不運動。飲酒。吸烟等。亦爲原因之一。

(三)消化不良之證候

消化不良之普通證候。爲胃部膨脹。身輭無力。若不能支持者然。舌苔垢膩。口苦口燥。或兼見泛噁嘔吐。甚者頭痛如裂。煩悶懊惱。大便乾結。食後更覺不舒。腹中如有梗塌之狀。輕者數日可痊。重者治療甚緩。

(四)消化不良者之調護法

患消化不良者。當注意下列數則。(一)食物宜烹調得宜。而爲有益之品。(二)食時宜從容細嚼。切勿急遽下咽。(三)戒絕酒烟。食時勿作幻想。(四)生冷之品。不宜多服。(五)精神勞動及身體疲勞後。皆不宜進食。(六)食後切勿勞動及用腦。(七)攻瀉止痛。蕩滌消散之藥。不宜亂服。其由疾病誘起者。當先治其病根。由其他不良之影響而起者。當立除不良之習慣。始可漸次收效。

預防反胃

佚名

反胃之病。所因不同。然多由腸胃液虧。消化不良所致。凡大便燥結之人。每隔數日一行。平時雖不覺其苦。然糟粕停留腸中，吸收腸液。大小腸漸漸收縮。胃之下管亦漸緊。不能運輸食物。年衰多有反胃之病。凡時見泛酸。作噫。作噁。或泛出食物者。亟宜預防反胃。預防之法。用松子仁去殼。麻子仁杵。郁李仁去殼。酒浸一宿。淡蓯蓉。當歸。丹參。各三兩。淮牛膝二兩。枳殼。麩炒一兩。煎汁去渣。和蜜熬膏。常用一匙。開水冲服。並常飲牛乳。豆腐漿。忌食栗子。山芋。及荳類。

健胃之良法

倘義

疾病之人。多由於胃之不良。若胃能健全。其他之各部。雖一時虧損。因胃能消化適當之食品。則虧損之部分。亦易恢復。腸與胃。實互相關聯。共司食物之消化吸收。故須謀其健全也。健全胃腸之方法。敘述如左。

（甲）常爲適宜之運動。運動能使構成身體之物質。容易消耗。而彌補此消耗者。則有飲食物。故胃腸對于食物。常因運動而消化力較强者。乃應自然之要求也。

（乙）務保心意安適。心不安適。血液陡旋頭部。思慮過度。食物入胃。不能分泌多量消化液。因而不能得優良之營養。故常持樂天主義。心常安適。則胃腸常健全。而體軀自康强矣。

（丙）務勤於沐浴。適度之濕溫。清潔皮膚。增進血液循環之力。其結果身體之新陳代謝。遂能旺盛。而增進食慾。

（丁）常呼吸清涼之空氣。清涼空氣者。比較的含有多量酸素之空氣也。此與食慾。大有關係。蓋酸素備有燃燒物質之性。吸此酸素以助新陳代謝。排出身體之老廢物。食慾遂旺矣。

（戊）睡眠適宜。如遭事務繁劇之際。數日不能睡足。必致食慾減退。故睡眠適度。為健全胃腸之要則。

（己）應身體之狀況。氣候。境遇等。飲食有節。烟酒宜戒絕。

吐血概論

血之生理與吐血之原因

朱念菱

（一）血之重要—生理學上說。血佔全身體重十三分之一。是生命所必不可少者。苟我人因挫折而致流血。斯時也。無法以施治。致出血過多。而減少生活之助力。恐有生命之憂也。

（二）血之動力—經云。中焦受氣。取汁變化而赤。是為血。要知血屬陰主靜。力不能自運。須賴氣以運行。夫氣為陽。性主動。力能統血。氣行而血隨之。內則灑陳臟腑。外則循行經絡。兩體交流。如灌如溉。身受滋榮矣。

(三)血與臟器—(一)腎水賴陽蒸運。升養肝臟。則木氣滋榮。血充而氣自暢矣。(二)肝得上升之氣。以養心臟。則心火氣潤。血生而脈自行矣。(三)心得上升之氣。以養脾臟。則脾土健運。統血而散精矣。(四)脾得上升之氣。以養肺臟。則金有治節。循環自得力矣。(四)肺得上升之氣。旋養腎藏。則精液分播營養百骸矣。

(四)吐血原因—經云。心主血。脾統血。肝藏血。夫三臟無損。自不失其統藏之職。血亦無由以吐出。良由勞力勞心。過努氣傷。氣傷。則氣耗散。氣散則不能攝血。而血自尋出路。由以上溢。勢如潮湧。經又云。大怒則形氣絕。而血趨於上。使人薄厥。其此之謂也。

(五)血之試驗—吐出之血。一時尙難辨認。可移血於水而驗之。其血之浮於水上者肺血也。沈者肝血也。(按非肝血。乃胃血也。)半沈半浮者心血也。

吐血不要慌

伯良

(一)吐血不盡屬肺癆

吐血之症患者甚多。常人一見吐血。惶恐非常。一若失去無價之珍寶者。有人且以吐血爲肺癆之重要證候。生命之危險。即在目前。此實大誤。吐血出於口。其來源有肺胃二途。胃血與肺血。證情截然不同。以肺血認胃血。必因錯而延誤。以胃血而誤認肺血。則擔心過度。必致弄假成眞。

（二）吐血宜安靜

一見吐血。無論出於胃。或出於肺。第一宜安靜。須臥床靜養。不特禁止動作。且不宜談話。動作則傷口震動。不易凝固。難於痊愈。而談話之間。神經興奮。血流失常。創口亦不易平復。至於烟茶酒類。亦當禁止。因其含有興奮作用也。安靜時間。愈久則創口凝結牢著。愈爲佳妙。大吐血當遵循此條件。小吐血亦當履行之。切不可因輕微而忽視。須知大患之來。多半忽於所微之故也。

（三）吐血切忌慌張

膽欲大而心欲小。處事然。應付疾病亦然。未病之先。宜小心預防。不幸而患病。亦宜小心。以防增劇。所謂小心者。指衣食起居之有度。延醫服藥之宜早等而言。心境則宜放寬。泰然處之。切不可亘於心。横於慮。推波助瀾。增進其病勢。杞人憂天。寢食俱廢。杯弓蛇影。以疑成疾。無病尙能成病。矧有病之人耶。吐血既以安靜爲第一要義。慌張急遽。大非所宜。

（四）吐血不耐安靜易於反復

患吐血者。痊愈以後。或一週。或一月。或半年。往往復發。此蓋因體質與生活上之關係。體質脆弱。衞生上偶不注意。易於引起舊疾。此人人所知者。而生活之壓迫。不能得充分之休養。不論勞心與勞力者。皆易發生此弊。又有急性之子。不耐長期調理。稍見轉機。即不願靜養。不知吐血一症。治標易。斷根則不易。常人以爲血止不吐。即可無慮。而不知創口未平。隨隨有破裂之虞。吐血之易於復發。非無故也。

吐血簡治法

尤學周

原因　胃熱過甚。微血管破裂。因而出血。或生胃癰。胃癌。及心肝肺諸病。牽及於胃。而起。或食毒藥。腐爛胃部等。

症狀　胃部覺重壓痛苦。痞滿。嘔吐。吐出之血。其色暗黑。含有食物殘渣。

療法　免此病之法。在除去胃中鬱熱。及心肝諸疾。禁飽及大熱物。已出血時。則平臥榻上。安靜身心。勿可躁急。欲止其血。用生藕汁生地黃汁大薊汁。加蜜糖調服。或用明礬一錢半。阿膠末一錢。調和。分作五包。每隔三時服一包。

吐血精警語

熊璋

繆仰淳曰。治吐血有三訣。一宜行血不宜止血。行血則血循經絡。不止自止。止之則血凝。二宜養肝不宜伐肝。養肝則肝氣平。而血有所歸。伐肝則虛不能藏血。血愈不止矣。三宜降氣不宜降火。氣有餘便是火。氣降則火降。而氣不上升。血隨氣行。無溢出之患矣。

聖惠摘元云。吐血水內。浮者肺血也。沉者肝血也。半浮半沉者。心血也。各隨所見。以羊之肺肝心蘸白芨末。日日服之。最佳。蓋白芨性苦平。入肺經。有補肺。逐瘀。生新之功也。

吐血咯血。以葛可久十灰散爲最佳。蓋方中以梔子、側柏、荷葉、茅根、大黃、淸血之熱。大薊、小薊、茜根、丹皮、破血之瘀。棕櫚止血之溢。故雖燒灰。而無兜濇留瘀之弊。

暴吐血以袪瘀爲主。而兼降火。久吐血以養陰爲主。而兼理脾。蓋失血以火症居多。延久則血虧也。

血症身熱口渴脈大者。火邪勝也。其治難。身涼不渴脈靜者。正氣復也。其治易。

吐血症。血色鮮紅屬火。紫黑火極。晦淡無光。陽虛不能攝陰。

先咳痰。後見血者。爲積痰生熱。其病輕。先見紅。後咳痰者。爲陰虛火動。其病重。古人謂血症多以胃藥善後。蓋營出於中焦。使胃强脾健。則飲食之精微。皆化生氣血之原料。故培養中宮。即所以補血也。

吐血之時。脈多洪大。吐血之後。乃見芤象。若吐血後。脈仍洪大者。往往不起。

鱉甲乃養陰良藥。鱉肉亦補血聖品。凡面色㿠白。神疲肢軟者。可常食之。

四季時症

新秋流行病——瘧與痢

秦丙乙

金風送爽。玉露呈寒。際此新陳代謝之秋。社會上普通流行病。莫瘧與痢若。請試進申其論。瘧之象。寒熱循環。作有定時。熱則表裏炎灼。頭痛如破。寒則鼓頷戰慄。腰脊欲折。古稱瘧不病君子。正見其爲病之酷耳。痢之象。時苦坐圊。奔迫無度。腹痛如絞。膿血稠粘。其裏急後重之苦。殆非過來人所能意想。古稱下痢爲腸澼。澼者迴腸間屈曲之水也。顧名思義。知過半矣。痢瘧之爲病。其痛苦固正等也。

瘧痢種類。至不一也。有間日瘧三陰瘧。以發作之間日三日而言也。有溫瘧癉瘧。瘧之多熱少寒者也。有寒瘧牝瘧。瘧之多寒少熱者也。有瘧母。瘧之結成癥瘕也。內經分類。殊爲繁複。大抵寒甚熱少者輕。熱甚寒少者重。晝作日作者輕。間日三日作者重。普通勞力人多寒瘧痰瘧。陰虛腎虧人多溫瘧勞瘧。此其大較也。至於痢有赤白。而赤白非必熱冷之徵。有濕熱。而濕熱容有蟯蟲之祟。

奇恒痢嗌乾喉痛。喘逆肺焚。噤口痢津枯咽澀。腸胃燬灼。此痢之至凶垂危者。虛人脾胃薄弱。飲食作痢。謂之水穀痢。久痢失治於先。作止經年。謂之休息痢。此痢之至難療治者。大概痢止而瘧作。痢後瘧自裏達表。當責之虛。瘧止而痢作。瘧後痢由表入裏。於病爲進耳。

瘧種因於起居風涼。痢種因於飲食生冷。其所以必發於秋季者。則純爲時令之關係也。夏暑炎熱。人莫不惡熱而好涼。電扇兜風。裸臥露宿。此瘧之根也。葷腥厚膩瓜果生冷。此痢之根也。彼勞働階級。環境不同生活迥殊。豈不嘗冒風侵露傷冷恣飲。特腠理緻密。胃腸堅實。且終日奔馳。刻無暇晷。故風邪易湊而易泄。食滯易受而易消。不若中上級人。生活優適。抵抗力弱。一夏所積。初隱忍而不發。秋金主令。新涼外束。與舊邪并發。其爲寒熱。其爲泄瀉。初非尋常之比矣。

瘧不可苟截。痢不可苟止。而截瘧止痢。最爲患瘧患痢者所樂聞。故常人習以金雞納治瘧。習以鴉片治痢。取其簡效也。殊不知天下事利弊互存。用金雞納鴉片而愈瘧痢者。十之六七。因金雞納鴉片而既愈復發多延時日。或至不可救藥者。十之八九。此非鴉片金雞納霜之過也。人自不善用耳。金雞納雅片。慓悍斂澀。固截瘧止痢之上品。惟瘧在三四發後。痢之邪透正虛。始堪一用。截之過早。澀之非時。必貽後患。猶之中藥用常山草菓。罌粟故紙。同一轍也。他若仙丹草方。深入民間。利不敵害。多此比也。茲不具論。

治痢治瘧。初起總以通化爲主。治得其宜。輕者一二劑即愈。重者一星期亦效。其所以恙勢疲頑。

治鮮其功者。半由起居飲食之不當。如病瘧而尙恣意風涼。患痢而猶放情生冷。致疾病之魔。隨消隨長。藥餌之力。儘建儘失。

或曰。誠如子言。然則治瘧治痢。其用藥標準。可得聞歟。曰。病有萬變。藥無定方。視其病而后處我方。審其證而后定我治。隨機應變。守經達權。用藥之道。實等用兵。斷非楮墨所能畢事。更不貴此楮墨間之拘拘也。運用存乎一心。武穆之言。亦我業醫者之心傳也。讀者明達。其亦首肯否。

痢疾療養法

邱治中

病者須安臥靜息。忌食食物。以預防其刺戟腸粘膜。應忍耐飢餓。腹部把溫煖的布包覆。口渴則飲沸過的溫水。或飲濃茶及咖啡。對于一切固體不易消化的食物。都宜擯不入口。飢餓時。可略進流動性的滋養品。如牛乳、豆腐漿、粥湯、每日的次數宜多。每次的食量宜少。

痢疾稍瘥後。除飲用上項食品外。尙可食藕粉。百合粉。薄粥等但食量亦不宜過多。不過把他來略充飢腸罷了。痢疾新愈後。凡各種未成熟的果實。油類及一切不易消化的固形物。均不宜入口。否則往往使本病復發。病人的周圍。務須消毒。嚴守清潔。而投疎導腸胃之劑。使大便通順。再用收斂之品。以止其痢。

簡便之截瘧法

張仲僊

瘧之爲病。原非一端。法亦各異。古人言之已詳，無待余贅。但余所云簡便之截瘧法。乃治每日一發之瘧疾。然必須三塲以後。表邪已罷。方可用之。其法用丁香八分。知母貝母各三錢。生薑三片。於未來時煎服。外用阿味膏藥一張。貼臍中。瘧即截然而止。按丁香順氣。知母淸熱。貝母化痰。氣機舒暢。痰熱亦淸。復以阿味驅穢濁。由濁道中出。生薑解寒暑。由肌膚出。使邪無容留之地。故如桴鼓之效。此法已驗多次。病者均稱道不置云。

青年寶筏

淋病攝養法

張希渠

攝養是任何疾病都要注意的，尤其是淋病，格外重要。這個可大別爲安靜法，提睪帶之使用法，及食養法。來說一說：

「安靜法」即是全身保持充分安靜之謂，這個當然先要嚴禁運動了：如其是重症的，必須睡在床上受醫藥之治療，房事，手淫固然要絕對嚴禁，即挑撥色情之小說，談話，繪畫等等都要避免的。腰部也要保持溫暖，不可受寒。

運動對於淋病雖有不良之影響，然而緩慢地走幾步路並無妨礙，至於乘馬，乘車——如騎自行車之類，——體操，——如練拳之類，——跳舞等等，因為有很大的振動，能刺戟生殖器，那當然都是有害的。

在淋病稍稍輕快以後，不得已而必須步行時，可用提睪帶。這個方法，你可不要輕視它，它是預防陰基，陰囊動搖的好法子，對於副睪丸及其他疾患之遏止，很有效力。——這提睪帶當然以土肥博士改造的一種最好，但普通用布自己製的，一樣可用。（這個方法是很簡單的，用一條約四寸寬四尺長的軟布，把生殖器腎囊一齊兜它起來就是了，但不宜過緊。）

「食養法」對於淋病很有補助治療的價值，所以也是很重要的。食物須選容易消化者，富於脂肪或鹹酸之味甚强，或辛辣有刺戟性之食物，絕不可吃。如其吃了這些有刺戟性的東西，刺戟生殖器之結果，——亢奮色欲，增進勃起，——自然非常有害於淋病之治效了。反之，牛乳，瓜類，則頗有利尿之效，飲料中之溫開水，鑛泉水亦能帮助利尿，都很相宜，此外檸檬水，汽水，少吃亦無妨礙。惟有酒類不但可使生殖器充血，而來炎症增劇，即在淋病已經要全治的時候，亦復能惹起其復發的。茶也是有興奮作用的東西，不吃最好，至於烟草——如紙烟，雪茄烟，之類——那也是絕對嚴禁的東西。

腎虛腰痛

楊志一

經曰。腰者腎之府。轉搖不能。腎將憊矣。此指年老或大病後氣血兩虧者而言。然此症近時男女老少皆有之。不得謂腰痛盡屬腎憊危症也。腰痛之原因甚多。近時青年。因性慾不節。而發爲此症者。爲數亦不少。

腎者包括生殖器官與泌尿器官兩部而言。腰痛屬腎之說。雖見內經。然其說稜模。未知所謂腎者。指「腎藏精」之腎而言歟。抑指「腰者腎之府」之腎而言歟。前者屬生殖部分。後者屬泌尿部分。並未加以分別。遂覺模糊不明。以余私見。所謂腎者。非泌尿之腎。乃藏精之腎。近時青年所患之腰痛症。痠痛沈着。牽及脊背。不可久坐或久立。顯係摧殘過甚。機能薄弱。譬諸大廈之支本。日事刮削。則本身消瘦。不能支持。有搖搖欲墜之勢。非泌尿之腎有病。不過痛當其位。且泌尿生殖二腎。古人原無分辨。故牽連及之。眞正泌尿之腎作痛。其痛處有一定之出發點，其勢亦較重。與普通青年之所患者。大有差別。

腎虛腰痛。以杜仲爲主品。蓋杜仲雖屬木質。而膠質甚富。試將杜仲橫斷之。必有無數絲條。聯絡其間。即含有膠質之證。此種膠質。能滋補肝腎。强健筋骨。屈伸利而疼痛除。故諸家本草。多云杜仲治腰痛。良足徵也。

治法。用杜仲一味。寸斷片折。每以一兩。用半酒半水一大盞。煎服。或用猪腰子一付。破開。去中間血膜。及外邊油膩。青鹽炒二錢。大茴香錢半。當歸二錢。杜仲五錢。爲末。入腰子內。用韭菜舖於上下。蒸熟。去藥末。猪腰切片。好酒空心送下。崔元亮海上集驗方。用杜仲一斤。去皮。分作十劑。每夜取一劑。以水一升。浸至五更。煎取汁。入羊腎三四枚。(切碎)再煑。如作羹法。和以椒鹽。空腹頓服。三方皆佳。均可採用。

遺精日久不愈

尤學周

翁家川曰。精能生氣。氣能生神。榮衞一生。莫大於此。是以養生之士。先寶其精。精滿則氣壯。氣壯即神旺。神旺則身健而少疾病。反之。精不內守。而成遺泄之症。則精虧氣弱。神疲而多疾病。青年之患遺精病者。每月一二次。尚無大碍。若三四次以上。或一夜數遺者。其身體精神。將受絕大之影響。且不利於生育。蓋遺精過多。分泌不足。睪丸內精液減少。而精虫亦缺乏。不特此也。精液時常洩出。不能節制。因之精虫之發育不全者有之。變化其體態者有之。或則全體皆小。或則體部如折斷。或則尾部卷曲。運動消失。因以早死。以致不能成孕。故遺精一症。久而不愈。爲虛勞之根。爲弱種亡國之源。小而言之。斷送青年及時行樂。及個人終身之幸福。大而言之。則危害生命。缺乏子嗣。患者不可不急爲調治也。

久遺不止。如田畦之水。涓涓不息。流放於外。其結果則農作物失其潤澤。必致枯萎。故久遺之人。面色不澤。肌膚枯黃。形態萎疲。毫無青年時代應有之勃發氣象。其治法。或則蠻補。或則止澀。蠻補者。益其源。止澀者。塞其流。一治其本。一治其標。頗有應驗之處。補法用龜鹿二仙膠。或聚精丸。龜鹿二仙膠。藥肆中有現成者出售。聚精丸用黃魚鰾膠一斤，(切碎蛤粉炒成珠。再用乳酥拌炒)沙蒺藜八兩。(馬乳浸一宿。隔湯蒸一炷香。焙乾)研末煉蜜加入陳酒煮沸。俟蜜將冷爲丸。澀法用玉鎖丹。此方性溫不熱。極有神效。用五倍子一斤。白茯苓四兩。龍骨二兩。爲細末。水糊爲丸。食前服。每日服三次。如二法同用。早服聚精丸或龜鹿二仙膠。晚服玉鎖丹尤佳。

如遺精雖久。尚未大甚者可用眞懷藥。芡實各一兩。蓮子五錢。茯神二錢。炒棗仁三錢。台黨參五錢。(或人參一錢)水煎服。先將藥湯飲之。後加白糖五錢和勻連渣吞下。每日如此。不須一月。即止夢不遺矣。方中藥味平平。淡而不厭。收功獨神者。蓋芡實山藥。固精添髓。蓮子清心止夢。茯神棗仁。安神利水。得黨參以運用於無爲。不必止夢而夢自無。不必止精而精自固矣。

忍精不出的禍害

金針

一般登徒子好色而淫。常感於某種原因。乃在交接時有忍精不洩以久長取悅婦人者。關於此種下流行爲本不值以寶貴篇幅加以討論。然而自醫家立場爲出發點。殊有予以當頭捧喝之必要。

第一。對人乃爲「非人道」。此種不合健康之舉動。輒傷害對方之生理。

第二。變態的活動。違反生理之自然。常常促起「潛伏深在而有慣性」之淋菌起作特殊的游離。故經過此種行爲後。每發淋病。不過須注意者。此乃自取其禍。引出潛伏淋菌作刺激後的發炎。並非忍住之精能作祟搆成淋病也。在己者染人。在人者染己。更爲必然之結果。

第三。即使不發淋病。亦使生殖系因特殊興奮而改動常軌。倘經過次數太多。即成生殖系以及性神經兩皆痲木狀態。終則有性神經衰弱疾患。同時精系的射精。各種勾連的機能。均相互有關繫密切的連鎖動作。自興奮以至放射。有一定的正常軌循。如突予遏止。即是反常。後果如何。不難想像得之。一般的不能生育。往往求諸木偶。其實還是自審行爲。

（編者按）交合時忍精不泄。違反生理。最足釀成性病。「青年病」及「性的衛生」二書。論之頗詳。讀者參閱。便其梗概。

婦女之病

無子原因及其治法

不生育之原因。雖或有不可治者。然求而治之。乃男女之義務。毫無可恥也。世人以無子爲天命。不究其原。不求其法。可勝歎哉。男女無子原因。多由手淫濫淫。而損其身體之康健。若能改過。保養身體。盛精神之愛。喚起性慾。則生殖器之作用。自復强盛。仍可製造小兒。

兩性於生殖能力無所欠者。而患無子。必係交合不合法。於女子經淨後交合。必成孕也。兩性同時快美。製兒之要則也。有一婦人。久患無子。蓋夫婦快美之時。素未能適合也。某夕。夫婦共入佳境。遂懷姙焉。

女子雖康健。子宮不正。不能懷姙。子宮頸項斜或墜脫。則男精難於射中。子宮頸退沒。則欠吸收男精之力。婦人如此者。男子宜倚側藉勢。以期直射子宮。

交合而男性丢精太早。又爲無子原因。欲成胚胎。須令女性生殖器感動。男子出精早。則女子不覺快美。而無感動之機矣。

女子陰部焮腫。亦爲無子原因。此等證多生於淫婦。

治男子丟精過早。與女子陰部焮腫。宜用冷水屢注該部。節食物。運動支體。修養精神之愛。法爲最良。鴉片劑。姑息之法也。今日乍愈。明日再發。無益也。

妊娠小便不通

樊須欽

經云。膀胱者。州都之官。津液藏焉。氣化則能出矣。良以水漿入胃。得脾陽蒸騰之力。上佈於肺。得肺金治節之權。下輸膀胱。一身水精。盡歸于此。故膀胱爲人身之州都。津液之湖海也。然州都之物。貴乎運輸之敏捷。湖海之水。賴乎日光之蒸晒。州都之物不運輸。則商賈不至矣。湖海之水不蒸晒。則雨露不下矣。故膀胱之水。必晒陳於藏腑。灌溉于表裏。上之則爲唾液。下之則爲小便。是猶州都之有運輸。湖海之有蒸晒也。若至陽氣不宣。氣化不彰。則水道不通矣。胞宮受戾。膀胱受壓。則決瀆不利矣。今夫懷孕而小溲癃閉。是即胞宮隆大。壓其膀胱。陽氣不得宣通。水液不得下達也。陽氣愈鬱愈虛。水液愈蓄愈滿。水液蓄于膀胱。膀胱居于少腹。是以少腹痕急也。病屬轉胞。恙非輕淺。頗慮下極犯上。驟增喘呃變端。經云。小大不利者。先治其標。通其小便。實爲急務。惟是溫通滲利之品。俱屬妊娠禁忌之藥。治病則礙胎。顧胎則增病。最好宣肺氣以伸治節。升脾氣而助健運。理肝氣以資疎泄。益腎氣而强分泌。猶之壺挈其氣蓋。則茶自下出。河浚其上源。則水自下流。庶幾小便通而胎無礙也。可用紫菀茸（一錢蜜炙）苦杏仁（三錢去皮尖）苦桔梗（一錢）西潞黨（二錢直劈炒）生白朮（三錢）赤茯苓（三錢）陳廣皮（一錢）廣木香（八分生切勿見火）上沉香（八分切片）厚杜仲（三錢鹽水炒斷絲）桑寄生（三錢）福澤瀉（錢半川椒目四分仝炒）通天草（一錢）

產生雙胎兒

松筠

甲·爲什麼要生雙胎兒

女子的生殖細胞，就是卵子，這種卵子，每逢四個星期之內，只有一個成熟，在同一時期內成熟兩個的，很不多見，如果同時成熟兩個卵子，各與男子精虫相合，那就受胎了，受胎之後，同樣的發育，那就成爲雙胎兒了，雙胎妊娠，和普通妊娠，是有下列各點的不同：

比普通妊娠的腹部，來得更加膨大。

浮腫較多。

呼吸特別困難。

惡阻更甚。

在腹部能聽得兩樣胎兒的心音。

雙胎之時，胎兒的發育，比普通來得遲慢。

胎兒與胎兒之間，能夠觸知凹處。

乙•雙胎妊娠在生產時的注意

雙胎妊娠的陣痛，頗覺微弱，而且歷時較長，因為胎兒的位置，有時先出臍帶，以及胎兒的手足等部。又因子宮的收縮力，不很佳良，有時就起子宮出血，有時幷四起子癇等患。雙胎兒在一百次當中，約有五次至七次的死亡率，比較平常嬰兒的死亡率，約有二倍，這是因為雙胎妊娠的時候，約有四分之一的早產，即使非早產，竟能達到臨月。但是胎兒在子宮內有不能完全發育的，等到臨盆的當口，也有發育不良而死的結果。

雙胎妊娠對於母體在妊娠中及生產時，亦有上述種種的危險，而在產後，易起產褥熱，亦比平常產婦，來得多些。依照統計所載，每一百個雙胎妊娠婦人當中，約有三四人死亡，所以妊娠之後，腹部過大，或大小便不通，或下腹及足部等處，發現浮腫，那末：不是雙胎兒，定是羊水過多症，或者；是另外的症候，都應從速就醫診察，以明眞相。

乳癌治法

董志祥

婦人患乳癌者。治不得法。每難獲效。甚至深潰穿腐。見筋露骨。以致內膜腐破。膿毒攻心。因此而死亡者。不啻千萬矣。然此豈屬膏肓之疾。無藥可救哉。余謂不然。乃由醫者不知治此之法耳。夫乳頭屬肝。乳房屬胃。古人先我言之。蓋乳頭之分泌乳汁。全賴肝經之疎泄。乳房之貯藏乳汁。稟於胃中之水穀。然余又謂乳房內之乳腺。亦屬於肝。乳癌之病。實由於肝氣之抑鬱。蓋肝主風木。其性條達。今鬱而不舒。屈其挺然之質。其氣與腺管之汁。蘊積為痰。榮衞之氣。不能運行。如此烏得不患乳癌之症乎。其症初起。肉色如故。不赤不痛。內有隱核。堅硬不移。積之歲月。塊核漸大。氣血因而虧損。形肉因而羸瘦。久則內潰日深。危險甚矣。若能投解鬱理氣佐以和榮化痰之劑。用香附。鬱金。合歡。橘絡。橘叶。川貝。瓜蔞。歸鬚。赤芍。柴胡。薄荷之類。多服久服。則病自愈。若醫者不知病之所因。妄投發散攻導之劑。誅伐太過。禍不旋踵。豈可不慎哉。

育兒問題

小兒發疹

尤學周

發疹者。皮膚上發生紅色之點也。皮膚上偶發生一二紅點。又無其他變化。必受蚊蟲蚤蝨之叮嘬所致。如紅點密佈。或發熱者。則爲病象。即發疹是也。發疹不僅見於小兒。成人亦有之。惟不若小兒患者之多耳。

發疹。大多因血中含有一種毒質。使熱度增高。毛細管發生充血現象。甚者毛細管破裂。血液外溢。著於肌表。皮膚上即現紅點。故疹未發時。熱勢留戀不退。及疹已發。往往熱勢頓挫。此無他熱隨血泄。血既外溢。熱亦減退。

病之必發疹點者。如痲疹。痘瘡。猩紅熱。此三者同爲傳染病。小兒同易患之。初起之時。皆有發熱現象。然非至疹點顯明後。不易認識。就余經驗所得。其可以識別者。略述於下。

以發疹時之熱勢而言。痲痧與猩紅熱。發疹以後。則熱勢上升。升後而降。痘瘡則熱勢即漸下降。

以發疹之部位而言。痲疹最初現於耳翼之後部及顏面。口之周圍。亦極顯著。次由胸背腹而四肢。依次發現。痘瘡始於前額。鼻翼。次及面部漸及於背部胸部上肢腹部。最後見於下肢足部。猩紅熱則額面之疹點甚少。鼻上唇頤等部。絕無僅有。

以疹之形狀而言。痲痧初見稀疏紅點。而無根暈。狀似蚤咬。漸次稠密而透徹。稍帶紫紅色。痘瘡則呈正面形而光潤。初由小斑而速成豌豆大之膿顆。猩紅熱初起尚爲點狀。過六七小時以後。即黏連密集。彌蔓成片。大腿及上膊之內側。尤爲顯明。一片紅色。細視之。祇見微細之點狀。較痲疹爲細。其他發疹較少之部。則可認出極細而稍隆起之疹點。異含有黃色之液狀。

以上指疹之已發者而言。然疹發之後。病勢輕鬆。如無特別關係。不起變化。並無若何危險。故此種病症。貴在於未發疹之前。能辨別而認識之。可以預防。可以調理。始無後顧之憂。以余所知。除發熱而外。痲痧多涕而目呈水樣。並發咳嗽。痘瘡與猩紅熱。則不常發生此種現象。猩紅熱多見喉痛。甚則潰爛。而痲痧與痘瘡於發疹之前。其著明之徵候爲腰痛。此腰痛甚劇。爲他種傳染病所不多見者。而痧疹與痘瘡皆發生內疹。內疹者。發熱二三日。腮內。唇內及牙齦。同時發見紅色疹點。猩紅熱則無之。

小兒養護法

念菱

孔子云。不孝有三。無後爲大。良以種族蕃衍之胥賴。故父母對於兒子。莫不愛如掌珠。千思萬慮。惟恐其或感疾病也。然對之平日。哺育撫護。忽而不講。富家子女。衣多過暖。食多過飽。或委諸乳母傭婦。偶一患病。疑鬼求神。莫知其因。失機誤治。差以千里。中途夭殤。言之痛心。養護之法。可不求歟。爰將經歷所得。參稽學理。聊述如后。

(一)小兒體格未充。肌膚未實。衣服過暖。則毛孔常開。汗出而表虛。易感風寒。應經外界氣候寒暖。而爲之加減。製衣質料宜順軟。古云。小兒當衣舊絮。着衣莫用新棉。禮又云。童子不衣裘裳。其論頗有見地。

(二)陽光對於小兒軀體。尤有助長之能。蓋兒童心理。天氣晴和。夕陽西墮之候。結隊嬉戲。精神活潑。其有關於兒童生理者不鮮。宜常使多受。

(三)小兒臟腑嬌嫩。消化力弱。哺乳最宜注意。乳而食。食而乳。最易停滯。釀成疳積。再小兒每見販夫果餌。糾纏母父。索錢購買。此種果物。非蚊蠅之已經光顧。即塵灰黏附。有礙衞生。孔子於沽酒市脯不食。均爲此也。

(四)乳雖爲小兒成長之無上良品。然乳母病時。切勿以病乳哺之於兒。免病之染傳也。

(五)小兒睡眠時間。宜使十分充足。而睡眠時蓋被。不要太厚。又不宜重堆衣裳。壓力既重。兒多啼哭。不能熟睡。諺云。若要小兒安。常帶三分饑與寒。非虛語也。

(六)小兒臥床。宜清潔通空氣透日光處。臥兒須直身向光。若置暗處。即小兒仰看亮光。多費目力。養成目睛邪竄。貽害實大。不可不慎也。

(七)小兒無運動之機會。其哭聲洪亮。手舞足踏。生理上要求之啼哭。不必亟於抱持。正藉以舒張其肺氣。運用其筋肉。而滋養料易於吸收。有時食慾不振。面色無神。哭聲無力。宜辨其原因。施以治療。

(八)小兒雖在幼稚時代。即能受母之敎。故每日之便溺。宜約束有定時。不僅省却手續。且能養成習慣。於消化排泄機能。大有裨益。

(九)小兒尿布。質料宜輕。減少皮膚刺激。如遇天雨。用火烘乾。然須隔宿可用。冬令嚴寒。最好尿布置於布懷。用時既溫煖。又無火毒也。

(十)小兒生後數月。即有推手於口含吮之惡習。宜隨見矯正。此種動作。實爲神經病狀之基礎。終且不利於小兒也。

(十一)小兒得玩物。每喜入口。物之足以傳病菌於口唇。有傷臟腑之細胞者。不可與玩。宜以堅滑可吮不能吞嚥之物。有合於教育性者。且忌稜角有顏色有毛髮。以及金屬黃豆石子鈕扣等。誤入口鼻。貽害無窮。

（十二）上述爲小兒未病計。雖能實行上法。可以減少痛苦。然病未必能絕跡也。何以故。小兒稚陽未充。肌膚不固。易於感觸。稚陰未長。臟腑柔嫩。易致傳變。況其病也。不能自訴。古稱啞科。察病之難。倍於成人。故爲父母者。對於病兒之看護。尤不可忽。延醫診察。對症下藥。斯爲上策。

人乳和代乳品

邱治中

初生嬰孩，哺以母乳最佳，乳媪乳次之，如人乳不可得者，可用牛乳，或其他代乳品，玆將人乳，和代乳品的比較，述之于后。

人乳比代乳品，爲較易消化。

人乳通常無細菌，寄生在內，故無須消毒。

哺育人乳的嬰孩，發育佳良，且牙齒較爲堅固。

服人乳的嬰兒，抗抗力較大，少受疾病之傳染，而人乳不致腐敗，故可免致腹瀉。

小藥囊

糖尿病驗方

陳觀瀾

糖尿病本爲糖尿方中消病。消病有三。由三焦分別。分爲上中下。上消之病。消渴是也。因肺虛熱。所以飲一升下一升。飲一斗下一斗。其渴不止。故爲上消。方用消渴飲。下消者心腎水火不和。故滑精時下。下消是也。方用萆薢分淸飲。上下二消有方。獨中消遍閱方書。拌無一方。中消者中焦是也。中焦者脾胃肝臟皆爲消化機關。其間者一部分。而糖又須酸化。若不能酸化。故其尿甜。久則變爲大食病。西醫治此症戒食米飯。因米有糖分。故使之食麵包。考之化糖作用。實藉脺可以固胃臟分泌之液汁。使糖酸化。脺臟一名胰子。即用猪之脺。切細粒如綠豆大。用糯米圓包如龍眼大。每早服十丸。十日見效。二十日收功。此余經驗有效者。

痢疾驗方

時逸人

(一)姜茶飲

見蘇沈良方東坡傳

生姜　細茶葉各三錢　微炒煎湯服。治一切痢證均效。

(二)蘿蔔纓方　永禪老僧

方用白蘿蔔纓數十斤。攤在屋上。任憑風霜雨雪。至次年春季檢收。洗淨。吹乾收藏。遇有痢疾。用六七錢。加生姜三錢煎服。小兒減半。無論何種痢疾。均見奇效。

治癬驗方

張海泉

野菠菜根。一名牛舌頭草。又名土大黃。用法。擂盆內置醋少許。將藥草磨成糊漿。用筆蘸在患處。每日三四次。連搽十餘日。癬即漸痊愈。是項藥草。確有治癬奇效。惟宜忌酒。防復發也。

治遺夢神效方

周子建

生大黃末三分。以鷄子一個。挖一孔。入大黃末紙糊好。飯鍋上蒸熟。空心食之。四五日愈。

(按)此方名將軍蛋。以鷄蛋滋腎陰。以大黃清濕火。不但善治夢遺。且爲急性白濁妙品也。或用黃柏末一錢。開水冲服。亦效。

治脚氣良方

程次明

鼈甲魚一只。去腸雜。入砂鍋內。酒水各半。淡煎糜爛。連湯服食。治脚氣如神。蓋脚氣乃陰虛氣滯。以致足脛足跗虛腫。行步維艱。故千金方用大鼈甲湯。治療脚氣。良有以也。攷鼈甲爲介類潛陽滋陰活血之品。功能塡補下焦。强筋健骨。助其抗抵之力。使風陽潛熄。氣行血活。邪無由入。則脚氣自愈焉。

治鵝掌風驗方

佚名

按鵝掌風一症，生在手掌上，其狀手內皮堅硬，異常乾燥，叠起紫白點，甚則脫皮，或痛或癢，若久不愈則成癬，更難痊愈，此方治愈數人，特供於社會，法用大碗一只，以紙糊緊碗口，紙上用小針刺孔多個，上鋪細米糖，若二三寸厚，用柑燃炭放糖上，以火緩緩燒之，燒至離紙三分光景，將炭與糖並棄去，(但不可將紙燒穿)取碗中糖油，時時搽之，數日即愈。

治狐臭驗方

佚名

此症雖於身體無碍，原無足輕重，特惟應酬交際，臭氣撲人，殊不雅觀，方用石膏五錢。三仙丹三錢，紫丁香二錢，共研極細末，貯瓷瓶中，每日撒少許於腋下，其臭自止，腋下用香皂洗淨，然後撒之尤效，又方用頂大蜘蛛一只，(若無大則小亦可)再用黃泥包好，以火燒紅取出，俟冷去泥，復用輕粉一錢，共研細末，日搽數次，輕者二日即愈，重則三日斷根，此方經驗數次，勿輕視之。

大衆醫藥顧問

楊志一醫士答

痛經

(問)余與內子結褵三載。迄未生育。因內子月經落後。每逢經臨。少腹作痛。得熱稍止。經色淡而量少。痛則面白而肢冷。請示良方。(方紹平)

(答)按痛經有屬肝鬱者。有屬瘀阻者。有屬虛寒者。茲據所述。曰腹痛得熱則減。曰經淡量少。曰面白肢冷。顯屬氣血不足。衝任虛寒之症。方擬温經散寒。忌投生冷之品。(參閱月經問題一書)

肉桂九三分(吞)。雪茯苓三錢。沈香曲三錢。炒白芍二錢。製香附三錢。台烏藥二錢。全當歸三錢。春砂殼一錢。陳廣皮一錢。煨姜一片。陳佛手一錢。

(按)外用香附末四兩。食鹽二兩。炒熱布包。熨腹痛處。冷則再炒再熨。頗效。

久痢

(問)余患痢疾。歷今三載。雖經醫治。尚未全止。現在每日便痢。約四五次。每次先必腹痛。便

後痛勢稍減。幸尚能飲食。故精神猶佳。請問病源及治法。（張女士）

（答）按久痢脾陽必衰。脾陽衰則健運無權。而爲泄爲痢。與初起積滯。裏急後重者。截然不同。治擬溫運爲主。參以固濇之品。

土炒白朮二錢。赤茯苓三錢。生苡仁三錢。炒白芍二錢。廣木香八分。御米殼三錢。炮姜炭八分。春砂殼一錢。陳皮一錢。肉桂丸三分。

（香）

產後便血

（問）內子屢經生產。氣血大虛。刻下產後二月餘。忽然便後帶血。經月未止。因此體氣益虛。兩脈微細。面色慘白。請示治法。

（答）按血藏于肝。而統于脾。產後肝脾虧損。藏統無權。則血液有不下溢者乎。况脈微面白。尤爲氣血不足之明徵。茲擬黃土湯合歸脾湯加減。

潞黨參三錢。抱茯神三錢。艾絨炭一錢。炒白朮二錢。炙遠志一錢。阿膠珠三錢。當歸炭三錢。炒棗仁三錢。炮姜炭一錢。生黃芪八錢。炙甘草一錢。上猺桂三分（後入）。灶心黃土一兩煎湯代水。

濁後—腰痛

（問）鄙人腰部偏右作痛。不便俯仰。右腿亦覺牽强。迄今年餘。醫作腎虛治。無效。惟未患此症之先。曾染白濁症。經過治療後。即服十全大補湯。不知有關碍否。現在濁已全愈。除腰痛外。時覺頭眩。睡則多夢。請示根治之方。（董君）

（答）據述症狀。乃屬肝腎不足。濕流經絡。氣血阻滯。累及奇經也。其腰右痛而左不痛者。則非純屬腎虛可知。且曾染濁症于未病之前。早投補劑于將愈之時。則爲濕濁留戀。更可知矣。治宜標本兼顧。方用腎着湯加減。

酒炒當歸三錢。雲茯苓三錢。桂枝炒白芍三錢。生白朮錢半。桑寄生四錢。橘白絡一錢。潼沙苑三錢。炙乳沒各八分。酒炒牛膝三錢。金毛狗脊三錢。

小溲頻數

（問）鄙人刻下小便頻數。淋漓不爽。溺管刺痛。尿道口時流濁液。因數日前失足花叢。致擾此疾。追悔莫及。敢請示方。（陳乃康）

（答）按白濁一症。以早治爲第一要義。茲據所述。乃白濁症之初起。圖治尙易爲力。所以然者。以病菌初僅寄居于前尿道。尙未蔓延深入也。茲擬龍胆瀉肝湯加減。

龍胆艸一錢。生艸梢一錢。瞿麥穗二錢。粉萆薢三錢。飛滑石五錢（包）。萹蓄艸二錢。粉丹皮二錢。黑山巵三錢。海金砂四錢（包）。琥珀屑六分。（冲）滋腎通關丸三錢（吞）

淋濁——疝氣

（問）鄙人初患白濁。經西醫針治及服藥。白濁似稍減輕。詎又患小腸氣。睪丸腫脹。痛不可忍。小溲依然澁痛。即請示方。（程明生）

（答）疝氣發于白濁之後。乃白濁菌竄入睪丸。致睪丸發炎。爲腫爲痛。所述濁似減輕者。正毒菌邁進之時。治宜兼顧。擬方如下。

小生地四錢。粉萆薢三錢。小茴香五分。粉丹皮二錢。細木通八分。川楝子三錢。當歸尾三錢。牛膝梢二錢。乳沒藥各八分。京赤芍二錢。飛滑石四錢(包)。黃柏三錢。

便秘—夢遺

(問)鄙人患夢遺有年。同時大便常秘。便愈秘則夢遺愈甚。似有密切關係者。此外如頭眩耳鳴。亦間有之。幸祈賜方。

(答)按腎為陰主藏精。肝為陽主疏泄。腎陰耗虧。肝陽必旺。水火不濟。精不能藏。此夢遺耳鳴之由來也。其便秘者。以藏陰愈虧。則府陽愈燥也。擬育陰潛陽方如下。

大生地四錢。生白芍二錢。潼沙苑三錢。明天冬三錢。粉丹皮二錢。熟女貞三錢。炒滁菊二錢。川黃柏二錢。肥知母二錢。黑芝麻三錢。敗龜版三錢。金櫻子膏三錢(冲)

(按)便秘足以惹起遺精。其理與膀胱水滿。壓迫精關者正同。可參閱「青年病」「性的衞生」二書。

問病簡章

(一)本刊為謀大眾康健幸福起見。特設大眾醫藥顧問一欄。凡本刊定戶。均有免費問病之權利。

(二)凡非定戶而欲通函問病者。一律須附郵一元。覆診亦然。空函不覆。以示限制。

(三)凡定戶來函問病時。須將定單號碼寫明。否則。作非定戶論。

(四)凡問病者須將「男女性別」。「起病原因」。「經過情形」。「現在病狀」。「二便如何」等等。詳細示明。以便解答。而免誤事。

大衆醫刊價目表

定價

時間	冊數	書價連郵費
每月	一冊	大洋二角
全年	十二冊	大洋二元

國外照表加倍寄費在內郵票代價十足通用

廣告價目

地位	一期	三期	六期
一頁	二十元	五十四元	九十六元
半頁	十元	二十七元	四十八元
四分之一	五元	十三元半	二十四元
特別地位	封面反頁及底面爲特別地位照表加二分之一		
附注	木刻銅版加印彩色費須外加常年惠登價目面議刊費先惠		

中華民國二十一年十月一日出版
大衆醫刊第一期
實售大洋貳角

編輯人 楊志一 上海西藏路平樂里
發行所 大衆醫刊社 國醫出版社內
印刷所 吳承記印書局 上海九畝地大境路中市

代售處
千頃堂書局 上海三馬路望平街
幸福書局 上海三馬路會樂里

楊志一醫士編著醫藥新書出版

叢書	書名	定價
青年叢書	性的衛生	每部一冊實洋六角
性病指南	青年病全集	每部三冊壹元二角
腦病新書	神經衰弱淺說	每部一冊實洋四角
家庭顧問	家庭醫藥寶庫	每部二冊壹元六角
保赤專書	兒病須知	每部一冊實洋六角
婦女叢書	生育問題	每部一冊實洋六角
婦女叢書	婦科經驗良方	每部一冊實洋六角
婦女叢書	月經問題	每部一冊實洋六角
虛癆叢書	吐血與肺癆	每部一冊實洋四角
虛癆叢書	補品研究	每部一冊實洋二角
虛癆叢書	性慾與肺癆	每部一冊實洋四角
療胃新書	胃病研究	每部一冊實洋二角
防疫專書	四季傳染病	每部一冊實洋六角

郵票通用　上海西藏路平樂里第九號國醫出版社發行　寄費加二

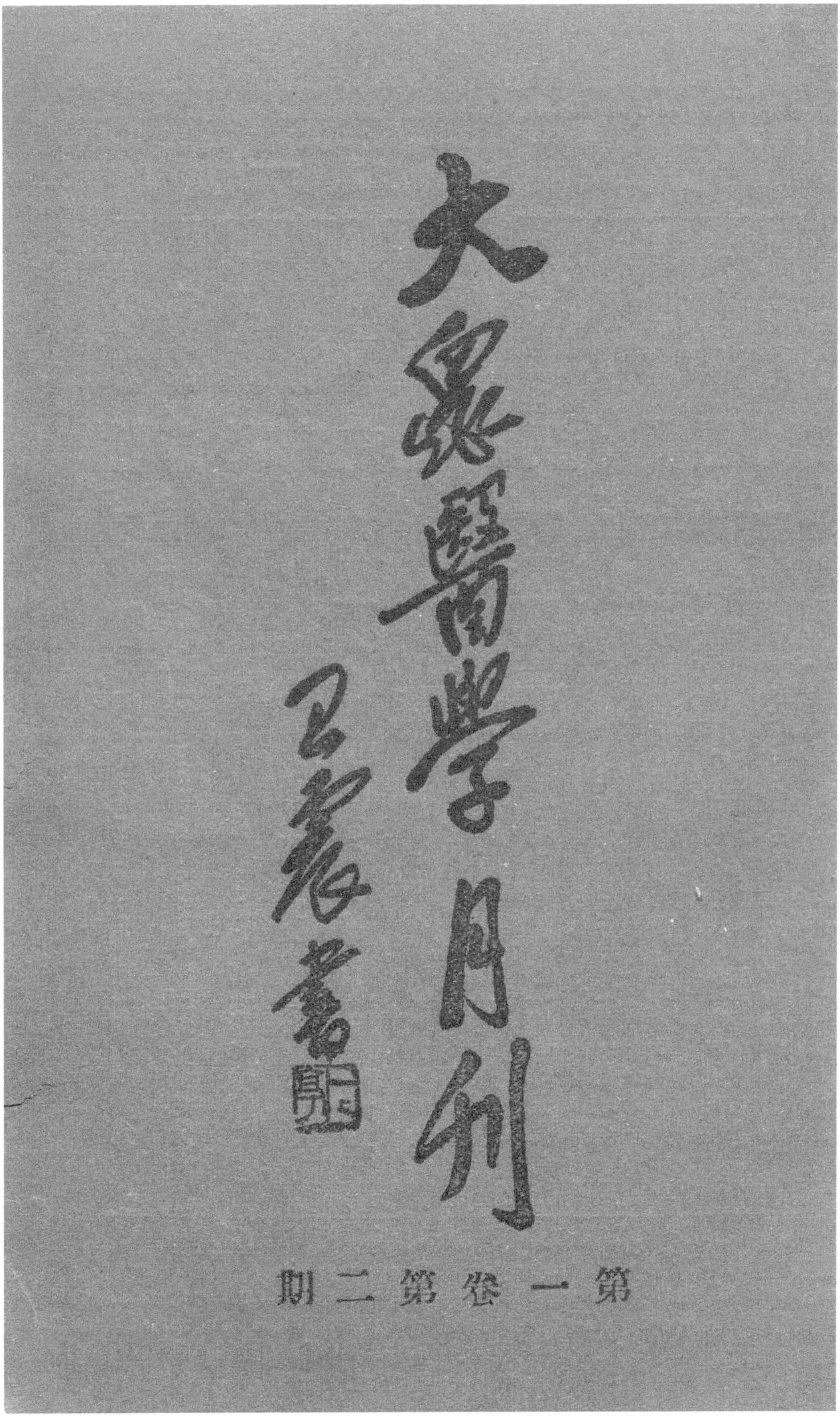
大衆醫學月刊
王震書
第一卷第二期

楊志一醫士編著醫藥新書出版

叢書	書名	定價
青年叢書	性的衛生	每部一冊實洋六角
性病指南	青年病全集	每部三冊壹元二角
腦病新書	神經衰弱淺說	每部一冊實洋四角
家庭顧問	家庭醫藥寶庫	每部二冊壹元六角
保赤專書	兒病須知	每部一冊實洋六角
婦女叢書	生育問題	每部一冊實洋六角
婦女叢書	婦科經驗良方	每部一冊實洋六角
婦女叢書	月經問題	每部一冊實洋六角
虛癆叢書	吐血與肺癆	每部一冊實洋四角
虛癆叢書	補品研究	每部一冊實洋二角
虛癆叢書	性慾與肺癆	每部一冊實洋四角
療胃新書	胃病研究	每部一冊實洋二角
防疫專書	四季傳染病	每部一冊實洋六角

郵票通用　上海西藏路平樂里第九號國醫出版社發行　寄費加二

第二期目錄

養生之道

病中養生法

丁福保

塵世一苦海也。人生一悲劫也。沈浮靡定。成敗無常。憂嗟之時多。歡娛之事少。一年之中。輾然開口而笑者。能有幾日。古人曰。人自呱呱墮地。即挾畢生之憂患而俱來。諺有之曰。人生不如意事。恒十居八九。以是而思。盛孝章之多憂。阮嗣宗之痛哭。豈無故哉。雖然。決不可憂。決就哉。不可哭。且當以快樂代憂嗟。以歡娛代悲哀。以嘻笑代號咷。人而能是。天壤間何事不成。何功不笑爲健體之良劑。病者以之而愈疾。孱者以之而延年。昔有某婦。遘幽憂之疾。終日鬱鬱。不能自釋。後忽有所悟。決志不論何如。每日須大笑者三。久之而身體日强。精神亦百倍舊時。其夫亦從而效之。兒輩見父母如斯。皆無端而相聚。一門之內。熙熙然如登春臺。殆不知人間有愁恨事。每日其夫自外歸。必以曾大笑未爲問。而每問必笑。答時再笑。問後更繼以大笑。後不唯彼婦夙患之頭痛。灑然若失。一家之人。皆神清體健。忻忻然任事無倦容。蓋笑由肺及膈膜而發。足令內部之諸機關。皆爲完全之運動。血液循環可因而完全。呼吸可因而調整。胸膈可因而擴大。內部發生之有毒氣體。可因而排出。身體各部之活動。可因而調和而健全。人身之作用。猶機械之運轉也。機械失油。則運轉中梗矣。人之悲哀憂悶不眠及種種疾病。猶機械失油而運轉不靈也。一注以笑油。則全體活潑矣。

笑之利益如此。故醫士之快樂。其已病之效。實有數倍藥石者。蓋對于患者之歡然一笑。其效果之良。藥籠中物。決不能逮其十一。商人招徠顧客。律師招徠訟者。及不論何業。苟一工笑術。人無不欣然就之。如水赴壑。如鳥歸林。是猶對鏡而怒。鏡中人亦報以怒。對鏡而笑。亦必報以笑也。

飲酒之討論

美善

(一)微量有益說

酒之微量有益說，我人聞之久矣。然不能確定其實在如何。我國昔時有「唯酒無量不及亂」之說。而外人亦有諺曰：「一杯，人飲酒：二杯，酒飲酒；三杯酒飲人」。按此說之緣起，因在人體血液中，發現有微量之酒精 C_2H_5OH，因之乃謂糖類之入人體，先變爲酒精，然後再經燃燒作用，始供給「能」。此說雖具少許之理由，但腸中之澱粉，葡萄糖等，爲細菌發酵，亦能生酒精，若爲血吸入，血中自然有酒精之存在，此說實難能成立。

復有人謂，酒精與在體內，經燃燒而發生「能」之糖，同爲熱源；故飲酒者，輒不喜食糖，因之亦可謂酒爲營養品之一。但是所謂營養品者，須於人體有確實之益，絕無弊害。今酒能使人得癮，實不能視爲營養物。

(三)酒於人身之生理作用

酒之有害否，既不能斷定，然視下列經實驗而得之生理作用，至少有些影響。我人身體，分爲若干部，因就酒精於各系統之作用，分別述後：

(甲)消化系　胃之作用，爲分泌消化液，消化蛋白質。飲酒以後，胃之血管擴張，黏膜充血，分泌腺過分疲勞；且胃液主要成分之胃液素，遇酒精起沉澱作用，並能減少胃液之殺菌力，而易感受傳染病。加以酒精能使蛋白質沉澱，則難於消化。

(乙)神經系　飲酒者之神經細胞體，及纖維中之原形質，毀壞甚多，結締組織皆堆積於細胞，以代原形質，細胞便不能行使其職權，故酒醉之徒，其神經失其主宰，且因此發生半身不遂，中風，發狂等病症。

(丙)呼吸系　酒精能麻醉運動胸部，及管理伸縮之神經，減其運動之力量，及減肺臟器管之黏膜充血，多分泌痰液，又使肺胞 Air suc 之容量減少，故飲酒者易染肺炎，及其他肺病。

(丁)循環系　酒可奪血中之水分，影響於血壓，縮小赤血球，減其運輸養氣之能力；擴張皮膚表面之毛細管，蒸發水分，及散失多量之熱。故飲酒後，體温反降低。

（戊）肌肉系　飲酒則肌肉變爲脂肪，心臟，血管等處之肌肉亦然。故喜飲酒者，其腹部恒大逾常人。且肌肉中之神經，往往不能任主宰之指揮，故運動選手，不准其飲酒。

（己）骨骼系　成人飲酒，於骨骼雖似無妨碍。但小兒正在發育時期，如飲酒過度，骨骼即不能健全發育，因之應響於身體之蕊勢，及內部之各器官。

（庚）排泄系　腎臟之肌肉，亦因酒精之作用，變爲脂肪，腎中毛細管擴張，動作過勞，因是蛋白質由尿中排出。蛋白質爲有益人體之物，因不斷排出，遂得所謂「蛋白質尿症」。

（辛）遺傳　飲酒者之子女，常呈柔弱狀態。經多次於動物身上實驗結果，有生殖力減低者，亦有不姙者。若以鷄卵浸於少許之酒精中，或酒精之蒸氣中，所孵得之雛，多屬畸形。尤以兩眼及其發育不全爲顯著。

綜觀上述之酒於生理上之現象；酒精，即酒於人血之有害，實無可諱言。

睡眠時之衞生

秦丙乙

恒人對於睡眠時之衞生。大都不甚講究。中年旣涉世務。以迄於垂老。每苦不能熟睡。及至年久月深。漸成習慣。頭一著枕。思慮便紛。輾轉反側。心煩意亂。徹夜通霄。難以成寐。其所感之痛苦。誠有難以言喻者。芸窗無聊。泛覽舊籍。檢得蘇文忠公一札。係寄示於人者。眞失眠者之不藥良方也。爰特節錄於下。並附按語數則。

軾並平生於寢寐時。自得三昧。（眞不愧爲三昧。閱後便知。）吾初睡時且於牀上安置四體。（手足欹側。奚能安適。）無一不穩。有一未穩。須再安排令穩。（何等鄭重。）既穩。或有些小倦痛處。略按摩訖。（不欲多動提神。）便瞑目聽息。（靜聽自己呼吸。妙不可言。）既勻。直宜嚴正其天君。（恒人獨患不能遵此）心能嚴正。不胡思。不亂想（尙何不睡之足患。）四體復有痾癢。亦不得少有蠕動。（此時收視返聽。正入定之候。縱發生奇癢。亦何可不耐其侵擾。遽爾轉身抑搔。而令功虧一簣耶。然則當若之何。）務在定心勝之。（此其法也。每見一屆炎夏。人皆手不離扇。口不離熱。而有一等人則淸雅異常。曾不知驕陽之爲烈。或照常辦事。或危坐讀書。問其何以致此。曰。心定自然涼也。足見彼反覆不成寐者。固無非庸人之自擾也）如此食頃。則四肢百骸。無不和通。（此中妙趣。唯身歷其境者知之。）睡思既至。雖寐不昏。（亦其宜也。豈非信哉。）

愚按物質愈文明。人事愈繁劇。吾人廁身社會。既營營終日。不勝其辛勞。而夜間睡眠。又未能享黑酣之樂。則其痛苦爲何如耶。觀於蘇公之睡眠衛生。吾人亦可以知所取法矣。

補藥與運動

賈仲良

友人周君。體質孱弱。每屆冬令。足軟頭昏。胃呆失眠等症。隨之俱起。歷經中西醫士調治。罔見效驗。凡市上出售之自來血百齡機等補藥。試服殆遍。亦無少效。月前邂逅於途中。見其面黃肌瘦。精神萎疲。握手寒暄。愀然無懽。予詢所事。答言將赴藥舖定製補藥。索方視之。大抵人參於朮等貴重藥品。每料價銀十餘元。予詢服此見效否。周君曰。吾年年製服。功效亦不甚著。惟心理作用。以爲服藥治病耳。予曰。君誤矣。君病非時症。焉用藥石。此乃精神頹唐。體弱血虧。故致百病叢生。以我愚見。君病欲望速痊。祇須振作精神。練習體操。務使身軀强健。胃易消化。則諸病自能消滅。蓋吾人身體。皆有天然之抵抗素。以禦病魔。但此抵抗素。惟精神愉快。身體强健者。方能豐富充足。君若奮發精神。注重體育。則身體漸强而抵抗素足。消除百病。至易且速。此根本療病法也。周君恍然。隨予回家。予贈以八段錦一小冊。囑於晨晚二次。如法練習約廿分鐘。並勸清晨六時起身。閒步廣場。作徒手體操及跑步拍球等運動。日間勤儉工作。以活血脈。晚上洗足早睡。以防失眠。飲食清潔。求易消化。苟能如法實行。耐心不輟。半年之後。必見良效。周君依言行之。一月後。精神果漸振作。飯量亦增。頭昏脚軟。同時若失。喜而謝予曰。君殆不藥之醫士也。吾每年冬季。服補品數十元。從未見效有如此神速者。足見人之體質。均有禦病之本能。惜世人不知其法。徒知乞靈藥石。不知注重精神體育。實屬大謬。望君以我經驗。錄投本刊。俾世人身弱如吾者。知所倣效。而不枉費金錢。得除痼疾也。

秋冬時症

金雞納霜之服法

杭州沈仲圭

金雞納霜之爲瘧疾聖藥。與九一四之於梅毒。白喉血清之於白喉。同爲醫界所公認。病家所謌頌。而瘧型之分寒熱汗三程。亦爲世人所熟知。今以功效確鑿之金鷄納霜。治療毫無疑義之瘧疾。宜乎一劑知。二劑巳。但揆諸實際。亦儘有服金鷄納霜而不効者。其故雖非一端。而社會士女。不知服法及購用劣貨。亦一重要原因。茲將服法用量與采購常識。略述如下。

1. 凡瘧疾患者治療期間。定爲六個星期。第一個星期。連服七日。第二個星期。完全停服。第三個星期至第六個星期。在此四星期中。每星期連服三日。停服四日。

2. 服量成人日服一公分。三次分服。兒童按年齡酌減。

3. 市上出售之金鷄納霜丸。含量不足者。殆居多數。吾人購藥時。宜注意藥廠之信用。或經政府化驗給證者。方爲妥善。

國醫之截瘧劑

沈仲圭

國醫之截瘧劑。首推柴胡。如仲景小柴胡湯。(柴胡、黃芩、人蔘、半夏、甘草、大棗、生薑)次爲常山。如香川常山湯(常山、知母、檳榔、)柴胡治瘧。有學驗之醫士。固常用之。常山因有引吐之副作用。醫家病家。每畏縮不敢服用。實則常山發吐。惟生用多用爲然。若浸之炒之。又用錢許。但見捷效。未有嘔吐。此李士材諄諄詔示吾人。徵之經驗。亦復不爽。他如首烏亦截瘧。冷廬醫話載一方。用生首烏八錢。生黃耆佩蘭各四錢。治三陰瘧。查一日瘧間日瘧三日瘧。其病原微生物。皆爲麻拉利亞。故西醫治瘧。概用金鷄納霜。此方雖云治三陰瘧。其實一日瘧間日瘧。似亦有相同之功效。惟方中黃芪。屬强壯藥。用時宜以病勢久延。或體素虛羸爲標準。此固合理之言也。

傷風之注意

許勤勛

傷風一症。世人皆認爲微疾。縱危言警告。無如積習性成。牢不可破。一任病魔糾纏由皮毛而經絡。由經絡而藏府。馴致毛髮枯槁。形容憔悴。至是而求診於醫。乞靈於藥。疇知病入膏肓。回天乏術。雖有和緩。亦望而却走矣。玆據予近來觀察。因傷風而攖非常之疾。較傷寒痢疾及各種急性病。其死亡率實有過之無不及。奈何歷來醫者。漠視此症。不屑稱道。即或彼善於此。筆之於書。夷考其實。殊無澈底之論述。與深刻之研究。長使病魔逍遙於醫門法律之外。而乏相當懲治者。其故何哉。良以傷寒痢疾及各種急性病。無論在表在裏。在藏在府。一經發覺。呻吟床榻。急不可待。奔走駭汗。延醫服藥。而醫者於此。亦必戰戰兢兢。愼重將事。倘藥病相投。雖千鈞一髮。病至末途。多有起死而回生者。斷不至如傷風一症。患者視爲微疾。醫者漫不關心。牽延愈久。去生愈遠。故傷風雖曰微疾。其實爲虛癆之宿孽。肺病之淵藪。予非喜故弄危辭。實目擊心傷。不得已於言耳。如風邪久客。機竅窒礙。吐不出。嚥不下。侵及喉頭則喉痛。傷及聲帶則失音。閉塞氣管。爲喘息擡肩。壅滯胃脘。爲食慾不振。當此時也。若不施以相當治療。加意調攝。或葷油膩滯等物。毫無顧忌。晚近勞動界之肺癆病。强半多造孽於此。較諸貪慾竭精。陰虛火炎。下損及上。乾咳無痰。舉世所謂肺癆病者。尤爲糾纏而難治。若彼輩果能斬斷情慾。痛改前非。施以淸金降火。或滋塡助其封藏。調劑合法。不無小補。安有如傷風釀成之肺癆。攻之則累及良民。撫之則反張賊燄。邪正混合。如膠如漆。攻補兩難者乎。危險如此。當知預防。預防之法。不外調節呼吸。養其肺氣。軒歧不云乎。淸靜則肉腠閉拒。雖有大風苛毒。勿之能害。所謂淸靜者。非靜默之謂也。蓋謂人吸天之氣。食地之味。淸陽上出。濁陰下走。所以然者。無一不賴肺氣而傳達輸化也。人果能調節呼吸。養其肺氣。則淸升濁降。天高地卑。寥如太廓。有何風邪乘襲之可慮哉。倘不知戒懼。失於調攝。

藏氣内怯。外衞疏豁。一旦爲邪所傷。悔之晚矣。奈何視若罔覩。反謂傷風微疾。而無足重輕乎。此予之大惑不解者。故發爲此論也。

喉症淺說

宋大仁

喉以納氣。咽以納食。二者之間。有會厭蓋其上。以司開合。惟其爲心肺肝腎呼吸之門。飮食聲音納吐之道。關係生死。爲害至速。今年自入秋以來。天氣亢燥。喉病風行。今不揣譾陋。略述此症之原因。俾世之患此者。知所鑒別也。

喉痺 此症初起必咽喉腫痛閉塞。妨害呼吸。（按西名扁桃腺炎）爲風痰鬱火熱毒上攻之症。去風痰。解熱毒。自能漸愈。因咽喉總絡。係於肺胃。宜急清此二經之熱。如牛蒡、桔梗、射干、山梔之類。

纏喉風 此症患者。喉腫大。連項痛。喉有紅絲纏緊。旣麻且痒。指甲青。痰壅肢厥。最爲危險。若見目直視。齒噤喉響者。不治。初起治法。與喉痺同。

乳蛾 有單乳蛾。雙乳蛾。連珠乳蛾三種。單乳蛾較輕。雙乳蛾較重。連珠乳蛾最重。皆因酒色鬱熱而生。單蛾生於會厭一邊。一日痛。二日紅腫。三日有形如細白星。發寒熱者凶。俟大便行。自痊。如至三日。喉中但紅腫無細白星。即是喉癰。宜細辨之。雙乳蛾生于會厭。左右兩邊俱有白星。用藥外吹金不換。內服育陰清解之劑。至於連珠蛾乃二白星上下相連。用藥照前。如大便不通者。宜加枳實元明粉之類。使其熱從下泄也。

喉癬 此症由於虛火上炎。肺受燥熱。致咽喉生紅絲如哥窰紋。或如秋海棠葉背紋。乾燥而痒。阻礙飲食。雖不喪命。惟不能速愈。須戒憂怒酒色。忌鹽醬。及一切動風助火之物。方可能愈。

喉癰 此症祇紅腫而痛。別無形狀。因過食辛辣炙煿厚味而發。症屬胃大腸二經爲病。如有寒熱頭痛。先宜疏散。繼用清凉消解。如癰已成熟。又非開刀不可。

此外又有咽嗌痛。由陰虛火炎者。有喉中結塊。飲食不通者。有懸癰喉痛。風熱上搏者。有懸癰垂長。咽中煩悶者。有喉中生肉者。有梅核梗塞咽中。咯之不出。嚥之不下。因于七情鬱結者。有喉痛因於相火。用涼藥不愈者。有風火上鬱。咽喉痛脹。宜用辛涼者。是皆在醫者臨症時辨別之耳。

(按)此症初起。略覺咽痛。即用薄荷叶一錢。京元參三錢。煎服。清火利咽。最有神效。或用生蘿蔔搗汁一盅。溫服。亦效。

精神病學

失眠之原因及療法

俞愼初

睡眠者，乃恢復日間精力之疲勞，維持新陳代謝之能力，爲吾人生活上所不可缺少也。蓋睡眠之原因，乃由延髓中血管神經運動中樞，因思想作事達到一定之程度，則運動中樞，必陷於疲勞，而頭動脈被壓迫，使血液集合於皮膚等處，則腦貧血而睡眠，於是運動中樞使得休養，而漸漸恢復，達其適當之度而醒覺，若夜間睡眠不足，翌日則覺精神恍惚，肢體倦怠，幾至不能作事，是知睡眠之重要大哉。

原因：用腦太過，憂愁思慮，怒逆氣鬱，心臟血液衰少，胃中痰濕阻滯，外邪內束，恐怖太甚，皆使臥寐不安。

證候：(一)用腦太過，憂愁思慮，則腦痛、眩暈、耳鳴、眼花、記憶力及思考力減退，或過敏，或緩慢。(二)怒逆氣鬱，則脅痛、頭暈、目眩。(三)心臟血液衰少，則血液不能灌輸全身，致呈貧血而不眠。(四)胃中痰濕阻滯，則消化致被障礙，胃神經刺激過甚，於是不得安臥，故內經曰『胃不和，則臥不安』。(五)外邪內束，熱結上焦，致心煩不得臥。(六)恐怖太甚，則心神不甯，血管神經興奮。

療法：(一)用腦太過，憂愁思慮，治宜硃砂安神丸，以安定腦神經。(二)怒逆氣鬱，則肝火妄動，治宜龍胆瀉肝湯，以清胆涼肝。(三)心臟血液衰少，宜用天王補心丹，或歸脾湯，以補心育血。(四)胃中痰濕阻滯，用半夏秫米湯，以祛痰安胃。(五)外邪內束，結上熱焦，心煩不寐，宜用黃連阿膠湯，梔子豉湯，以祛內熱。(六)恐怖太甚，心神不甯，用酸棗仁湯以鎮靜神經。調理血液。

調攝：除藥物施行外，對於調攝亦所必須，如烟。酒及刺激性物品。切宜禁忌，勿遲眠，勿過飽，勿受餓，勿多言，勿勞神，勿憂慮，勿煩惱，臨睡之時，宜作深呼吸，每夜宜用熱水洗足，使腦中之血液，下流足部，易於安眠。

(按)近來市上所流行關於安眠藥品，多至數十種。大抵皆含有痲醉毒質•切宜注意，不可多服。

橄欖可治精神病

沈仲圭

橄欖爲綠葉喬木。閩廣產此最多。味殊苦澀。久之回甘。故昔人比之忠言。錫以諫果忠果之美名。能治喉痛魚骾。消酒積。解魚鱉毒。曩閱申報云。治小兒驚癎。大人癲病甚效。并舉事實以爲證。洵爲綱目所未載。爰節錄之。以供同道之研究。

青菓煎膏。用治小兒痰厥驚癎。及大人癲病。極效。往歲家君司鐸景甯。一諸生以鄉試落第。發癲。終日狂號怒駡。藥治半年不愈。有道士勸其家人以青菓煎膏飲之。三日而愈。此後凡此類病。屢試均驗。膏之煎法極便。祇須以鮮青菓稍加明礬。入水火煎。及盡得其氣味。乃去渣核。煉膏即可。服法每用一小匙。沸水冲服。日二三次。

癲狂病的研究

俞慎初

在未談這病之前，先要把病的原動機關研究一下。西醫謂思想運動皆由於腦的作用，中醫指由心的作用，二說不知誰是，然二者互相參考，我下了公斷的理論，就是說心和腦有連帶的關係，西醫指腦，中醫指心，一言標，一言本，我在研究內經書中找出兩句，就可斷說心和腦有連帶的關係，一是脈要精微論說『頭者精明之府』，一是靈蘭祕典說『心者君主之官，神明出焉』頭是腦的外廓，腦是頭的中心點，精明即是神明，國家貨物所藏之處，就叫做府，由這樣的解釋，那麼知道內經所說頭，就是神明所藏之處，心居主之職，乃全身的主宰，故不說藏，而說出，出是神明的出發點，是知思想運動的主宰，皆由於心貫於腦，由腦轉達，由是即可知癲狂病發生的原因，對於腦和心很有關係，腦是神經系的總機關，神明所藏之處。心是循環系的總機關，神明的出發點，假如腦神經受一種的刺激，每每影響到心臟，血液也必起了變化，血液倘受了一種的障礙，也可以影響到腦神經，甚則頓起變態，我們知道，神經有分佈於各臟腑，對於心臟有兩種的作用，一是交感神經和迷走神經，能制止心動的力量；一是脊髓神經和腦髓神經，能催進心動的力量，兩種的作用，互相平均，使心動不致亢進，若受了障礙，以激盪腦神經，而影響到交感神經緊張，迷走神經無力制止，則心動亢進，以靜脈起了鬱血，或受了瘀血阻滯，則神經受這種的刺激，便起了變化，以致神志失常。

我國方書，對於癲狂症，議論很多，內經說『重陰者癲，重陽者狂』難經說『邪入於陽則狂，邪入於陰則癲，』到後來的醫家，議論更得渺茫，有的主火，有的主痰，有的主肝風，有的主陽明邪熱，治法狂症以爲是痰火等病，用當歸蘆薈丸，礞石滾痰丸等；癲症以爲是邪入於心，憂愁思慮，肝不條達，用磁硃丸，砂硃安神丸等，其治法總不離化痰開鬱鎮墜劑，然或效或不效。西醫對於癲狂症分有四因，一是梅毒入腦，一是先天遺傳，一是酒精中毒，一是跌仆重傷，其治法皆用鎮靜劑，使腦神經暫時安定，然沒有根本的治法，故也沒有徹底的效果。

所以我們由怎樣的研究。這種的病症，原因是由血液的變態，故要用特殊的方法，從根本上來治，中毒性用癲癇龍虎丸，以袪內中的毒質，和鎮攝腦神經；鬱血性用癲狂夢醒湯，以活腦中血液，不致再起鬱血，又使瘀血不能積滯，這兩方的用藥，眞是巧妙。容我下次再來說明吧。

肺病新論

肺癆與鈣質之關係

葉橘泉

肺癆病之病原爲結核菌。已無疑義。然同是病也。幼童及少年患之。較老年人爲更險。其故何耶。蓋人體鈣質之含量少不如老故也。因結核菌侵入肺部後。白血球挾鈣質包圍該菌於四圍。築起堤防。不使繁殖。則可停止肺癆之進行。我國舊法用牡蠣、石決明、蛤蜊粉、鼈甲、海藻、海帶等。在古代藥物學上。雖不知鈣質可以療癆，而治癆之方如上藥。實暗合科學。蓋牡蠣、鼈甲等。均富含有機鹽類。此經驗上所得之藥效。誠有價值也。攷鈣質對於肺結核之功效。有減低迷走神經系之興奮。而阻止結核部之發炎。減輕潰爛四周之分泌。使潰爛乾萎。同時更能促進白血球之包圍，而撲滅細菌。並使空洞四周之組織。迅速硬化。務將結核菌密閉空洞中。使其絕食自斃。即不餓斃。其繁殖力亦必減弱。即稍有繁殖。亦不能穿越硬化之結核組織而蔓延。蓋結核菌之壽命。若在肺內。如堤防已成。絕其食路。尚有兩年半可活。故肺癆病非絕對靜養。則堤防難築。每易潰裂也。

（人身鈣質含齒骨內，所謂石灰質也。）

最新療肺驗方

前人

大魚骨粉療結核病（癆病）結核菌爲一種桿狀細菌。外被蠟狀物質。對藥物之抵抗力强大。不易殺死。本菌混入於肺則成肺癆。入腸則成腸癆。入於骨髓腦脊皮肉均能成癆。菌體分泌一種毒素。則病人發熱。咳嗽。羸瘦。疲勞。咯血。氣促（肺結核）貧血衰弱。盜汗。或聲音嘶啞。（喉頭結核）下利（腸結核）骨蒸。手足心發燒。淋巴腺腫大成塊。顴紅。（骨腺病。）在小兒及壯年。患後多不良。老年則往往延長病期至數年或十餘年。無急劇之險者。本病除使營養佳良。抗病力增進。及起居於清新空氣中。多受日光外。尚無特效藥之發明。惟近來有人研究用有機鈣類。使其結核病灶內。生石灰沉着。致乾酪變性物質。結成白堊樣塊。包圍結核菌。不使生長繁殖。絕其自生之路。此法頗效云。據此則魚骨粉服食以療初期結核。自是合理之方法。用無論何種魚骨。取其大者炙脆研細粉。每服一錢二錢。日服二三次。連續服食多日。屢獲佳良之成效。

按魚骨內含有機鈣燐膠質。並微量之碘。有營養强壯之功用。於諸般慢性衰弱症。軟骨症。頸核瘰癧發熱諸症。且能補助身體內之石灰質沉着。包圍結核病灶。而奏良效耳。

小金丹治癆實驗

夏愼初

癆病（結核性疾病）蔓延之廣。治療之難。爲吾人周知之實事。而小金丹治療結核。確具奇效。茲將小金丹原方及治例報告如下。

某男十一歲。流注。漫延二三處。灌注以以脫。注射數次。以及日光照封等療祛。漸漸分泌物減少。然經四五月終不得愈。復兼用小金丹。五十日而愈。

韓女。十五歲。肘關節結核。兼左足大趾部皮膚結核。施以吐盤苦林塗布療法。海而平注射。以及日光照射（年餘）兼服小金丹共五十九。至今二年。肘關節部病狀尙無變動。然皮膚結核消退無已。

據以上二例而論。小金丹對於向愈性骨結核。確有相當効用。對於結核病之手術創口。似亦有效也。小金丹方出全生集

原方 白膠香 草烏頭 五靈脂 地龍 木香 以上各一兩五錢 乳香（去油） 當歸身 以上各七錢五分。麝香三錢 黑炭一錢二分

製法 以上各藥研末用糯米粉一兩二錢和糊打千槌融爲丸如芡實大每料約二百五十粒

用法 每服一九陳酒送下流注之將潰及日久者日服二九 効用治流注 瘰癧 乳癖 橫痃 疽骨

預防肺結核之良法

丁福保

病爲衆生之良藥，人於病中，當生大歡喜，一切不如意處，莫起煩惱，宜竭力使中心快樂，飾爲笑顏，自有融融洩洩，藹然如春之致。久之，自習慣而成自然矣。

境無苦樂，從心所起，同一花晨月夕，有心曠神怡之人，即有感極而悲之客，昔人云，神仙無別法，只生歡喜不生愁。然非胸襟曠達者，不足以語此。

苦悶之可懼，如滴水然。一滴之水，勢不能穿魯縞，滴之不已，則岩石可斷。偶爾苦悶，爲害誠細，然累之積之，則能弱體而傷生。蓋苦悶之力，足礙消化，害營養，傷腦細胞，其害之及人，雖非如揮劍斷脰，演血雨之慘劇，然冥冥中實刻刻縮短其生命，猶碎首而抉其腦，不絕以小槌敲擊之也。近世以苦悶而死於結核者，實多於戰死之兵士，其害誠烈矣哉。

凡事胥能感人，而快樂何獨不然。人當傷時感物憂憤塡膺之際，親知不能勸，醇酒不能消，無端而覩小兒之一笑，未有不爲釋然者。蓋快樂之感人至深，實有不能自已耳。且快樂之爲用，如燭火然，燭火未嘗因分光於他物而減損其光。故吾人以己樂而樂人，既有利於人，而已亦一無損也。則發一二笑樂之語以樂人，亦人生之義務耳。

青春寶鑑

青年之色情衛生

丁惠康

欲知青年之色情衛生如何。須先知過淫之害。夫精液者。含有多量之蛋白質。與燐酸鹽類及斯丕爾明。此三者。爲腦神經之興奮强壯劑。多行房事。排去精液。則精神疲痨。元氣消耗。爲害身體。不可勝述。例如全身衰弱。視力減退。聽力痲痺。腦與神經衰敗。幽鬱不樂。或則反射性亢進。爲過敏性。作事無恒。夜不能安睡。兼消化不良。心悸亢進。皮膚蒼白。步行困難。陰萎遺精。甚者呻吟病榻。犯脊髓病。心臟病。精神病等。其子孫爲白癡。爲低能者。要之過淫之害。非常可恐者也。樸子庫博士。著書論過淫之害。謂或患卒中。或患盲目。或四肢痲痺不能行動。皆過淫之所致。古人夙知過淫之弊。故以法律規定一月中男女交合。不得過若干回。今日宗教上尙有此種戒律。未廢也。

孔子曰。少年時。血氣未定。戒之在色。斯言也。千古之名言也。青年諸君。第一當戒色慾。

色慾者。男女間自然之愛情也。此愛情因男女相近而益熾烈。近至一定之距離。則愛情達於焦點。情火之發生。如藥線爆發。不能自主。遂有非禮之行爲。大都青年之墮落。均始於斯時。不可不愼也。

結婚後之房事問題

佚名

房事過度。男子則精液涸。女人則子宮病。或白帶下。故不可不有限制也。依普通衞生之現則。凡二十歲至四十歲。每禮拜一度。四十歲至五十歲。每二禮拜一度。其後三禮拜一度。或一月一囘。此爲無病人最適中之數。如能守此不踰。必無因房事而身體衰弱者。若有病之人。則不在此例。

行房之忌。共舉十五條如下。一、朝起之前。二、酣醉中。三、食後兩點鐘以內。四、男女患病。五、女人月經中。六、男女共患淋疾。七、女人生殖器病。八、極寒及身體疲勞之際。九、病後精神未復。十、匆忙之際。十一、恐懼之時。十二、女人受胎三月以後。十三、忿怒悲哀憂患恐懼等。十四、服春藥以催情慾。十五、產後或小產之後未滿二月。子宮尚未復元。犯之則死。

孕後不節慾。則乳汁變薄。小兒食之。不克强壯。况胎兒屢次震動。最易小產。並能引出種種病症。

遺精病人之食單

沈仲圭

血氣方剛之青年。處於繁華之都會。耳目之感覺。身體之接觸。在在有衝動性慾。誘起綺夢之可能。故遺精病之發生。往往十中七八。幾成爲普遍之性病。根本治療。厥惟遏止邪念。高尙志向。爲正本清源之計。藥物治療。如臭化鉀、臭化鈉、露密拿爾、Luminal 克癲納 Gardenal 之平腦是也。理學治療。如冷水灌注陰部。摩擦脊柱。或於早晨爲五分鐘之冷水浴是也。病中調攝。則謹守個人衞生。並注意被褥勿過溫暖。晚餐毋令太飽。清潔龜頭之脂質。厲行適當之運動是也。今本素問『精不足者。補之以味』之旨。擇滋養各品。列成食單。俾遺久體虛。須行營養療法之患者。得有依據云。

早食

四川銀耳。先置冷水中。漲大其體積。然後和冰糖煮食。

（主按）據胡澤君之化驗報告。謂四川銀耳中所含之膠質，類似亞拉伯樹膠。有補血、强身、健腦、開胃、潤腸之効。蓋爲一種易於吸收之滋養品也。

中食

1.清燉甲魚　可加火腿同煮。

（主按）鱉肉富於脂肪。營養之價甚高。故小泉榮次郎云。『富滋養。病後身神疲勞者最宜』。

2. 山藥燒肉　生山藥、鮮猪肉切塊。照普通紅燒肉法煑爛即成。

(圭按)猪肉含脂肪頗富。爲亞於牛肉之貴重肉類。本草稱其性凉。功專滋陰救液。山藥含多量之澱粉及 Diastase 。(澱粉消化素)有强壯身體。扶助消化之作用。

3. 菠菜豆腐　以菠菜豆腐爲原料。烹成美味之蔬餚

(圭按)豆腐爲植物性蛋白之代表。營養價之高。他種植物。難與頡頏。故德培濟博士嘗告其友曰。『汝至亞東後。可一試亞東之食物。如君胃腸常患不健。則尤以食中國之豆腐爲佳』。菠菜含有機性鐵質及ABCE四種維他命。具補血强身之功。

4. 紅燒蘿蔔　蘿蔔切塊。以普通烹調術燒之。

(圭按)蘿蔔內含 Diastase 。(澱粉消化素)能消化一切澱粉食物。實爲有益無損之消化劑。惟 Diastase 專含於本品之液汁中及外皮中。料理時。勿將皮棄去爲要。

下午四時茶點

薏苡茶。薏苡仁。煑湯飲。

(圭按)薏苡仁爲最富滋養最易消化之穀類。蛋白含量之豐。他穀罕能匹敵。脂肪亦富。並有利尿健胃之效。

桃棗圓　紅棗肉三份。胡桃仁二份。先將胡桃搗爛。入棗再杵。爲圓。仍如胡桃大。

（圭按）桃棗二物。皆强壯藥。有滋養之効。而大棗更治貧血陰萎等症。

晚食

蓮肉雞頭粥　蓮子芡實和粳米羹成粥。

（圭按）以上二物。功能滋養。性則固濇。自昔醫人。用以固精止洩。

花柳病學

土茯苓治楊梅瘡之研究

葉橘泉

黴瘡一名梅瘡。係由傳染梅毒而來。其傳染之途徑。固以生殖器部分直接行不潔之交媾而致爲最多。然由間接傳染者亦復不少。如醫療之器械。及衣服被褥。均能傳播。又有先天梅毒。乃由祖若父母患有本病而遺傳及於子孫者也。其證狀。往往於陰部發生硬結。繼變潰瘍。並於皮膚發現斑疹。色紅。而稍稍隆起。多見於頭部髮際。及背部四肢。此外又有發水泡疹。膿皰疹。粟粒疹。然不搔癢。且鼠蹊腺等腫硬。頭痛。眼球疼痛。筋骨痛。咽喉及肛門粘膜糜爛。有發於腦脊髓者。現神經證狀之痲痺狂。半身不遂。癲癇等。本症之療法。如沃度劑汞劑等。雖爲合理。但祇能奏效於初期。設病至第三期。即素稱特效藥之『六〇六』『九一四』等。恐亦無濟於事耳。若於初期間用土茯苓爲排毒療治。頗具著效。作者嘗經實驗。其功不下於汞碘也。考土茯苓植物名彙載爲百合科植物之山歸來。乃常綠攀登植物。其根狀如菝葜而圓。其肉軟可生啖。爲變質劑之改血藥。發汗利尿藥。且能緩和酷厲委。故其功用有淸血排毒之效。治肢節痛。經久汚穢之潰瘍。瘡毒。楊梅毒。毒之滯留於血脈筋骨間者。頗效。荷蘭藥鏡『薩苓排毒煎。』用薩爾沙根二盎斯。土茯苓一盎斯。朴窳福烏篤四錢。甘草六錢。右剉細。浸水八磅。煎至三磅。加薩撒弗剌斯。剉三錢。攪待冷。布攪過。治梅毒泛漫血中。尙未潛結諸骨者。極效。『服量』本品性緩弱。非多服不見效。每次一盎斯。或盎半。加水五六磅。煎至三分之一服之。或加入其他排毒劑內服之。

治淋病用利尿藥之原理

歐鈺

吾人考知國醫之治淋病，大都用利尿劑，如五苓散八正散之類，而均著成效，所以然者：以淋病之成，因有淋菌盤踞尿道，而作祟故也。故苟能去其病原，則淋自愈矣，而去之之法，厥唯利尿是尙：蓋利尿藥能亢進腎臟之濾尿作用，使尿量增加；此多量之尿，急射而出，即能冲洗尿道，帶出淋菌也。淋菌既出，病烏得不愈耶！故西醫之治淋，亦有利尿之一法焉。

白濁之標準治法

楊志一

大凡急性白濁。始于初起。久延不止。乃成慢性。中醫治濁。急性白濁。則曰濕熱下注。慢性白濁。則曰脾腎失攝。治濕熱濁。宜清宜利。治失攝濁。宜補宜濇。自西說言之。白濁症治。尚欠圓滿。實則所謂濕熱者。爲有毒之抽象名詞也。所謂失攝者。白血球無抵抗之力也。至治療方面。所謂清利者。含有排毒殺菌之功用也。所謂補濇者。助其抵抗力以殺菌也。大抵用藥次序。先以清利爲主。次則清利與補攝並用。最後以補攝收功。茲將白濁驗方。分初中末三期。彙列于下。以作療濁之標準。

(甲)白濁初期驗方

(1)**將軍蛋**　方用鷄蛋一枚。挖一小孔。灌入生大黃末一錢。用紙糊好。置飯鍋上蒸熟。空心食之。此方用大黃蒸熟。專清下焦濕火。尤妙在助以鷄蛋之滋潤。較之青甯丸爲尤善也。

(2)**分清泄濁丸**　方用生川軍一兩。琥珀一錢。研末。以鷄蛋清爲丸。開水空心服。分四次服完。此方用琥珀利尿道之瘀濁。大黃清二便之熱毒。凡溺管刺痛。濁屬急性者。服之最效。

(乙)白濁中期驗方

(1)**六味地黃丸**　此方用地黃山萸以滋腎濇精。山藥茯苓以健脾滲濕。丹皮澤瀉以疏水道。中正和

平。乃清攝并用之劑也。（此丸藥店均有備售）

（2）白菓蛋　方用生白菓六七枚。去殼。剝衣挖心。滴開水少許。研爛。用鷄蛋一個。流取蛋清。（黃不用）拌入白菓。仍入蛋殼內。置飯鍋上蒸熟。空心頓服一個。連服多日。自效。絕無流弊。

（丙）白濁末期驗方

（1）玉鎖丹　方用五倍子一斤。白茯苓四兩。龍骨二兩。研末爲丸。空腹淡鹽湯送下。每日三次。每次三錢。按五倍子龍骨專事固濇。佐以茯苓健脾利濕。實體虛久濁者之良方也。

（2）茯菟丹　此方大旨用菟絲五味補腎濇精。山藥石蓮固脾止濁。茯苓甘淡滲濕。方書雖曰治遺精。而治濁之功。尤不可沒也。（此丸藥店有售）

女性衛生

婦女經期之攝生

徐志勉

月經爲生理的機轉。雖無煩特別處置。但以多兼有月經痛。且易誘起諸種疾病。故經期中非謹守衛生。以圖保全健康不可。現今中國婦女月經期中。對於攝生毫不注意。以不消毒很齷齪的騎馬布。(俗語)及紙屑棉花等。塞在陰戶處。往往細菌乘此竄入。而誘起陰門炎。及搔癢症。患此者尤以一般鄉間婦人爲衆。故對於月經期中之攝生法。是誠研究婦女衛生者值得注意之一事也。

女子於月經來潮時。對於攝生法實有多種。今約略分述於下。

1. 月經中須清潔陰部。月經血附着於外陰部股間。馴致腐敗。不僅該部易生炎症。且誘發子宮陰道等炎症者不少。故月經中每日二三次以微溫水清洗外陰部。(此時宜勿觸及陰道)
2. 月經期內陰道中插入棉花紙片者。均甚危險。宜以清淨之脫脂棉壓抵外陰部。施丁字帶。或用月經帶。(藥房中均有出售)
3. 月經中宜避沐浴。除特別情形外。高溫或寒冷之坐浴足等。亦應禁忌。
4. 經行期。房事須禁絕。因行經時子宮內血管開張。不可稍有外物侵入。若不禁忌。則有月經紊亂。或致過多之虞。
5. 月經中。須安靜精神及身體。如體操。乘車。乘馬。舞蹈。網球等。均須避之。
6. 月經中。遊戲場影戲院不可進。因爲觀劇很容易興奮精神。誘起各種邪念。使精神疲乏。
7. 經期中。不聞猥褻之談話。勿看淫穢之小說。以及淫畫淫劇等。
8. 月經中。宜忌食酸性。(酸梅湯等)及生冷之物(冰淇淋等)若不避之。則有經閉經痛之象。對於生育有莫大之障礙。（按以上數條。現摩登化女子犯此者甚多。）

9. 月經中。宜注意豫防感冒。月經與感冒雖似無何等直接關係。但月經中感受溫度之影響。最為敏捷。月經中罹感冒致續起生殖器障礙者甚多。（如子宮內膜炎。白帶。經太旺。子宮屈。子宮癌等症。）

10 經淨後。始能沐浴。隨意作事。

姙娠中之飲食衛生

黃階泰

凡普通之姙娠病。乃自然之機能。不必服藥。惟平日衛生之法。更為緊要。如飲食宜滋潤易消化者。辛辣及酒。均忌。宜多見日光。吸清空氣。身體宜為適宜之運動。惟不可過甚。每夜宜睡九點鐘。須早起早眠。禁憤怒悲哀恐懼驚愕猜忌等。尤忌房事。身體衣服。均宜清潔。大便宜每日一次。孕至四月之後。宜以闊布緊絡肚腹。以免下垂之苦。

姙娠滿五月以上。感知胎動乃自然之理也。若無出血。及他種之異常。無須憂慮。但有梅毒等疾病之時。頗形危險。苟平素無重篤之疾病。則以不勞精神。不服藥品為安全。

姙娠乃屬於生理的機能。故苟與攝生無害者。宜不改其常習。然姙娠中又極易惹起疾病。故攝生法當十分牢守。

孕婦食物。當從平時之習慣。而多攝取滋養物。然亦不可一準平素之習慣。刺戟性及不消化之食料皆宜禁絕。濃厚之茶與咖啡。及酒精飲料。皆不宜用。然日常所用者。一旦廢絕。則易致食慾之減退。故使適度用之亦可。

又於姙娠之初期。晨起發惡心嘔吐者。則於牀中攝取食物。平臥一二小時而後起立。最為適宜。如猶嘔吐不止。則當靜臥一二日。減少食量。至姙娠後半期。則不宜飽食。晚餐尤須擇取易消化之物。且宜少量。其為泡釀性之不消化物而當禁絕者如下。

栗、萊菔、胡蘿蔔、莢豌、芋類、豆類、及酸味之果實。泡釀性之不消化物外。又有不易消化之脂肪肉及能誘起下痢之鰛、鯖、鴨、雁、豕等。其他如鯨。鰻等。亦富於脂肪。皆不可食之。

其為刺戟性香料者如下。

蕃椒、(辣椒)胡椒、山椒。

產後最要之衞生

沈仲圭

【一】產後腹痛惟一之原因。厥為血塊稽留子宮。此種血塊稽留之故。都由舊式產婆造成之。蓋伊等不明生理。處置乖方。在胎兒分娩之後。既不知手術壓迫子宮之法。又不用消毒藥水。(來蘇水)

洗滌宮腔。則有餘不盡之血。烏得不積滯而作祟耶。此症多發於產後數日間。中醫謂之兒枕痛。治以生化湯。（當歸八錢。川芎三錢。黑姜五分。桃仁十四粒。甘草五分。黃酒童便各半煎服。）收效良確。緣方中諸藥。於去瘀之中。寓生新之意。對於氣血衰羸之產婦。洵為合拍也。

若普通產婦。並無腹痛之症者。則宜服麥角。以助子宮之收縮。伊思登糖漿。（功能補血、益腦、强心、）以補體質之虧損。食品宜取滋養易化者。如牛肉汁、鷄肉汁、山藥、鷄卵、粳飯、稠粥之類。食後只宜手掌徐摩胃腕。以助消化。切勿自疑停食。妄事運動。如嫌終日偃臥。寂寞無聊。可與二三知己。閒話家常。或倩弟妹。演說故事。藉消永晝。又分娩未及百日。宜守同房之戒。此皆產婦攝生之要著。凡吾女界。幸勿忽諸。

種子問題

種子秘訣

張汝偉

遲速異勢　病有早洩之人。每恨精氣之虧。難獲種子。殊不知女子亦有患早洩者。褻衣未褪。

氣喘水流。門戶洞開。一鼓而進。亦可得子。其故陰陽性質。稟有不齊。精固者常遲。精不固者常速。若女子之情性遲。男子患早洩症者。女子之性慾甫動。而男子之精。早已拋諸九霄。何能得子。若女子情性速。男子之陽事堅久。則玉戶瀝乾。猶之醉後添杯。及男子精出。早於閉門不納。得子仍難。此中秘訣。固難筆墨形容。然服藥調治。尚有七八分把握也。

强弱殊情　假如以半老徐娘。同童男交合。陽弱陰强。勢必聞風而靡。望塵而北。證之以素不尋花問柳之人。在家夫婦交合。頗暢所欲。一至妓家。必然早洩。亦屬陽弱陰强之理。假如以中年壯男。同嬌年幼女交合。陽强陰弱。勢必畏如蜂螫。避如戈矛。猶之以烟酒壯陽之藥。爲耐戰尋歡之樂。非所以求種子者也。此一層理。第一明白。凡欲求子。必得年齡相若。志趣相投者爲夫婦。庶乎其可。否則難矣。

五傷五候　何爲五傷。(一)陰戶尙閉不開。不可强刺。刺則傷肝。(二)女興已動。男或不從。則傷心。(三)以小陰而遇老陽。玉莖不堅而易軟。女情不暢。則傷肝。必多目疾。(四)經水未盡。男强逼合。則傷腎。(五)男子酒醉交戰。莖物堅硬。久刺不止。女情已過。陽興不休。則傷腹。五傷有一。不能得子。宜愼防之。何爲五候。嬌吟低語。心候動矣。合目不開。肝慾升矣。咽乾氣喘。肺亦有情。兩足或屈或伸。仰臥如屍。脾慾動矣。口鼻氣冷。陰戶瀝出沾滯。腎中淫火勃發也。五者快美之候。男子識其情而交之。不獨有子。且能互相補益。青年男女。其各注意。

特效種子方

時逸人

兩性結合的意義。和人生的盼望。其重要部分。總是以生殖爲目的。換言之。就是在希望養子育。這種慾望。稱爲生殖慾。故父大母對于子女。概溺愛者居多。我國古語云。『不孝有三。無後爲大。』而婦人不育。則犯七出之條。我國古人重視生殖。概可想見。日本以蕞爾小島。爭霸列强。法國以幾經大戰。人口頓減。其政府各獎勵人民生殖。即其他各國亦無不注意及此。對于孕婦。訂有各種優待條例。可見現在外人於生殖問題。亦甚爲重視。

至於求嗣之術。不外男養精。女養卵。兩大關鍵。蓋男精女卵。因感而會。。精卵交媾。胎孕自成。茲錄特效種子方如下。

(1)神效種子丸 沙菀蒺藜 蓮鬚各四兩 山萸肉三兩 覆盆子一兩 南芡四兩 龍骨五錢 煉蜜爲丸。如綠豆大。每服卅丸。空腹時淡鹽湯送下。

(2)獲麟丸 大熟地八兩 砂仁三錢 當歸 大白芍各二兩 川芎兩半 丹參 茺蔚子各四兩 香附一兩 丹皮 山萸各四兩 茯苓 棗仁 苡米各二兩 五味 白芥子各一兩 肉桂 黃連各五錢 蜜丸。開水下。

(3)五子衍宗丸 枸杞 菟絲子各八兩 五味一兩 覆盆子四兩 車前子一兩 晒乾爲末。煉蜜爲丸。如梧子大。空腹下九十九。上床時服五十九。白沸湯下。

以上三方。男女均可服。

(4)煉精法　每日于夜半子時。披衣起坐。兩手搓極熱。以一手將外腎兜住。一手掩臍。而凝神于內腎。久久習之。則精自旺。

(5)養精法　a.寡慾。b.節勞。c.息怒。d.戒酒。e.愼味。

精清不孕宜服粥油

呂仰山

串雅內編單方雜治門有精清不孕方。凡煮粥滾鍋中面上米沫。浮面取起。加煉過鹽少許。空心服下。其精自濃。即孕矣。

(按)此乃紫竹秘傳單方也。但須用粥油。並非初滾結聚之沫。乃粥將成時。厚汁滾作一團者。袁了凡謂為米液。專能補精。拾遺言其能實毛竅。滋陰之功。勝于熟地。誠然誠然。

兒病常識

小兒急性胃炎

沈仲圭

（原因）小兒急性胃炎之原因。幾全為食傷。如嗜食未熟之果實。將近腐敗之餅餌。過冷過熱之食品。攝取脂肪性食物。或飲食過量。皆能刺戟胃粘膜而惹發本病。尤以空腹時為易。

（症候）突然發生噯嘔吐氣。胃部窒悶而疼痛。頭痛高熱。全身倦怠。食思缺如。嘔吐物中。含有多量粘液。及食物之殘片。心窩稍膨隆。壓迫之過敏。脈搏不整。此外尚有腸症狀。如下痢。有時便秘。迨炎症消失。即高熱即退。

（治法）初期刺戟物尚停留在胃時。可以淡鹽湯探吐而排除之。內服方如下。

柴胡一錢半枳實三錢厚朴八分黃連七分橘皮一錢半

本病與腸炎合併，而刺戟物尚在腸內時。內服方如下。

製大黃一錢半黃芩一錢半枳實三錢厚朴一錢姜半夏三錢橘皮一錢

（攝生）胃部宜絕對安靜。食慾缺乏之時。可斷食。胃炎症漸輕。食慾復元時。先進無刺戟性食物。例如開水。淡茶、牛乳、粥湯等品。以少爲宜。俟體力恢復。逐漸增加。

如何教養兒童

沈葆德女士

如何教養兒童。第一先養成清潔之習慣。自耳目口鼻髮爪以迄四肢。全身須天天爲之洗滌。飲食有一定時候。小兒啼哭。不全是由於饑餓。不必即予以食物。清晨多吸空氣。凉時勿曝陽光。冬天進些魚肝油。並令多睡眠時候。飲食以後。即令睡眠。不必多抱。抱則變易腸胃。親友來訪。似以少看小孩爲宜。衣服不宜多穿。過暖每易傷風。長大行走。當任其自動。大人不宜事事幫忙。欲驗小孩之是否健康。當視其活潑與否。如果不跳躍。不行動即爲消化不良諸症。凡小孩愚笨。不全由於先天。必爲營養不良。或扁桃腺。或鼻後生瘰等症。小孩幼時腦力不足。不宜使其多寫字。現在一般國人太多自私自利。最足令人痛心。此輩無可救藥。挽救方法。惟有從教養小孩入手。自小養成愛公正辨別是非之心。幷多予以活潑之機會。跳躍奔馳。任其所之。並且利用碗盞儘其自理。萬一碎傷。則常常恐懼。而易於碎壞矣。關於智力思想方面。應多用顯明兒童圖畫。及動物故事及耐用美的趣味的玩具。對於小孩應養成廉恥心。不宜當衆處罰。亦不必過事奬勵。長其驕氣。有一十二三歲之小孩。嘗問其母何以地球不墮落。其母答以無暇。此兒詢過三次。其母謂生於石上。小孩因問石生於何處。母不能答。父母因處處體諒子女。應時時與之同運動游戲。做他最好之友伴。不知不覺爲兒童所愛好。而始足爲兒童良好之領導者。集數十兒童於一堂。由一敎師敎授。不問其個性何似。以同一之方法敎導。優等不能發展天才。劣等更感苦痛。補救之法。應於課內多留自動機會。以各遂其天性之所趨。自十二三歲至十七八歲之青年。此時代之敎育尤爲重要。應尊重其自由之意志。體貼其意思。解除其困苦。以養成其快樂。爲父母應與子女同一研求學識時之進取。以免事事落後。此則更宜注意。

兒病隨筆

楊志一

(一)小兒泄瀉

張姓孩。生甫數月。忽患泄瀉。日十數次。小溲短少。口渴欲飲。時時啼哭。余斷爲脾虛淸氣下陷所致。進四苓散。加煨葛根。半夏。陳皮、苡仁、扁豆、干荷葉等味。不應。復求治于蔡濟平先生。比經診察。認爲元氣大虛。腎陽衰微。非用附片、炮姜、黨參、於朮、黃耆、炙艸等溫補之劑不可。詎盡兩劑之後。便泄益甚。舌苔轉黑。渴飲無度。泛泛作噁。病家至此。因再延杭州某醫生診之。該醫謂是熱迫注泄。幷以口渴苔黃爲證。投大劑白虎湯。加黃芩、川連、丹皮。赤芍。山巵等味。數劑之後。便泄大減。口渴亦輕。惟未收全功。復經余投葛根黃芩黃連湯合戊巳丸。數劑而安。

(按)此症用白虎湯黃芩湯。該醫確有見地。而余及蔡君之處方。似不免失當。顧余有不能已於言者。蓋此症初起之時。水泄色白。口未作渴。舌苔未黃。熱象未著。則升清利濕之劑。固爲醫家所常用者矣。况小兒泄瀉。屬寒濕者多。則白虎湯之治泄瀉。不可謂非特例也。

(二)小兒水腫

張姓女孩。約七八歲。面浮肢腫。腹脹膨大。咳嗽痰鳴。二便不利。前醫投開肺利水之劑。毫無影響。余曰。開肺利水之劑。是則是矣。猶未盡善也。蓋腹脹便閉。則內有積滯可知。積滯不祛。則水氣不得下行。橫溢直射。無所不至。肢腫作咳。勢所必然。僅用開肺利水。豈正本清源之治耶。故必祛法其積滯。蠲其水氣。如此標本兼顧。不難一鼓盪平。方擬如下。

蜜炙麻黃四分　猪苓三錢　檳榔三錢　光杏仁三錢　澤瀉錢半

鷄內金錢半　苦桔梗一錢　製小朴一錢　冬瓜子皮各四錢

連皮苓五錢　枳實錢半　陳廣皮一錢　控涎丹七分　生姜湯送下

(按)此方一劑水從便泄。二劑腫脹大消。面浮亦除。再擬四苓散加苡仁。陳皮。冬瓜皮等一方。連服數劑而愈。足徵審症貴能洞燭癥結。處方貴在面面週到。右方所以能速效者。蓋以此也。

胃腸之病

胃擴張之減食療法

黃勞逸

本症除少數幽門狹窄外。皆由于過食所釀成。以中年婦女患者爲最多。爲慢性病之一種。在今日之醫藥程度而論。除一般消化及刺激或興奮劑之間接療法外。確無其他對症之方法。蓋是病由于消化過勞。消化力呈疲乏之現象所致。苟投以消化劑。雖可見效一時。然不久即無。於是非換投較强之消化劑。或將前用消化劑之量增加不可。隔數日後。功效又失。夫消化劑性愈强或量愈增。則胃原有消化力。益形薄弱。而胃擴張亦日益增劇。至于興奮刺激等劑。如莨菪膏苦味酒龍胆酒等。亦僅能利用于一時。非此慢性病所宜也。夫該病之原因。既由過食而釀成。自當究其原因而治療之。其法爲何。惟減食以治之。如每餐可食三碗者。僅食一碗半或二碗。幷對平日一切消閒等雜食。概行禁忌。且二餐相隔之時間。總宜于五小時以上。早餐能完全廢除者。則尤妙。如覺有餓感時。可飲清水一二杯。若胃擴張甚劇。而消化極弱者。可安臥床上。禁食一二日。覺餓時。飲以清水。倘病人衰弱甚者。同時可用滋養灌腸法。須使胃部長期休息。始克恢復其功用。按法施行。輕者一週即愈。重者半月見效。

胃病新語

楊志一

余編「胃病研究。」行世以來。謬採虛聲。踵門求診者。頗不乏人。茲以臨症所得。略述一二于後。以補吾書未盡之意。殆亦讀者所樂聞歟。

(一)胃病與失眠

按失眠一症。屬于神經衰弱者有之。屬于心血不足者有之。屬于心腎不交者有之。除此而外。胃病亦能令人不寐。書所謂胃不和則臥不安也。此症若依上述三因爲治。必歸無效。如日前某君來治。苔膩納呆。夜難入寐。余投半夏秫米湯。數劑而安。蓋和胃即所以安神也。

(二)大蒜治胃病

大蒜治癆。余於肺癆叢書中。已詳言之矣。而大蒜能療胃病。知者甚少。考本艸云。「大蒜含酷厲揮發油。入胃後被胃酸化合。而所含各質。均漸次分解。刺激胃粘液。使胃液分泌增加。以促進其消化功能。」復徵之事實。嘗見病胃者。消化不良。百藥罔效。竟食大蒜一味(搗爛煎服)而痊者。不一而足。可見大蒜療胃。確具神功。余意如與砂仁木香白朮陳皮豆蔻同用。收效益宏。

(三)孔子養胃語

「胃病研究」書中。末附孔子養胃法。以爲病者借鏡。玆見沈仲圭君「不撤薑食」一文。解說頗詳。爰亟錄之。以資印證。其文如下。

論語鄉黨一章。頗多飲食衞生之文。而「不撤薑食」一語。尤有卓見。鄒德謹蔣正陸合編之食物論曰。「人之食物。恒因受食味之刺激。令消化液分泌强盛。然後消化機始克完全行事。故嗜好品之於食物。殆與輪之塗油相似。以油塗輪。乃易於旋轉。而於營養品中加以嗜好品。則亦易於消化。盛奏營養之效」。是言雖屬比喩。徵諸事實。固不誣也。生薑乃香辛類嗜好品之一。適量用之。確有增加食味。催進食慾之效。此平人所以宜食薑也。攷藥物學生薑乃芳香性健胃藥。其主要成分爲揮發油 Gingerol 。內服能刺激胃神經。使胃之分泌增多。蠕動加速。故消化不良之人。以此爲肴饌之調味。並注意胃腑攝生。則痾疾自易漸愈。此病人所以宜食薑也。

腸癰之治驗

李健頤

林某。夜飯畢。陡然腹痛。寒熱大作。延許姓醫診治。斷爲少陰寒痛。投附子湯。痛益甚。便秘煩躁。改與大承氣。桃仁承氣。或用蜜煎導。猪胆汁灌腸等法。皆罔效。再延鄭醫。與理中湯。香砂六君子湯。日甚一日。病殆不起。汗脫神昏。奄奄一息。急來延余。即用上海新亞藥廠出品之康福那心。(即樟腦製劑。注射皮下。急救虛脫。再診其脉。脉象疾數有力。知非寒症。是時旁觀諸人。尙不知前藥之悞。皆同聲謂爲少陰悞投承氣之害。衆口一詞。又謂先生勿再投與涼劑。尤恐再有悞認爲熱。以爲先詞指示。免致再蹈覆轍。余曰前醫之藥。均係熱藥。如果寒症。正是對症良方。奈何不效乎。然此病斷非寒症。試以手按其腹部。大痛且硬。寒熱交併。便秘腹脹。肌膚甲錯。此可徵爲腸癰者。(按西名盲腸炎)蓋腸內之癰。是熱毒內結。栓塞血管。瘀血結聚所致。若投熱藥。燒灼腸液毒。癰愈甚。日久必釀成膿。而謂少陰不宜於涼。此眞愚婦之見也。余即爲之一決曰。倘再忌涼嗜熱。固執不悟。則塞翁失馬。安知禍福。此余不敢言也。就愚之淺見。當作癰治。投與涼劑。即可見愈。不然。其害立見。悔無及矣。病者聞之。方悟藥之悞。促愚擬方。爲開降癰活命飲。加浙貝母、生地黃、紫草皮、赤芍藥、川大黃、山慈姑、生石膏、等味。送服上海雷允上六神丸。且謂此藥專治腸癰。腸癰若愈。則腹痛自止。病者見方中有石膏大黃。又慮大寒而不敢服。余追之再四。不得已試飲其半。果見效驗。繼服後渣又效。連服數劑而愈。觀當時均謂其病。是少陰悞治之變症。最忌涼藥。苟再聽其言。仍投熱藥。則其害當不知何底。但余以研究所得。深知腸癰爲病。改投涼劑。竟奏奇功。病者始克膺服。病家諸人始信前方有悞。眞歡慰莫名。余謂此病之愈。實爲有幸。苟服余方之後。不見功效。或變不治。則錯悞之罪。必歸於余。余亦啞口莫辯。然則爲醫實難也。

中国近现代中医药期刊续编·第三辑

小藥囊

小兒便血驗方

鄒光鑑

小兒便血。早治易愈。久延難痊。茲有驗方一則。無論初起久患。服之均效。方用乾鷄冠花煎汁。其量多寡。視病者年齡而增減。一服未愈。繼服無不見效。

（按）本草云。鷄冠花性甘涼。治痔漏下血。用以治小兒便血。亦自合理。宜其有效也。

吐血急救方

陸淵雷

血吐如狂。急先飲童男子小便一大碗。若自己無梅毒淋濁等病。則自己之小便亦可。此是極有效救急法。不得嫌其穢。且從生理上觀察。亦無所謂穢也。後用花蕊石四五錢。煎服。血不大吐。再延醫處方。

健胃妙藥

張錫純

製好馬前子細末一兩。炒白朮細末二兩。二藥調勻。和水爲丸。一分重。（乾透足一分）每飯後服五丸。一日再服。旬餘自見功效。

（按）此方乃龍馬自來丹去地龍加白朮也。功能助胃消化。故有健胃妙藥之稱。

治外症效方

長沙李予度

元胡索五錢。公丁香一錢。猪牙皂一錢。各研成極細末。照分秤足。再加頂上麝香三分。以盂鉢研極勻。磁瓶封固。勿令洩氣。凡患癰疽外症。已穿破者。用此藥洒之。貼以黑膏藥。如膿血多者。用老陳茶熬水。日洗二次。照前洒之。膿血盡後。即可生肌收口。藥雖平常。效實奇異。屢試不爽。幸珍視之。

截瘧效方

前人

大熟地三錢。切薄片。大生地一錢。花檳榔三錢。大桂圓肉五粒。去核後入。甜茶三錢。凡患瘧疾者。發至五六次時。即以此藥煎服二三劑。未有不截止者。百試不爽。眞奇方也。惟甜茶係一種草藥。長沙極難辨。先兄曾於未故之前月。展轉託人於金陵購到二斤。玆爲便利病者起見。以一斤送存走馬樓松齡藥室。以一斤送存北正街北協盛藥室。不取分文。抱斯病者。盍早嘗之。

治老鼠奶之驗方

羅維達

豎頭肉生於皮膚上。(俗謂老鼠奶)起初頗小。似碎米然。如以手抓擦之則漸大。殊爲妨碍雅觀。患者雖用多種手術割治。結果總爲無效。今有一驗方。將剃刀在豎頭肉上剃平。用苦參子(即鴉胆子仁。國藥店備。)數粒。去外殼。研末塗上。(乾枯之苦參子無效)外貼小膏藥。數日後揭去。而豎頭肉自能連根脫下。永不復生。若患處較大。一次未愈。可再如前剃平。復塗苦參子末。塗好後。加塗石灰及綠礬末各少許。無不愈者。屢試屢驗。

牙痛良方

佚名

牙痛一症。因虛火上升。用西洋參三錢。煎湯頻飲。頗著效驗。

（按）此方所以能著此效驗者。則有三故焉。（一）牙痛多由火上升。西洋參味苦氣寒。大能降火。故治之。（二）牙之痛也。其齦必充血焉。西洋參味厚氣薄。補中略帶宣通之性。血平則痛自愈。（三）牙之疼。必其神經與空氣接觸。西洋參能生津液。使牙神經與空氣隔離。將無由而疼痛也。

痢疾效方

楊志一

黑山查三錢。熬枯砂糖四錢。（二味爲末和勻。）伏龍肝一兩。三味煎湯服。良效。

（按）此爲伏龍肝湯方。温通袪積。和脾而不傷胃。不但久痢積未淨而體虛者。最宜服之。且爲產後下痢正氣虛弱者之良劑也。

腦漏治方

蔡濟平

內經上說腦漏的病原。是胆移熱於腦。所以鼻頞辛辣。濁涕下不止。再傳則鼻血汗血目昏等症。相繼而致。這是說腦漏病。因於實熱方面的。但也有虛寒腦漏。所流腥水。粘而不稠。煩勞即發。治法上大有不同之點。治實症單方。可用連枝帶葉藿香一兩研末。公猪胆汁熬稠膏爲丸。補中益氣丸。六味地黃丸。加味逍遙散之類。隨宜用之可也。又有一方。無論虛實。均可治。用白鴿翎三錢。擦生漆絲綿一塊。（如無絲綿即揩漆布亦可。）二味於瓦上焙乾存性。共研細末。

入冰片少許。令病人仰臥。以筆管吹入。不過三四次而愈。

流火丹方

前人

流火脚腫。乃濕熱下注爲患。外用杉木燒炭。置泥地上。去火性。研末冷粥湯調敷。每日內服赤豆湯。以除其根，忌食魚腥豬肉。一切發物。

又方。用鮮紫蘇。鮮鳳仙花。二味洗淨。連根葉搗爛。放木盆內。以滾水冲入。將脚架盆上。薰至可洗。以軟綿洗之立愈。據說患數十年者。不過洗三四次。可以斷根。

大衆醫藥顧問

楊志一醫士答

耳鳴—遺洩

(問)敝人在三月間。忽患腦膜炎。初發時覺甚寒。繼至深晚發生劇烈頭痛。竟至徹夜不能安眠。至次晨即昏迷不省人事。後經人送至工部局。經該院醫士施用抽髓之後。翼日漸見復甦。在該院醫治約三星期之久。但該時兩耳失聰。耳內發生翁隆之聲。至今將屆半載。雖經治療。仍屬無效。又兩腿輭弱無力。不良於行。並常患洩精約一月四五次。甚至六七次。敝人深覺萬分痛苦。請賜解答。(殷全元)

(答)據述腦炎之後。耳鳴遺洩。腳軟無力。足徵病後腦髓已傷。轉成神經衰弱之象。內經所云「髓海不足。則腦轉耳鳴。脛痠目眩。」是也。抽髓最足傷腦。此症之來。不爲無因。若不善爲調治。恐其久延失聰。茲擬育陰潛陽法。

大生熟地各三錢　抱茯神三錢　生牡蠣三錢　炒黃柏錢半　生白芍三錢　炙遠志一錢　青龍齒三錢　白蒺藜三錢　山萸肉二錢　熟女貞三錢　炒滁菊三錢　磁硃丸三錢(吞)

筋跳肉動

(問)敝友現年廿六歲。業農。因四月間忽兩足痲木。不紅不腫。膝踝骨酸疼。胸中閉塞。口流清水。飲食大小便均如常。至五月初兩足筋跳肌肉亦動。不時汗出。頭眩目花。倘筋定肉止。口水更多。筋跳肉動。口水減少。服藥數白帖。未見癒。又西醫打針亦無效。請示良方。(吳瑞雲)

(答)按兩足痲木者。濕痰入絡也。口內流涎者。脾土虛也。跳動頭眩者。肝風動也。中風根萌。宜早杜防。茲擬熄風和絡方如下。

煨天麻一錢　陳廣皮一錢　酒炒桑枝四錢　指迷茯苓丸三錢(包)　仙半夏三錢　炙姜蠶三錢　絲瓜絡三錢　蠍尾二條(酒洗)　生石决一兩　酒炒白芍三錢　淮牛膝三錢

育兒問題

(問)小女產後，瘦而且弱，未及彌月，時起疾病，此或在姙娠期中，不衞生所致，因在母腹時。曾誤犯性交者凡三次，惟每次出精時均洩漏外部，不使入內，想禍根即于此時種下乎。現在追念前情，益覺當時之不該，但木已成舟，悔恨莫及。

(一)小女生後十餘日，忽難授乳，雖以開水灌下，亦難下咽，哭時面無血色。且呈苦狀，後經某媼察看，謂喉間生釘，又名鎖口子；必須用手蘸醬油少許深入捺之使平方愈，後姑試之，約半小時後，復授以乳，固吮吸如常，越二日又作。再請之來捺之。如是者凡三次，請問對于小孩有礙衞生否？有否藥方可醫？

(二)小女肛門與陰部呈紅色，請問是否發熱？有藥可醫否？

(三)小孩每晨授乳之先。以大黃甘草鈎藤等。少許泡湯灌之。然後授乳，對于衛生相宜否？

(四)市上所售嬰孩自已藥片，可否備之。以防疾病之用？

(五)小兒大便之色呈陰綠者，是否有病，如有宜以何藥？

(六)未滿月前。能否穿着衣服，或包捆？

(七)頭髮是否有薙去之必要？

(答)按姙娠期內。既犯房事。雖幸未流產。而胎兒無形中已受莫大之影響。觀產後嬰孩胎毒必重。可爲證也。玆逐條具答如後。

(一)令嫒喉間既發現瘍症。宜就喉科專家診治。較爲妥善。恐老嫗手法不善。有碍衛生也。

(二)肛門與陰部呈紅色。是血熱之徵。該部宜勤換尿布。常用溫水洗滌。免其潮濕。致生糜爛也。

(三)該藥有清熱解毒功能。宜常用之。

(四)嬰孩自己藥片。僅有通便作用。非經醫家指定。宜勿亂服。

(五)大便是否有病。須驗而後知。

(六)初生兒宜穿衣服。肛門及陰部。則着尿布。幷宜包纏。

(七)頭髮有護腦之功。勿薙爲宜。

中国近现代中医药期刊续编·第三辑

問病簡章

(一)本刊爲謀大衆康健幸福起見。特設大衆醫藥顧問一欄。凡本刊定戶。均有免費問病之權利。(須附回件郵資)

(二)凡非定戶而欲通函問病者。一律須附郵一元。覆診亦然。空函不覆。以示限制。

(三)凡定戶來函問病時。須將定單號碼寫明。否則。作非定戶論。

(四)凡問病者須將「男女性別」。「起病原因」。「經過情形」。「現在病狀」。「二便如何」等等。詳細示明。以便解答。而免誤事。

大衆醫刊價目表

定價

時間	冊數	書價連郵費
每月	一冊	大洋二角
全年	十二冊	大洋二元

國外照表加倍寄費在內郵票代價十足通用

中華民國二十二年十一月一日出版

大衆醫刊第二期

實售大洋貳角

編輯人 楊志一 上海西藏路平樂里

發行所 大衆醫刊社 國醫出版社內

印刷所 吳承記印書局 上海九畝地大境路中市

代售處

千頃堂書局 上海三馬路望平街

幸福書局 上海三馬路會樂里

大衆醫學月刊

王震書

第一卷第三期

第三期目錄

食物養生

萊菔粥之新發明

單大年

萊菔爲物。冬令食之最宜。以能利氣豁痰兼清咽喉也。天之生物。必予人以利益。如夏日辟暑有西瓜。利濕有冬瓜。萊菔之于冬令。亦猶是也。中表張某。素講衛生。遇有冬令稍感冒而咳嗽者。咸勸以萊菔煮粥乘熱吃之。往往得微汗而微寒解。咳嗽亦漸瘥。所以然之故。因萊菔有利氣行痰功效。粥能助正祛邪。乘熱服者。即取其熱治寒令邪從汗出也。以上爲余之淺稚見解。於治病本無用處。不過如遇稍有不適。亟須愼食者。用此萊菔粥代飯。實爲穩妥之食法。留心衛生者。不可不一講究之。

猪膵治糖尿病之原理

沈仲圭

消渴西人曰糖尿。二者僉以外候定名。中醫名消渴者。以病人口渴善飲也。西人曰糖尿者。攷本病之原因。良由膵質萎縮。內分泌停止所致。蓋膵有兩種分泌。一曰消化液。輸入十二指腸。以消蛋白、脂肪、澱粉諸質。一曰因蘇林。能減少血中糖分。若膵臟病而內泌止。則血中糖分。逾於常量(平人血中含糖千分之二。此症增至千分之四)。不得不由腎臟濾出。此尿液之所以味甘也。尿量既增。糖質益濃。乃取外界之水以稀釋之。此病者之所以苦渴也。(金匱飲水一斗。小便一斗。二語深契病理。)且食物中之砂糖。縱隨入隨出。毫無積貯。而身體所需要者。初不因之減少，乃先取肝糖。(靜脈經過肝臟。肝即攝取其中糖分。貯於細胞。而供血糖缺乏時之補充者。是曰肝糖。)化分應用。繼則分裂蛋白。暫濟燃眉。此病人之所以多食而瘦也。特病原既屬膵藏內泌中止。則治療方鍼。自必取動物之膵。提取內液。注射人體。俾血中糖分減少。而後消渴方克向愈。彼邦學者。洞明斯義。研究試驗。不遺餘力。卒製成膵腺島。因蘇林一物。(以動物之膵製煉而成)試諸臨牀。功效卓著。誠哉糖尿病之要藥也。(惟用大量。血糖發生過降。而現昏睡狀態者。宜注射葡萄糖溶液。)

攷吾國驗方。有用猪膵一枚。切作小塊。如黃荳大。生呑五六塊。多至七八塊。日服三次。數日可愈。斯與膵腺島新藥。若合符節。惟一取動物之膵。加以製造。一則限於猪膵。而用原質。微有不同耳。

豆腐之滋養作用

晚成

德國培濟博士。嘗語彼邦人士曰。「汝至亞東後。可一試亞東唯一之滋養食物。庶不負亞東之行」云云。言時。歎賞不置焉。此物謂何。即豆腐是也。

豆本富於滋養。爲植物性蛋白質之代表。製爲豆腐之後。則更發爲一種特味。而消化愈益適合。

我國製豆腐之法頗優。先浸大豆於水中。數時間後。入臼舂碎。或用磨磨之。更煮之。加以少許荏油，入袋絞乾。再加石膏或鹽滷汁於其漿內拌之。用四方而有小孔之箱。底鋪棉布。傾於其中。壓之。數時間後。即成矣。

豆腐之滋養。能及於人體之效用。近世研究生理學者。曾一再鼓吹。以期世人之信用。嘗分析豆腐之成分。先取去其水分。而以固形體拆爲百分其中得蛋白質六〇・一九。脂肪分二三・八四。合水炭素一一・六九。灰分四・二八。其中十分之六爲蛋白質。其含量較豆爲多。是因豆中之蛋白質。製成豆腐之後。更加一層凝固故也。

且豆腐之具備三種條件。爲別種滋養物所無者。(一)窮鄉僻村。斷無二三里不能得豆腐者。此購求之便利也。(二)豆腐價值便宜。銅元二三枚。可購一碗。足供一二人之食用。使平常之人。可以永續購食。滋養身體。此所謂價廉物美也。(三)豆腐烹調亦易。燒之煮之。煎之漬之。無乎不可。苟常能變易烹調之法。雖日日用以進膳。不致食之生厭。此味又美而滋養料又豐。誠滋養品中大王也。

常觀察開豆腐店者。多面色紅潤。肌肉豐厚。豈非多食豆腐故歟。

吾人平日醉心肥濃。幾謂世間除肉類外。並無滋養物之可言。而不知亞東有唯一價廉物美之食品在也。

補品常識

冬令補品叢談

時逸人

芡實 （一名鷄頭米）甘平補氣。益腎固精。耐飢渴。治二便不禁。强腰膝。止崩淋濁帶。必蒸煮極熟。枚齒細咀。使津液流通。始爲得法，鮮者鹽水帶殼煎。而剝食亦良。乾者可爲粉作糕。煮粥代糧。亦入藥劑。惟能滯氣。多食難消。

藕實 （即蓮子之別名）鮮者甘平。清心養胃。治噤口痢。生熟皆宜。乾者甘溫。可生可熟。安神補氣。鎭逆止嘔。固下焦。治崩帶遺精。厚腸胃。愈二便不禁。可磨以和粉作糕。或同米煮為粥飯。健脾益腎。頗著奇勛。但性澀滯氣。生食須細嚼。熟食須開水泡。剝衣挑心。煨極爛。凡外感前後、瘧、疸、疳、痔、氣鬱、痞脹。溺赤便閉。食不運化。及新產後皆忌之。

人乳 甘平。補血充液。塡精化氣。生肌。安神。益智。長筋骨。利機關。壯胃養脾。聰耳明目。惟大人飲乳。僅能得其滋陰養血助液濡枯之功。設脾弱氣虛。膏粱濕盛者。飲之反有滑瀉釀痰減餐痞悶之虞。且乳無定性。故哺小兒之乳母。須擇肌膚豐白。性情柔和。別無暗疾。不食葷濁厚味者。其乳汁必濃白甘香。否則。清稀腥濁。徒增兒病也。

牛乳 甘平。功同人乳。而無飲食之毒。七情之火。善治血枯便燥。反胃噎膈。老年血虛者宜之。

牛肉汁 牛肉之成分。為水、蛋白、脂肪、筋纖維等。其中水與蛋白。含量尤豐。故滋養之力。罕與倫比。食之能強壯胃腸。並治婦人消渴。(製法)先將牛肉一磅。切成大塊。置於悶氣小瓦罐中。用紙封固(酒醬等均不可用)然後再置於大瓦罐中。隔湯煮之。下放炭球七八枚。上覆以布巾。使水氣不散。經三小時。牛肉已變成汁矣。(未完)

老年服補之討論

張山雷

中年以後。大氣漸衰。秋冬之季。恒多畏寒喜暖。老翁曝背。習慣為常。此俗情之所以偏喜溫補也。抑知年之高者。陽氣固衰。而陰血津液。亦無一不隨之以俱衰。無陰則陽無以化。但知補陽。非惟孤陽不當偏補。即曰補陽。而陽氣果能自旺。則陽之亢者。適足以爍其既耗之陰。試問老年人血液幾何。而堪洪爐鼓鑄。鎮日煎熬乎。自明季以來。張介賓書盛行於世。溫補二字。幾成醫家祕授。對於壯者尚多以此爲獻媚之計。更何論乎老年之本自畏冷。此全鹿丸等。所以通都大邑。無不利市三倍。而龐眉皓首者服之。非惟不能春回黍谷。抑且幷其垂竭之津液。灼爍盡絕。譬如燈火不爲盞中添油。而但爲燈芯助燄。炎炎者滅。寧不翹足可待。靈胎著論。曲盡情狀。已隱隱爲老人添海屋之籌。陸九芝而更勘進一步。見得陽虛之候。無非陰竭之候。正惟其陰液漸耗。所以陽氣失其憑依。而亦呈不足之象。蓋陽無陰而不生。亦猶火無薪而不烈。燈無膏而不明。然則高年畏寒喜暖之時。果宜助其陽以灼其陰。抑宜毓其陰以生其陽。其理亦可不辨而自明矣。九芝推重延壽丹一方(何首烏七十二兩。豨薟草十六兩。菟絲子十六兩。杜仲八兩。牛膝八兩。女貞子八兩。霜桑葉八兩。忍冬籐四兩。生地四兩。桑椹膏一觔。金櫻子膏一觔。黑芝蔴膏一觔。旱蓮草膏一觔。酌加煉熟白蜜擣丸。)養陰而不失於滋膩。清靈可喜。洵是良方。頤讀繆仲醇廣筆記之集靈膏。魏玉璜續名醫類案之一貫煎二方。亦皆流動活潑。高年之服食良法也。(集靈膏。西洋參、甘杞子、懷牛膝、天冬、麥冬、生地、熟地、仙靈脾、)(一貫煎。沙參、麥冬、生地、歸身、枸杞子、川楝子、)無如舉世滔滔。尚多偏嗜溫燥。而近則歐風東漸。西藥大行。通商口岸之所謂補血、補精、補腦、補腎者。丸子藥汁。層出不已。服之者無不精神驟長。骨輕節靈。因而嗜痂成癖之人。所在多有。而鄙人寓滬多年。所驟見吐狂血。及氣血上冲。陡爲血冲腦之昏厥暴仆者。亦復所在多有。試一扣其致病之源。大率皆向之服新藥而精神驟長。骨節輕靈者也。是乃西醫之所謂興奮劑提神劑。取快一時。奏效奇捷。俗人無識。樂此不疲。譬猶火上加薪。那不烘烘烈烈。無如揠苗助長。害即隨之。則又較之向來溫補二字。呈功尤速。而壁壘一新。別開生面者。善養生家。其可不愼之又愼也耶。

虛損病人宜服之補品

龔香圃

虛損之病。服藥難效。爰選食物有益於治療者羅列於后。俾患者之採擇焉。

芡實蓮子粥　益精氣。强智力。聰耳目。療遺精。治虛痢。

用蘇芡實二合。蓮子一合。糯米二合。煑食。

枸杞粥　治肝火旺。血液衰。

用甘枸杞子一兩。白米三合。煑粥食。

胡桃粥　治陽虛腰痛。及石淋五痔。

用胡桃肉搗爛一兩。糯米一合。煑粥食之。

扁豆粥　益精補脾。又治霍亂吐瀉後。元神不振。

用白扁豆四兩。西潞黨一兩。煎湯。去參豆。加入白米二合煮粥食。

理脾糕　治老人脾瀉水瀉。小兒脾疳。

用百合、蓮肉、山藥、苡仁、芡實、白蒺藜、各末五合。粳米粉五升。糯米粉一升五合。用砂糖一斤。調勻。蒸糕。烘乾。常食最妙。

蓮肉膏　治病後胃弱。不消水穀。

用蓮子肉四兩。山查肉一兩。粳米四兩。茯苓二兩。各炒研末。沙糖調膏。每服五六匙。開水冲下。

參歸腰子　治心腎虛損。自汗腰酸。

用西潞黨五錢。當歸四錢。猪腰子一對。細切、煮食之。以汁送下。

人參猪肚　治體虛乏力，脚浮氣，

用上黨人參五錢。乾姜二錢。胡桃肉一兩。葱白七莖。糯米七合。裝入猪肚內。札緊、勿泄氣。煮爛、空心食。飲好酒一二杯。大效。

歸元仙酒　養血安神。驅風活絡。

用當歸桂圓肉各二兩。以好燒酒一斤。浸飲。每日飲一二小杯。

時症淺說

喉痧與白喉之預防法

曹赤電

喉痧及白喉。爲傳染病之急症。一經傳染。救治不及。不如未病預防。故述預防法三種。曰醫生預防。曰平時預防。曰臨症預防。臚舉於左。

(甲)醫生預防　(一)醫生凡遇疫喉家請診。宜即往。因早一時，得早一時之效果。(因喉痧時時有變)　(二)凡入疫喉家視病。宜飽腹。須先飲雄黃酒一杯。再以香油調雄黃末蒼朮末塗鼻孔。則不致傳染。出則以紙撚探鼻內。得嚏更妙。(三)凡醫生入疫喉病家。診脈看喉。不宜與病者近坐及正對坐。宜存氣少言。若看喉內。有白點白塊。切勿動手用刮。刮損則毒氣渙散。不可救治。若是白喉。囑病人不可近煤炭等。即燈火亦不宜近照。恐外火引動內火。病必加重。幷不可多臥。臥則氣必上逆。必須背部用綿物墊高。使火毒下行。以免毒氣上壅。此我醫家最宜注意。必須一一告誡。病家不可輕忽。

（乙）未病預防　凡有疫喉之處。未病之家。宜用驅疫散。（大黃、二兩降香茵陳各一兩、蒼朮五錢、共研粉）燒烟熏之。以免未病者傳染。近病人臥床不可用。恐防病者咳嗆。愼之。

（一）食物　凡喉病發生之時。宜多食植物品。（如蔬菜水果蘿蔔米飯藕粉北麵之類）少食動物品。（如猪羊牛鷄鵝鴨魚蝦之類）以動物肉含有毒質。宜戒飲酒。酒能損血液，宜戒吸紙烟鴉片烟水旱煙。因各煙含有毒質。能變壞血液腦神及喉頭之組織。專釀喉症。

（二）飲料　宜用河水江水濾淨。煮沸飲之。煮粥飯亦須用此。若不流通之河水。及其水污穢變色。不可飲。井水近陰溝便所。尤不可飲。又隔宿之茶。與不潔之茶葉變色變味者。皆不可飲。若微覺喉痛。即服王士雄之青龍白虎湯。（青果一兩蘿蔔二兩合搗汁）開水冲服。方雖平淡。效驗頗著。

（三）衣服　衣服被褥。宜常時洗換。衣服宜寬鬆。不宜過緊。緊則血液循環。受其壓迫。易於出汗。則血中防染不潔之患，衣服亦不宜過暖。過暖則易於出汗。易感外邪。

（四）居室　無論堂座臥室廚房明堂。皆須洒掃潔淨。不可容留污穢雜物。及糞土臭水。几案椅桌。每日均須洗抹。窗牖宜常開。以通日光空氣。陰溝宜常時疏通。且宜常澆石灰水以消毒。痰罐宜每日洗刷換水。

（五）起居　晨起宜早。夜臥不宜過遲。每日須有一二時休息。不可操勞太過。戒憂鬱忿怒。凡此皆能引起內火。而致喉病者。

(丙)隔病預防

(一)隔離法　家中有喉痧病人。須將未病小孩婦女等離居別室。不可令其接近。

(二)消毒法　喉痧病人之痰唾糞溺。須埋入土中。不可任意傾棄。喉痧病人所用之手巾盌筷。均須隨時洗滌。

綜上所述。皆預防喉痧之要法。簡便可行。極有功效者也。惟願各界諸君。留心採納。互相告誡。則喉痧之病。庶幾可以絕跡。否則任其蔓延各處之後。再尋撲滅之法。則已晚矣。

喉症簡效方

涵虛室主

(一)每晨起身時。常服淡鹽湯一杯。可降虛火。而解喉毒。

(二)鹽藕節。平時取新鮮藕節烘乾。用鹽醃好。封固。遇有喉痛者。嚼汁嚥之。極效。陰虛喉疼者更妙。

(三)凡喉症初起時。即用煆硼砂少許。開水冲化。候冷時時漱口。可免蔓延。

(四)凡遇喉風。忽然腫痛。喉間閉塞。飲食不能下咽。急用白礬研末。冲開水服之。

(五)冬月燒煤爐取暖。每多喉疼之患。若每日常嚼生萊菔(紅色綠色者爲佳。連皮嚼下)一二枚。

可防喉患。

傷風之治療

宋大仁

風爲百病之長。善行而數變。無微不入。經絡臟腑。皆能受風而爲病。肺居至高。尤易感受。冬春之際。氣候寒冷。皮膚血管收縮。色形蒼白。若遇驟冷。則毛肌立即收縮。皮膚生粟。防止溫熱消散。外表收縮後。血液充聚內藏。促進運動。若寒冷更甚。則肌肉痙攣。此所以增加溫熱之作用也。故傷風之初。乃生理之正當適應機能。而非病也，若高粱之體。養尊處優。保護太密。失其天然作用。不能抵抗。遂致呼吸器。及消化器腫脹。內泌增多。細胞膨大。於是傷風菌。乘勢繁殖。而傷風症成矣。其在呼吸器之病。最初爲呼吸鬱悶。其次爲鼻炎。鼻流清涕。其次爲發熱咳嗽。其在消化器之病。爲口中無味。食欲不振。或則腹痛。或下痢。或則爲春溫諸病。久咳則延成肺癆。所謂傷風不已。則成癆也

春夏治以辛涼。秋冬治以辛溫。但宜輕揚解肌。隨機用藥。增加生理抵抗力。驅邪外出。則不治菌。而菌自滅矣。通用金沸草散。川芎茶調散加減。若無汗兼寒。則宜九味羌活湯加減。或其人素有痰熱。壅遏於太陰陽明之經。內有窠囊。則風邪易於外乘。若爲之招引者然。所謂風乘火勢。火藉風威。互相鼓煽也。故內挾痰熱受風者。亦當內外交治。不可專於發表也。有因衣被過厚。內

熱生風者。鼻流濁涕。咳吐稠痰。苔黃脈數。宜清肺胃痰熱。有虛體受風。屢感屢發。形氣病氣俱虛者。又宜顧正解肌。亦不可專泥發散。正氣益虛。腠理益疎。病反增矣。

李士材曰。風邪傷人。必從俞入。俞皆在背。故背常固密。風弗能干。已受風者。常曝其背。使之透熱。則默散潛消矣。

傷風之預防法

宋大仁

(一)宜常嗽口。保持口腔清潔。以免細菌之繁殖。(二)如鼻中分泌過多。可以絮布澆硼酸水，或稀碘酒拭之。(三)少高聲言語。蓋喉頭振動。細菌每乘機入氣管中。則成咳嗽。危險滋多。蓋喉頭為肺臟之第一門戶。故傷風者。不可不靜養之也。(四)口中分泌增多。飲食無味。切不可再食有刺激性之食物。(五)消化不振。故當少食。以保護胃腸。免致腹痛下痢。

以上諸法。不過為抵抗力弱者說法。究非上乘工夫。最好使吾人抵拒能力之增加。為天然之適應。則細菌不能為虐矣。欲抵拒能力增加。除平時鍛煉體格外。無他法也。

精神病學

不寐之藥餌療法

李耀芝

氏因年前在家庭中。每有憂氣抑鬱。胆小心怯。近日有徹夜不能成寐。雖入寐。亦常易跳醒。晝間則神倦肢酸。頭昏，腦痛，心跳肉瞤。且無故又受驚恐。時起時止。曾服市上安眠藥。雖得一睡。惟停服時。又不能入寐。連服月餘。亦未得收效。且覺肢酸愈甚。此症有妨害生命否。請詳示知。俾得知所調治。（譚少貞問）

按情志不遂。由於隱情不達。曲意不伸。故氣之升降開闔不利。而氣亂矣。氣亂則心無所倚。神無所歸。慮無所定。心神失其統御之權。將必魂魄妄行。知覺彷彿。所述症情。是由憂勞憤鬱。耗損心血。心血空虛。不能滋養心臟。則神不守舍神。隨而心火內燃。肝氣上炎。精神爲之影響矣。最宜及早向本源清治。服用歸脾湯意。以安心養血。使心血得所涵養。而諸患自安。若徒用麻醉性之藥。以求取効一睡。不特無益而又受損也。尤須屏慮去懷。當空萬物。尋娛樂。講運動。

以補助之。方用歸脾湯養血以安神。（按失眠療法甚多。可於「神經衰弱淺說」書中求之。）

人參錢半　炙草錢半　當歸三錢　白芍三錢　黃芪四錢　熟棗仁三錢　遠志一錢　茯神五錢　白朮三錢　龍眼肉五錢　水煎服

安眠之方法

駕山

睡眠一事。爲吾人生活上所不可缺者。人生一日三餐。苟或缺之。則覺飢餓而妨其活動。食物之重要有如此者。睡眠自古與食物並重。合稱之謂眠食。其關係之綦密。有可不言而喻者矣。身體及精神疲勞時。其即思休養者。自然之勢也。故運用精神或勞動身體後。必思睡眠以補濟之。其理恰與飢則求食同也。若是則已疲之神經及筋肉。始得漸漸恢復。達其適可之度而醒覺。則其動作一新。有全身輕快之概。此固吾人日常所經驗者也。然以睡眠爲休養神經及筋肉之不可缺者。舊說也。更有最近之學說。謂吾人運用身體。體內即生有害之疲勞物質。此疲勞物質。必藉充分之睡眠。始得排出於體外。由是而有一新發明之說。其說維何。即腎臟之休養是也。

人第知腎臟之作用。爲晝夜運化無片刻之休養者。孰知其大謬不然。蓋腎臟至夜。亦圖休養而停止其作用者也。

然則夜間睡眠不足。翊日則覺精神惚恍。身體倦怠。而全無生氣者何耶。兹爲一申述之。蓋睡眠不足。腎臟亦隨而不能眠足。腎臟既不能眠足。則不能繼續其次日之動作。即前日生於體內之有害物質。亦不克排于體外。積至次日。次日更有第二批之有害物質產出於其間。於是積兩日分之有害物質。循環於內。故其精神之作用。身體之動作。無不懶且鈍矣。由是觀之。睡眠之於人。不甚重且大歟。爰錄安眠法數種。為輾轉反側。長夜耿耿。達旦不寐者之一臂助焉。

(一)洗足療法　每夜臨臥時。用熱水洗足。使略滯于腦內之血液。下引至足部。易得安睡。

(二)點數療法　夜中不眠時。心內點數一二三四等字。以至數百或數千。即得安睡。

(三)深吸氣療法　房中空氣須潔淨。於不眠時。宜為深吸氣數十次或數百次。即得安睡。

(四)精神療法　不眠起於煩惱。煩惱生于妄想。或追憶數十年榮枯恩寃及種種閒情。此過去妄想也。或事到眼前。可以順應。而患得患失。猶預不決。此現在妄想也。或期後日富貴。子嗣榮顯。與夫不可必成不可必得之事。以與奮其精神。此未來妄想也。若能將三種妄想消滅。則安眠矣

凡喜怒哀樂勞苦恐懼之事。只以五官四肢應之。中間有方寸之地。常時空空洞洞。朗朗惺惺。決不令之入。所以張文端有云。此地寬斂清潔。不許人家闌入。蓋取深靜之意也。故入夜則遽然一夢。冥然塊然。有天地日月與酬酢往來。以及禍福是非美惡榮辱得喪皆無之。斯時則若妄若迷。其神則甯。其天則全。其體則休以適。此之謂安眠法。

神經病中之精神病

年德成

本病之主徵。便精神作用過度。及才能之進行性頹廢。漸浸及神經系統。而神經機能亦受障礙。當此世界愈文明。本病之發生愈繁。蓋萬事萬物日趨于複雜。而吾人不得不勞其精神。以競生存。殆至心焦苦慮。感動興奮。精神過勞。而釀生本病。且酒色沉溺。與文明相伴而行。故本病發生之傾向益多。而本病與梅毒感染。又有密切之關係。或由於遺傳。及生殖器各病。而致發生本症者。故近來男女青年之罹精神病者。不可勝計。如色狂。癡狂。痲痺狂。憂鬱狂。是也。

色狂 此症多因思慕不遂。情懷抑鬱。致言語失倫。罔知羞恥。此症多發於青年男女之間。

癡狂 精神大減。貌呈癡呆。感覺大失。食量加增。經時愈久。則知覺力愈減。筋肉痲木。

痲痺狂 初呈頭痛暈。嫌惡作業。不眠健忘。食慾不進。其後漸次發生精神症狀。其中性質之變化及靈智之減弱二者爲最著。瞳子因此而生變化。反射性瞳子强直。及左右瞳子不同是也。有時伏案作書。糢糊難辨。且不能至五分鐘之久。即覺手顫不已。或小便不通。或人事不省。次第衰弱而死。

躁狂 發病後。精神興奮。舉動粗莽。或大聲狂喊。或毁物傷人。

憂鬱狂 因憂悶而致。漸積成病。厭親戚朋友之周旋。疑心太甚。雖父母夫妻之言。亦不見信。或疑食物之有毒。或慮仇敵之暗傷。飢不知食。倦不知眠。頭重。便祕。身體日弱。其病態都屬沉靜者多。其療治之法。隨病原而異。其最普通之治法。無論患何種精神病。第一須避精神感動。須有一定職業及休息。宜多食滋養物。少食不消化之物。防其便祕。必常于腹部。施按摩法。凡烟酒一類。及易動情之小說。均宜嚴禁。侍病者須有耐性。善順患者之意。或同遊于山明水秀之地。或時作有意味之談話。本病未發前。宜實行預防法。決無大患釀成。即順患者之意。善去其癖爲佳。使其怡悅精神。內服之藥不一。便祕者。用蓖麻子油一杯。和溫湯服之。即能利瀉也。夜間不眠者。用臭化鉀二分半。用開水于臨睡前服之。連服三日。有效即止。免久服而成習慣也。

兩張癲癇方

俞慎初

癲癇之病理。本方之妙用。已於上期本刊癲狂研究篇詳言之矣。茲再將方中藥味及分量。補述于后。

癲癇龍虎丹　主治癇症痰熱、便結不眠。屬於中毒性者。西牛黃三分、巴豆霜三分、水飛硃砂一分、白信三分、酌加米粉爲丸、每服三分。水吞服、

癲狂夢醒湯　主治癲狂身熱、痰咳、腹脹痛症。屬於鬱血性者。參究王淸任先生所著醫林改錯。桃仁八錢、柴胡三錢、香附二錢、木通三錢、赤芍三錢、半夏二錢、腹皮三錢、青皮二錢、陳皮三錢、桑皮三錢、蘇子四錢、甘草五錢、水煎三碗、分四次服、

青春寶鑑

醉後之性慾問題

李正論

酒之爲物。初視之。似爲一類奮興藥。實爲一種痲醉藥。飲之以後。其第一步。即將制止神經痲醉。鼓勵奮興神經。大爲奮興。發種種之動作。及其大醉。則奮興神經。亦被其痲醉。遂瞑然不省人事。或知覺糢糊。而不知己之所作爲。當奮興神經奮興之時。理性弱。而色慾盛。理性不能壓制色慾。遂起房事之念。苟於此時交合。事後必極衰頹。影響及於全身。而生種種之疾病。如縱慾

無度。尤有脫陽之危險。又或於是時成孕。其小孩必身體衰弱。或夭折早亡。瘋癲白癡等。若與娼妓交合。以酒後出精過遲。時間延長。毒質乘機侵入。花柳病之傳染。尤易于爲害也。嘗見世有因春興淡泊。飲酒以促之。是何異因年齡之太長。而促之短、生兒之過賢。而促之愚。疾病之不來。而促之生乎。吾恐非如木石不靈者。必不甘心爲之焉。

治療遺精之根本法

尤學周

世無不病之人。世亦無不愈之病。天災之不時。人禍之不測。六氣傷於外。七情感於中。疾病不免矣。却病之法。醫藥與衞生並重。內修外補。則抵抗力强。而病易去。其有成年累月而不愈者。任性縱慾。減殺其抵抗力。與病邪以可乘之機。慾愈縱。抵抗力愈減。抵抗力愈減。病機愈深。雖有良藥。莫之或救矣。

遺精一症。所以不能速愈者。緣患者徒知問醫服藥。不知衞生保精之故也。嘗見患遺精之青年。每偏信服藥。於衞生方面。漫不注意。若能一日驚覺。翻然改悟。必收良效。總之。如欲治愈夢遺。第一不可與少女戲謔。不可學近代跳舞。不可躭讀穢褻書物。不可看淫靡戲劇。不可勞精神於性慾問題。

制慾與禁慾之利弊

佚名

凡男女在未婚以前。能否抑制性慾。藉曰能之。其利害如何。此古來最難解決之疑問也。依吾人所見。性慾之抑制。未始不可能。蓋抑制者。非完全消滅之謂。乃以自已意志抑制其不法行爲而已。苟其人有堅固之意志力。決無不可抑制之理。况所謂抑制。非終身禁絕性慾。不過於未婚以前暫時行之。故可吾人斷言男女在未婚以前。皆能抑制性慾也。然此抑制。若有害於人之健康。則吾人又何取焉。某學者謂性慾之起。由於生殖腺之分泌。分泌一種物質。刺戟腦中樞而生。苟抑制情慾。分泌液蓄積於體內。不能排泄外界。則其物質變爲一種毒質。有害身體。是說也。驟聞之似若有理。然未經學術上之證明。所謂毒質者。其成分爲何。所謂有害者。其被害之部分爲何。試觀終身不嫁娶之男女。非必皆爲不健康之人。其說實不足信。故吾人又可斷言制慾與禁慾。無害於身體也。

手淫療法之研究

張士琦

手淫之治療。因並非一種病症。只是由于某種素因激成促進的不良習慣之存在。以預防爲第一要義。極力須防性的惡行之勃發。即每個小孩之監督與觀察。均從此點着眼。並從童年得起即與以合理的性衛生教育。至對于此點進一步之研究。此非其他。實際的治療。在每個手淫症例。必須確定其病原。因此病之有效治療。舍此無特別之方也。

在通常治療。應注意手淫者之年齡。一個三十歲與一個十五歲者。治療不同。特別是精神療法。尤其完全不同。如一個在青春期的手淫者。加以嚴重的攝生之處理。且極力描寫此病患之結果。希冀嚇阻此犯罪者。此法完全陷于矛盾。(愈嚇阻愈引起其好奇心而急于嘗試)必致一無效果。因彼輩是性慾常常過强之犧牲者。由于生殖腺過分之分泌。全器官均注入過多之性的刺激素。此種生理的變化。吾人必須注意及之。

此種器官之刺激。特別關於腦部。用力逼迫其作性行爲。

於此絕對所需要者。(一)適當的性解說。(二)正當的精神感化。此輩青年性的成熟。經青春期已向上增高其强度之性慾。若仍完全不與以性的解釋。自然毫無意味。

故對于青年男子。從十五歲起。宜給以精神的感化，舉出手淫及於精神能力腦筋之影響。並指出如再經長時間。則記憶力減弱。而精神大受影響。至于有時完全拋棄其畢生前程。特別對于高等學校學生。此點最爲重要。

在此種年齡之少女。予提醒伊們之虛榮心。爲一有效之方法。用過于誇張的言詞。告訴伊們手淫及于美麗之壞影響。年幼小孩。(五歲至十歲)用小小體罰恐嚇。最小小孩。將手脚縛于牀上。有時亦可行之。還有屬於手淫之一般療法者。爲水治法。除精神療法外。此法最爲重要。其法爲在晨間之全身上半體。及生殖器部冷浴。最好行全身浴游泳。或海水浴。至于局部水治法。則予尙未見有特殊效果。生殖器部。用西法電氣治療。則完全禁忌。

除上面之一般療法外。進而研求適合病原之特殊療法。在小孩方面發痒之皮膚病。頗爲重要。（搔弄生殖器爲手淫之媒）由此所致之手淫。於治療上。當追求其根本。用止痒藥。如風疹塊，苔癬，疥瘡，天疱瘡，等。用此法均有效驗。同樣內科致手淫之病症。如肺痨，糖尿症。除依病狀之療法外。亦施以止痒療法。

如究應否以藥物治療手淫。則每個有見解之醫生將回答曰。如此療法。在通常無甚意味。因手淫只是一種性慾發泄。一種性的惡習。誤入歧途之性衝動。由于不良敎育。缺少思想力。乃至如此。此種之意志薄弱。如何可用藥物影響之。但也有過度的性慾加强。雖不必有淫慾狂病。或慕男狂病症之存在。只是性慾加高。則常用一種鎭靜劑。對于年幼的。正在靑春期或靑春期已過手淫者。確係必需之制淫藥。在制淫藥中。應有鎭靜劑。在直接減輕性慾或壓服之。（按本社出版之「性的衞生」關於手淫療法論之頗詳可供參攷）

肺病廣論

白菓療肺之神效

蔡濟平

油浸白菓。善治肺癆。夙曾聞知。未悉其驗。近閱吳君去疾單方偶錄載。癸亥十一月初五十五等日申報常識欄。智千君投函。以其妻篤病。綿延日久。骨瘦如柴。氣喘咯血。停經發熱。勢甚危殆。中西醫藥。遍嘗無效。嗣得油浸白菓二十枚。如法服之。諸恙向安。行動操作。均如常人云。適有王農善士。寄贈此方。特爲公開於后。王農君曰此方得自蘇州木瀆培德堂。乃治肺癆神效之品。聞該堂歷年製送。救人無算。數年前。舍戚張炳坤君。曾擬向該堂索取。適值送罄。無從覓得。因將原方徵到。俟有相當時機。設法配合。旋未久去世。竟致不果。玆特將原方照錄一紙。投寄本刊。俾仁人善士。得依方配置。濟世利人焉。

鮮嫩白果十斤。陳年菜油十斤。藿山石斛三兩。眞川貝三兩。以上各味。同浸入磁缶器。密封其口。停三年可用。太早無效。惟白果一物。須在小暑日午刻。用童子向樹上採取。連殼採下。即浸。（欲製多少。可照量推算。）

（按）白果之採取。限日限時。並限以童子。跡近神秘。未可盡信。以余所知。無規定也。聞此項製成白果。蘇州瓶巷慶餘醬園。及閶門外培德堂殯舍。又蠡墅鎮某家。均有贈送。並以附告。

肺癆病之研究（上）

楊志一

肺癆之爲病。肇自極古。（古名癆瘵）於今爲烈。（今名肺結核）其毒極狠。其禍極酷。乘人于不備。刼人之生命。誠人類之大敵也。東西各國醫家。研究斯疾。咸斷爲結核菌侵入肺部所致。實則近世人慾橫流。精力耗傷。授癆菌以侵襲之機。固爲最大原因也。復次。虛勞與肺癆不同。治亦各異。惟歷來醫家。對于虛癆與肺癆之界說。尙少闡明。致後世混治者多。殊憾事也。以上二義。除詳「吐血與肺癆」與「性慾與肺癆」二書外。玆再略述于后。以資借鏡。

（一）青年最大之危機

肺癆一症。老年患之。恒能帶疾延年。青年不患則已。患之則傳染迅速。每陷于不救。此余常見之事實。而認爲青年界最大之危機也。以余臨症所得。深知青年成癆。雖原因不一。但靡不與色慾有關。人當青年時代。身體發育未充。肺尤嬌嫩。不啻適合癆菌繁殖之佳境也。設不知自愛。縱慾無度。腎水耗虧。肺亦受傷。因而病機銳進。莫能遏制。故最近肺癆調查。「以十八歲至三十歲之間。患者最多。」良有以也。危矣哉。青年有爲之時。正癆菌窺伺之日。宜如何清潔其心地。純正其意志。保養其精力。而勿爲癆菌所征服也可。

(二)虛癆與肺癆之辨別

肺癆與虛癆。同屬慢性病。又同現各種衰弱證象。二症似相彷彿。究其底蘊。截然不同。大抵虛癆之爲病。種類複雜。如古之所謂五勞七傷。今之所謂神經衰弱。諸臟器衰弱病。皆屬之。與肺癆純爲結核一種者不同。此其一。肺癆古稱傳尸。富傳染性。嚴用和所云。「夫癆瘵一症。傳變不一。積年染疰。甚可滅門。」是也。虛癆則爲慢性衰弱病之代名詞。自無傳染性可言。此其二。虛癆不發熱。即發熱亦因勞疲而起。肺癆則午後發生潮熱。有一定之時間。熱則顴紅骨蒸。手足心熱。脈亦現細數之象。虛癆則脈細而弱。此其三。虛癆之人。大多消化不良。食慾減退。肺癆者。則食慾甚旺。或超過其原有之食量。此其四。以此辨明。用藥斯無誤矣。(未完)

肺癆病榮養療法

佚名

榮養療法之目的。在攝取多量之滋養品。(惟不可超出食慾範圍之外)藉以亢進其組織之防禦機能。

治療肺病之法。不外亢進其組織之防禦機能。使病灶被包於結締組織。而自就治愈。已如上述。但欲達此種目的。不得不先使其榮養佳良。於是而榮養療法尚矣。所謂榮養療法者。無他巧妙。即使病人攝取榮養之際。尤不可不漫無限制。要宜以其胃腸之消化力爲衡。庶無遺憾。否則。胃腸內一時輸入多量食品。非特不克營完全之消化。且將有損其機能焉。昔夙醫生。不明斯理。以爲多與病人以滋養物品。即能達榮養療法之目的。其結果至于誘發重症胃炎。而益害其進食。於是病勢日增者有之。故賓德滑羅氏有言。肺癆病人之發生重性胃炎。非病人之罪。實醫生之咎也。蓋所以警衆耳。

雖然。病人食量果應以何爲標準。庶足無害胃腸而達完全消化吸收之目的乎。曰、各人之食慾。實爲天然之良好標準。以其良否。而定食量多寡可也。

胃腸健全。斯可以達榮養治療之目的。而胃腸之健全與否。可於食慾之良否而覘之。

食慾乃天賦於吾人之一種生理官能。足以保護其胃腸者也。試觀健康之人。如不準乎食慾。而暴飲暴食時。則嘔吐下痢等胃腸障害。必追蹤而起。是其明證。至於肺癆病人之胃腸。尤屬過敏。即稍爲過食。已易發生障害。是以對于食慾。益當留意。

食物以混合爲主。其種類之選定。則以病人之嗜好爲標準。

食物之種類。學理上分之爲三種。即蛋白食。(肉類)脂肪食(油類)及含水炭素食(穀類蔬菜類)是也。此三者必混合而攝取之。庶足以維持體力。而使組織榮其機能焉。但宇宙之內。食品種類。不一而足。其選擇之道。究應如何。亦一問題。大抵能以病人食慾及嗜好爲標準。最爲適當。又烹調之法。亦應以適于本人胃口者爲佳。且縱使該食品爲病人所嗜。亦應時時變更其烹飪法而與之。以免日久生厭。夫食品苟爲病人所厭忌。而强與之者。即使甚有滋養。徒足減少食慾。妨害消化。絕無利益之可言。故病人家屬。不得不於此點三致意也。

以上所述。天然微妙之關係。吾人於日常經驗。已可證明。即健康之人。偶得珍饈。其初食慾。固非常旺盛。不憚多食。苟日食不已。則厭忌之情。不覺自生。馴至全不下箸者有之。其所以日增厭忌者。蓋即吾人對于該食物之消化力。漸見缺乏之徵。蓋所以暗示消化力度量。而防禦胃腸障碍于未然者也。是故一種滋養物品。苟欲常時供給病人。萬不可一次即與以多量。而烹飪之法。尤當日日變動。俾其食慾得永保其健全。不致漸生厭惡爲要。總之吾人必應天然之要求。而不稍加違抗。斯爲合理耳。（未完）

腎病研究

腎病治驗案

楊志一

（一）濕熱遺精

（症象）幼時無知。誤犯手淫。嗣染遺精惡疾。致精神感受痛苦。乃知手淫之害。遂痛改前非。加意保養。體漸復元。近日遺精又發。甚至每月有七八次之多。除體倦頭眩外。并且小溲熱赤。口苦苔黃。胸悶不思飲食。

（診斷）按前半段所述。爲本病之起因。後半段所述。爲本病之變因。最着眼處。如溲赤苦黃。如口苦不納。皆濕熱瀰漫之象也。蓋腎藏精而主納。膀胱藏水而主出。腎虛濕熱內擾。濕不得泄。精不得藏。月遺七八次者。職此故也。

（治法）當利膀胱之濕。則腎藏之精自固。

（處方）粉萆薢三錢。赤猪苓各三錢。生苡仁三錢。炒滁菊三錢。澤瀉二錢。飛滑石四錢。粉丹皮錢半。黑山巵三錢。熟女貞二錢。川黃柏錢半。松石猪肚丸三錢（吞）

（二）腎虛遺精

（症象）久患遺精症。時輕時劇。遇勞即發。最感覺痛苦者。爲頭眩耳鳴。心悸健忘。多夢神疲。

（診斷）按精氣耗傷。腎關失攝。遺洩已久。遇勞即發。書所謂腎之陰虧。則精不藏是也。況腦髓不足。則頭眩健忘。肝陽上升。則耳鳴多夢。心血不足。則心悸怔忡。種種現象。無非氣陰並虧。腦髓不足所致。

（治法）擬育陰潛陽。補氣攝精。服藥而外。尤非清心攝養不爲功。

（處方）潞黨參三錢。抱茯神三錢。山萸肉二錢。炒鬆熟地三錢。炙遠志一錢。熟女貞二錢、明天冬三錢。炒棗仁三錢。敗龜版三錢。甘枸杞三錢。菟絲子三錢。潼沙苑三錢

（三）小溲不禁

（症象）患者晨起吐多量之痰。小溲色白。每苦不禁。入夜小溲頻數。竟達七八次之多。腰痠肢軟。頭時作眩。脉虛舌潤。

(診斷)按腎與膀胱相爲表裏。腎氣虛弱。膀胱約束無權。則爲腰痠。爲小溲失禁。中氣不足。痰濁滋生。則爲多痰。爲肢軟。脾腎旣虧。則神經衰弱。而爲頭眩矣。

(治法)擬益腎氣而束膀胱。培後天以補先天。方用五子衍宗丸加減。

(處方)潞黨參三錢。炙黃蓍四錢。炒於朮二錢。炙甘草一錢。菟絲子三錢。枸杞子三錢。杜仲三錢。川斷肉三錢。五味子五分。覆盆子三錢。陳皮一錢

陽痿之原因及療法

沈仲圭

名稱……一名陰萎。亦名陰莖勃起障礙。即當交媾時。陰莖之擴大不足。硬度減低。或全無奮起力。因之不能插入女子膣中之謂也。

原因……
- 一時性陽萎……
  - 精神過勞
  - 飲酒逾量
  - 睡眠不足
  - 機能久廢(如獨身主義佛教信徒。因生殖器官久廢不用。致勃起力減弱或缺如。)
  - 精神感應(如老人與少女交媾。自慮持久力不足。)
- 由於生殖器之畸形者……如陰莖彎曲、陰莖短小、包皮狹小等。

陽萎之原因及療法

持續性陽萎……
- 由於藥物飲料中毒者……如常服臭素。及烟癖、酒癖過深之人。
- 因於他種疾患而發者……如糖尿病、肥胖病、脊髓勞、腎藏炎、慢性淋疾、攝護腺炎等。
- 因腦或性神經衰弱者……如房事過度。腦力過用。或手淫、遺精等。

症狀……局部爲陽物軟弱無力。全身則現虛弱症狀。

療法……
- 赤脚大仙種子丸（全當歸肉蓯蓉蓮蕊鬚杜仲菟絲子淫羊藿潼蒺藜茯苓破故紙牛膝各八兩、枸杞四兩、豬桂心二兩、綫魚膘二斤、大天雄每枚重一兩四五錢者貳枚、蜜丸、）
- 傅青主方（熟地一兩、山萸四錢。遠志巴戟天肉蓯蓉杜仲各一錢、肉桂茯神各貳錢、白朮五錢、人蔘三錢、煎服、治陽萎不舉）。
- 右歸丸（熟地八兩、杜仲山藥萸肉杞子菟絲子各四兩、鹿角膠全當歸各三錢、附子肉桂各貳兩、蜜丸、治陽衰無子、）
- 龜鹿二仙膠（龜版五斤、鹿角十斤、杞子一斤十四兩、人參十五兩、熬膠、大補精髓、）
- 食滋養之食料（如鷄肉汁、牛肉汁、鷄卵、魚肉、而以羊腎或羊肉和米煮粥食尤佳。）

攝生……
—爲規律之運動（如球術、拳術、郊行、乘馬皆可。惟須有一定之時間。持續之恒心。及勿使太過爲要。）
—行局部之冷浴（以冷水灌注生殖器及脊柱。復以毛巾拭乾。）
—保精神之安靜
—杜淫猥之言行

預後……苟非重篤之症。皆有治愈希望。

附記一　上列四方。概括言之。以補陽（附子天雄）滋陰（山萸熟地杞子巴戟天菟絲子杜仲龜版潼蒺藜魚鰾膠）補命門（淫羊藿蓯蓉破故紙肉桂鹿膠）兼以固精（蓮鬚山藥山萸潼蒺藜）補脾（白朮山藥黨參）養心（遠志茯神）爲目的。對於神經衰弱之陽萎。（惟陽萎兼有遺精者。宜愼用。）陰莖短小之陽萎。皆可選用。

附記二　患陽萎者。每焦灼憂悒。若攖沉疴。此大誤也。攷陽萎非死證。充其量。不過喪失床笫之歡耳。夫床笫之歡。爲使神經感覺愉快之一種方式。並非舍此方式。即無愉快可得。如伴愛人。小語於綠蔭之下。徜徉於山水之間。如與嬌妻。歌唱於明月之夜。舞蹈於氍毹之上。此種精神之戀愛。實人生無上之幸福。且床笫之歡。爲時至促。苟且伐之。將自戕其身。奉勸陽萎之病人。宜達觀。毋憂悒。須知達觀則精神怡悅。病亦易愈。憂悒則氣血鬱結。藥物將不能爲力也。

早泄之原因及調治法

尤學周

不耐久戰。瞬息即泄者。謂之早泄。亦有陰莖未插入巳前。即行射精者。此等人性慾極易衝動。而又陷於交合不暢。不能滿足其慾望。以致愧恨交併。可憐甚矣。其原因大別爲二。一由於淫慾過度。如手淫不節者。（遺精多由手淫。故遺精家多兼此症）一由於劇烈之性慾衝動。如戀人初次交合。及久別重逢者。由於劇烈之性慾衝動者。不足爲病。由於淫慾太過者。則甚可慮。犯此症者。不但喪失其交合時之眞正快感。且精蟲無直達子宮之機會。必不能生育。

據宿娼者言。臨陣時龜頭上塗以鴉片。可無早泄之慮。若爲權宜之計。貪圖一時之快樂。則鴉片之外。若嗎啡。高根。菸草。皆有止早泄之可能。然則對證療法。强爲收斂。其害更大。西醫以臭素加餾謨三•〇。橙皮七•〇。蒸餾水一〇〇•〇。一日分三次服。中醫有一方。用辰砂。訶子。縮砂仁。龍骨爲丸。吞服。雖有效力。僅一時可以見效。久後仍然無靈。鄙意最好抑制淫慾。禁止交合。凡穢褻之書畫。概不入目。同時食滋養品。勵行運動。徒恃藥石。無益也。

婦人之病

白帶之研究及其驗方

時逸人

白帶之症。婦女患者十人而九。如涕如唾。甚者其氣臭穢。綿綿而下。令人掩避。嘗攷此症病源。大概分傳染性及遺傳性兩種。遺傳性者。其母素有是病。所生之女。亦多患是症者。病從母胎而得。月事一通。即已發生。若脾胃强健。年壯後可以漸止。此遺傳性之病因也。若夫傳染性者。其夫與不潔之婦女交接後。因而累及妻孥。病由淫慾所感。內伏淋毒菌。治不易愈。衰弱之婦爲尤難。此二種外。必其平日操作過度。思慮太甚。氣血耗損。營衞不和。又復不忌房事。不愼飲食。或素性嗜酒。或過食甘肥。或喜啖生冷。痰濕內盛。濁飲留戀。脾氣虛弱。既乏健運之力。帶脉又弱。且無約束之功。運行失其常度。淸濁于以混淆。遂致淋漓而下。綿延不斷。治之之法。當先制止性交。使陰部保其淸潔。居室宜擇爽豁。以流動新鮮空氣。飲食起居。尤宜注意。凡物之有刺戟性者必須避忌。勞心勞力之事。務宜節制。謹愼攝衞。自可漸愈。幷錄經驗白帶方如下。

(1)白帶秘方　蓮蓬殼煨灰。爲細末。用熟鷄子白(去黃)裹末而服。頗有奇效。

(2)赤白帶秘方　赤白蜀葵花。陰乾。赤者治赤帶。白者治白帶。煎湯服。

(3)又方　上炒冬朮五錢　雲苓三錢　車前子錢半　鷄冠花三錢(赤帶用赤花。白帶用白花)煎湯服神效。

(4)白帶丸　白芍　黃柏　茅朮各四兩　高良薑一兩　豆腐鍋巴八兩　研末。薏米煎湯。泛丸如梧子大。每服三四錢。食鹽湯下。

(5)治帶球　蛇床子仁六錢　樟腦三錢　杏仁二錢　共爲末。用蜂蜜爲球形狀。每隔一日納一枚于陰戶中。治帶下陰癢有奇效。

痛經之研究(上)

朱叔屏

痛經者當月經將來未來之時。小腹作痛之謂也。其輕者。小腹微覺下墜不舒。重則脹痛難忍。直至經來之後。始脫苦累。亦有牽及兩乳者。經來之前。兩乳先覺脹痛。及月經下後。方逐漸舒緩。

婦女之患痛經者。臨診之時。所見甚多。約而計之。十人中有七人患之。有初次月經來潮之時。即已脹痛者。有猝然患之者。有出嫁以後始發生者。痛經之患者。既如此普遍。故此症實已成爲婦科之一大問題。

前人之論痛經者。非曰寒濕互滯。即曰氣血凝阻。此即內經所謂『不通則痛』之意。蓋『互滯』『凝阻』之後。經血不能即時下流。遂覺脹痛。與食積而促成之腹痛。其理由正同。此說言之有理。原不可厚非。然僅曰『互滯』『凝阻』。而不言其『互滯』『凝阻』之由來。尚未得爲詳明。爰補充其說如下。

痛經之原因。大約可分爲三端。其一關於生理者。生殖器官。失其常態。例如位置異常狹窄或閉塞。妨害月經。以致不能下出而起。蓋血液停留於子宮。發生一種異常刺激。於是子宮肌肉而欲排去之。以致陣陣作痛。此症若遷延不治。將來月經益見澀滯。從而疼痛亦必加甚。其二關於神經者。神經衰弱之婦女。每見此症。此等婦女之生殖器官。並無何種變化。因神經感覺過敏之故。當經來之時。似有疼痛之感。證情輕微。其疼痛之程度。遠不及生理上之烈劇。其三關於局部病理者。如生殖器官及其鄰近之各器官生有疾患。以致腫脹發炎。則月經來時。因充血而感受刺激。發生疼痛。之斯三者。其因不同。調理之法亦各異。不可執一而論也。

乳汁缺乏之原因

俞慎初

經曰：『食入於胃，脈道乃行。』又曰：『水入於經，其血乃成』。此乃謂食物入胃，受胃液之消化，其糜粥傳入於腸，經腸液，膵液，胆汁之作用，化爲營養分，，由腸絨毛管之吸收，上歸於心，而化爲血，一則行於脈管，循環全身，一則由衝任二脈導引而下，與癸水會合，男則化精，女則化經。蓋婦人妊娠之時，則月經停行，所以養胎也；至分娩後，而月經仍停行，因一部分營養分上行，不入於心，故不得統化爲血，而注於乳房，分泌爲乳汁。女子之血有餘，歧而分爲二，若血液缺乏，身體羸弱，不足自給，何能分而爲二，故在平時月經必少，或兩月一行，或三月一行，或半年一行；分娩之後，則乳汁因之而缺乏也。

通乳良方

俞愼初

乳汁缺乏之原因。既如上述。茲將通乳良方，錄列於下，以備缺乏乳汁者之採用。

洋參三錢　黃芪六錢　白朮五錢　首烏五錢　牛膝三錢　通草三錢　當歸六錢　川芎三錢　熟地五錢　白芍五錢　王不留行三錢　半服亦可，用猪蹄一對，先煎藥去渣，後入猪蹄炖。

（按）洋參入胃後能助胃消化，其類似葡萄糖「沙波甯」(Saponin)「巴那規倫」(panaquilon)至小腸腸絨毛管將該成分吸收血中，能促進血液之循環。助長血球之產生。黃芪能亢奮心筋機能，收縮血管，使胃間之營養分，不致全被吸收。白朮刺激胃液增加，助其消化。首烏入胃後能助胃消化。入血內能促進血液中酵素作用。當歸刺激血液中氧化酵素，令血液中之氧化迅速。牛膝行血散瘀。川芎和血鬱，疎氣滯。熟地內含有鐵質，滋補血液。白芍養血。通草通乳道，引乳汁。王不留行刺激乳腺，導引乳汁。猪蹄滋養氣血，補充乳汁。

綜觀以上藥物之功用，可分爲補氣、養血、通乳、健胃，蓋氣血充，胃腑健、則消化良，而營養足，並佐以通乳之藥，故能有乳，誠良方也。

生育問題

酒與生育之關係

李健頤

酒能入筋脉。穿骨骼。調血液。提精神。兼麻醉神經之功。西醫謂酒有興奮作用。余謂酒之能力。非只此耳。然其性最强。有殺精蟲。滅卵子之害。精蟲與卵子爲生殖人種之要素。嗜酒之人。其精與其卵。常被酒之麻醉而死。所以不能生育。世人不知生育與酒有絕大之關係。反謂祖墳不吉及婦人命帶白鶴埋兒。有關係於生育者。種種迷信流謬惑衆。嗚呼。於酒之爲害不加研求也。鄙人深知酒之大害。本欲明白發表以告世人。緣因診務匆匆。未獲盡心研究。心甚憾焉。今春診事稍暇。乘此機會。且家藏有米酒半罎。即傾一半於玻璃杯中。復取人之精蟲少許。放入酒中。用五百倍顯微鏡照視。見其精蟲。受酒之麻醉。遂漸漸殭斃。以此試驗。可知酒有殺精蟲之確證矣。雖然。

心又疑焉。後再考查世上之嗜酒者。一百人中有九十人患無子。其餘十人。是因嗜酒而無過量。以及精蟲强健故也。否則。諒皆與九十人同與伯道之歎矣。素問上古天眞論云。『以酒爲漿。以妄爲常。醉以入房。以欲竭其精。以耗散其眞。』誠夫酒有竭精耗眞之害。夫精眞既竭。有何望之能生育哉。故酒者。只可少吃。不宜過飲。少吃即有調血液。提精神之功。過飲即有竭精耗眞之害。望世人切勿沉溺杯中。以酒爲樂。亟早悔悟。則將來中國之人種。可增至八萬萬矣。

男子精薄不育治法

袁國榮

男子遺精過多。或淋濁不治。或嗜慾無度。均能致腎虛精薄之虞。因此而致形體消瘦。陽痿早洩。臨事不舉。或射精不達子宮。均能令生育困難。治宜生精補腎。如五子衍宗丸。夢熊丸。均可擇用。

五子衍宗丸　杞子　菟絲子各四兩　北味子　覆盆子各二兩　車前子一兩　共爲末蜜丸

夢熊丸　炙黃耆四兩　黃魚鰾膠（蛤粉炒珠）　沙苑蒺藜半斤（馬乳炒）　菟絲子一斤　炮天雄四兩（麵裹煨去皮臍童便製）共爲末蜜丸　以上二方每日早晚各服一次每次服二三錢淡鹽湯下

不妊症之診斷

謝筠壽

吾人類之繁殖。厥賴生產。生生不已。民族繁盛。是以弄璋弄瓦。不但維持夫婦間之愛情。保持家庭中之娛樂。民族之盛衰係之。故不論何種等階級。均以得子爲歡。古人有「有子萬事足」一語。已包括盡之矣。夫欲求子。不可不先明瞭不妊之原因。而不妊之原因有二。有屬於男者。有屬於女者。

屬於男者。首宜檢查男子精液之精蟲。固屬必要。但精蟲不僅注意其運動。且宜注意於其數及形狀。尤宜檢查頭部之形及大小。如射出之精液中。有異常精蟲一九—二%以上時。則該男子爲不妊。屬於女者。宜知其爲一次性或二次性不妊症。關於後者。除注意其產褥之是否正常。有熱否。或流產時有否人工的扶助。月經之經過。性的生活有無異常等外。更宜觀察生殖器之情形。尿道疾患之有無。子宮腟部之形狀。大小或外子宮口。頸管粘膜。頸管分泌物之狀態。子宮之位置。大小等爲要。

大堪研究之節育問題

時逸人

世界各國。皆甚注意於避孕之一問題。近頃我國士女。對於此問題。亦甚重視。嘗攷避孕法之所以邀人注意而成爲嚴重之問題者。此亦有故。其因不外乎下列二則。

（1）經濟的　世界愈進化。人類愈繁殖。生活力愈提高。於是經濟上乃發生巨大之恐慌。我國鄉僻之地。溺兒等悲慘事。常有所聞。此避孕法之必須研究者也。

(2)生理的　例如肺癆。梅毒。糖尿病。心臟病。精神病。等症。防其遺傳于子孫。或生殖器與骨盤先天呈異狀。而艱於生育者。又不得不施行避孕之法也。

本來產生子女。育成後繼。而維持家族。爲結婚最大目的。可是因健康和財力的關係。因有隨意調節產兒的必要。即所謂『避孕』者是。此法、並不妨碍正規性交。並不傷害兩性健康。但可避去受孕。候定男子廿五歲，女子二十齡舉行結婚。雙方身體既强壯。生殖機能又良好。兩年生育一次。則廿五年後。可得子女十二。即三年生育一次。可得子女八。女子適于生育的時期。自二十歲至四十歲之間。但就個人衞生的見地看來。屢屢姙娠。分娩和哺乳。對於母體健康上大有妨害。尤其產婦。常要發生子宮癌症。醫學家蘇拉乃斯氏以姙娠分娩和哺乳三者。算爲女子的特殊疾患。在這時期內。身體常受苦痛。官能要起障害。并且體內的抵抗力。也要減退。所以爲了豫防母體健康的障碍。子女體質的退化。必須節制生育。這是很應當的一回事。茲特節錄萬全避孕法數條于後。

(1)在經後半月交合。卵球已排出子宮。雖有精虫。不能受孕。

(2)每次逢月經將盡時。煎服四物湯加蕓苔子一劑。即不受孕。

(3)交合後。隨即用五十倍之規泥涅水。以洗滌腟內。使精液無留。

(4)交合後。以酸性溶液。如硼酸之類。洗滌膣腔內。以殺精虫。

(5)交合後。女子俯伏咳嗽幾聲。精虫即出。亦可免孕。

(6)交合時。男性生殖器。套以樹膠所製之薄膜套。(俗名如意袋)俾精液不得直接注入膣內。但用時必須清潔消毒。又女性用子宮輪將子宮閉塞亦可。

(7)交接後。按臍下三寸。精液即出。其法即以自己手指之中節作一寸。自臍下量起。在三寸處按之。

(8)若欲永遠絕孕無子。用蠶子故紙一尺。燒爲末。酒調。于每月經淨後服之。

兒病須知

小兒病大綱

徐相任

小兒藏府嬌嫩。用藥萬不能過於峻厲。又且元氣有限。利於速戰。不宜曠日持久。自貽伊戚。所喜者病情簡單。絕鮮七情夾雜。故用藥不必多所顧忌。亦較大人爲易於中病。此所以小兒之病雖危險者多。而投劑得當。往往收效甚捷。甯治十小兒。不治一婦人也。

小兒病大綱

小兒之病。前人論列。頗嫌繁而無統。茲就研究所及。以執簡御繁法出之。俾凡有小兒者必要之顧問。專科者得弗笑其淺陋乎。

(一)痧　小兒出痧。比大人爲多。痧之原因。比天痘爲雜。然約言之。亦不過表邪重。裏熱重。兩大綱而已。表邪重者。主以清散。裏熱重者。主以清化。方藥雖變化多端。治法則不出消散清化。兩大法門也。

(二)痘　痘之原因。比痧簡單。危險則彷彿相同。昔賢治痘。不出瀉火成漿。托火成漿。愚則主張寓化於托。寓托於化。尤能表裏先後。兩不相妨。自能得心應手。藥到病除。

(三)痙　輕則爲痙。重則爲厥。小兒最多此證。昔人名爲急驚慢驚。命義未爲正確。其實急驚即剛痙。今當改定之曰急痙。由風火痰食相搏而成。痙之急而有力者也。實證也。慢驚即柔痙。今當改定之曰慢痙。由脾胃陽氣式微而成。痙之慢而無力者也。虛證也。一則以驟。一則以漸。急痙宜清散消下。(金石毒藥不可孟浪)。慢痙宜溫補脾胃。福幼編言之甚詳。茲特舉其大略耳。

(四)疳　小兒五疳。即大人五癆。喻氏之主張也。然大人之癆。不必有積。不必有虫。亦不必因嗜食香甜而起。小兒之疳。則多因於嗜食香甜。日久成積生虫。此所以嗜食。腹大而硬。二便不調。肉日以削也。初用必宜消積殺虫。日久胃氣已弱。或曾攻伐太過者。則消積殺虫之中。必兼扶脾健胃。此治小兒疳積。與大人癆病不同之點也。

(五)痰欬　痰之來源。食乳者爲停乳。不食乳者爲傷油膩。消乳積(減乳尤要)消油膩。兼去表邪可也。小兒有痰。不善吐出。緩者消之。急者亦可斟酌下之。病久納減。尤當力顧脾胃。小兒之欬。不外乎風寒夾痰。多因外感而起。內傷殊不見。惟小兒肺氣甚弱。瀉肺切勿輕投。往往瀉肺太過。變爲喘急䐜脹。轉成內傷。非善治也。

(六)吐瀉　暴吐暴瀉作實治。久吐久瀉作虛治。作實治與急驚通。作虛治與慢驚通。所謂同病異發者是已。

小兒病爲有系統之研究。大概不過如上述。所以比大人簡單易治者此也。至其根本解決。則須察其先天胎元。初生乳力。先天胎元及初生乳力俱足者。實證多。而宜偏於攻。先天胎元及初生乳力俱不足者。虛證多。而宜偏於補。此則形氣强弱。一望可知。不在所病界限之中。而實操病勢進退之權。生理爲病理先決問題。小兒其尤著者矣。

鷄肫皮爲小兒食滯良藥

周思齊

小兒最喜貪食。因之積滯成病者頗多。積滯之疾。醫者大多用消導藥。則立刻奏功。然小兒頻食頻積。屢用消導。則脾氣必傷。易成泄瀉。久則釀爲虛癆者有之。故消導亦不可以不愼也。考鷄肫皮一物。消導而不傷脾。故爲小兒食滯之良藥。蓋鷄肫皮即鷄之胃。鷄食物旋食旋消。消化力之强可知。小兒易於食滯者用之。且可增其胃力。獲益不淺也。

服法——雞內金二枚。晒乾。研末。開水冲。每服一錢。

小兒慢性胃炎

沈仲圭

（原因）本病之原因。有原發性續發性兩種。原發性慢性胃炎。時有從急性變成者。急性胃炎一切原因。持續作用於胃粘膜。即成慢性。續發性者。多見於神經素質之小兒。其原因由於血液異常等。

（症候）自覺的症候。除頭痛眩暈。精神沉鬱。睡眠不良等神經症狀之外。並訴口臭噯氣。胃部重感。食慾不振等。屢現嗜異症。嘔吐下痢。便祕時時發生。而不一定。他覺的症候有貧血羸瘦。不整脈。微熱。胃部膨滿而有壓痛。舌常帶灰色苔。

（治法）原發性者服下方

白朮 三錢 茯苓 三錢 姜竹茹 八分 黃連 六分 木香 一錢 陳皮 一錢

續發性者服次方。

黨參三錢 淮山藥三錢 白芍三錢 白朮三錢 薏仁三錢 姜半夏三錢 砂仁八分（研後下）炒黃連六分 橘皮一錢半

便祕者間用下方

玉竹三錢　沙參三錢　麥冬二錢　郁李仁二錢　麻仁一錢

（攝生）本病以飲食衞生爲最重要。蛋白質不易消化。宜忌食。應與以少含脂肪及澱粉之淡泊食餌。酒類刺戟性香料。冷流動物等。均宜禁忌。

胃病指南

胃病治驗一例

沈仰慈

南通張退公之文孫慰慈君。患胃病。食入則脹。飲入則停。自云飲停胃中。振動之。汩汩有聲。大便秘濇。輒旬餘不通。灌甘油導之。病將兩載。形體瘦削。氣色枯黃。貿進黃米飯。不足半甌。聞滬上西醫能按摩治胃病。乃於丁卯十月間侍母來滬。寓大生滬事務所。有德人名候東藥生者。適賃居大生四樓。專以按摩治病。乃邀余爲伴。就診焉。德醫爲之按摩三日。無影響。而頗覺痛苦。遂不復往。擬更覓醫。余曰治病必先知病之來源。君年未二十。而胃病如此。度必先有所傷。日然。乃詳述三年前誤用茶膠。致洞泄無度。及止後。因啖瓜果生冷。遂致飲停食滯。久而彌甚。余曰然則君之病。是脾陰損於前。胃陽傷於後。恐非按摩所能愈。若湯劑得宜。當可奏效。其母聞余言。即命處方。乃爲先振胃陽。痞滿漸通。繼養脾陰。食慾漸增。始終以香砂六君歸芍異功等劑。出入爲方。每方加別直參一二錢。初恐虛不受補。及服後甚適。乃信任不疑。調治月餘。其病竟痊。進食嗳嗳作聲。津津有味。其母喜曰。久不聞兒此聲矣。自是津液漸復。大便自行。方錄于下。

胃爲多氣多血之腑。血衰則胃枯。氣滯則胃呆。溯君脾胃之元。一傷於刼劑。連致完穀不化之泄瀉。元陽剝削。是爲遠因。再傷於生冷。致元陽抑遏。是爲近因。飲停不消。氣滯不運。病屬胃呆。陽虛的徵。三進溫通之後。飲消氣舒。頗合機宜。脈象帶弦。自是肝旺。鄙見肝强而後胃弱。自以治肝爲本。胃弱而後肝强。則以扶胃爲主。是否有當。願以質正高明。

別直參錢半另蒸　雲茯苓二錢　炒陳皮八分　秦歸身一錢　生於朮二錢　炙甘草五分　廣木香八分　炒白芍一錢　炙黃芪二錢　仙半夏錢半　春砂仁五分

反胃論治

余鴻蓀

考古　病人脈數。數爲熱。當消穀引食。而反吐者。何也。師曰。以發其汗。令陽氣微隔氣虛。脈乃數。數爲客熱。不能消穀。胃中虛冷故也。胃氣無餘。朝食暮吐。變爲反胃。寒在於上。

醫反下之。今脈反弦。故名曰虛。

分別　早食暮吐。暮食早吐。是謂反胃。食已即吐。則爲胃火。

病原　元陽衰微。飲冷過度。或火熱內蘊。

現象　脾弱胃寒。不能消化。故早食暮吐。或一二時而吐。或積至一日一夜。脘中脹滿。不可忍而復吐。吐出原物不化。兼吐酸水。倦怠無力。面黃色萎。形寒怯冷。冷涎頻吐。脈沉遲或弦數無力。若食入即吐。而物已腐化。口渴煩熱。脈浮而洪。此乃胃熱上衝。多見牙痛齦宣。腮頰頤腫等症。

治療　反胃病宜附子、乾姜、肉桂、吳萸、丁香、砂仁等、溫胃陽。甘艸、白蜜、半夏、茯苓、沈香、橘皮、陳香圓皮等。養胃氣。腎虛者八味丸。脾虛者六君子湯。胃有火者。初起宜大黃、黃連、蘆根•茆根、竹茹、生姜、等。久延入人參、歸身、白芍、生地、等滋胃陰。反

調理　胃初愈。切勿食粥。恐傷胃舊病復發也。每日飲獨參湯。無力者用陳米煎湯亦可。

鎮嘔特效方

張植林

主治：嘔吐呑酸。反胃乾噦。胸滿上逆。及妊婦惡阻。

藥品：川雅連四分、紫蘇葉三分、灶心土三錢、生薑二錢、

服法：先將蘇連二味。研極細末。再煎黃土生薑湯。調藥末頻服。

方義：連爲苦降。蘇爲辛温。二味合用。性平而一開一降。何患嘔逆不止也。灶土生薑。温中健胃。合而成方。效如桴鼓。

戒烟要訣

戒癮分速戒與緩戒及流弊

大仁

戒癮之法。分速戒與緩戒二種。緩戒逐漸減少。以至於戒絕。但在戒之時間經過太久。立志不堅者。易於戒而復吸。反致前功盡棄。速戒用猛烈之劑。化其陳積。通其大便。然後用安腦養血諸法。補其虛弱。時間雖云短促。但在戒絕時期。易於發現虛脫之症狀。故緩戒者。防其立志不堅。戒而復發。急戒者。防其虛脫。甚則致死。

緩戒之弊。既如上述。急戒而發現虛脫。宜用士的年精。行皮下注射法。或用樟腦精酒。三滴至五滴。服之。以强心藏。而救虛脫。世醫用嗎啡注射之。最易變成藥癮。不可不愼。

烟體便秘之良藥

倪廬

余友孫子卿君。服務報關行。有阿芙蓉癖。大便屢苦秘結。腿部疼痛。余囑其服桑椹膏。每日四錢。一星期爲限。服后大便暢適。腿痛亦減。又友人張子明君。服務恒昌永五金號。亦患腿痛。大便秘結。余亦囑其服桑椹膏。服后大便即利。腿痛全愈。緣鴉片一物。刼津助火。津枯則腸燥。腸燥則大便不暢。火旺則耗血。血耗則不榮筋。而腿部作痛。桑椹不但補血潤腸。且有利關節。通血氣之力。此二君之疾。所以一進本品。効如桴鼓也。

最妥效之戒烟方

燮卿

傳方來歷

友人某隨軍多年。足跡遍歷南北。曾目覩村老傳一戒烟秘方。癮小者。一星期即可戒絕。癮重者。最多不過二星期。包可完全斷根。靈驗異常。救人無數。余好奇心切。自本無癮。乃仿其法而製之。普送貧苦親友。獲効甚宏。不願自祕。特公諸本刊。以供世之癮君子。留心採擇焉。

製劑

用稻稭。即稻桿。取淨者。不拘多少。濃煎汁熬膏。加入杜仲牛膝五加皮黨參黃芪歸身白朮等。共熬成膏。每在癮將發時。先服此藥膏。例如每次吸烟有一錢者。則服此膏一兩。以後每天逐漸減少。期以一旬之後。烟癮脫離。藥膏雖不吸無礙。自能戒絕矣。又方中藥品。用量。必須詳細斟酌。故未曾註明，用方者。如欲實地試用。須請醫士診察。隨症加減爲妥。

功效說明

烟癮既成之後。氣血運行。必生障礙。戒之者。以輔助生理上氣血運行之能力。稻楷得穀氣最全。故用量獨多。餘爲强筋骨。益氣血之品。補其虛弱。恢復自然。自無癮累矣。

大衆醫藥顧問

楊志一醫士答

白帶—經漏

(問)因產期失調。受寒特重。遂致白帶。更致經期超前落後。或數月不見。今春忽又變症。經來崩漏不絕。往往十餘日不淨者。或淡血些須。或黑血成塊。(大如鷄子)或如血筋成絲。經來時兩腿酸痛戰栗。不可支持。心跳目眩。右腿根其痛尤甚。小腹寒硬如板。喜暖畏寒。祈賜藥方。(于志立)

(答)據述產後受寒。初起白帶。繼則經漏。經淡腹冷。顯屬衝任虛寒。血不歸經所致。慮其久漏成崩。茲擬膠艾四物湯加減。

艾絨炭一錢硃茯神四錢製香附三錢蓮蓬炭三錢蒲黃炒阿膠二錢炙遠志一錢春砂殼一錢炙甘草八分當歸頭四錢酒炒白芍一錢半陳廣皮一錢

天寒作咳

(問)數年前因傷風未治全愈。遂致久咳。現已七年矣。每逢七八月天氣轉寒。即漸發咳嗽。至近年二三月。即漸較輕。至五六月即完全愈矣。至秋仍然復萌。初咳時。則有痰成塊。久則只吐淡白泊質。不甚壓氣。不過喉間覺癢。肺氣上冲。

即須咳嗽。幸祈示方(于志立)

(答)據述遇寒作咳。延今七載。雖苔脉未詳。執果溯因。乃痰飲之類。金匱云。病痰飲者。當以温藥和之。惟值此秋令。氣候乾燥。先擬和化可也。

炙蘇子二錢雲茯苓三錢生苡仁四錢炙甘草一錢仙半夏三錢炙遠志一錢炙紫菀一錢陳佛手一錢橘紅一錢旋覆花一錢半(包)炙百部一錢半

眼花—遺洩

(問)鄙人前因用目力過度。患眼內飛黑花症。遂請眼科醫士診治。據云是腎虛。自省幼年曾犯手淫。乃服湯藥十劑。丸藥四料。亦不甚見效。身體反更虛弱。後來抱定不求甚解主義。及快樂觀念。不以病爲病。歷兩年之久。黑花遂不見。不料今年春天黑花又發。現請醫診治服藥三劑無效。至秋季黑花發作更劇。並有遺精。每月四五次腰痠背痛。轉成神經衰弱之象。又延醫診治服藥十餘劑。乃不見效。讀過閣下所著之「神經衰弱淺說。」遂停止服藥。注重運動。每日六時起床。到公園散步。並練八段錦。至今已念餘日。精神很好。背痛已除。大小便順利。而遺精時有。眼內黑花亦常在。現在還須服藥否。或以何種運動爲相宜。以何種食物爲滋補。祈指示迷途。(項鹿琴)

(答)所述力行早起。練習運動。及抱快樂觀念。實爲健身却病之妙法。持之以恒。其效益著。惟眼花與遺精幷作。仍需藥力之補救。未可因噎以廢食。按目爲肝竅。瞳子屬腎。今眼花兼遺洩。當屬肝腎兩虧無疑。宜早服杞菊地黃丸。晚服聚精丸。每次三錢。淡鹽水送下。此外如淡菜、甲魚、蓮子等。常服最宜。

大衆醫刊價目表

定價		
時間	冊數	書價連郵費
每月	一冊	大洋二角
全年	十二冊	大洋二元

國外照表加倍寄費在內郵票代價十足通用

中華民國二十二年十二月一日出版

大衆醫刊第三期

實售大洋貳角

編輯者 楊志一 上海西藏路平樂里

發行所 大衆醫刊社 國醫出版社內

印刷所 吳承記印書局 上海九畝地大境路中市

代售處

千頃堂書局 上海三馬路望平街

幸福書局 上海三馬路會樂里

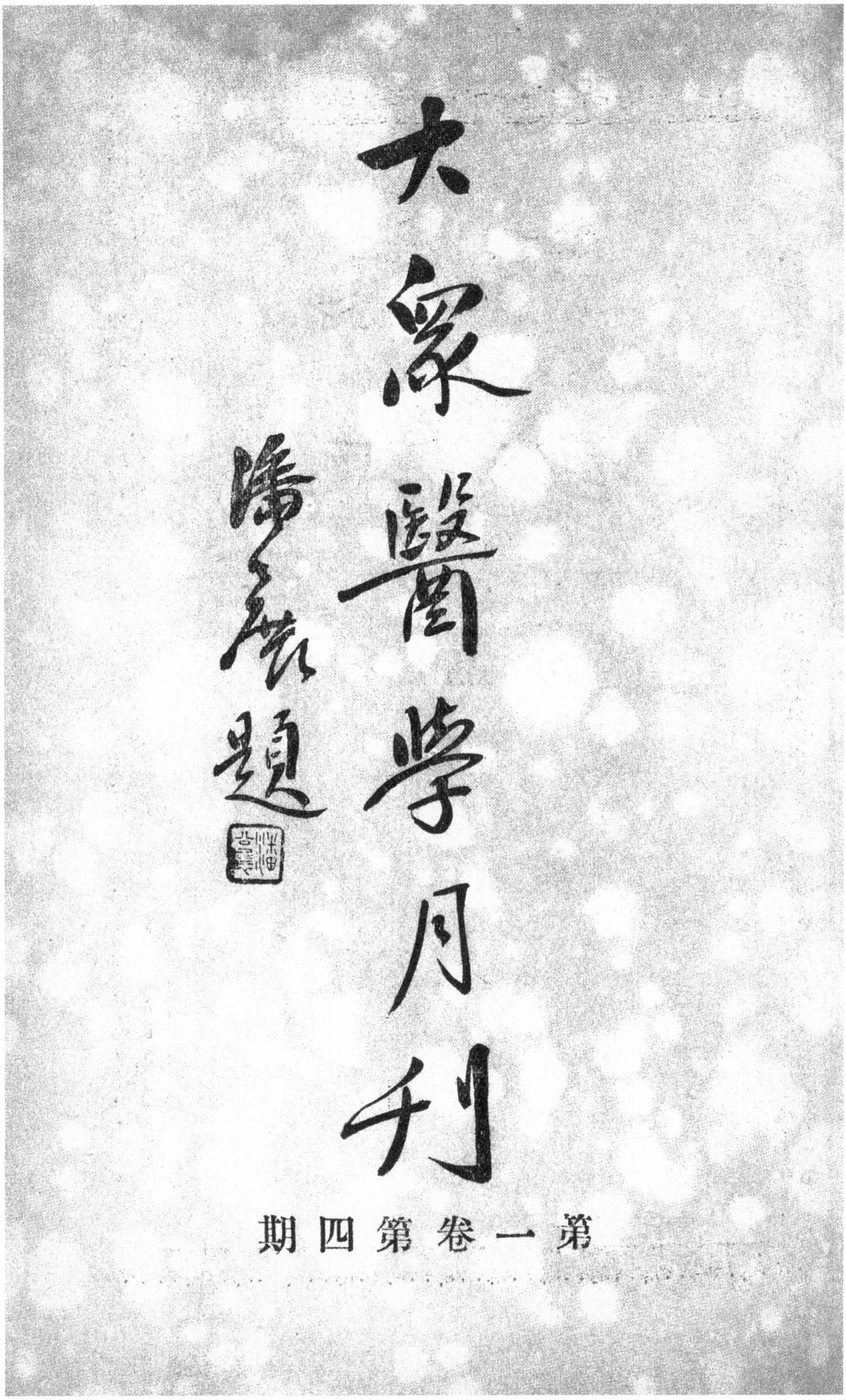
大衆醫學月刊
潘公展題
第一卷第四期

恭賀新禧

本社同人鞠躬

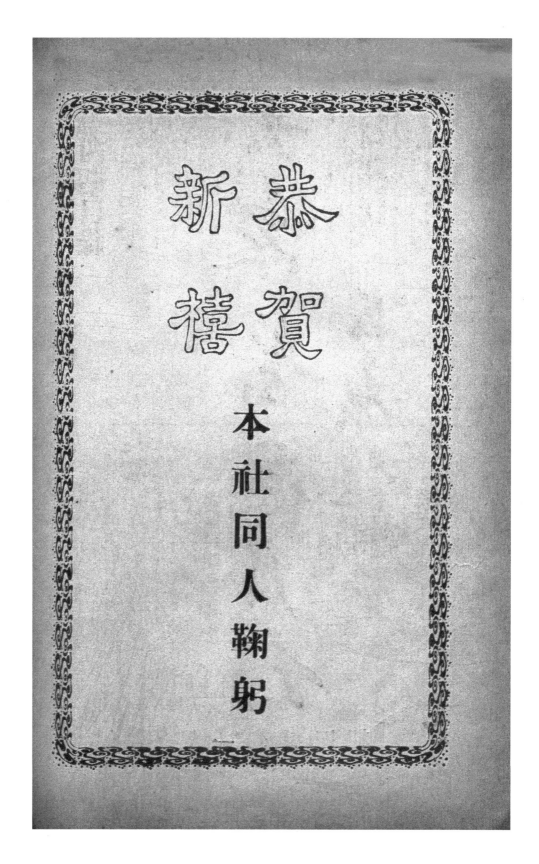

第四期目錄

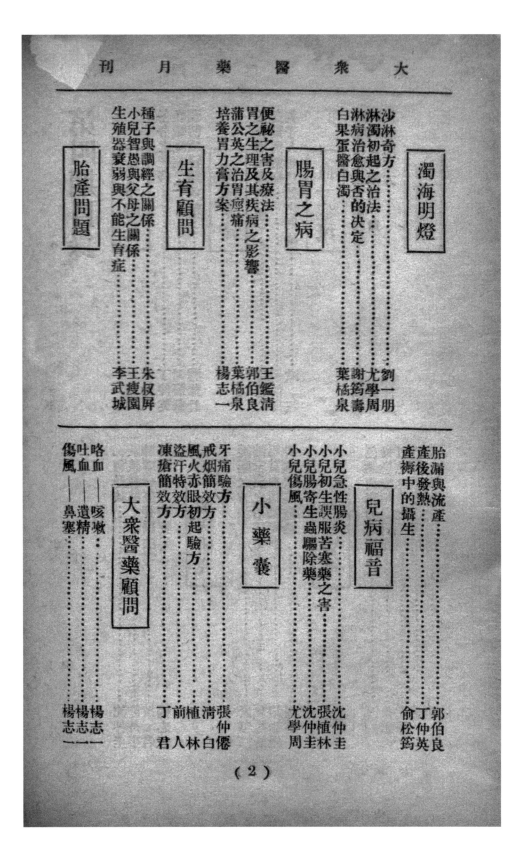

冬令時症

冬令之喉痧

丁仲英

無論何種傳染病。其傳染於人身。皆乘隙而入。冬令之發生喉症。亦猶是也。喉症之最危險而最易流行者。則爲喉痧。初冬最爲盛行。蓋此時天氣轉冷。人在氣交之中。不能適應。往往發生感冒。咳嗆隨之。喉痧卽乘機發生矣。

咽喉爲飲食呼吸之要道。生命之安危繫焉。故常人一患喉症。頗爲惶惑。而於喉痧爲尤甚。惟本症雖不可輕視。如於初起診治得法。卽能霍然而解。毫無危險發生。大凡危險之喉痧。多因患者身體衰弱。缺乏抵抗力所致。或其人。病機已伏。又復感染喉症。二病併發。來勢洶洶。往往生變。於是談虎色變。益覺本症之可怕。

冬令天氣乾爆。喉中易作燥痛。喉痧初起。每有以爲天氣之關係。而不加注意者。非疏忽誤事。乃缺乏此症之常識。大凡喉痛而身見紅點如痧子。或發寒熱者。卽爲喉痧。一見此證。宜投以清透之劑。麻杏石甘湯。辛涼解表。最爲合宜。另加射干。馬勃等專治喉痛之藥。見效尤速。症之輕者。不必用麻黃。卽薄荷。荆芥。蟬衣。製天蠶等。亦能勝任。

喉痧初起。喉痛已覺。而尙未發見紅點。在胸脘或手腕等處發生紅色一片。或各處作癢者。皆爲預兆。卽用辛涼透表之劑投之。待痧透之後。再用清法。

患喉症者。宜注意其大便。便祕則蘊熱上衝。益助其勢。宜投導滯之品。以通其便。服藥之外。另吹患刺處。收效尤捷。玉鑰匙・珠黃散。錫類散等。皆可採用。病愈之後。食物宜愼。一切辛酸刺激及海鮮油膩大葷。不可入口。以防復發。

喉蛾淺說

謝筠壽

喉蛾又叫做喉痺。是一種普通的疾病。像近幾天來的天氣。最容易發生。說起喉蛾的名稱。雖則是大家都能夠領會的。但是他的眞相如何。恐怕還沒有十分明白。簡單的講起來。實包含著兩種的疾病。一種是叫扁桃腺炎。一種是叫做扁桃腺肥大症。現在把扁桃腺生理的作用。扁桃腺炎。扁桃腺肥大症。扁桃炎的療法。扁桃腺肥大的應否切除。扁桃腺肥大的攝生法等。逐條的說明如下。

(一)扁桃腺生理上的作用。原來扁桃腺在咽頭的兩傍。他在人體生理上的作用。現在還不能確實的證明。是有二個理論。第一個理論。認定扁桃腺爲吾人身體上的一種保護器官。觀他解剖上的位置。在消化和呼吸器的入口。好似門口站岡的警察一樣。他所根據的理由有兩種。第一口腔和咽頭各種細菌侵入的機會。雖然是很多。但是吾人能夠保持著健康。就是扁桃腺防禦作用的效果。第二扁桃腺恰和淋巴腺一腺。能夠生成淋巴細胞。去殺滅病原菌。第二個理論。認定扁桃腺是身體上有害的器官。往往從扁桃腺上爲各種細菌侵入的門戶。他所根據的理由也有兩種。第一扁桃腺不但自己發生疾病。且往往惹起種種的續發症。第二倘切除了扁桃腺以後。大多著明健康。以上關于扁桃腺生理上的學說。

(二)扁桃腺炎　扁桃腺炎有二種。一種是腺窩性扁桃腺炎。一種是濾胞性扁桃腺炎。

(甲)腺窩性扁桃腺炎　最多發生于八九月間。十一月。十二月。一月。七月次之。本病往往爲流行性。同時在一家庭。學校。軍隊中。多數流行。二三十歲的成人最多。小兒期次之。發生腺窩性扁桃腺炎的時候。往往以惡寒戰慄發熱而開始。甚至熱到四十度。同時或少前就覺到咽頭部的疼痛。普通兩側的扁桃腺。同時發生。間亦有僅發生一側。疼痛劇烈時。病人難以安眠。且嚥下的時候。疼痛尤甚。往往波及到耳內。于是顏貌呈苦惱的狀況。自己以手去遮蔽耳部。言語不明瞭。脈搏疾速。頭痛。腰痛。口渴。舌白。口臭。扁桃腺著明腫大。表面潮紅。面上有白色或黃白色的小斑點。散在。也往往有連合著似白喉的樣子。同時下顎部的淋巴腺。大多腫脹壓痛。

這樣的扁桃腺腫。倘使經過佳良。數天後發熱和疼痛消退。扁桃腺的腫脹發赤也逐漸地消退。大約一週間自然治愈。但亦往往有體温既復于常温。咽頭疼痛也減退。經過了一二日以後。體温再昇騰。發生扁桃腺周圍炎。繼續的發生扁桃腺周圍膿瘍或扁桃腺內膿瘍。甚有發生喉頭水腫而死的樣人。一次發生本病以後。往往容易再三發作。所以有常習性的名稱。

(乙)濾胞性扁桃腺炎　本症大多發生于壯年的男子。老人和女子比較的少。往往爲流行性。和瘋濕症有密切的關係。他的病狀。如發熱。咽頭痛。和上面所講的腺窩性扁桃腺炎相似。不過扁桃腺的發赤和腫脹。比較高度。而且表面散在性或集簇性的黃色圓形膿點破潰後形成潰瘍的樣子。此固濾胞化膿的關係。有時也往往續發扁桃腺膿瘍。(未完)

預防感冒簡效法

程德銓

每日清晨。用冷水濡毛巾。覆口鼻五分鐘。並再揩擦頸項。肩背。胸前等處。如是繼續行之、可免一切感冒。傷風。咳嗽等患。按此法著者身親試驗。極有功效。蓋口鼻粘膜。及咽喉扁桃腺等。經繼續鍛鍊。其抵抗力自然强壯。而不易感冒。若反之。而冬令閉戶圍爐。重裘厚服。則該處抵抗力衰退。氣候偶變。輒易感冒耳。望注意衞生者。不以其簡易而忽諸。

補品常識

冬令補品叢談（續）

時逸人

羊肉　甘溫煖中。補氣滋營。禦風寒。生肌健力。利胎產。愈疝止疼。肥大而嫩。易熟不羶者良。秋冬尤美。與海參萊菔筍栗同煨皆益人。加胡桃煎則不羶。多食動氣生熱。不可同南瓜食。令人壅氣發病。時感前後瘧痢疳疸。脹滿癲狂。哮嗽霍亂病。及痧痘疥瘡初愈者均忌。新產後僅宜飲汁。勿遽食肉

羊肉粥　壯陽滋陰。開胃健脾。生肌强力。治虛勞骨蒸。療寒疝久瀉。用羊肉四兩。切小塊。山藥末一合。粳米三合。同煎爲粥。加鹽少許。冬令常食。有轉弱爲强之功。凡瘡家瘧疾。食羊肉有復發之虞。癇疾亦忌。亦不可用銅器煮。

海參　補腎陰。壯陽道。凡產後病後。服之咸宜。惟此物消化甚難。不可多食。

甲魚　此物含鐵質脂肪甚富。貧血諸病服之。功在鐵劑之上。將甲魚剖洗潔淨。或蒸或煮。以用佐膳。味殊鮮美。

（注意）「三足者」「赤色者」「獨目者」「頭足不縮者」「腹有王字者」「腹有蛇文者」皆有毒。不可食。即無毒甲魚亦不宜多食。多食滯脾。不宜久食。久食令人患發背。又忌與莧菜同食。

山藥　補脾腎。固精氣。中正和平。最宜於虛損之人。可以佐膳充飢。惟以淮產爲良。雖無近功。實有遠效也。食時不宜太多。但作隨常食品觀。

山藥粥　久瀉脾虛。不思納穀。或咳血勞損之人。顴紅頭暈。口舌時覺乾燥。服之能養液生津。運脾進食。（製法）用肥白之山藥烘乾。研末。粳米一碗。合山藥末半碗。水煮食。厚薄隨意。養胃生津之大妙品也。

燕窩　性質甘淡而平。功能益氣和中。潤肺開胃。化痰止嗽。補而能清。爲調理虛勞之妙品。冬令服之。尤爲咸宜。

白木耳　其形狀顆粒細小。摺皺繁密。入水後能膨脹數倍。中含滋養料甚富。性質甘平。功能滋肺潤腸。清熱養陰。治虛勞咳嗽。以及津液不足之人。無不咸宜。

（按）當今冬令。世人進補。須加以選擇。其合於己體者取之。勿以爲凡百補品。胥可進服。

致有害而無益也。愼之。愼之。

食補與藥補

郭柏良

何種補品。最爲適宜。食補有效。抑藥補有效。此種懷疑。在未進補品之前。可爲人人皆有。素喜食補者。則必曰食補見效。素喜藥補者。則必曰藥補見效。而市上所售之補品。又極盡其宣傳能事。美惡之辨交乎中。取去之擇交乎前。反使進補者。進退維谷。而無可適從。不辭鄙陋。茲爲解說於下。

人體生命有二種。一爲各個之生命。一爲共同之生命。血液組成之細胞。各個生命也。細胞組成之人體。共同生命也。共同生命雖甚長。各個生命則甚短。於是有賴食物之營養。以起新陳代謝作用。用食一定之物質。以重造消耗組織。此即謂之食補。設體質有偏勝。必賴藥物以護衞。此即爲之藥補。食補與藥補之效力。可謂一而二。二而一者也。

食補之原素。一爲炭水化物。二爲蛋白質。三爲脂肪質。四爲無機物質。五爲維他命。凡此種種。多混合於穀畜菓蔬之中。藥補之功能。一爲溫補。能使神經活潑。局部血行暢利。加增臟腑陽氣。二爲涼補。能使神經沈靜。局部血行和緩。增加臟腑陰液。此類養素。多含於草根樹皮。介類禽獸之中。惟食補爲日常所需要。藥補爲一時所需要。平時無病。進以食補。只要選擇完備。

比例適當。若素體弱而現各種病象者。則以藥補爲宜矣。

國人於進補方面。素所注意。但進補之方法。又有未明。大多震驚於食補與藥補之功效。而不能瞭解食補與藥補之意義。蓋人之體質。各各不同。有偏於陰虛者。有偏於陽虧者。有素體如常者。有素有病痛者。其進補之方針。該須依人體之所缺乏。與有病無病爲標準。方無錯誤也。若陰虛之人。而進以人參鹿茸。陽虛之人，而進以木耳唇膠。有病之人。進以食補。無病之人。進以藥補。非但無益。而且有害。素知醫藥常識者。自無此弊。於醫藥常識欠缺者。得我之說。其亦庶幾乎。

對於人參功效之討論

歐鈺

吾國醫師逢病人垂危時。輒用人參以救急。而每有奇效。余亦曾親見之。然經西醫之化驗結果。云「其有效成分爲一種糖類之 Panaquiloe 祇有健胃微補之功。在藥理學上無甚價值。更不能救人於垂危。而所以在中醫用之有效者。蓋以病家之心理作用戰勝病魔故也。因病家一聞人參。即自以爲不死。而精神陡振。而戰勝病魔矣。」云云。然余竊有疑焉。夫用人參以救急者。必病者已呈神智昏迷之象。或將欲斷氣之時。而方用之。設誠如彼（西醫）言。人參無甚功效。則焉能救人於垂危之際耶。至云心理作用一層。更滑天下之大稽矣。豈病者已神識不清。而尚能知服人參耶。余恐其（病者）卽服藥亦不知矣。彼西醫不能化驗分析。祇得名之曰「無甚功效」。亦大可憐焉。

（按）人參爲益氣强心藥。不但對於一切虛脫及失血症。均具卓效。且能旺盛細胞活動。恢復神經疲勞。功難盡述。非臆說也，惟血壓亢進者忌服。

血症一斑

阿膠內服止大量流血

葉橘泉

如吐血。鼻衄。及婦女經漏血崩•（子宮出血）血友病。（容易流血者等）。民間均知用阿膠（驢皮膠）。燉烊內服三四錢或六七錢可止。攷人體血液中含有一種膠質。使血之流動於體內。如遇創傷或其他原因而出血時。易於凝固。不致儘任放流。此造化生人生理上自然之妙用也。倘其人因某種關係。而血中缺乏膠質時。容易引起流血。（血友病）或受其他原因。而大量流血時。合理的療法。須增加血中膠質。使易凝固。不致脫血。西醫治法。有注射白阿膠止血針。而在鄉僻之處。不及醫治時。內服阿膠。亦頗合理。然不但阿膠。其他如魚膠。鹿角膠。龜版膠。白芨等。均可應用。惟須取其清潔純淨者方不致有碍消化。

因飲食刺激而吐血

丁濟華

飲食富有激刺性者。入胃後每易釀成吐血。此人人皆知。毋庸贅述矣。然不知其唯一能釀成吐血者。則爲酒。且於近時之酒。爲害尤烈。請試言之。

酒爲富激刺性之痲醉劑。能使血液增加流行速率。並興奮。甚則能使血液沸騰。夫血液循經以行。飲酒過甚。血液行動加速。速甚則溢出脈外。故成吐血。飲黃酒者此症少見。有因恣飲高粱。而患此症者。則往往見之。作者此篇。非戒人飲酒。祇告嗜酒者。飲時宜略爲注意撙節。切勿盡情狂醉。以免戕身耗血。况酒如酌量少飲。非但無損。亦且有益。惟飲者須不及亂耳。

其次者爲烟薑椒桂及一切腥辣之品。煙氣吸入由肺胃而肝腎。其激刺有更甚於酒者。惟酒之發揮性較煙爲長耳。此顯而易見之事。如不能吸煙之人。偶吸一口。則行咳嗽氣促。不堪其苦。酒則雖不能飲者。飲亦無甚痛苦。及至過後。則漸覺頭暈。或泛噁。故同一激刺。其發揮性有短長。而酒與煙其激刺於短時間言之。則煙較酒爲烈。故煙吸入肺胃。如陰虧之人。受之每易釀成吐血。蓋煙吸入咽喉之後。必經肺而入於胃。肺爲嬌嫩之臟。陰虧之人。肺臟液體減少。或致病之先。

先有乾咳。煙爲熱烈之品。刺激肺臟。肺臟無充分之液體。以供其薰灼。則日久肺臟脉絡因而驟裂。致成吐血。見者比比。或謂吾吃煙數十年。從未見過吐血。此體質略壯。或肺液足能供煙熱之薰灼。故不見此。然每至晨間醒寤。則口必覺乾或苦。此卽肺胃之熱上衝。雖不吐血。而已內灼矣。薑椒及一切腥辣之品。入胃以後。皆能傳播其固有激刺之功能。上條所言。其病在肺。而此條所言。則其病大半在於脾胃。刺激之食物入胃以後。不能一時消化。而此熱烈走竄之個性。已在開始工作。脾胃間四週絡脈。被熱所迫。氣血不能統馭。血液因熱而走竄逆亂。由肺外溢。則吐血立見。故往往有今晚進刺激之食物。明晨卽見吐血者。此食物刺激之發揮性。乃脾胃直接感受。自較他項爲甚也。

血病簡效方

沈仲圭

失血之種類甚多。見於上竅者。如欬血、嘔血、鼻衄是也。見於下竅者。如遠血、近血、腸風、藏毒是也。其在男子。又有血淋一症。在女子。又有崩中。漏下二症。更有不論身體之何部。因輕微之外傷。而起致死的出血者。血友病也。欲詳論各症之療法。非數萬言莫能盡。茲選錄三方如下。皆方藥簡單。功効確鑿。可以自療。可以濟急。願醫士、病家共珍之。

一、內服方

A痰中夾血

痰中夾有血絲血點。肺癆病者。往往見之。可用白芨四錢。三七一錢五分。煎服。按白芨不但止血。兼可減少氣管之分泌。(卽痰)。且味屬微苦。適合胃藏。雖久服而無妨消化。三七止血無留瘀之弊。合以爲方。誠肺病欬血之要藥也。

B嘔血盈盆

嘔血雖較欬血易治。但失血過多。往往逗起心臟衰弱。而致虛脫。延醫診療。每嫌迂緩。可用花蕊石二錢至五錢。煨存性。研如粉。以童便一鍾。男和酒半鍾。女和醋半鍾。煎溫送下。(方出十藥神書)亟止其血。再以獨參湯補氣。然後從容商治。自無意外之變。

二、外用方

C金創流血

五六月間。取苧蔴葉和石灰搗作團。曬乾研末。止血極靈。且易結痂。(方出本草綱目)他如生半夏或龍骨研粉敷之。亦良效。

肺病廣論

肺病漫談

沈仲圭

(一)結核菌之可畏

肺病者。結核桿菌侵入肺部而營其破壞工作也。該菌爲極小之植物性微生物。非人目所能窺見。其耐冷熱之力甚强。在百度表百度之乾熱中。能生存至一小時之久。在百度表六十度濕熱中。能生存至二十分鐘之久。在凍冷中。不能減其生活。其爲害於人類至大。如教育普及衞生完善之美利堅。據其死亡統計。死於肺結核者。佔全死亡數九分之一。在吾國則更多。竟有四分之一。其侵入人體。初不自覺。待諸症畢現。而病根已牢不可拔矣。且結核之祟人。不限於肺部。若胃、腸、咽、喉、鼻、舌、骨、腎、膀胱、睪丸、淋巴、皮膚、關節、等處。皆可發生結核病。不過臨床所見。以肺結核較多焉耳。

(二)簡便治法

國醫治療肺結核之有效單方。以吾所知。有二方焉。一爲肘後獺肝散。獺肝一具。炙研爲末。每服方寸匕。日三次。按和漢藥物學云。獺肝治肺結核患者之欬嗽。吾友王潤民嘗以獺肝及童便爲主。佐以他方。治愈重篤之肺病。因贊此二物爲治肺結核之專藥。一爲骨炭。用猪、羊、鷄、或大口魚之骨。炙酥研末。混於食品中啖之。此因骨炭含有鈣鹽。對於肺部之炎症。能消弭之。肺部之潰爛。能乾萎之。肺部空洞之四周。能硬化之。故久久服用。不論何期肺病。皆有裨益。

(三)食餌療養

肺結核欲望全愈。重在療養。單恃藥物。殊難爲力。所謂療養者、卽鮮潔之空氣。滋養之飲食。充分之休息也。欲得鮮潔之空氣。非轉地高山或海濱不可。若食餌療養可得言者。如鯽魚、鱉肉之富脂肪。牛乳、雞卵之易吸收。萊菔助消化。胃弱當餐。胡桃含單甯。遺精宜餌。藕湯治吐血。可代茶飲。菠薐療貧血。堪供肴饌。其尤善者。莫如壽親養老新書之黃雌雞飯。與價廉物美之豆漿耳。惟投滋養品。當以病人之好惡爲標準。苟病人不喜此物而强進之。固屬無謂。或滋養雖富而消化困難者。亦當權衡病人之胃力能否勝任。以定棄取也。——癸酉初冬作於吳山——

談談潮熱

許持平

潮熱俗稱虛熱。從醫藥立場上說。患某種慢性病的人。他病灶裏的毒素。慢慢地放入血裏。司溫中樞。被他感動。就生潮熱。照這樣看來。潮熱並不是病。乃是某種慢性病的病狀罷了。

發生潮熱最多的病。要算結核症。無論肺結核。腺結核。腸結核。都有發生潮熱的可能。他若骨或關節慢性膿症。和其他慢性化膿性疾患。也是發潮熱的原因。他的顯狀。簡單的說。就是每至午後。體溫逐漸升高。在午後六時至十時。達最高點。此後逐漸下降。直到常度以下。當夜間體溫驟降的時候。常常會出汗。這就稱盜汗。可是潮熱的徵狀。並無一定。有間日而作。也有早晨發熱。下午退熱的。不過這兩種比較少見罷了。

治療的方法。不外吸鮮潔的空氣。食滋養的食物。作充分的休息。和服適宜的藥物四端。就中尤以靜臥爲最要。根據上述病理。潮熱的起原。既是病竈裏放出毒素的關係。倘再勞動。使血循環加速。毒素帶到血裏益多。那潮熱勢必加重；况且勞動肉體。易費精神。精神力的消耗愈速。抗病能力愈弱。對於病的治愈。關係很大。休息既可減少毒素的放出。更可發展其自然的療能。一舉二得。眞是治這病的無上妙法呢！至於藥物療治。乃醫學範圍內的事。姑且不說。不過服藥只是治標。根本解决。還是在充分靜養！我還有一句話要鄭重說明的。潮熱既是病狀。應該請教醫生查出原因。纔有根本治療的希望；而且潮熱愈期很緩。總要耐心調養。千萬不可性急纔好。

肺癆病榮養療法（下）

佚名

人工滋養品之効力。僅於食慾缺乏之病人見之。在胃口佳良者。殊無實效可言。

世人因恐肺癆病人之衰弱。無意識的使病人攝取多量人工滋養品。此最爲惡習慣。其意雖誠。其愚亦不可及。夫人工滋養品在學理上。其構造成分。縱非常完善。然決不足以代天然食品。而營完全之榮養。良以吾人胃腸。存有自然之妙機。其消化吸收之機能。尤必依食慾及嗜好爲進退。固不能拘泥試驗管內之變化。而卽援爲定例也。故凡濫用人工滋養品。實得其利益者。可稱罕絕。而其害則往往促進病人之消化不良耳。

雖然。人工滋養品。對於全無食慾者。不得已而暫且用之。以安病人之心理。至欲因是而增進其榮養。殊爲奢望。何則。病人缺乏食慾。卽其消化力暫時消失之徵。此際縱與以適宜物品。亦不復能消化而吸收也。故當時最良之法。惟有暫行斷食。而努力於他種生活。待其食慾漸次發生。再行進食可也。此在門外漢視之。以爲冒險之舉。苟能十分悟透自然界之關係。乃知此爲獨一無二最合理之處置也。

強制多食後。病人體重。縱使比平常增加。而於治療上仍無何等利益。反是。苟應乎自然食慾而攝食。馴致體重增加者。則爲病勢漸痊之佳兆也。

肺病經過中。病人體重日見增進。固屬病機中止。漸趨治愈之佳兆。但因强制多食而然者。乃爲人工的一時性增加。並非出於自然。供養稍異。其體重立卽減退。故此種營養療法。非徒無益。或反有害。往往因是而潛傷腸胃。體內各藏器。不堪過度之榮養。致釀種種疾患。又組織對於結核菌及其毒素之抵抗。亦不免漸次衰微云。

反是。吾人如詳察肺癆病人的經過。悉心看護。其食慾尚未大振。應其食欲。少與食物。而體重反見漸漸增加。如是自然增加之體重。得以永久支持。不致急遽減退矣。此種體重增加。實足以爲測定防禦機能恢復力之標準。於治療上始有重大意義。故與其苦心焦慮。强使病人多食滋養之品。不如返而講求所以振興食慾之道。爲合乎自然之理也。然欲冀病人食慾永保其健全。不得不更於肺病療養上所至可貴之空氣療法。深思而力行之。庶乎有得。

初期病人之食慾不振。多屬神經性。消化不良而然。故欲貫澈榮養療法之進行。應預將此等障礙先行掃除。

肺結核發病之初。病人往往因恐怖與興奮。而神經異常過敏。遂致誘發各種神經衰弱症狀。而神經性消化不良。亦恆於斯時見之。其症候頗爲複雜。且多兼發頭重不眠。心悸亢進。精神興奮或沈鬱等症。食慾雖屬不振。胃腸並無障礙。故此時宜暫與以多量食品。以訓練其胃腸。使之速復原狀。不可更拘泥於上述。食慾與飲食之關係。而固守成見也。

其他食慾不良之原因。除純粹肺癆原因之外。兼有口腔、齒牙、咽喉患。以及胃腸疾病。常習性便祕。生殖器疾病。高度貧血等時。亦足誘起本症。此時醫生固應檢索而處置之。卽病人亦應深悉此種原因。足以誘發食慾不振。而注意謹防也。(完)

肺癆病之研究(下)

楊志一

(三)肺癆用藥之標準

肺癆與虛勞之辨別。既如上述。而用藥標準。尤有分寸。扼要言之。虛勞治法。溫補爲宜。肺癆治法。清攻是尚。今本篇所謂用藥標準者。乃舍虛勞而言肺癆。大抵乾咳而短。喉痒氣逆。體瘦易倦。入夜或發輕熱。卽爲肺部受病之初步。治以肅肺化痰(如桑叶、紫菀、杏仁、瓜蔞、貝母、枇杷叶、等)爲主。如初期失治。則病勢日進。如咳嗽咯血。痰帶血絲。膺痛氣促。日晡潮熱。幷發盜汗。(此時切勿驚慌。宜靜養服藥。)此爲肺絡已傷之徵。急以清絡保肺(如炒丹皮、地骨皮、海蛤粉、絲瓜絡、仙鶴草、旱蓮草、馬兜鈴等。)爲治。如中期失治。或治不得法。則病情轉入第三期。而日趨於虛弱。如咳嗽氣促。吐痰色白而黏。飲食減少。肌肉消瘦。形色枯槁。繼則便溏。(西名腸結核)肢腫、失音(西名喉結核)等症悉見。無非肺脾衰敗之象。此時肺之生氣已絕。治肺無益。惟有培土以生金(如黨參、白朮、山藥、生苡仁、扁豆、炙甘草等。)或有一線生機。此治癆用藥之標準也。

（四）三期肺癆之診斷

肺癆不幸陷入第三期。則便溏納少。肢腫失音。爲必有之症象。旣如上述矣。然亦有肺葉焦爛。咯血如冲。呼吸窒塞。不能轉側而死者。自始至終。爲期至促。上述便溏肢腫等敗象。竟不及見矣。大抵現敗象而死者。死於虛脫也。不現敗象而死者。死於窒塞也。老年患癆。虛脫爲多。青年患癆。窒塞爲多。證以事實。衡以病理。固絲毫不爽也。（完）

腦病研究

護腦之方法

董志仁

腦在頭蓋骨之內。是人體中最高的器官。一切記憶和命令。都要腦力爲之主司。對於衛生。應當特別注意。

腦的營養。不外乎呼吸新鮮空氣。攝取佳良食物。使血液循環。有充分的供給。到腦部方面去。那腦部就可以常常健康了。在運動或進食後的半小時內。不宜用腦。愁苦、憤怒、色慾。不知自節。容易傷腦。尤其煙酒更能傷腦。所以吸食煙酒。不可成爲嗜好。而且腦部一如他種器官。不用就要退化。用得過度。又要衰疲。所以要求腦的發達。必有相當的練習和休息。如學校中研究各種科學。不但可以得到生活上的智識技術。並且可以鍛鍊腦力。使腦力發育。各部平均。

睡眠，休息，散步，運動等。都是休養腦力的方法。就中以睡眠爲最好。當睡眠的時候。大腦的作用。完全停止。只呼吸循環等營緩慢的運動。如是一度睡眠。能使精神的疲勞。就此恢復。而精神也就此振作起來。

此外如撲打頭首。誤傷腦部。亦能爲腦力的障害。頭髮不宜過長。夏時炎署。必用帽以防日光直射。更有青年手淫之習慣。亦能大傷腦力。最宜注意。

健忘症之治法

袁國榮

健忘者徒然而忘其事也。爲事有始無終。言談不知首尾。讀書則記憶薄弱。寫字間有執筆忘字。其最普通之原因。有因憂思過度。損傷心胞。以致神舍不甯。遇事多忘。有因思慮傷脾。神不歸脾，亦令轉盼遺忘。有因稟賦不足。神志虛擾。有因心不下交於腎。濁火亂其神明。腎不上交於心。精氣伏而不用。是謂心腎不交。各症治療之法。大抵思慮過度。病在心脾者。宜歸脾湯。心腎不交。神志不當者。宜朱雀丸。稟賦不足。神志虛擾者。宜孔聖枕中丹。更有精神短少。亦易健忘。宜人參養榮湯。總之健忘之症。不可全靠藥物。須要少思慮。寡妄想。勵行衞生。兼施藥物。方可見效也。

歸脾湯 人參 茯神 炙草 棗仁 白朮 歸身各三錢 遠志 炙草 龍眼肉各二錢 木香一錢

朱雀丸 沉香一兩 雲苓四兩 老蜜爲小丸每服三十丸人參湯送下日服二次。

孔聖枕中丹 炙龜板 龍骨 遠志 九節石菖蒲各等分爲末每服酒調一錢日三服

人參養榮湯 白芍錢半 人參 北耆 灸草 當歸 白朮各一錢 北味 熟地 雲苓 陳皮各八分 遠志 玉桂各五分

腦貧血與腦充血

黎離塵

腦爲一身之主。故養護不可不周。一旦偶失常度。則救治又不可不急。蓋稍一不慎。即有不測之憂矣。腦疾之種類甚多。而最足以使人驚懼者。則爲腦貧血與腦充血二症。因此二症發覺時。即有最劇烈之變相。小腦卽失其指揮之本能。而大腦亦暫停其動作之功用也。於是救急之法。不可不知。玆將此二症之現象及急救法。分述於後。願讀者諸君一留意焉。

(甲)腦貧血之現象及急救法

(一)現象　發覺時卽心神不適。恍有可恐怖之事實將發生。並起耳鳴頭暈目眩流汗肢冷諸現象。甚者失眠或昏厥。

(二)急救法　最宜注意者。卽使其得飽足之呼吸。以盛其血行。如已昏厥。則當低其頭部。高其下肢。注冷水於頭部及胸部。以調和其血輪。而恢復其固有之狀態。或以臥龍丹取嚏使之蘇醒。

(乙)腦充血之現象及急救法

(一)現象　發覺時面紅耳赤。若有火燄熱於中者。此實性也。面色蒼白或失神者。此虛性也。

(二)急救法　實性者。則整理其生活狀態。或節慾卽可。若虛性者。則非令其靜臥。保其四肢之溫不爲功。

要之上述二法。不過救急而已。至若恢復原狀。則非延醫療治。斷難奏效。務希諸君萬勿以有恃而不恐也可。

神經衰弱概論

楊志一

據中華職業教育社調查云。青年患神經衰弱者。幾佔十分之九。其流行之廣。於此可見。惟以余臨症經驗所得。深知斯症之原因。多爲性慾不節所致。余於「神經衰弱淺說」書中。言之綦詳。茲特補述一二於后。

(一)遺精關係　青年流行之遺精病。大都由意淫手淫及房勞而來。而患遺精病之青年。多現神經衰弱之象。最顯著者。厥爲頭眩健忘。多疑善慮。易興悲觀。不知愈悲慮。則精神抑鬱。神經愈趨衰弱。遺精因以更甚。初則因遺精而致神經衰弱。繼則因神經衰弱而遺精轉甚。互爲因果。病乃日進。此時治法。以甯心安神爲第一要義。

(二)症象一斑　本症患者。精神肉體。備受痛苦。茲錄某君自述症象一則如下。藉見一斑。「夜間不易入眠。眠則亂夢不息。或怔忡而醒。有時夢遺或盜汗。小便時精有流出。日間頭暈痛眼花。耳鳴四肢乏力。行動欹斜。極易心跳升火。一切行爲舉動態度思想均現反常。明知錯誤。苦不能改。精神集中於病。苦思焦慮。不能排遣。有時無故恐怖。遂手足抖動。口舌乾燥。不敢聲息。逢怒時則肢冷面紅。身軟呼吸困難。冷汗淋漓。吐出之痰黏而發黑。兩腋下無論冷熱。終日流汗不止。大便常祕。小便甚多。胃口尚佳。」

(三)壯胆療法　一般患本症之青年。居恆憂鬱寡歡。意志莫定。其氣先餒。惟恐病之難痊。任醫不專。反責藥之無靈。此不啻資敵以糧。進退安有不失據者。不知神經之爲病。修養爲上。藥石次之。修養之法不一。而下決心。勿胆怯。實爲先決之問題。蓋胆壯心堅。則雜念自消。幻想不生。固有精神。不期自振。快樂之觀念。亦油然而生。病之向愈。固意中事。此余所謂壯胆療法是也。

(四)滋補膏方　按心腎之陰不足。君相之火有餘。以致夢遺頻發。小溲漏精。耳鳴頭眩。多夢少寂。心悸腰酸。種種病症。無非神經衰弱之象。茲本王太僕壯水濟火。從陰引陽之旨。複方煎膏。緩圖其功。藥味如下。「大生熟地各三兩。明天冬三兩。山萸肉二兩。炒滁菊三兩。甘枸杞三兩。潼沙苑三兩。熟女貞三兩。抱茯神三兩。炙遠志一兩。炒棗仁三兩。五味子三錢。菟絲子三兩。龍骨齒各三兩。牡蠣四兩。川黃柏兩半。生白芍三兩。厚杜仲二兩。川斷肉二兩。金櫻子三兩。製首烏三兩。肥玉竹三兩」。以上各藥。濃煎取汁。加阿膠三兩。龜版膠三兩。冰糖半斤。烊化收膏。每早晚開水冲服一匙。

青春寶鑑

色慾與壽命之關係

何景禧

黃帝問於岐伯曰，余聞上古之人，春秋皆度百歲，而動作不衰，今時之人，年半百而動作皆衰者，時世異耶，人將失之耶，岐伯以今時之人。以欲竭其精，以耗散其眞，不知持滿，不時御神，務快其心，逆於生樂，起居無節，故半百而衰以對之，降至今日，年未三十而衰者，更居大多數，謂予不信，請觀報章醫藥欄之問病者，泰半皆以少年間遺洩，小便後流出白液，腰酸，耳聾，眼花，身體浮動等等腎虧見症，良由世風日下，耳所聞，目所見，無論小說，圖畫，廣告，戲劇，報章，新裝，無不以言情誨淫，迎合社會心理，養成人慾橫流之狀態，青年男女，誤入歧途，大則影響於國家，小亦戕害乎身體，甚則和奸誘拐，觸犯刑章，良可慨也，既發生腎虧各病，猶以為可以頭痛醫頭，脚痛醫脚，如何腦筋衰弱，與性慾無關，依然恣情縱慾，何異抱薪赴火，蓋腎虛而腦亦虛，腎强而腦亦壯，中西學說雖不同，為理則一耳，余有所見，不安緘默，故作是言，須知修養以節慾為第一要義，藥物治療，為權宜救濟耳，故無論男女，受病與否，首以節慾，（手淫為害尤烈）慎起居飲食，方能享受畢生幸福，否則病夫一個，失却人生樂趣，欲不促其壽命，豈可得乎，敢告一般青年，亟宜猛醒。

性慾衛生之研究

董志仁

性慾是天生的。男的在十六七歲。女的在十三四歲時。情竇一開。便有性的發動。和性交的知識。是不必有父母的教訓。和師傅所啓導的。可是性交有兩種目的。一種是生殖作用。一種是愉快作用•愉快和生殖。都不能勉强。更不能過度。否則就是過淫。過淫的結果。能使全身衰弱。視聽障礙。精神幽鬱。消化不良等症外。在男子要發生陰萎。和交接不能諸症。女子要發生陰門，陰道，子宮病及不姙症等。要避除這種害處。應該節慾。若據嚴格的衛生理論。性交的度數。性交的禁忌。因着年齡體質氣候而有差別。茲列表如次。足資參考。

年齡	週月	度數
二十至三十歲	一週	二——三回
三十至四十歲	一週	一——二回
四十至五十歲	一月	二——三回
五十至六十歲	一月	一——二回
六十歲以上	一月	一——二回(衰弱者禁絕)

性交的禁忌時間。

(一)關係身體方面的。

1.月經來潮時。

2.姙娠六個月以後。

3.分娩後五週以內。

4.患生殖器疾病時。

5.患花柳病時。

6.患傳染病或其他疾病時。
7.大病方愈後。
8.業務繁忙時。
9.食前食後，或空腹過度時。
10身體過於疲勞時。
11酒醉後。
12行遠路後。

(二)關於精神方面的。
1.精神不爽適時。
2.夫婦感情不和合時。
3.精神感動劇烈時。
4.發生嫌厭之念時。

(三)關於天時氣化方面的。
1.春分秋分日。
2.夏至冬至節前後七日內。

3.迅雷暴雨。烈風閃電時。

4.日月薄蝕。嚴寒酷暑時。

此外還有關於迷信方面的。如神佛降生誕忌日。晦弦日。及燈火前，寺廟區，井灶前，坑廁，塚墓，尸柩旁等。說者謂犯之能減年降疾。其實神道設教。原是輔佐法律所不逮的。這種禁忌。無非是要使人節慾長壽。須要遵照。况且井竈坑前。或有毒物。塚墓尸柩的旁邊。必有惡氣。當然不能性交。是頗有意義的。

性交的度數。和禁忌。既已說明。還有非性交。而關於性慾衞生的如青年的手淫。手淫能刺激神經。而消耗精液。既沒有愛情的調和。於是腦神經和脊髓神經必能大受損害。所以常犯的人。很容易害神經衰弱的病症。又易併發早漏，遺精，陽萎，生殖器發育不全。或外傷不姙娠等病。要防止手淫的惡習。除施良好教育外。須留意下列各條。

1.保持陰部的清潔。

2.節用刺激性飲食品。

3.睡眠時要側臥。被褥勿太重厚和過暖。

4.寢前用冷水洗擦下腹部。

5.晨間一醒覺後。卽行起床。

6.平時所用之褲料。宜用細軟者。
7.勿看淫書淫畫淫劇。

性慾過度之遺精

尤學周

青年病之最普遍者。厥爲遺精。十人之中。有七八人患之。都市之青年。較鄉間之青年患者尤多。其原因雖不一。大多與性的方面。有極大之關係。

都市之中。風氣較鄉間爲開通。事事競尚浮華。聲色玩好。應有盡有。久居於此者。爲惡環境所引誘。易於奪魄銷魂。潛志滅性。因性慾之衝動。思謀所以發泄之道。或則尋花問柳。斲喪其元陽。或則手淫屢犯。生機不遂。久則腎陽大衰。精關不固。發生遺精之症。此皆性慾過度之所致也。

由性慾過度而發生遺精。在理有虛無實。宜投以固澀之劑。塞其流而益其源。得以養精蓄鋭。培養天機。恢其固有健全之軀。然患者體質雖虛。而性慾仍形旺盛。見色易起淫心。常發爲春夢。恍惚狎褻。情不自禁。致精液無端洩流。蓋相火偏旺。心境不淨。成爲夢遺。間亦有無夢而遺者。然爲數甚少。故其治法。固腎保精。原不可廢。而治心尤爲要着。所謂心病須將心藥醫者是也。患者若不除妄念。節制性慾。使此心如井水。縱有靈丹。亦難見效。然非有大慧力者。無此決心。遺精一症。醫家所以委之難治。病家所以不能脫却苦惱者。即以此故。

關於遺精之治法。成方甚多。多從陰虛立意。未免失之於偏。『大補陰丸』及『知柏八味丸』雖合於性慾過度之遺精。然配合上尙欠妥善。余宗其意。另訂一方。相病者之體質。及得病之久暫。加減用之。頗能見效。藥味及其配合如下。

川黃柏四兩。肥知母四兩(二味鹽水炒)。大熟地(酒蒸)六兩。龜版膠四兩。酸棗仁四兩。猪髓調蜜糊丸。上好硃砂爲衣。每晨鹽湯下二三錢。

性慾不遂之遺精

前人

性慾爲青年時代大問題之一。此項問題。包括如何解決此性慾。如何可以防其慾潮橫流。如何可以導之入於正軌等等。蓋性慾出於天賦。既不能禁。又不能絕。知好色。則慕少艾。人之情也。惟慕之則戀之。既戀則思染指。蓋戀愛原爲性慾之初步表現。及性慾既遂。戀愛之情。亦日趨於淡泊。此事實之易於證驗者。

青年時代。求愛不得。染指無從。則性慾不遂。亦能引起遺精之症。經云。『思想無窮。所願不遂。意淫於外。入房太甚。發爲筋痿及白淫。』此條於意淫於外句下。必衍『則夢內接』四字，蓋所願既不遂。而慾念又未能卽時制止。於是意淫於外。意淫則『厥氣客陰會器。則夢內接』（經文）固意中事也。若直接入『入房太甚』四字。與所願不遂。立於相反地位。上下意思不貫通矣。

性慾不遂之遺精。大都爲夢遺。凡心有所思。其思潮卽傳達於腦。留一深刻之幻象。『不遂』則此心不休。其幻象益深。睡中朦朧之時。一切幻象。如放射影片。將攝入之外景，風展雲舒。映入銀幕之上。千奇百怪。層出不窮。夢之由來。亦猶是也。一有思潮。卽感動靈敏之神經。傳達於腦府。成爲夢魔。幻爲夢境。以快其私慾。發生交接之事。成爲遺精。

近日之青年。受經濟之壓迫。往往延遲其婚期。在生活方面。固求其減輕肩上之負擔。在性慾方面。實少其發洩之機。而女子之稍有知識者。又眼高於頂。選擇頗嚴。無貌無才無錢之青年男子。往往不得邀女性之一顧。遑論戀愛，遑論結合。性慾愈不得遂。或者雖已結婚。拋妻離家。覓食他方。別時固黯然魂銷。別後又時縈於夢寐之間。春情縷縷。成爲幻境。夢遺卽肇於此。

因性慾不遂而生之遺精。第一宜早爲完婚。或組織小家庭。同居一處。使性慾得遂。此心既有寄托之處。幻夢減少。遺精亦能自止。服藥以『滋腎丸』爲最佳。每服一二十九。早晨淡鹽湯下。

勞心太過之遺精

前人

勞心太過之遺精

青年遺精非必盡由于性慾過度。或性慾不遂。勞心太甚。亦能發生本症。蓋勞心者。耗傷腦力。造成神經衰弱之象。性神經亦受其影響。以致失其約束精關之權。有時反形成易于興奮之狀態。不克自制。而於睡夢中爲尤甚。因是而發生遺精之症。

近時青年。大都受惡環境之影響。好倡自由。不受約束。荒蕩奢侈。流於浪漫。故多遺精之症。此由於性慾無度者。其他一部分自好之青年。則又刻苦砥礪。奮勉有加。兼之不景氣現象。到處皆然。感於生活之壓迫。經濟之恐慌。又不得不努力奮鬥。以解决其生活問題。因心神之太勞。神經漸次轉爲衰弱。由此速成遺精之症者。蓋比比然也。

黃履素折肱漫錄謂『先大夫少年。極苦此病。蓋用功過苦。名心太急所致。每臨場則愈頻。陽事少着卽遺。苦無可奈時。床蓆俱穿一大孔以臥。使其無着。是科發解。武林居停。邀其親戚女客飲喜酒。相率觀解元公書室。則床蓆有大孔。皆莫解其故。以爲笑談。一自發解後。夢泄便希。及登第後則尤希矣。余少年亦若此。迨登第後漸希。漸老愈減』此可證勞心足以致遺。及功名既遂。既釋其勞。復舒其心。遺精亦逐漸向愈。

患者如自審其遺精之起。並不因於性慾不遂。或性慾過度。確實由於勞心過度而起者。最要在去其病原。卽使此心得有休養。以恢復其衰弱之神經。一面服『天王補心丹』。臨臥時。桂圓湯送下錢半。或二錢。久服方能奏效。

濁海明燈

沙淋奇方

劉一朋

余友田君精岐黃。人多以醫界聖手稱之。其孫五歲時。忽患沙淋症。家人初未之知也。後見其撒尿而哭。其尿亦不成流。遂異之。奔告祖父。田君以手親按其小陽物。覺龜頭以上尿道內。有如黍粒大之硬物壅塞。重按卽痛。遂開方數劑。服俱無效。腹部隆起如鼓。行將就斃。家人惶急萬狀。田君亦束手無策矣。當焦灼之際。忽來一丐翁。言能醫此病。家人雖不甚信。然病已至此。亦姑爲之。丐翁卽令備火爐一。方磚一。韮子(韮菜所結之實)一撮。麻油一兩。葦楷一尺。(去節如空管)將方磚置火爐上燒微紅。再將韮子數十粒置方磚上。滴以麻油少許，旋卽濃烟驟起。急令小兒。口含葦楷之一端。以下端置濃烟中吸之。吸至十餘次。小兒陽物漸漸向下透尿。不久卽能成滴。稍歇又吸。尿水愈滴愈急。又稍歇。至第三次將吸未久。其沙粒卽隨尿而下。小便成流。而病却矣。單方治大病。洵非空言也。

按此方功用。不僅能治沙淋。大凡小溲不通。當亦必有奇效。

淋濁初起之治法

尤學周

男女行房。忍精不洩。或無力行房。勉强敷衍。或吞服春藥。以加性慾。皆易造成淋濁之病。又於洩精之時。感受驚恐。或受意外之刺激。其精將洩未洩。精門已開。留於中途。或身體衰弱。房事過度。元陽虛損。精門不閉。亦足以釀成淋濁。緣上述諸端。皆精不暢洩。留滯精管。久則腐化而下。成爲淋濁。近日青年之患淋濁者甚多。其原因什九由宿娼時傳染而來。爲花柳病之一種。

淋濁初發時。龜頭上有一種不適之感覺。馬眼中有白膩之物。時時流出。溺便時尿道內稍覺微痛。一二日後。即覺梗塞。溺時作痛異常。且尿意頻頻。而又不爽。馬眼中之白膩物。愈增愈盛。漸泛黃色。間有出血者。龜頭有紅腫而爛者。夜間往往陰莖勃起。發劇痛。致不能安眠。或引起遺精。

淋濁初起治法。第一務須利溼下濁。使精管宿穢排除盡淨。第二須注意清潔。使濁液不傳染於他處。則病根可絕。本病之治方甚多。其效最便捷者。莫如用杜牛膝根(至少一兩)搗汁。陳酒沖服。其效甚速。如再加麝香少許尤佳。服後少便爽利。痛亦減退。再用石蓮子錢半。麥門冬一錢。九節菖蒲七分。福澤瀉一錢。生甘草五分。赤茯苓六錢。辰燈心三扎煎服。可以漸次平復。

淋濁愈後。常能受第二次以至數次之傳染。花街柳巷。實爲此病之交易所。操皮肉生涯之娼妓。卽本病之製造廠。凡我青年。宜絕足此途。萬勿受慾情之驅使。爲無恥蕩婦所惑。未犯者謹防失足。已犯者切勿再犯。若一誤再誤。則傳染愈烈。病根亦愈深。噬臍興嘆。悔無及矣。

淋病治愈與否的決定

謝筠壽

世人往往以淋病的急性症狀經過後，疼痛減輕，分泌物減少，便算淋病已經治愈，這固然是大大的錯誤。就是進一步講，有人拿了一大壞的小便到衞生局裏去檢查，找不到淋菌，卽作爲淋病已經治愈的證據，其實也是一樣的錯誤。原來慢性淋病的時候，淋菌往往潛伏到尿道粘膜下組織，尿道腺，攝護腺等病灶裏面「病灶就是細菌潛伏的地方」，不一定常出現到小便裏，所以僅僅用一大壞的小便去檢查，是不容易找出淋菌的，倘使馬虎的診斷的治癒，一方面使病人耽誤了醫治的時期，一方面又有傳染給他人的危險。所以吾人應當求一適當的標準，有所遵循，方可免了上述的危險。茲有德國醫學博士耶大松氏所選擇的三個方法，就是怎樣的決定生體裏面沒有淋菌的方法，說明一下，但是關於專門的地方，恕不詳述。茲不過令大衆知道淋病治癒與否的決定，是這樣的罷了。

第一　淋菌誘發刺戟法。

第二　淋菌培養法。

第三　補體結合法。

第一　淋菌誘發刺戟法　怎叫做淋菌誘發刺戟法呢？就是淋病到了慢性的時候，照上面所講，淋菌往往潛伏在病灶裏面，如果不用方法去刺戟牠，牠是不會發現出來的，現在用一種叫做刺戟法的去刺戟一下，牠就出來，容易給吾人找到，好似「撥草驚蛇」的意思，刺戟的方法很多，再分段的述在下面：

(一)機械的刺戟法　就是用一種金屬「步其」或擴張器插入尿道的方法。

(二)化學的刺戟法　是用一種藥液注入尿道的方法。

(三)特異性的刺戟法　是用一種淋菌萬克醒注入的方法。

(四)非特異性刺戟法。是用自家血清或牛乳製劑注射的方法。

(五)酒精飲法　令病人飲用酒類的方法。

(六)勞動　令病人乘馬跳舞等勞動的方法。

第二　淋菌培養法　就是用分泌物去做培養，但是淋菌培養的手續很麻煩，又需要一定的設備。

第三　補體結合法　本法現在還未達到十分可靠的地步，尚在研究。

施用上面所講的淋菌誘發法所得到的尿道分泌物，用顯微鏡精密地去檢查，找不到淋菌，就是培養也是陰性的時候，總可作爲淋病的治癒。但是斷不能以一次爲滿足，須反復檢查多次，至於上面所講的各種方法，也有用一種的，也有併用二種三種四種的，這是要隨醫師的意思去決定，還有一句很重要的談話，就是淋病到如何的情形，方才可用刺戟法，這對於病人的利害，關係很大，如果誤用了刺戟法以後，就可以得到很危險的結果，這是要請特別注意的。

白果蛋醫白濁

葉橘泉

曾見有一老人「非醫生」善能醫白濁。患者只要買幾個生鷄蛋送去。他就把蛋挖一孔。放出蛋清半數。放入藥去墊滿。用紙糊封。飯鍋上蒸熟。令患者連吃幾個。頗有能獲效的。不過此老雖不取費。而其方頗守祕密。作者遍檢方書。對於白濁。有將軍蛋。白果蛋兩方。將軍蛋者。用大黃粉放入。白果蛋者。放入白果仁的。乃取其製成之熟蛋檢視之。實是白果蛋也。

考白果。一名銀杏。爲公孫樹科之果仁。色白。味微甘帶濇。略有收斂之功。能制止陰道粘膜之分泌。並有殺菌之效。故不但可以治白濁。又可用作驅蟲劑。若將其樹葉夾書冊間。可防蠹蟲之害。

腸胃之病

便祕之害及療法

王鑑清

吾人之食物。大體上分析起來。有可消化與不可消化兩類。可消化者。經胃腸後。即被吸收。輸入於血。而導至身體各部。不可消化者。聚集之成糞便。以排出於體外。其餘如腸脫落之上皮。剩餘之消化液。以及不消化種種分解之產物。亦皆需逐日隨之排出。故有一日之食物。即有一日之糞便。人一日不可缺食物。則一日不可缺排便也。一日腸蠕動之機能。不循生理的原則。而停止作用。則聚集之糞便。必祕結於腸中。其弊害不僅腹部作脹。壓重。及身體不快等感覺。如食欲不振。頭痛眩昏。且日久在腸中腐爛敗化。足以傷害腸管。而成腸潰瘍腹膜炎等病症。腐化後所產生之毒素被吸入血。又可引起全身中毒。所謂自家中毒是也。療法可分爲數種。茲述之如下。

(一)理學療法　不藉藥物。不藉器械。全憑天然的理學作用以療治。凡便祕症之輕者。可應用之。如運動身體。遠足散步。與腹氣按摩術等皆是。

(二)食物療法　凡新鮮果實以及蔬菜類。皆足以促進胃腸蠕動之機能。宜多食之。若溫開水。淡鹽湯。於早晨空腹時飲之亦有效。

(三)器械療法　通便的方中。最簡便而最無害者。當推灌腸法。灌腸法者。卽用灌腸器將水或含藥液體。由肛門灌入腸內。軟化糞便。同時刺激腸膜。而使糞便排出。

(四)藥物療法　若腸中附着有微物。或其祕結在小腸中。用上列之方法。難以全治。則不得不藉重瀉藥。以行治療。其瀉藥中最常用者。爲玄明粉。郁李仁肉。蓖蔴子油。番瀉葉數種。

胃之生理及其疾病之影響

郭柏良

胃處橫膈膜之下。爲容納食物之總器。其形行曲如囊。頭大向左。上連食管。尾小向右。下屬小腸。其體凡分三層。外層爲强韌膜。中層爲肌膜。內層爲皺壁粘膜。其主要之官能有二。一爲分泌官能。一爲運動官能。

分泌官能者。自胃壁粘膜。分泌一種液汁。俗名胃液。此胃液有消化之作用。能使人嚥下之肉類。次第消化。如投冰塊於湯中。漸次溶解。此種液汁。有一定之限度。其量適當。則胃部康健。消化力堅强。若過量或不足。則消化頓成呆遲之狀態。運動官能者。胃壁起蠕動作用。將內容之物。藉運動之力。使於一定時間。送之於腸內也。分泌官能。爲化學作用。運動官能。爲機械作用。

胃爲人身最要之關鍵。飲食入胃。端藉消化之力。游溢精氣。散布五藏。營養全體。若胃之官能健全。則經絡氣血貫通。體質强健。即其他各部。雖一時虧損。因胃能消化適通之食物。則虧損之部。亦易恢復。胃弱則臟腑機能均蒙其害。緣消化力不足。不能納穀化精。以資營養。譬諸戰鬥之時。軍糈缺乏。進退未有不敗者。胃而有病。無異爲敵襲斷運糧之要道。必生不利。

食物藉胃之運行。足以養生。故以能食爲貴。如胃有疾病。則其消化阻碍納食無味。此時即當戒食。資胃以休息之機。振起其抵抗之力。以與疾病相周旋。常人於胃病。每不節飲食。不食而强之食。不知胃而有病。運動遲緩。分泌不足。所食之物。不克消化。停滯於內。反增其累。而病邪乘之。反形囂張。病必加增。此患病者所當深知者也。

蒲公英之治胃痙痛

葉橘泉

胃痛的病理原因。多半屬於食物失宜。或過飢過飽。或食物中脂肪及炭水化物過多。或飲茶飲咖啡。及各種酒類過度。致引起消化不良。而胃粘涎增多。胃液之性質改變。或成慢性胃炎。

初起則食後不舒。噯氣艱苦。繼則胸骨後隱隱作痛。其痛瀰漫。或連背部。食後則痛輕重。或吐逆。吐物中含有膠性粘涎。甚則不能食。憂鬱煩惱。貧血衰脫。

本病初起時。用蒲公英磨細粉一錢。甜酒釀一杯。煎滾冲服。一日兩次。既有效而且合理。

按蒲公英係屬菊科多年生草。叢生原野路旁。葉作倒披針形。邊緣有大鋸齒。春出抽莖開黃色花。葉莖仍俱有白汁。

培養胃力膏方案

楊志一

(症象)胃病有年。食時知味。食後脘腹似瘬非瘬。極感不舒。食稍逾量。則脹更甚。噯氣頻作。夜難入睡。醫者曾投枳朮消滯之丸劑。病未稍減。大便尚通。

(診斷)按脾主健運。胃主納穀。今納穀尚馨。食入難化。為脹為噯者。其病雖在胃家。實則脾虛失運。為其主因也。況脾胃既弱。食稍過多。則消化大感困難。腦神經受其刺激。故睡眠為之不甯。先哲所謂胃不和則臥不安是也。

(治法)以健脾理氣為主。參以和胃安神之品。俾脾能健運。而腹瘬自舒。胃氣冲和。則夜寐自安。若不治其本。專消其積。則積未祛。而脾胃生氣。愈不振矣。安能向愈哉。值茲冬令。為培養胃力適應消化計。膏滋代煎。緩圖其功。

(膏方)潞黨參三兩。炙黃耆三兩。淮山藥三兩。米炒於朮二兩。炙甘草六錢。酒炒白芍二兩。雲茯苓三兩。炙遠志一兩。仙半夏二兩。北秫米三兩(包)。陳皮一兩。製香附二兩。春砂仁四錢。生苡仁三兩。炒穀麥芽各三兩。合歡皮兩半。焦鷄金兩半。佛手柑一兩。紅棗四兩。

(製法)右藥濃煎。去渣取汁。加煉蜜二兩。白冰糖六兩。烊化收膏。

(服法)每早晚開水冲服一匙。如遇傷風停食時。暫緩再服可也。

生育顧問

種子與調經之關係

朱叔屏

月經爲成胎之要素。此言實有不合。蓋成胎之要素。並非月經。而爲卵子。惟月經來潮。乃表示卵子已成熟之徵象。有成孕結胎之可能耳。前人未能明解月經之作用。故有此說。原不可厚非。至於由此說而產生之『調經種子。』是否有理由。則亦足堪研究者也。

經既非成胎之要。則調經種子。似亦未足可信。然證以經驗之所得。亦不能謂爲全無理由。全無效果。蓋月經之來潮。既以表示卵子之成熟。月經與卵子間之關係。不問可知。如月經不準。來潮之時。或先或後。卽卵子之成熟。失其準則。如月經之分量及色澤失常。則生殖器官。必有疾患。對於卵子之發育上。影響更大。所謂『調經種子』之說。非無的放矢矣。

關於月經不調之原因。方書以先期爲熱。後期爲寒。血色淡而少者爲虛。濃而多者爲實。然余竊以爲非也。若必以先期爲熱。後期爲寒。或超前或落後。漫無一定。將謂寒乎。抑熱乎。若必以色淡而少者爲虛。色濃而足者爲實。然或先則多而後則少。或先淡而繼則濃。將謂其虛乎。抑謂其實乎。蓋必參合其兼症與形氣脈息方能決定。斷不可執而不化。如以膠柱鼓瑟也。

調經之法。除服藥而外。對於性情上之涵養。亦宜注意。女子之性情本多偏執。當月經來時。僻性尤顯。往往沉悶不樂。此雖關於生理。可就心理上矯正之。平日之間。宜自尋快樂。力除其弊。行之既久。習慣可去。自無煩惱及憂鬱發生。所謂『忍一朝之氣。無終身之憂』此句可移爲月經不調者之座右銘。

小兒智愚與父母之關係

王瘦園

小兒之性質。秉之母者。十之七八。秉之父者。十之二三。故母智者子多智。母愚者子多愚。於父之智愚。無大關係也。我有二實例。一爲裘姓。人極精明。而其妻極愚。生二子與一女。皆酷肖其母。愚笨異常。絕不像父。二爲陳姓。人極愚笨。號稱無用郎。而其妻極智。生二子。皆肖其母。能成家立業。絕不像父。故擇婚者宜注重女子之性質。

小兒之體格。亦秉之母者。十之七八。秉之父者。十之二三。故母體强者子必强。母體弱者子必弱。於父之體格。無大關係也。故擇婚者宜注重女子之體格。

人之體格。至三十歲始長足。人之智識。至三十五六歲始成熟。人至體格長足。智識成熟之年。所生子女。必多聰明精鍊。諺謂『天下無不好老三』。即因老三多由父母智識成熟時所生。較他兒精明也。能受良好教育。則無不好之老三矣。若三十以前所生之子。爲嫩子。智識體格。難期富足。諺云。『早生貴子』適得其反。故結婚以近三十歲爲最佳之期。

老親做親。謂之血族結婚。其子女必愚而多殘疾。親愈近。愚愈甚。故姨母表姊妹結婚。比姑母表姊妹結婚。尤爲不宜。此其例極多。故擇婚者宜遠避血族。

小兒面貌之妍醜。與父母之愛力成比例。愛力愈厚。子貌愈美。愛力愈薄。子貌愈醜。貧兒之貌多不揚。皆因柴米不繼。夫妻反目也。故擇婚者務求男女之性情相合。智識相等。境遇相若。方可成佳偶。

生殖器衰弱與不能生育症

李武城

世俗於生殖器虛弱症。（或性交不能症）及不能生育症。（此種生育不能症。祇謂其不能生育。至於性交力。依然存在。甚或顯著發達者有之。）二者每多不能分辨。因之本文。亟宜詳爲解釋之。

今有夫婦焉。結婚既久。膝下猶虛。則吾人最先當連想及於婦女。然本文既專討論男性之生殖。則關於婦女一方面。當非本文範圍內之事。姑不具論。

關於男性方面者。則其原因。極爲錯綜複雜。最習見者。爲左右二副睪丸。同時發生炎症。大多因患者曾患白濁。然間亦有因性交不潔。以致發生無關重要之尿道炎而致者。

如此因發炎而滲出之液體。輾轉入副睪丸。遂致精虫不獲自睪丸經輸精管以排出。

此種排出之精液。根本上已失其精液之價値。蓋其中幷無精蟲。徒然爲攝護腺精囊及尿道腺三者所分泌之一種液體而已。

有時攝護腺及精囊發炎。此時則絕對無液體流出。惟此種情形。極少發生。在此種情形之下。則精蟲必殭直而不活。蓋精蟲必賴此二種流質。以事生活者也。或則此液體因疾病而變性。致其中之精蟲。發生崩潰。

有種情形。極少發見。其人之精液適當成份。能製出無誤。性交亦能安然執行。惟射精之機能失去。不能將精液輸出。於是子宮絕對無精液接收。按此種病源。乃在脊髓中之中樞罹病。別無他病。性交過度。每爲本病之原因。蓋射精中樞。因過於辛苦。以致麻痺。遂致不能將精液射出。同時其比較强健之陰莖勃起中樞。仍復如常工作。

在診斷上較常見者。爲精液既能照常製出。性交力又復執行無碍。而竟不能生育者有之。關於此問題。其在觀察範圍之內者有二點。第一欲使婦人受孕。必使其在交媾時。得盡興而達最樂之一點。惟對於婦女欲得到所謂最樂之一點。其所歷時間。往往較男子爲長。是以最好未交媾之前。設法使女子先受刺激。今也男子之射精。本無疾病。惟因中樞略見虛弱。致其射精之時。往往在女子未達最樂一點之先。遂致不能生育。

第二男子之精蟲。與女子之精卵。不能相互適宜融合。亦爲不能生育原因之一。此種雖爲理想之事。吾人要亦不能不臆料及之。蓋世間每多此類不能生育之男子。與其他女子。或不能生育之女子。與其前夫。固曾有子女生育也。惟若此不能生育之男女。二者適互相匹偶。則終不能生育焉。於此吾人可確定認爲男女二者之任何一方面。并無不能生育之疾病。其療法有時能奏效。惟其痊癒之希望。不若陰萎之多也。

胎產問題

胎漏與流產

郭伯良

女子經血。原充滿於子宮黏膜。預備養育受胎之卵子之用。如卵子不受胎而排出體外。子宮內充血之黏膜。已無機能之必要。故卽崩壞而出血。成爲月經。受胎之後。充血之黏膜。卽得其用。故月經停止。其於妊娠時期。仍有出血現象者。當辨其是否爲胎漏。抑爲流產之先兆。

胎漏者。有時陰道出血。毫無其他病狀。不過稍流卽止。對於孕婦。對於胎兒。皆無何種大影響。流產者。卽胎兒未具有在母腹外生存之能力。而卽墜落者。其最大原因。卽胎卵生長力不堅。胎盤之血管太薄。稍經傷動。卽致損破。因此出血。同時胎卵亦脫落而下墜。

出血而見腰脊酸痛。雖不能必其有流產之虞。然亦不能保其不致流產。若腰酸而垂重。少腹作痛。雖爲流產之先兆。此時投以安胎之劑。倘有固攝之望。安胎之品。如歸身。熟地。人參。白朮。杜仲。續斷。黃芩。白芍。阿膠。南瓜蒂。苧蔴根等。可以酌量採用。如腹痛陣陣。血出不止

○流產卽在頃刻○切不可再用安胎之藥○若誤用之○胎已脫落○反不能遽下○亦不可匆忙慌急○以防他變○宜相機進行○可安則安○不可安則促其速下○以減少孕婦之痛苦○得以早事休養○

流產多發生於孕娠三四月之前○普通之診斷○凡月經停止後一二月或三四月而忽然出血見紅者○必先疑其爲流產○然月經停止○不一定爲姙娠之特徵○如血虧○腎病○癆瘵○以及因受生活及地方環境之特別變動等等○皆足引起月經停止一二月或數月之現象○迨其病稍愈○或生活及環境已轉變○經血復行○凡此種種○頗易誤疑爲流產○臨診時當審辨之○

產後發熱

丁仲英

產後體質虛弱，往往發熱○或因於外感○或因於血虛○因於外感者○估十之二三○因於血虛者○估十之七八○外感之證○必頭疼腦脹○項背牽强○畏風無汗○食物變味○當用輕宣之劑○以祛寒散風○如荆芥○前胡○蟬衣○蘇葉○桑葉等○不可用重劑表散○恐蹈虛脫之弊○若係血虛○時寒時熱○面色皖白○唇淡無華○頭暈耳鳴○心悸不寐○自汗盜汗○舌苦淡白○脈象沉細○宜用補培之品○如當歸○熟地○人參○白朮○黃芪○白芍○茯神○酸棗仁○龍骨○龍齒○牡蠣等品○可酌量病情○加減用之○

陰虛發熱○若誤爲外感○而投以表散之法○則汗出愈甚○心悸愈增○而病勢日甚○蓋汗爲心之液

○心賴血之供養○汗愈出○則血愈虧○心無血以養○於是驚悸不寐等證○相繼作矣○

產後發熱○有因於惡露未盡者○則腹中結痛○按之有塊○治宜去瘀生新○生化湯（當歸○川芎○桃仁○黑薑○甘草）佛手散○（當歸○川芎）加味芎歸湯（當歸○川芎○龜版○髮灰○）皆可採用○

以上三症○尚易調治○其有發熱不甚○或兼見咳嗽○似外感而非外感○似血虛而非血虛○醫者不察○誤認外感而投以疏散之品○反致自汗心悸○認爲血虛而投以培補之品○雖不致變○然隔靴搔癢○亦難收效○遷延時日○證情日增○往往不治○此種證候○大率爲產褥癆○即普通之所謂產後癆○治法當從治癆方法入手○不可固執普通之產後例矣○

產褥中的攝生

俞松筠

（甲）衛生的必要

分娩畢後○安逸無事○應當靜心休養○無論如何○總須以衛生爲前提○六個星期的產褥期○需要相當之攝生○實較十月懷胎○來得重要○

產褥期中○如不攝生○往往惹起不幸的結果○最易斷送一生的幸福○例如○產褥熱、子宮後屈症、不妊症、子宮內膜炎、喇叭管炎等疾患○大都是由於不衛生而來○尤其是產褥熱一症○非常容易發生。

(乙)身體的清潔

產褥中盜汗分泌。亂汁流溢。腋下染汚。惡露排洩。因此全身不潔。除在可能範圍。先行局部的洗滌外。頭須俟四星期後。方可入浴。以求整個的清潔。

衣服衣衾。務須寬博清潔。布墊床褥等。亦宜輕柔溫煖。並應時時替換洗滌。室內光線充足。空氣流通。須防止日光的直射。通風的直達。又如惡露的汚穢。便器的收拾。家具的整理。四隅的掃除。都應極力保持清潔。

(丙)大便和小便

產後往往容易便祕。這是因爲腸蠕動的機能緩慢。與腸腔的內壓下降的緣故。產後三日便祕。雖無大礙。但便祕過久。有害心身。應用緩和通便法。可先用溫水皂水甘油等灌腸。若仍無效。再投瀉鹽硫酸曹達蓖麻油等緩下劑。但不可用大黃。因有移行乳汁之弊。

產後小便。大抵亦多困難。膀胱充盈過度。有碍子宮的收縮。所以小便不宜久積。假使六小時內。並無小便。可用溫熱濕布。貼在膀胱部位。或在膀胱部位。施行按摩壓迫。或用消毒溫水。灌注尿道口。以便促進尿意。若仍無效。再用導尿管。施行導尿。但一切消毒。當比平時尤應嚴密。否則惡露竄入膀胱。那就受害不淺了。

兒病福音

小兒急性腸炎

沈仲圭

（原因）食已腐敗之果物及飲食物。或過食。或腹部受寒。皆爲本病之重要原因。小兒腸胃脆弱。爲父母者。喜奬勵多食。故本病雖無傳染性。而鄉村城市間。播佈甚廣。

（症狀）腹痛下痢。發熱。糞便或爲水狀。或爲粥狀。混多量之粘液。有腐敗之臭氣。（屁之臭氣亦然）排便次數。自二三至二十次不等。惟次數多者。體液之損失亦多。時覺口渴尿少。四肢厥冷。又常伴發乾嘔嘔吐等胃症狀。

（治法）葛粉十兩　黃柏　黨參各二錢半　胡椒五錢　右爲粉末。混和。每次一食匙。
如發熱者。則用葛根三錢　黃芩一錢半　黃連生甘草各一錢

（攝生）病者安靜平臥。腹部施溫罨。（如以熱面巾交換熨貼。或置熱水袋於腹部。）病中最好

斷食。如其不能。祗可稍食米湯。葛粉。藕粉。病愈後。亦宜禁食脂肪過多及堅韌難消之物。

小兒初生誤服苦寒藥之害

張植林

近時民間習慣。凡遇小兒初生。不審母體之强弱。不顧稚體之嬌柔。必先購服黃連大黃等苦寒藥。再喂犀黃化毒等涼劑。謂能解胎毒。防後患。噫。此種惡習。不知戕害多少小國民。夫嬰兒始生。臟器尚未健全。脾胃薄嫩。何能當此猛烈之品。恐毒未得去。而中陽已傷。疳疾驚風嘔瀉諸病易起矣。即幸幼年無患。及長必有胃疾。如胃寒吞酸。甚且爲噎嗝之根。余見實多。目擊心傷。不得不大聲急呼。以告世之爲父母者對於此種習慣。宜速免除。倘欲預防胎毒。祗可用甘草銀花菉豆衣三味。煎服數次。絕不可與大苦大寒。以伐腸胃生生之氣。庶於民族繁衍有益焉。

小兒腸寄生蟲驅除藥

沈仲圭

檳榔不但消食下滯。爲痢疾要藥。又能殺腸寄生蟲。（蚘蟲。絛蟲。蟯蟲。）法於服藥之前夜。斷食一餐。使蟲困憊。明晨亟煮檳榔紅棗湯食之。服後三小時。再繼以下劑。則死蟲隨糞而出矣。醫藥評論六十二期有滅蛕一方。云係上海仁濟醫院所經驗。用使君子。檳榔子。苦楝皮。白丑四味。按前三味皆滅蛕藥。後一味乃泄下藥。配合頗有法度。其效當在前方之上也。

越醫何廉臣先生云。「積熱生蟲。爲小兒成疳之原因。當以祛積殺蟲爲首要。安蟲散最有捷效。安蟲散爲胡粉。梹榔。川楝皮。鶴虱。各三錢。白米粉錢半。鐵器內火熬。砧杵。共爲細末。每服三分。重則半錢。米飲湯送服。」圭按疳卽腸寄生蟲病。方中梹榔。楝皮能殺絛蛔蟯諸蟲。鶴虱本草謂殺蚘蟲。胡粉醫學大辭典云卽鉛粉。治小兒疳痢。疳氣。

小兒傷風

尤學周

傷風之症。依普通之所指。大約可分爲三種不同之現象。其一。僅見咳嗽。並無其他現象者。名曰傷風咳嗽。其二。不發咳嗽。而鼻流清涕。或則鼻塞不通。多濃涕。時時作嚏。名曰傷風鼻塞。其三。頭部脹疼。肌膚灼熱。而形寒畏風。名曰傷風發熱。此三者。非病證之輕重。乃病根之不同耳。

風寒觸於皮膚。刺激末稍神經。以致毛竅閉塞。溫度不能外散。有增無減。於是體溫失節。故頭疼。發熱。惡寒。風寒觸於鼻腔。鼻道粘膜發炎。分泌加盛。則鼻竅壅塞。流下清涕。同時因發炎而刺激嗅覺神經，神經興奮。則作噴嚏。風寒偶觸於喉頭氣管等處。因發炎而分泌加盛。故咳嗽而多痰。

傷風發熱。投以發散之劑。如荆芥。前胡。蘇葉。桑葉。薄荷。葛根等。汗出卽愈。如審係鼻腔喉頭氣管等處。因傷風而致咳嗽或鼻塞。宜酌用半夏。象貝。陳皮。桔梗。牛蒡子。杏仁。姜蠶。蟬衣等品。

小兒傷風。與大人無異。惟小兒體質脆弱。抵抗力不足。不加注意。往往併發他證。如咳嗽不止。每易變成肺炎。或百日咳。及肺癆等證。春秋二季。爲寒暑轉變之時。忽而寒氣凌人。棉衣猶覺單薄。忽而暖氣飛騰。單衣尙覺煩悶。最易傷風。而斯時又爲痧子盛行之期。痧邪乘機傳染。爲害非淺。

小藥囊

牙痛驗方

張仲僊

冰片二分　石膏二錢　樸硝三錢

右藥共硏極細末。擦牙齦。吐出涎沫。痛立止。按牙痛原因不一。此散專治胃熱上攻牙痛。

神效異常。若他種牙痛。則無效。蓋石膏樸硝瀉陽明獨勝之熱有專長。加冰片者。取其香竄。引二味易入故也。

戒烟簡效方

清白

(一)將吸煙時。先舐食鹽於舌上。則雖吸之。不易成癮。卽已成癮者。但令舐鹽而吸之。漸次減少煙量。一月可斷煙癮。毫無痛苦。並無後患。(熬膏時試以食鹽撮入和之卽不成膏)

(二)甘草一味。熬成濃膏。調入煙內吸食。二三日卽見不欲吸矣。方簡價廉。又不損人。且無後患。雖極深之癮。一月可截。惟必須痛改前非。堅心致志。無不神效。

(三)隨體氣之虛實。用一藥方。(如虛體十全大補湯。實體蘇合香丸之類。)以煙膏爲丸如菉豆大。如每次吸煙一錢者。但服丸藥之中。約有煙膏一分。卽可過癮矣。併數明丸藥若干粒。逐次減服一丸。減完癮斷極效。

風熱赤眼初起驗方

植林

風熱之邪。上侵視覺。兩目赤痛。眥癢胞腫。流淚畏明。或寒熱頭痛。狀若感冒。倘一失治。便有喪明之虞。茲將初起治療特效方。公開如下。

（藥品）皂礬（研末）　苦酒（卽醋）

（用法）將上品調勻。敷於上下胞。乾則再易。本方曾經試驗多人。均獲良效。惟以初起爲宜。閱者幸毋忽之。

盜汗特效方

植林

虛人常在寐時。汗出淋漓。醒又自收。久必心液耗傷。不可不早圖療治。今有妙方如下。患者曷一試之。

（藥品）參鬚　蓮子心　五味子　各一錢

（服法）每晚臨臥煎服。惟須久服。始可見效。外用牡蠣龍骨研極細末。遍撲週身。

凍瘡簡效方

丁君

值此寒風凜烈之時。凍瘡又將發生。患凍瘡之部分。大多在於手足及耳邊。而以足部尤多。未破潰時不過稍有癢痛。一經破潰。則滋水淋漓。痛苦實不勝言。乘其未潰時。卽要治療。今以最簡便二法以告患者。（一）以辣椒泡開水洗患處。兩三次卽能消散。（二）白蘿蔔一枚。切一段。向火煨熱。擦患處。擦之發癢。亦能自愈。

大衆醫藥顧問

咯血—咳嗽

(問)敝友素無咳嗽。惟身體瘦弱陰虧。在三年內。每年須病一二次。服藥幾劑卽愈。自本年三月間。行長步約七八里。竟覺脚酸。恢復後二天。又步行鄉村五里。再一天至午後二時許。步行天井。忽而口內鹹味。一咳見厚紫血一朵。連咯三次計三朵。下日當延中醫診治。連服藥四劑血卽止。在吐血時。飲食如常。忌食魚類等約一月餘。後在臨睡時。又見咯血三四口。必用高枕頭戳起。胸間及額骨置濕毛巾。漸漸可以平火。否則。血卽不止。後再延醫服藥十餘劑。再遲月餘。見同前約二三次。先咳後見血。於前各異。一咳卽吐。是鮮血。略少遲則卽變紫血。接連服藥至古曆七月。血卽見止。惟咳嗽仍然頻作。繼續服藥至九月底。咳嗽略稀。後卽停服。自三月起共服藥百餘劑。咯血已有二三月未見。至今咳嗽仍不能斷根。不知何故。現服德軒氏半夏二盒

。未見有效。請賜良方。(胡劍俠)

(答)據述症狀。先咯血後咳嗽。自屬肺損氣逆使然。惟病延數月。其因不止一端。有因痰瘀戀肺。肺絡不舒而作咳者。如膺痛氣急臥難轉側是也。有因肺陰傷。虛火上炎而咳不甯者。如口渴舌紅脉數夜熱是也。大抵痰瘀留戀之咳。治以保肺清絡爲主。肺陰不足之咳。治以甘寒養陰爲先。今貴友之恙於上列症象。一未述及。於診斷上大有關係。姑先擬清肺化痰一方。以覘動靜。

冬桑叶三錢　光杏仁三錢　旋覆花一錢半(包)　炙款冬一錢半　海蛤粉三錢(包)　川貝母二錢　冬瓜子四錢　馬兜鈴一錢　絲瓜絡二錢　枇杷叶三錢(包)

吐血——遺精

(問)余年二十歲。去冬舊曆十一月冬至日。夜間黃昏後。忽失血。以至連日續吐不已。延至今春夏初之時。始得稍安。自失血後。繼以咳吐白痰。早間尤劇。有時稍覺氣促。胸脇間時作隱痛。左邊較劇。頭面亦有時午後發紅。移時卽退。皮肉瞤動無定處。大便艱而不爽。有時轉溏。去冬曾無夢遺精。服藥後漸好。刻下失血已愈。但咳吐白痰。胸脇有時作疼。精神雖好。然不能操作。稍勞卽氣促。請詳賜答。(梅君)

(答)據述無夢遺精。患於失血之前。咳嗽氣促。起於失血之後。顯屬肺腎陰虧無疑。惟脇痛氣促。爲肺絡不清之徵。間現面紅。乃陰虛陽浮之象。先擬保肺清絡爲治。

海蛤粉三錢　冬桑叶三錢　光杏仁三錢　生苡仁三錢　絲瓜絡三錢　川貝母二錢

冬瓜子四錢　旋覆花一錢半(包)　枇杷葉三錢(包)　馬兜鈴一錢

傷風—鼻塞

(問)鄙人體質平常。容易傷風。鼻有濃涕。有時不通。此次傷風已有月餘。晨起鼻涕較多。雖無大礙。然覺精神不爽。請問治法。(陳君龍)

(答)據述傷風已久。鼻流濃涕。間或鼻塞。此風邪伏肺。肺氣不宣也。久恐釀成鼻淵。殊爲纏綿。日常食物。除宜多服萊菔(即蘿蔔)蔬菜等外。關於起居衣服。亦宜適應氣候而變換。以期體力恢復。傷風自愈。擬方如下。

陳辛荑八分　蒼耳子一錢半　苦丁茶一錢半　以上三味。煎湯代茶。常服乃效。

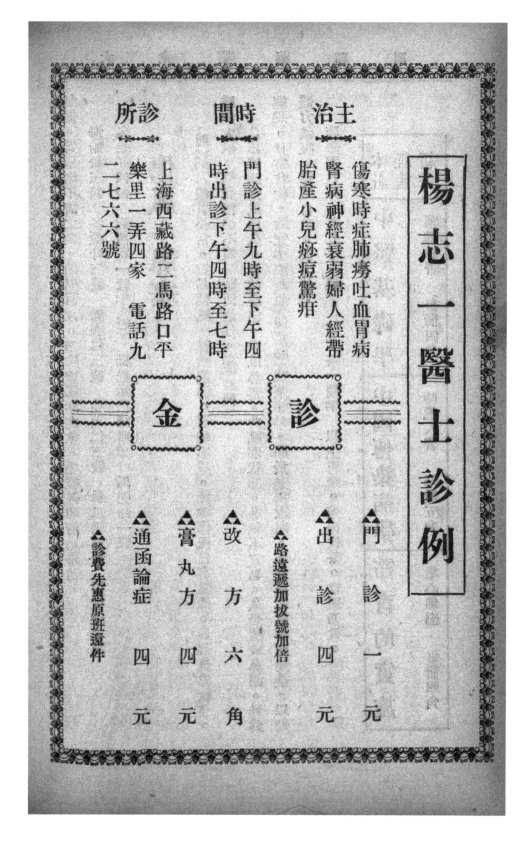

大衆醫刊價目表

定價

時間	冊數	書價連郵費
每月	一冊	大洋二角
全年	十二冊	大洋二元

國外照表加倍寄費在內郵票代價十足通用

中華民國二十三年一月一日出版

大衆醫刊第四期

實售大洋貳角

編輯者 楊志一

上海西藏路平樂里

發行所 大衆醫刊社

國醫出版社內

上海西門金家坊一八七號

印刷所 讀者書局

電話二三八八三

大衆醫學月刊

潘公展題

第一卷第五六期合刊

◉食物療病專號◉

目錄

上編　食物榮養學

第一章　植物性食物

第二章　動物性食物

問病新章

(一)本刊爲謀大衆康健幸福起見。特設大衆醫藥顧問一欄。凡本刊定戶。均有免費問病之權利。(須附回件郵資)

(二)凡非定戶而欲通函問病者。一律須附郵一元。覆診亦然。空函不覆。以示限制。

(三)凡定戶來函問病時。須將定單號碼寫明。否則。作非定戶論(每人以一種問題爲限)

(四)凡問病者須將「男女性別」。「起病原因」。「經過情形」。「現在病狀」。「二便如何」等等。詳細示明。以便解答。而免誤事。

(五)凡字跡潦草。敍症不詳者。及病勢危急。緩不濟急者。恕不置答。

編輯者言

本期爲食物療病專號。前期所登之「喉蛾淺說」與「痛經之研究」「小兒腸炎」等稿。容下期登完。

本專號因稿件擁擠。大衆醫藥顧問。暫停一期。問病函件。亦因擁擠。亟待整理。暫行停收。

本專號。研究食物榮養之價值。及療病之偉効。頗爲詳盡。爲本刊今年之新貢獻。幷承沈仲圭先生諸多臂助。特此誌謝。

本期因稿件增加。校印需時。致出版延期。殊深抱歉。以後當力求準期。以副雅望。

上編　食物榮養學

第一章　植物性食物

說茶

沈仲圭

民廿之春。雨雪連綿。斗室枯坐。殊感岑寂。抽毫濡墨。以文消遣。因思茶爲吾人日常飲用之品。其於衛生上之利害。醫藥上之價值。世人多有未明底蘊者。拉雜書此。聊作談助。

吾國古時。初不飲茶。孟子告子篇。『冬日則飲湯。夏日則飲水。』是其明證。世說新語『王濛好飲茶。人至。輒飲之。士大夫每往。必云今日有水厄』。爾雅郭璞注『苦茶。樹小似梔子。葉可煑作羹飲』。則知晉人雖知飲茶。猶未普遍。且飲法亦與今異。降及李唐。陸羽著茶經三卷。詳言茶之原之法之具。民間漸以茶爲飲料。迨德宗貞元間。稅茶於出茶州縣及商人要路。以三等定估。十稅其一。歲得錢四十萬貫。(見舊唐書)則知飲茶之習。已遍海內矣。

茶爲我國特產。江淮以南皆有。其尤著者。爲浙江之龍井。江蘇之碧螺春。福建之武彝。安徽之六安。雲南之普弭。廣東之烏龍等處。徒以製法不知改良。奸商作弊圖利。浸至出口數額。以年遞減。可慨也。

茶葉之成分。爲茶素、單甯、揮發油、粗蛋白、粗纖維、灰分等。茶素入血。使心臟機能興奮。血流加速。腦部血量增多。精神煥發。故於疲勞性神經衰弱。飲之有益。並有利水、清熱之功。單甯入胃。制止消化酵素之分解作用。並凝固百布頓。故飯後飲茶。最非所宜。患慢性消化不良者。尤宜忌之。

中國本艸云。茶能消食。殆因揮發油微有促進胃液分泌之作用。然單甯妨碍消化。嚴格論之。固非所宜。

昔東坡居士有姜茶飲。生姜細茶各三錢。濃煎服。治痢疾，查生薑增加胃之分泌。更有促進大腸吸收水分之功。茶葉收斂腸之創面。及制止腸液之分泌。故爲止痢開胃之方。用於瀉劑之後。每多奇効。

服鐵劑者必忌茶。亦以單甯與鐵化合。卽成單甯酸鐵。不能再行吸收。以補血中不足之鐵。然含單甯之食品。不僅茶葉一種。若生藕生柿。皆含單甯。俱宜禁食。

吾人發生口渴之原因。乃體中缺乏水分之象徵。只須飲水卽可。原不必代以任何液體。近見都市公共機關。咸以開水敬客。此事最合衞生。深願各地同志。積極提倡。俾國人飲茶之習。恢復中古飲水之風焉。

茶葉之醫治作用

前人

茶葉之有效成分。爲茶素 Thein 與單甯酸 Acidum tanicum 二者百分中之含量。爲二與一二之比。茶葉中既含有此多量之單甯酸。則凡適應單甯之病。似可酌量病情。代以茶葉。爰將古書所載效方。擇錄於后。

治霍亂　用茶葉調乾薑末服。

治泄痢　茶葉和醋煎服。

治赤白痢　茶葉炒。煎服。

治遠年痢　用臭椿皮一兩五錢。雨前茶一錢半。扁柏葉二錢半。烏梅紅棗各二枚。酒水各一盌。煎好。緩緩服。恐嘔。

治脚叉濕爛　茶葉嚼爛敷之。

治火傷　茶葉嚼爛敷之。

今欲明瞭茶葉何以能治上列諸病。則對於單甯酸之藥性。應有相當之了解。茲就所知。略述一二。

1.本品無食子取出。色淡黃。味酸濇。不溶於以脫 Aether 酒精 Spirit 惟甘油 Clyceinu

III與水能溶解之。

2.本品之收歛作用。始於小腸上部。漸及於全腸管。

3.本品敷於各種粘膜。該膜卽收縮。其血自減少或停止。

4.本品之治療作用有二。(1)止血。(2)收歛。

5.因其有止血作用。故治腸出血。因其有收歛作用。故治下痢。

6.結核性下痢神經性下痢。用本品無效。

藥用之茶。紅茶不及綠茶。綠茶不及原茶。又嫩芽不如老葉。中國所產。不敵印度爪哇所產。若普通飲用。適於上述相反。此因供藥用者。宜含單甯酸多。供食用者。宜含單甯酸少之故也。

單甯酸之溶解。較茶素 Thein 香油 Essential為遲緩。故用茶治病。泡漬之時間宜久(約五十分鐘) 用茶解渴。泡漬之時間宜暫(約五分鐘)

浙人飲茶。每加玫瑰花數朵。同泡一器。此風清代最盛。查玫瑰花內含單甯酸。其收歛止血之功。與茶葉同。二物並用。治病固可加其效。飲用反以倍其害也。

(按)茶中含有揮發油、及單寧酸。前者可以醒酒提神。後者溶解難較。性帶收歛。故衛生家飲茶。於泡後五分鐘內飲之。則此時單寧酸。尚未溶下。氣味清香。對人體頗好。若泡置過久。卽非佳良之飲料矣。

肺癆與飲茶

姚伯麟

歐洲往古。民間相傳。有以茶代藥。治療肺結核之法。科貝爾托氏書中。曾言及之。此因茶中含有硅酸之故。硅酸在茶中。溶解而遊離。至何以知其有效於結核。則據科貝爾氏等所證明。硅酸爲存在於中胚葉及外胚葉所形成身體組織中之化學的成分。其中之結締織及纖維素。亦含有最多之硅酸。據修爾賓氏所測定者言。則纖維素灰分之百分三十爲硅酸。而結核性患處之治愈者。因其周圍之結締織。新有生機。形成瘢痕。以至於包擁患處。故硅酸輸入體內時。因促進纖維素及結締織之發生。得以助長結核之自然治愈也。尤如患結核之肺。(卽中國所謂肺癆)據盧賓氏證明。較諸普通之肺。含硅酸特少。故對於患病之肺臟。輸送易被吸收之溶解性硅酸鹽。特爲必要。卡勒氏之動物試驗。嘗以硅酸施諸患結核之長毛兔。該兔雖因結核而死。然其肺之患處周圍。乃見其結締織之新生而硬化。其一部分。殆已化爲瘢痕。又據西格扶利托氏之試驗。雖內服硅酸。可證明無毒。故可應用於人之結核。然最初廣行此實驗者。爲季融氏。其硅酸療養法。多用茶爲之。據其成績言。則永續飲用者。得奏好結果。其他學者。亦認有增加食慾及體重與消失發熱之效。此外亥爾威希及開塞勒爾氏謂。據硅酸療法。可致血液中之白血球增加。又見其食菌作用之增進。然而茶中所含硅酸之量。因茶之種類。各不相同。若以結核之硅酸療法爲目的。則用茶之際。不能不預先選擇多含硅酸者。又吸收後之硅酸排出量與尿量之多寡平衡。故因茶有利尿作用。遂縮短硅酸對於病變組織之效力。此則其不利之處耳。總之。硅酸對於結核性病之患處。助成所需之結締織之新生。故認爲有促進治愈之作用。深願我國醫藥學者。就國產各種茶葉。檢查硅酸含量。及對於結核之藥理作用。確加研究。爲結核治療界開一新紀元也。

茶之研究

葉橘泉

「科　屬」山茶科（一作厚皮香科）茶樹之葉

「形　態」樹高四五尺。叢生。葉長寸許。橢圓形。呈深綠色。有光澤。邊緣有細鋸齒。初春生新葉。秋開白色單瓣花。結實作褐色。扁圓形。熟則有二子裂出。

「種　類」春夏間採摘嫩葉。於焙爐上揉搓。使充分乾燥者爲綠茶。或蒸熟後露置以待酵酸而製成者。爲之紅茶。

「性　味」苦濇微甘。呈弱酸性反應。

「成　分」咖啡鹼。Caffeinum $C_8H_{10}N_4O_2+H_2O$（〇·一一·至三·四%）揮發油。單甯等。

「生理作用」入胃後刺激胃壁。興奮胃神經。使胃腺分泌增加以助消化。至腸。被腸壁吸收。攝入血液中。助鐵質以旺盛血行循環。促進腎藏瀝過工作。以奏利尿之效。

「醫治作用」主治瘻瘡。利小便。去痰熱。止渴。令人少睡。有力。悅志。(食經)下氣消食。作飲加茱萸葱姜良。(蘇恭)

破熱氣。除瘴。利大小便(藏器)

清頭目。治中風昏憒。多睡不省。(王好古)

「驗　方」治久痢　雨前茶一兩。臭椿樹根皮一兩。扁柏葉八錢。烏梅二個。大棗二個。酒水合煎。緩緩服。勿令嘔。(鳳聯堂驗方)

頭風痛　川芎七錢。雨前茶五錢。天麻三錢。酒煎服。(家寶方)

「民間療法」脚指丫溼爛。茶葉嚼爛。敷之極效。

「禁　忌」空腹時忌服。

「橘泉按」木品係「興奮」而兼「收斂」劑。有清腦爽神。健胃。止利。化痰。利尿之功效。無病之人。如食葷膩之後。飲茶固佳。若嗜飲無度。害多利少。故蘇軾茶說云。除煩去膩。世故不可無茶。然暗中損人不少。空心飲茶。入鹽則直入腎經。且冷脾胃。乃引賊入室也。惟食後濃茶漱口。既去煩膩。而脾胃不知。且苦能堅齒。消蠧。深得飲茶之妙。李時珍云。人有嗜茶成癖。

時時咀嚼不止。久則血不華色。黃瘁萎弱。抱病不悔。尤可歎惋。按茶葉內含咖啡鹼。服之興奮神經。易成慣性。久飲則耗神損血。且成爲萎黃。蓋本品尙含有一種色素。被攝入血中。則皮膚即現黃色也。

蘿蔔與養生

沈仲圭

蘿蔔亦名蘆菔。爲十字花科萊菔之根。形圓或橢圓。表皮甚厚。肉質潔白。有紅白二種。爲中人以下之滋養食品。考其功用。約有三端。

（一）化痰　素問陰陽應象大論謂。「秋傷於濕。冬生欬嗽」。考之病理。雖不盡然。但冬日之病痰飲、欬嗽者。確較春夏秋三時夥頤。而植物界之蘿蔔。亦至此肥碩。人多欬嗽之患。天生化痰之藥。造化待人。可謂至厚。且本品之化痰。不論外感內傷。皆可用之。而日華子同羊肉銀魚（圭按隨息居飲食譜作鰣魚）煑食。治癆瘦欬嗽之方。尤爲佳妙。獨怪近世醫士。祇知萊菔子消痰下氣。從不一用蘿蔔。實則根子二者。功用本相彷彿。而藥物治病。又不如食餌療養。事簡而功宏也。

（二）消食　蘿蔔之助消化。吾閱綱目引楊億談苑「江東居民言。種芋三十畝。計省米三十斛。種蘿蔔三十畝。計益米三十斛」之言。確信其有裨於澱粉之消化。而爲胃弱者之下飯妙品。遑生八歲截蘿蔔粥。用不辣大蘿蔔。入鹽煮熟。切碎如豆。入粥將起。一滾而食。吾謂此與蘿蔔海蜇切細。加醬油、糖、醋拌食。一宜老人。一宜壯年。同爲「衞生的食品」。

(三)補益　本草云。「補不足」。「肥健人」。西醫亦認爲有滋養之效。惜富貴之家。日飫膏粱。靑菜蘿蔔。目爲粗糲。有經年不入口者。豈知營養成分之豐富。不與食物代價之高低成正比。如松江之鱸。西湖之蒓。號稱特產。但一有小毒。一妨消化。皆害多而利少。又如果類中之長生果。菜類中之菠稜。固至微至賤之物。但一則富於脂肪。一則含有鐵質及甲乙丙戊四種維他命。大有益於身體。吾勸世人對於營養。宜取葷素混食主義。不可偏於一面。又俗云。「一口蘿蔔三口血」言其傷血也。此乃瞽說。切勿輕信。

蘿蔔之效用

烈

蘿蔔爲十字花卉科植物。亦根菜類之一種。各處均有之。爲吾人日常最普通之蔬菜。考其効力。非僅在佐膳。而尤爲消食防治疾病之良劑。茲分爲消化作用。防禦作用。治療作用三項。略述如左。

一、消化作用

(一)有消化小粉質之功用　蘿蔔含有一種消化素。能化植物質中之小粉爲糖分。可助膵液營消化之功用。故吾人若食米麥芋百合等含小粉質最多之食品。則胃中唾液及膵液不能調潤。乃失其消化作用。而小粉質積滯於胃腸。將釀成食積之疾。若吾人患此症。以蘿蔔治之最宜。

(二)有消化各種肉類之功用　蘿蔔又有溶解動物肉類結締組織之作用。故有消化各種肉類之效能。遇有多食肉類而積食者。速服蘿蔔治之。

此二症之普通服法。可用蘿蔔數兩。切絲加白蜜煮食之。或用生蘿蔔打汁服一二杯。若食積腹痛者，用蘿蔔汁一杯與生薑汁半匙。置鍋上燉熱服之。日用二三次可也。

二、防禦作用

(一)有防疫之功用　取生蘿蔔切細。以食鹽拌浸之。約經二十分鐘。更入生麻油攪和。每餐食之。可以防止鼠疫瘟疫喉痧之傳染。

(二)爲預防喉症妙藥　在霜降時。取蘿蔔葉置諸屋瓦上。任其飽受風霜。至立春節前取下。洗淨俟乾。則收而藏之。若遇任何種喉症。均可煎湯服之。或漱其口。立卽見效。若切細而蒸熟。調以鹽。常爲下飯之品。則可永免喉症之發生也。

三、治療作用

(一)爲治療火毒之良劑　蘿蔔汁能解烟毒。煤毒。酒毒，火毒。幷能化痰疏中滿。

(二)可治療痢疾　夏秋之間。恆多患痢疾。若治療不週。易致生命。用霜蘿蔔二三兩。煎汁服之。無論紅白痢及水瀉。無不效也。

(三)可治凍瘡　冬令吾人手足易患凍瘡。若破爛。則苦痛異常。宜搗蘿蔔汁搽擦之。或用大者一個。挖一洞。注入桐油兩許。置火上蒸熱。取其油搽擦之亦可。

由上觀之。蘿蔔之效用大矣。吾人平日若能多食。(無論生食或熟食)則對於衛生之功效。豈淺鮮哉。

蘿蔔之功用

張體元

今之號稱科學家者。輒曰萊菔能治消化不良。我國淺見者流。亦有漫不加察。而附和其說。曰萊菔能治消化不良。吁。是何異於蘇子之喩。盲者依不盲者之言。而以日爲燭爲盤耶。何不知深究。盲從他人。至於是極耶。

夫消化不良。乃脾虛胃弱之症。根本解決。虛者補之。弱者扶之。方爲正治。萊菔乃消化積食之品。凡食品之生者硬者及肥膩。皆足以碍胃。胃力不能化之。而以萊菔消化之。非萊菔能助胃力也。彼以萊菔治消化不良者。舉脾虛胃弱者而並治之。不將愈尅伐而愈虛弱乎。夫萊菔之治胃。與山查神麯等相若。試問山查神麯。果可補脾而扶胃乎。

須知脾虛者宜培補健運。胃虛者宜扶養通降。丹溪朮以運脾。枳以行胃。乃製枳朮丸。天士洄溪則宗古用四君子。香砂六君子。嚴氏異功散。胃氣滯遲。則有沉香理氣丸。胃中無火。則有溫中丸。附子理中丸、若胃力本不弱。而因多食生食以致傷食。乃用萊菔。或萊菔子等。以消導之。夫消化不良。乃胃力不能消化之義。實中醫所謂胃弱也。上述諸方。可擇而用焉。若不加深究。謬學時髦。而盲從號稱科學家之說。輒以萊菔治之。不亦增其弱耶。

夫我中醫。析理精微。治分虛實。實藥不入虛者之口。虛藥不沾實者之唇。有時易地而用之。則必君臣佐使以配之。方不致誤。然則萊菔之治胃。豈得不明辨之哉。

其他萊菔與青菓同煑。則為青龍白虎湯。可防喉痧。菔萊汁滴入鼻中。可治偏正頭痛。滴入喉中。可治黏痰食痰。在瓦上經霜者。可治赤白痢。是皆歷有效驗之古方也。

吃補藥不忌蘿蔔

沈熊璋

我們貴國人有一種傳說。「蘿蔔解補藥」。凡是吃補藥的人。同時就不該吃蘿蔔。這話的流傳很廣。上至智識階級。下至農夫村嫗。沒一人不知這傳說。也沒一人敢違反這傳說。其實蘿蔔解補藥。是錯誤的。翻偏中西醫書。只有「服何首烏，地黃、人參者忌食。」並無解一切補藥的籠統話。

去年冬天。我曾經把蘿蔔略略研究一下。覺得有三種正確功效——化痰、消食、補益。爲平民之滋養食品。若在進補時期。天天吃些蘿蔔。以興奮消化作用。那末。補藥就容易吸收。不至膩滯不化了。所以吃補藥不但不忌蘿蔔。而且應吃蘿蔔。

酒之研究

沈仲圭

無論何種酒類。其主成分皆爲酒精(C_2H_6O)。內服其少量之稀薄液。能增體溫。助消化。振精神。若早斯夕斯。飲之不已。在自身易罹慢性胃炎、肝腸變硬、腦出血、神經痛。（酒客之鼻部。每作紅色。俗名酒齇鼻。此因該處微血管。日受酒之刺激而擴大。不能復原之故。）在後嗣多爲低能、白痴。諺云。「少飲有益。多飲則害。」語雖俚俗。實含至理。日醫系佐近日。『吾人至二十五歲以上。意志已强。有抑情制慾之力。不致爲情慾而越一定之量也。凡達此年齡者。晚餐時。一日之事已畢。乃飲一杯以取樂。(約半合至二合)談笑一時間。遂陶然就眠。决不妨健康者也。請自舉一例。余性嗜酒。日必三飲。繼恐有害健康。且致廢時失事。遂自立限。僅於土曜日或劇務日之晚餐。傾日本酒一合半。彼時胸襟開豁。萬念都消。少焉遂寢。則鼾聲如雷。而得熟睡矣。因此亦能早起。』此與吾國孔子「惟酒無量不及亂」之言。若合符節。無量者。不明定限量也。亂者。酩酊無知也。飲不及亂。其量淺可知矣。余意酒之嗜好。關於天性。不能飲者。

固不必强飲。能飲者。避濃烈之酒。遵「不及亂」之戒。間或一飲。固無傷也。至酒在醫藥上之用途。虛脫者。用之以强心。（指白蘭地酒）失眠者用之以催眠。羸瘦者用之以致肥。（因酒精能減少體中脂肪之分解。肌肉瘦削之人。每日飯後。略進麥酒。有增加體重之效。）消化不良用之以健胃。（指百勿聖酒）貧血萎黃用之以補血。病後衰弱。用之以滋養。（均指葡萄酒）其效不能盡述焉。

酒精與肺病之關係

丁福保

法國某名醫。嘗研究肺病之起源。謂實與酒精有關係。彼嘗調查法國北部二十八州。其飲料多爲酒精。（如白蘭地及威士忌等酒）約住民十萬人中。患肺病者二百三十人。此外各地。多飲葡萄酒。以十萬人爲比例。患肺病者減其半。可知酒精實爲肺病之大敵。故凡患肺病者。宜多飲葡萄酒。絕不宜飲酒精以益其病。

食鹽與衛生

時逸人

食鹽一物。化學家名爲鈉綠。乃人生家庭日用所必需者也。故常人以爲作食物中調味之補助品而已。忽略而不重視。殊不知此物與人體生理病理治療等。均有極大之關係。與他種調味品不同。實有不可忽略之道在焉。爰特將管見。分爲右之三項述之。以供世之研究衛生者一談。

（食鹽與生理之關係）人體中之成分。據生理學家言。大別爲有機性無機性之二種。惟鹽類占無機性。合化物三分之一。考人體中之鹽類。其大部分。爲存於溶解。而食鹽分。則吸收於血中。緣血中所含金質强礬類。以食鹽爲最多。居其百分。六十至九十之間。故其味鹹。鹽在血中。有激動血輪之力。有助體質消長之功。其小部分。成爲固形體。而含於骨內。爲人體中貴要之成分。與他種成分。同於體內。新陳代謝。專由小便排泄。自榮養品中。攝取而補償之。吾國本草云。鹽氣味甘鹼寒無毒。鹹入腎。而堅筋骨。治骨病齒痛。又云。水生鹹。凝結成鹽。在人則血脈應之。鹽之氣味鹹腥。人之血亦鹹腥。故鹽入血。從其類也。由是推之。鹽之對於人體之生理。中外學說。皆不謀而相符合。

（食鹽與病理之關係）吾人每日於食物中。加少量之鹽服之。不但能調味。且能催動胃液之分泌。而助消化。兼能催進蛋質之吸收。緣胃之所以能消化者。在有胃液。胃液所以有消化力者。輕綠酸之功居其一。輕綠酸何以生。生於食鹽之故也。若人不食鹽。則身弱無精神。久之血液變質。發生瘰癧蛔蟲疥癬等症。如食鹽過多。輕則口渴。胃部灼熱而發痛。重則嘔吐下痢。牙肉腫出血。更服非常之劇量。則發痙攣死。故鹽不可不食。亦不可多食。證之吾國本草亦然。其說曰。鹹走血。血病毋多食鹹。多食。則血脈凝泣而變色。又曰。鹽能和臟腑。消宿食。令人壯健。

又多食。則傷腎損肺。觀以上之中外學說。如此。則鹽關係於人體病理也明矣。

(食鹽與治療之關係)食鹽對於治療上。應用頗廣。本經云。鹽主治胃腸結熱。喘逆。令人吐。西說謂其有改血行氣驅蟲。及補益去毒吐瀉之功。與吾國本草之說同。其主治方甚夥。今擇其中西簡要處方中。有曾經實驗。能奏特效者。分爲內服外治二類。錄之於下。餘如鹽水射注法。治霍亂。糖尿。失血。神傷。眩暈等症。食鹽吸入法。治呼吸器類病。因非常人所能用者。姑付闕如。(甲)(內服方)(一)妊婦及常人。每日欲通大便一次者。空腹時。以開水一碗。投入鹽少許服之。(二)補益。食鹽能生輕綠酸助胃液消化之功用。每服二分至一錢。若服二錢以上。則爲下劑矣。(三)改血。每服三分至錢五。用以治瘰癧等症。(四)暴吐血。以食鹽五分。至一錢。和以開水冷飲之。(按常人有以童便服之卽止者。因尿中含有鹽質之故也。)(五)硝酸銀中毒。嚥下水蛭時。及誤服他種之毒。用食鹽三錢。至六七錢。服之。卽能下毒物。溶解毒素。(六)瘧疾。以鹽一兩至一兩五錢。分爲數服。趁病發過後服之。用榆皮煎水和之。免致嘔吐。(乙)(外治方)(一)脚瘡臭穢。有毒者。用鹽一分。水十分。和勻洗之良。(二)手足扭傷。及跌打交節痛等。用沸水將鹽浸濡。至濡而不化時。用布蘸敷患處。(三)蛇咬。用刀刮去傷足毒。再用食鹽敷之。(四)咽喉頭。用食鹽一分。水十分。化勻以之嗽口。(五)以十分之一食鹽水。用水節射入直腸內。能殺直腸之線蟲。若鼻淵變臭。則射入鼻內。(六)鹽水沐浴方。溫水一桶。約加食鹽四兩。化勻浸洗。每三日用一次。能治身弱足軟。並治腺病。及子宮病。

右列內服外治二類之方。皆確有效驗。毫無疑義者。但我國出售之食鹽。往往雜有他物。及不潔之物在內。食之頗有礙於衛生。須擇其精品淨潔者。方可用之。

水之研究

沈仲圭

水之總說　水爲無色無味之液體。往昔多認爲一種元素。至十八世紀之末。有拉沃阿極氏出。經種種試驗。始發明由水素酸素而成。迄十九世紀初年。更有獮爾夏撒苦氏。苦心研究。遂確定其爲水素二分。酸素一分之化合物。千載疑團。一旦大白。拉獮二氏之功。爲不淺也。水在地球。佔全面積之四分之三。爲人類及一切動植物不可缺少之物。幾與日光空氣。同其重要。孟子曰。「人非水火不生活。」信哉斯言。凡物之性。熱漲冷縮。惟水則異是。遇熱化爲蒸汽而上騰。遇冷凝成固體而膨脹。其變態至夥。若雨、若雪、若雹、若雲、若霧、若霜、若露、若汽、等等。罔非由受空氣之變化而成。非別有諸物也。純粹之水。薄層無色。厚層則呈碧色。且不論四季。常保四至六之溫度。故欲知水之純潔與否。檢查其色味溫度可也。（檢驗氣味。宜熱而嗅之。）

水之種類　天然之水。有雨水、泉水、河水、井水、海水、鑛水、之別。數種之中。以雨水爲最佳。因雨爲受熱上騰之氣。遇冷而成。與醫藥學家所用之蒸溜水。初無二致。雖降下時。經過空氣。不無異質在內。然較諸他種之水。固遠勝之。泉水河水次之。井水又次之。蓋此等水中。均含有機物。與無機物。若城市之河。溝旁之井。其不潔尤甚。微生物亦最夥。若不經濾過之手續。直不堪飲用。海水、鑛水、含有固形物質。化學上謂之硬水。不能充作飲料。然無論何種之水。均宜煑沸。方可入口。以水中所含之微生物。一遇高度之溫。不能復保其生命。而一切雜質。亦悉沉澱水底。飲之自無危險。

水於人生之重要　人可數日不食。不能數時輟飲。蓋不食。體中積蓄之脂肪。暫可供給消耗。若無飲。縱有脂肪。無由分解。勢必營養停止。危險立見。故人生於世。空氣最要。水次之。食爲三。

水之淸潔法　水之重要。旣如上述。然飲混濁之水。無益有害。則淸潔法尙矣。淸潔之法。有蒸溜、沙濾、藥淸、諸種。茲以次分述於后。

(甲)蒸溜法。此法須購蒸溜器一具。方可施行　所得之水。至爲純粹。久藏不腐。可供工藝醫藥等用。

(乙)沙濾法　此法及下法。是適用於家庭。以設備甚簡單也。取大號大桶一隻。底穿一孔。下承以缸。厚舖沙石三層。約厚半米突。至一米突。下層用如馬鈴薯大小之石。中層用如黃豆大小之礫。上層用如米粒之砂。水由此桶經過。凡浮遊物有機體等。均為砂石所阻。清澄澈底。可供飲用。惟經若干時間。應清潔其砂石（科發藥房。有百格飛砂濾缸出售。其心極細。一切微生物。不能通過。惜代價甚昂。購之不易。）

（丙）藥清法　凡不潔之水。可投入碎明礬而攪之。逾時污物為礬所歛。而沉澱。其水自清。

飲水之益　飲水之益。有五。（一）水入於胃。能使胃之動作活潑。分泌液增多。稀釋食物。俾易消化。（二）能使臟腑、筋肉、組織、間之老廢物。及有害物。與水混和。排除體外。（三）血液不致太乾。循環倍覺暢旺。（四）凡病而無汗之人。飲水則能助津液而發汗。（五）人當精神不振。體力疲乏之際。飲水則能恢復。

水與茶之比較　世界各國民族之習慣。其飲料類以茶、或咖啡。未有以水者。不知茶之成分。為茶素、苦里夏登、揮發油、單甯等。單甯入胃。與蛋白質凝固。而礙消化。揮發油飲之過多。能起頭痛、眩暈、失眠、諸症。在精神不振。好夢方囘時用之。固足提神醒睡。若以之為日用品。豈所宜乎。

水於醫學之價值　（一）壯熱神昏之溫病。施以冷罨法。有解熱清神之效。（按本草從新云。傷寒陽毒熱盛昏迷者。以冰一塊。置膻中良。至古時醫師。用灌水法以治病者。殆難悉數。可見冷罨之法。並非倡自西人。吾國二千年前。已有人用之。惜市醫棄而不用。致使良法湮沒。深可惜也。）（二）瑞士某醫士。發明一種破天荒腦病治療法。云。凡神經衰弱。氣虛胆怯等。一切腦系病。用雪水煑茶飲之。可立起沉疴。（三）患夢遺之人。以冷水洗滌前陰。摩擦脊柱。有鎮靜神經之效。足佐藥物之不逮。（四）便祕症。用微溫水灌腸。（或加入草蔴子油亦可。）爲老人虛弱者最安全之療法。（五）偶病感冒。不必服藥。以藥物雖足療疾。然同時發生之副作用。反於身體有害。最佳之法。莫如溫腿浴。取細長之木桶。入以攝氏四〇—四五度之溫水。置桶床上。令病者仰臥。伸腿其中。覆以厚衾。俟頭面全身涔涔汗出。取出木桶。拭乾兩足。復安睡時許。厥病霍然矣。（此法最佳。於夜臥時行之）。（六）衂血不止。用新汲水洗足。及冷水噀面。冷水浸紙貼顖。以熨斗熨。

水與長壽　法國琶傅氏謂動物之壽命。爲該動物身體完全發育之六倍。或七倍。人類至十四歲而身體完成。故其壽命。大抵爲九十。或百歲。伍秩庸博士。謂人壽可至二百歲。則今世之人。大都未老先衰。未衰先死。人生七十。已稱古稀者。此其間蓋有故矣。雖七情六慾之戕。風寒暑濕之侵。在在足以促短人之壽命。要非主要之原因。主要之原因奈何。人體之毛細管。爲土質所窒塞耳。蓋食物中含有土質。土質入於人身。積於血內。致纖若珠網。密佈全體之毛細管。咸爲淤塞。則血不流行。肌膚乾縐。未登大年。遽爾物化。此理之易明也。使當少壯之時。能使土質永不增加。並徐徐減少之。雖人之身體。月更而歲屢易。而缺者補之。積者除之。（除身內之土質也。）謂不能壽至期頤者。吾不信也。考水之爲物。與土愛力甚濃。特普通之水。其中含有多量雜質。不能復與土質融化。今以純潔無渣之汽水。日日飲之。則身內土質。漸與融化。而日見其少矣。

水與胃病　胃弱之人。恆苦食不消化。若于食時。或食後。多飲熱水。膳後或假寐。或放步。俾血液集於胃部。專營消化。雖日久痼疾。行之數月。必奏奇效。又法。膳後用熱面巾熨其胃腑數次。能使胃酸、胆汁、增多。食物易於消化。此法爲抛善君發明。曾試驗六人。皆獲圓滿之效果。且施用一次。其功用可延長數時之久云。

水與便祕　余前患常習性便祕。服用瀉藥。其功用僅在暫時。且以後便結。更甚於前。乃知本病非下藥所能奏功也。因於臨臥時啜熱湯一盃。晨起飲冷沸水一盅。并按摩腹肌。遵行月餘。厥疾若失。蓋冷水與按摩。均能刺激腸胃。增進其蠕動故也。

水與失眠症　失眠之原因。大都係腦中停血。神經不靜所致。如臨睡以溫水濯足。導血下行。復屏除雜念（可用數息法。）滅燭登牀。則精神統一。不期睡而自睡矣。昔曾滌生氏。養生五事。而沐足居其一。則又不僅治病而已也。

水之養生法　淸晨起身之後。即用冷水擦體。復以毛巾拭乾。（以皮膚紅潤爲度）是曰冷水摩擦法。功能鼓舞神經。增加皮膚之抵抗力。預防冒感。於夢遺、神經衰弱。神經性胃病（施於局部）

均有奇效。且爲不能行冷水浴者。最佳之强身法。

落花生之功用及食法

黃勞逸

藥性考。「生硏用下痰。炒熱用開胃醒脾滑腸。乾咳者宜餐。滋燥淸火」。按熟食當較生用爲妥。下痰卽袪痰（俗稱化痰）之謂。生用有袪痰之功。熱用何獨不然。惟炒之太過。能令所含之脂肪。有多少之揮發。故效遜於生。痰者。氣管、氣管支、或肺胞因受刺激所生之過量分泌液。凡冷熱空氣與細菌等能侵犯肺臟而引起肺臟之反應者·均謂刺激肺臟。體力之抵抗强。冷熱空氣與細菌等。不易侵犯。則刺激少而無過量分泌液之產生。故肺臟之生痰。不論其原因若何。總不外乎由外物刺激而起之反應。欲免除外物之刺激。捨增加體力之抵抗外。別無良法。飲食營養。爲增加體力之唯一妙法。而人類營養品中。尤以脂肪爲最要。蓋脂肪在肝中。可變爲葡萄糖。助體內之燃燒。使血液之運輸氤素與排除炭酸及細胞之新陳代謝增加。以促進身體之康健。身體既健。肺臟亦隨之而强。外物不易侵犯。則過分之分泌液。自無由產生。故食花生以袪痰。實爲營養療法之一。炒後能使花生所含之揮發油及脂肪。有多少之放散。故食之能促進胃腑之分泌。以增進消化。滑腸者。大便稀薄而常排泄之意也。油類果有潤腸之功。但花生所含之油脂。能游離者甚鮮。故食大量炒花生而致滑腸者。非因其所含油脂之潤腸。實由於不易消化而起之下痢也。乾嗽者。肺病之一種症狀。尤爲肺結核初期之特證。花生脂肪中。含甲生活素甚豐。此素能促進動物體之生長。與脂肪之新陳代謝。有密切關係。缺乏甲生活素時。對於一切病之抵抗力。俱見薄弱。近年來歐美日本。先後由動植物油提出甲生活素。加以製造。用爲結核患者之有力營養劑。今以含有多量甲生活素之花生佐餐。以治乾嗽。爲日稍久。偉効自見。矧花生又含多量之乙生活素與蛋白。其滋補之效。不亞於舶來品之單純甲生活素製劑乎。德人培兒此博士。嘗以常啖花生。治愈不能服魚肝油之肺結核之女子。由是更可證明本品對於人體營養力之偉大矣。本草綱目拾遺云。「治反胃三陰瘧」。按反胃由幽門生癌。食物不易通過。乃起逆行性之嘔吐。在攝生方面。宜避忌刺激性及固形食物。本品質頗堅硬。不易通過幽門。自在禁食之例。三陰瘧即三日瘧。其病原體爲胞子虫。因須三日方能長大成虫。故發瘧期亦間歇三日。根治之藥。爲鷄納與砒劑。花生無殺滅原虫之力。安能有效。

食法分數種。

1. 煮食。
2. 砂炒。
3. 去壳油炸。
4. 去壳鹽炒。

5.去壳膜。塗以砂糖、或可可、麵粉（按卽市售之魚皮花生。係以麵粉砂糖調成漿。塗於花生肉上。置沸油中煠之而成。）等爲衣。

6.取肉去心。磨作醬。

7.以花生爲原料。照製豆腐法。作成豆腐。

8.以本品黃豆胡桃三物。適量配合。照製豆漿法。製成豆漿。名人造乳。惟製造時。須先將花生胡桃浸透去衣。然後磨汁。用器尤須潔淨。切忌鹽、糖、油質沾染。因乳汁遇之。則凝固其所含之蛋白質也。

（按）本草云。「不可與黃瓜同食」。但吾友沈君嘯谷嘗親試之而無害。並見其鄉兒童。同食二物。皆不發病。足證斯言之無據。惟與易分解氮之物質。不可同置一處。因本品所含甲生活素。易與氧起作用。故去壳除衣之花生。宜保藏於密閉之瓶中。勿使與空氣接觸。若加熱過久。則甲生活素亦被破壞。又遇紫外線稍久。卽失其效能。故對於久熱與紫外綫。均宜迴避。本品含纖維較普通食品爲多。消化視米麥困難。凡消化不良及一切胃腸病患者。均宜少用爲是。

本品之莢。頗耐久藏。故花生四時咸有。而歲尾年頭。尤爲供客常品。惜世人僅讚其香美可口。不知其營養成分中之脂肪蛋白。遠勝於牛乳鷄卵。夫牛乳鷄卵。非舉世共認爲營養價最高之食補品乎。則花生之滋養價値可想見。吾人胃臟苟無疾患。而有相當之健全者。以此佐膳。無異肉類。（六十粒長生果。足抵牛肉一斤）。吾嘗舉花生爲平民之補劑。誠非過甚其詞也。

薏苡仁之滋養力

許尒士錄申報

薏苡仁屬禾本科。爲古來藥用植物之一。有消化及理濕之功，以治脚氣病。厥有特效。自分析化學發明後。乃知薏苡仁一物。不僅具有療病功能。且富有滋養力。誠至有價値之食料也。茲將其成分與白米比較如左。

在風間狀態百分中薏苡仁之蛋白質爲一七・五八。白米爲七・七二。薏苡仁之脂肪爲七・一五。白米爲〇・七七。薏苡仁之炭水化物爲六二・四一。白米爲七六・七九。

觀此可知薏苡仁所含之蛋白質及脂肪均較白米爲多。惟炭水化物則稍遜耳。世人莫不知白米爲富於滋養力之食料。而薏苡仁之滋養力。實有過無不及。以其所含之石灰質及燐質亦富。石灰質爲構造吾人骨骼之原料。燐質足以滋補衰弱之腦系也。然則薏苡仁之滋養力。不亦大乎。

柿子在醫藥上之功效

陳存仁

柿樹高大。葉圓而光澤。四月間開小花。花黃白色。結果青綠色。八九月乃熟。生柿置器中。裹以絮。或藏石灰中。自然紅熟。名曰烘柿。用大柿去皮捻扁。日晒夜露。至乾納甕中。待生白霜名曰白柿。俗名柿餅。火薰乾者謂之烏柿。皆堪治病。

(一) 鮮柿

鮮柿甘寒。養肺胃之陰。種類甚多。有大如楪。八稜而稍扁者。有大小如拳者。有如雞子鴨子大小者。有如牛心鹿心狀者。皆以無核或核少而熟透不澀者良。凡火爆津枯之體。食之最宜。

鮮柿色殷朱可愛。味尤甘。人多嗜之。而以婦人小兒爲尤甚。價値之廉。與梨較。相差數倍。價廉物美。洵佳果也。然多食之。足以致病。凡中氣虛寒。痰溼內盛。外感風寒。胸腹痞悶。產後病後。瀉痢瘧疝痧痘後皆忌之。俗謂男子多食鮮柿。可以冷精，女子多食鮮柿。可以不孕。未免過甚其辭。緣柿之色美味甜。易啓人慾。誠恐不知節制。多食傷身。冷精不孕之說。乃爲貪食者言之耳。非眞有其事也

柿與螃蟹均爲寒性之物。不宜同食。食之則腹痛吐瀉。急以生附子一錢。肉桂七分。木香一錢。蘇葉二錢。甘草一錢。煎湯灌服。遲恐不救。

(二)乾柿

乾柿。健脾補胃。潤肺澀腸。止血充飢。殺疳療痔。治反胃。已腸風。蓋柿乃脾肺血分之果

。味甘而氣平。性濇而能收。故有以上諸功用。有劉某者病臟毒下血凡半月。百計投藥。迄無一效。嗣得一方。只以乾柿燒灰飲服二錢。遂愈。有人三世死於反胃。至孫。亦病反胃。得一方。用乾柿餅同乾飯日日食之。絕不用水飲。如法服之。其病遂愈。蓋柿之效用有如此者。不論老幼咸宜。洵可謂果中聖品。

痰嗽帶血　大柿餅飯上蒸熟。每用一枚批開。摻眞青黛一錢。臥時食之。薄荷湯下。

熱痢血淋　柿餅燈心等分煎湯。日日飲之。

脾胃虛弱　用柿餅三斤。酥一斤。蜜半斤。以酥蜜煎勻。下柿。煮十餘沸。用器貯之。每日空腹食三五枚。

產後嗽逆氣亂心煩　柿餅切碎。煮汁飲。

柿蒂。治欬逆噎噦。氣衝不降之證甚良。取其苦溫能下氣也。濟生方柿蒂散治欬逆胸滿。用柿蒂丁香各二錢。生薑五斤。水煎服。此方余曾試用。甚效。如病體虛弱。可加人參一二錢。亦建功績。

蔬菜之研究

沈仲圭

昔托爾斯泰嘗指其手植之菜圃。謂其友曰。「此我之藥籠也。其中各藥俱全。人病所需。無待外求。」美國某學者云。「專食蘋果。足以養身。」二氏之言。雖覺偏陂。然縱目植物界之形形色色。實不少養生療病之物。如山查之止腹瀉。飯灰之消食積。大蒜之治肺病。胡桃之治白喉。黃柿之於痔血。生姜之於嘔吐。或流傳於民間。或記載於方書。要皆用之有效。足匡藥物之不逮。爰本此旨。將有益蔬果。分敍于后。庶乎輕淺小恙。可以食餌自療。病中飲食。不致妄食所忌。是則對於病家。或有些微之裨益也。

(一)香蕉

香蕉一名甘蕉。爲多年生植物。產亞洲熱帶各地。吾國嶺南。有大規模之蕉園。專植此物。其果約分三種。一曰香芽蕉。形瘦若彎弓。皮黃肉白而細膩。入口香甘者爲上品。一曰香蕉。形瘦長而不彎。肉之細膩。味之香甘。略遜香芽蕉者爲中品。一曰大蕉。形肥身矮。皮黃肉粗。水分較多。味甘而氣微臭者爲下品。然在醫藥上之功能。香芽蕉與香蕉。不過潤燥生津。大蕉則能緩通大便。正如茶葉飲用以嫩芽爲貴。而治病反須老葉大瓣也。包蘅村曰。「咸豐十一年。及同治二年。先父行醫香港。是時港埠未闢。居民猶鮮。風俗强悍。不受法律。且好食禾虫。以故下流社會之人。每患疔毒。一患疔毒。又不肯忌葷。故走黃之症獨多。先父每以芭蕉根搗汁。令冷飲之。雖徧體走黃者。無不愈。且愈期輒在十二小時以內。(節錄南京醫學報第五期)觀此。香蕉之用。其果遠不及根。又如桃不入藥。而核仁能破瘀血。花瓣可通便秘也。

(二)西瓜

西瓜爲夏日常食之水果。有「天生白虎湯」之號。白虎湯以石膏。知母爲主藥。治壯熱。煩、渴。西瓜亦有此功。故熱病榨汁飲之。收效良確。此物又爲腎臟病之食餌療法。以其能利小便也。眞西山衞生歌云。「瓜桃生冷宜少餐。免致秋來成瘧痢。」查瘧疾之病原微生物爲胞子虫。痢疾爲阿米巴原虫及志賀氏菌。一以瘧蚊爲媒介。一以不良之飲食物爲郵傳。故食不潔之瓜果。有釀成赤痢之可能。瘧則無關也。回憶童年。每當炎夏。先君取預浸井水中之西瓜。剖給家人。瓜汁下咽。涼透心脾。余不嗜此。殊覺淡而乏味。黃履素云。「人皆指西瓜能解暑。生冷中不甚忌之。殊不知暑中奔走後。覺胸中熱氣塡塞。浸冷食之。信可辟暑。若晏坐高堂。日以爲常供。則有損脾胃。」是言洞中肯綮。爲嗜瓜者之良箴。

(三)蓮實

功能厚腸胃。固精氣。久痢用猪肚一枚。洗淨。實以蓮肉。煮爛食之。遺精用白茯苓。蓮肉(不宜去心)等分爲末。白湯調服。遵生八牋有蓮子粥。用蓮肉一兩。去皮。(並宜去心)煮爛細搗。入糯米三合。煮粥食之。益精氣。强智力。聰耳目。蓋老人虛體服食之上品也。鮮蓮煮羹。味尤甘香養津。

(四)藕

此物內含單甯酸。有收歛毛細血管之力。主治吐•衄•淋•痢。淸醫王孟英謂「諸失血症。但日熬濃藕湯飲之。久久自愈。不服他藥可也」。聖濟總錄云。「藕汁一鍾。生姜汁半鍾和勻服。治霍亂煩渴。」蓋二物合用。能止吐利耳。藕粉有保護胃腸粘膜之功。尤爲霍亂差後之調理良品。時醫治欬血、吐血、多用藕節。其言本諸綱目。然節之止血。亦由單甯。用乾枯之節。不如用新鮮之汁。取精而用宏也。

(五)桂元

桂元一名龍眼。性甘平。爲補血藥。本品三兩。西洋參三錢。冰糖三錢。熬成流膏。婦人新產，血液虧損。持續服之。力勝參耆。折肱漫錄云。聞華亭陸平泉宗伯。年幾及百。平日常食龍眼不輟口。」觀此。益信時珍「食品以荔枝爲貴。資益則龍眼爲良」二語。爲不虛也。其核研末。敷刀傷流血。本品配當歸浸酒飲之。能養血調經。

(六)南瓜

南瓜種類不一。優劣以分。夏月成熟者。形扁圓。杭人呼爲毒瓜。性助濕熱。晚秋成熟者。形長圓。人呼爲枕頭瓜。功能補中益氣。取生者搗汁。或切厚片嚼食。爲戒烟絕癮妙方。重慶堂隨筆云。「昔在閩中。聞有素火腿者。云食之能滋津益血。初以爲卽處州之筍片耳。何補之有。蓋吾處筍片亦名素火腿者。言其味之美也。及索閱之。乃大南瓜一枚。蒸之。切開成片。儼與南腿無異。而味尤鮮美。疑其壅氣。不敢多食。然食後反覺易餒。少頃。又盡啖之。其開胃健脾如此。因卽叩其法。乃於九十月間。收極大南瓜。須極老經霜者。摘下、就蒂開一竅。去瓤及子。以極好醬油。灌入令滿。將原蒂蓋上。封好。以草繩懸避雨戶簷下。次年四五月取下蒸食。」圭按功德林素食館。亦有名素火腿者。色黑而質堅。似爲千張所製。與此相較。一礙消化。一能補益。其營養之價值。不可同日而語矣。粉食中有所謂南瓜餅者。乃本品和糯米粉白糖製成之一種扁圓形之粉餌也。色作嫩黃。味甚可口。晨起代點。勝於他物。

（七）冬瓜

冬瓜不但爲夏日佳餚。幷治諸病。香祖筆記載。一人患淋。百藥罔效。嗣得一方。用冬瓜淡煑。儘量飲。數次遂愈。折肱漫錄云。經霜冬瓜皮同皮硝煎湯。洗痔極效。（圭按時珍方。僅用冬瓜一味煎洗。）如無冬瓜。以白萊菔代之。此余所親試而效者。聖濟總錄有冬瓜白瓤。水煑汁。淡飲之。治水腫煩渴尿少之方。蓋利小便。消熱毒。本品獨具特長也，他如切片摩身。可消汗疹。榨汁洗面。能美容顏。去皮切塊。和蘭薰（南腿）煑食。其味鮮美無比。杭人以爲夏月主饌。

（八）山查

本品不但消食。且能化瘀。治產後惡露積於子宮。疼痛難忍。若煆之爲炭。研成細末。療胃出血尤效。因粉末入胃。密護胃膜。能使破裂之血管凝結。血卽止而不流。且此物性本化瘀。雖初病用之。亦無流弊。至胃出血之症狀。爲血色紫暗。血量甚多。血中含有食物成分。且有胃病或肝病之既往症。

生薑大棗之妙用

前人

生姜爲蘘荷科多年生草本之塊根。隨地皆有。味辛甘而氣芳香。刺激力甚强。着於皮膚。起焮灼及變質。故爲皮膚刺激劑。治黃疸。凍瘡。毒蟲刺傷諸病。着於胃黏膜。立呈充血。使運動及分泌機能亢進。故爲辛辣性健胃藥。用於消化不良。與半夏茯苓用同。爲鎮嘔良藥。

生姜治痢。祇限初期。至腸壁成潰瘍時。即不宜用。因刺激太甚。徒增病人腹痛耳。

金匱有當歸生姜羊肉湯。治產後復中疞痛。及寒腹疝痛。虛勞不足。蓋三藥合用。有止痛補虛開胃之效也。愚意去當歸。用爲病后調理。虛人服食之滋養品。亦良。

俗云「上床蘿蔔下牀姜。」此言信然。蓋姜能催進食慾。蘿蔔有消化澱粉。滋養血液之功。常啖二物。確有益也。

大棗一名紅棗。內服治便祕咳嗽。外用治凍瘡皸裂。其營養値甚高。本草謂能補心脾。西醫用作强壯。白朮四兩。鷄內金二兩。研末焙熟。干姜二片。研末。以熟棗肉半斤。搗爛。和上三藥。作成小餅。炭火炙乾。卽醫學衷中參西錄之益脾餅。飢時食之。不但補養。並有開胃止瀉之效。脾虛久瀉。完穀不化。服此最宜。若與小兒作點心。亦賢於市售之八珍糕也。

回憶少年時代。極嗜甜味。家母常手製桃棗圓餉余。製法。紅棗三分。胡桃二分。先將胡桃搗爛。入棗再杵爲圓。仍如胡桃大。當時未解醫理。僅讚歎其甘美可口而已。今考二物皆滋養强壯藥。本草且稱「食胡桃令人肥健。潤肌膚。黑鬚髮。」其皮濇可止欬。（和漢藥物學云。胡桃之主成分爲脂肪油。此外含有胚乳、糖分、單甯等。本草載「洪輯幼子病痰喘。夢觀音令服人參胡桃湯。服之而愈。明日剝去皮。喘復作。仍連皮用。信宿而瘳。蓋皮能斂肺也。」由此推想。頗疑本品所含之單甯酸。或多在皮中也。其油滑可通腸。（大棗亦治便祕）是則此桃棗圓者不但爲滋養之藥用食物。亦簡效之家用良方。編食譜者。盍採入之。

上文所述之桃棗圓。不僅治欬嗽便祕。且可作絛蟲驅除藥。因胡桃仁中之脂肪油。有通便殺蟲之作用也。

三伏日。取大棗。以生姜自然汁拌之。曝乾。更拌更曝。三次爲度。收密器中。名姜汁棗。（服時須經蒸煮）祛痰開胃。並擅勝場。可作風邪咳嗽之便藥。小兒老人之遊食。

本品八兩。合紅蓮子四兩。梨二枚。煉白蜜一兩。以枇杷葉五十斤。煎湯代水煮果。卽王孟英杜癆方。治骨蒸癆熱。羸弱神疲。腰痠脊痛。四肢軟痿。咳逆嗽痰。一切陰虛火動之症。其中大棗。亦以滋養袪痰爲目的。本方除蓮子。用作熱性病後便閉。常習性便祕之食餌療法。亦頗佳妙。

曩時習醫。見名醫處方。每用大棗。不過三枚。心竊非之。以爲棗乃吾人常食之乾果。一啖十餘。習以爲恆。區區三枚。焉能已疾。今統計仲景方大棗之用量。以十二枚爲常。益信予昔日之懷疑。爲不虛矣。

芡實補腎之討論

前人

芡實生於水澤。形類雞頭。外被青刺。剖之。內有斑駁軟肉。累累如珠璣。去殼。則潔白若魚目。其功用(一)益腎固精。(二)補中開胃。醫家治療遺精。每多用此。如藥肆出售之水陸二仙丹。金鎖固精丸。方中皆有芡實。惟本品之治遺精。宜於久病體虛。若夢遺之症。則以丹溪大補陰丸之清相火滋腎陰者爲佳。友人羅錦澄告余。曩時肄業高中。得夢遺疾。少則七日一次。多則三日一次。嗣服大補陰丸。八閱月而全愈。遵生八牋芡實粥方。用芡實去殼三合。新者研成膏。陳者磨作粉。和粳米三合煮粥。云食之益精强智。聰耳明目。余謂以芡實蓮實各一合半。加粳米糯米各一合半。煮成稠粥。不但益人。治久遺。久瀉均佳。

葡萄與蘋果

高思潛

葡萄本生於中亞細亞一帶。漢書言張騫使西域還。始得此種。而神農本經。葡萄列於上品。似中國已早有此物。李時珍曰。漢前隴西舊有。但未入關耳。其說恐屬附會。未可深信。前乎漢書者。如司馬遷之史記。亦云。大宛以葡萄釀酒，張騫使西域。得其種還。中國始有。足見葡萄乃外來之物。非中國舊有。而本經云云者。蓋本經後出故也。此物汁甜。西域多用以釀酒。本經亦言可作酒。此明明受西域之影響也。說者謂本經出於後漢。此殆其鐵證矣。

凡果皆能幫助消化。蘋果之功尤顯。蓋蘋果不獨消食於平時。即因食而起炎症之時。亦足以治之。故凡有食積者。取蘋果時時啖之。病未有不愈者也。

蘋果一名林檎。爲熱帶植物。近見和州志物產志中。有林檎一物。蓋移植者耳。非特產也。

蔬菜於醫藥上之效能

佚名

吾人常食蔬菜。非特可使長體强健。血液增加。且有治各種病症之效。蓋各種蔬菜。均具有醫藥上之效能。世人苟能明其性而用之。其益勝飲藥石多矣。茲舉普通數種蔬菜。述其藥性之大要於次。文之工拙不計也。

(一)葱類　葱類可爲豫防熱病之食物。效大者並能殺菌。食之可使體中血液純良。故患肺病者。不妨常食。以之生食。有極良之效果。其他止痢助消化治感冒增進記憶力等。效果甚多。用作常食品。則於人身康健上有無窮之益。

(二)白菜　食之有益腸胃。性且而溫。又有解酒醉之効。

(三)菠菜　菠菜甚宜于消化。與一般蔬菜類同有健胃補血之益。治腎臟病貧血症等。效亦大。有便祕症者。食之即愈。

(四)萵苣　萵苣生食。可增進食慾。有淸潔血液之效。又能鎭靜神經過敏。治不眠症。並有利尿之效。

(五)芥菜　爲香辛類之食品。其藥用價値。大抵記載於藥書。其種子硏成芥粉。更練爲芥子泥。展布於皮膚。可爲退紅腫等用。依此方法。亦可治人事不省虛脫昏睡等症。又由種子製成之芥子油。可代芥子泥之用。芥子油之製法。搗碎芥子。加水放置。更加水蒸餾。即得。

(六)西瓜　其汁液可解渴。爲淸涼劑。有利便之效。尤著者。將此果實之汁液煎之。製成一種砂糖。稱西瓜糖。最有效於利尿。

(七)蕃茄　此於不眠症有特效。又治肝臟病亦有偉效。又治肝臟痲痺而更可助脂肪之消化。凡在夏日。胃之消化作用不良時。於食後進此一二。則無感胃弱等病矣。但不善食者。稍覺難於進口耳。然既成習慣。於夏季中每日啖此數顆。實有無上之裨益也。

(八)薑　為日常所用之香辛料。可作健胃劑發汗劑。

(九)藕　為婦人生產後之食物。治血悶口乾腹痛等。其葉燒黑。浸水。啣之口中。可治口熱熱齒痛。其花乾燥。濡以唾液。貼於腫處。有吸收膿汚之效。又葉柄花梗之普通藥。有解中蟹毒之特効。

(十)慈姑　與蓮根同為生產後之食物。但姙婦不能食。自昔已有此說。

(十一)韮菜　有健胃補腎除熱下氣之效。又為益陽止瀉之良劑。

(十二)萊菔　取萊菔子研而食之。最適於治消化器不良及胃加答兒(Katarrk)此蓋萊菔中含有糖化素(Diastace)之故。此糖化素為澱粉有效之消化藥。已盡人皆知。又研碎其子。混於水飴。(甜果汁)而食之。可治咳嗽及喘息。又對於解蕎麥豆腐魚餅酒等之中毒。極有效力。

(十三)冬瓜　其子有治雀斑之效。法將種子粉碎。加桃花。以蜜練之。塗面部。則雀斑不久即退。若中蟹毒。用其種子煎服即愈。其他為可止渴利尿等藥。

(十四)胡瓜　取未熟果實。搾汁。入瓶貯藏之。可治火傷。又有清血液利尿及治汗瘡等之特效。

(十五)胡蘿蔔　根部富滋養分。得治發狂及腸胃之病。搾汁貯久者。可治肺病。

（十六）蒜　能去寒溼。腹痛時食之則治。狗嚙則搾汁塗之。此種丁幾劑。（則蒜之酒精溶液）在肺病爲極有效之物。又下痢之時。以之與甜果汁相混。服下卽止。夏季傳染病流行時。其需要尤多。

（十七）芹　爲健胃蔬菜。需要最多。感風邪者。服之有解熱之效。

青腐乳有益於衛生

董志仁

青腐乳一物。俗稱臭腐乳。爲勞動界之佐食品。亦卽衛生家之厭惡物。但考其製成之原料。倘非不合於衛生者。不佞自幼嗜此。在校時與師友嘗作食青乳腐有益與否之討論。同情者竟不乏其人。迄今馬齒既增。食青腐乳之經驗。愈覺長進。認爲此物。似無毒質。常人食之。有健胃消食之功。病後食之。爲養身增餐之助。不佞作此考證。讀者諸君。其將疑爲嗜痂成癖之腐化分子乎。

考吾杭市上所售之青腐乳。類皆製自紹興。其製法將荳腐切塊晒乾。靑鹽食礬同入壜內。密封年餘。使起發酵作用。而腐而酥。始可啓封爲食料。查食品化藥研究云。荳腐爲黃大荳所製成。內含脂肪蛋白。無機鹽類等質。富於滋養性。爲素食衛生之良品。食鹽有殺菌防腐之功。健胃消化之力。青礬卽綠礬。一名酸鐵。爲收歛性鐵劑之一。外用能消毒。內服能補血。本草綱目更治各種疾病。故隨息居飲食譜云。青腐乳能治疳積膨脹。萎黃等病。功能消積補血。自屬有理可據。經驗之論也。

然食之而嫌其氣味臭惡。或覺胸悶嘔吐者。亦屬常見之事。此則似因不知另加調味之故耳。倘能加以淸香之蔴油。臭氣自可大殺。且因此而可調劑其中收歛性之硫酸鐵的便祕作用。最妙再加少量之米醋。以增益胃酸。（按其人素多胃酸。可以不必加。）輔助消化。則氣脹嘔吐自不發生。以視用紅腐乳與油榨檜等之用於輔佐晨餐者。其利弊不可同日而語。食物之衛生。固不可以皮相也。

或曰。青腐乳中常有小蟲。此小蟲非腐乳之臭腐而發生者乎。食之甯不可疑。不知各種食物。除與空氣隔絕。或用化學藥品保護。或食物自身能强有力之殺菌防腐外。難免幺麽小體之侵入。故多數之食物。必經蒸煑而食。蓋即殺滅微生物之一法也。臭腐乳之原料。本有防腐殺菌之功。惟起壜後。環境不潔。在夏秋時蠅類間或光顧。微生物於以滋生。則食之難免有害。此非腐乳之罪也。（譬如淸潔之西洋大菜。倘經蠅類附着。能保無礙於衛生乎。）雖然。若因病忌此。或多食此物而傷胃。卽使無微生物之作祟。亦能致病。此則更非青腐乳之罪矣。

有益肺癆養生之食品

楊志一

夫肺癆療養之術多矣。養生方面如休養。空氣。日光。食養。等是。藥療方面。如白芨。芥菜滷。瓊玉膏。魚肝油。等是。此余於虛癆叢書中。已詳言之矣。查所謂食養者。首推鷄蛋牛乳之類。以其富於滋養料也。然植物性食品有益於肺病養生者。亦復不少。爰選錄數種如下。

(一)百合湯　考本草云百合性味甘平。功能潤肺清熱。而止咳止血之功尤捷。病肺者每日煮湯服之。則肺虛可補。肺火可清。咳血可止。非僅清熱解渴已也。

(二)苡仁湯　按生苡仁之功用。非僅利濕。且富有滋養力。病肺者。每日取陳年苡仁。煎湯服之。療肺止咳。厥功甚偉。即未病者服之。亦能杜防癆疾也。

(三)鮮藕汁　大凡肺癆咯血或痰紅。皆爲肺損之現象。止血之方。如冷鹽湯。童便。生地汁。十灰丸。不一而足。而夏令應時之鮮藕。功效尤著。考本草云。藕性甘涼。止血散瘀。病血者。每日取鮮藕搗汁一盅。燉溫服之。良效。

(四)豆腐漿　按豆漿富蛋白質。其養肺之功。實與牛乳相埒。病肺者每日清晨服豆漿(須取淡者)一盌。如咳甚者。和入枇杷葉露三錢。如肺癰者。和入陳芥菜露二錢。均宜溫服。

第二章　動物性食物

哈士蟆之功用

曹炳章

考哈士蟆如蝦蟆。兩足長。南中似爲補品。已遍銷各行省。或謂產於海。非也。考之古今醫藥諸書皆未載。閱近人北游筆記。尙有誌其產地形狀者。語多確實。惜未詳其效用。如淸稗類鈔云。哈士蟆生鴨綠江淺水處之石子下。上半似蟹。下半似蝦。長二三寸。鮮美可食。人以之爲滋養品。昔皇帝祭太廟。必用此物。曼陀羅閒話云。奉省山中產哈士蟆。似蝦蟆而小。其色綠。作金光。腹淡紅。以生太子河畔者爲佳。蓋別是蝦蟆中之一種。居常在澗邊石罅口。不在水也。取其腹內之脂肪爲菜品。其味淸鮮而不膩。其質精白而無滓。洵佳饈也。採食之時。在三四月間。過時則脂不足。成肉塊耳。然亦有贋者。贋者肉粗而不滑。味淡而不腴爲異云。又魏聲和雞林舊聞錄云。哈士蟆產吉林東南。長白山谿谷中。遍體光滑。尻無竅。並不辨其雌雄。土人云。雄者值山中新雨後。腹生涎沫。雌雄常黏合。雖刀劈之不解。卽其交尾時也。飲而不食。無排泄器。寒霜幾降。輒膨脹而死。剖之。滿儲黑紛。如石灰之屑。惟兩肋各具肥膋瑩白脂肪質一二枚。烹食味鮮美。或謂此物飲參露水而生。故其所在處。皆產參耳。綜考前說。此物產於北方寒帶。常飲參苗上露水。不食別物。生長於春夏。當參苗繁盛之時。至秋末空氣寒冷。露結爲霜。參苗經霜凋枯。而此物亦不飲。由膨脹而殭，蓋露爲天空清氣凝降所化。參乃地脈英靈而生。此物能吸飲二精而生長。不受肅殺寒冷之陰氣。謂其得陽氣之全可知。卽所謂體陰用陽是也。且飲而不食。尻無竅而不排泄。其水飲仍從陽竅化氣而出。可知其性質溫平無毒。氣腥味微鹹。色白。久煮不烊。故能堅益腎陽化精添髓澤潤肺臟。增長脂肪。爲脾腎虛寒。氣不化精之要藥。若肝腎陰枯涸。潮熱煩躁。乾咳咯血。盜汗不寐。大便溏泄。總總腎虧不能涵肝。肝陽無制。化火上擾。此卽所謂壯火食氣之症。及脾胃不健消化力衰微者。皆宜少食。此物雖古書無考。就其產地之天氣。生長之時期。好惡之性質。參以服食後試驗之成績。以一得之見。說明其效用。是乎否乎。以質諸當世醫藥名公指正之。

牛乳與牛肉汁之比較

仲圭

凡動物性食物。雖富蛋白質及脂肪。但多缺乏含水炭素。植物性食物。則多含水炭素。而缺少脂肪及蛋白質。故於一種食物中。兼含此蛋白質。脂肪。含水炭素。三種營養素。而又適量不過參差者。偏察動植物界。舍牛乳外。實不多覯。又維他命爲吾人生活之要素。苟有不足。疾病隨之而起。但含五種維他命於一物者。厥惟牛乳。其他食物。或有或無。卽有亦不過一種或數種耳。故牛乳實爲寶貴之食品。有力之家。可長飲之。其有不能飲牛乳之特異質者。可和於茶。咖啡、可可、中呷之。或以之烹園蔬。或以之製糕餅。均無不可。惟牛乳以新鮮爲貴。榨取后歷時稍久。卽易孳生細菌。而起腐敗。蓋牛乳對於細菌之發育。最爲適宜故耳。又乳牛大抵患結核病。其乳中難保無結核菌存在。此種牛乳。苟給兒童飲之。每有傳染腸結核之可能。故牛乳如不煮沸。頗覺危險。

牛肉爲獸肉之王。蛋白質占百分之二十以上。並含有ABDE四種維他命。燐、鉀、鈉、鈣、鎂、鐵。諸無機鹽。吾國本草。稱其「安中補脾。益氣止渴」。蓋動物性食品中之滋養上品也。惟消化稍難。乃其美中不足。若與其他肉類。混合製成肉汁。則於病后產后。老人虛人之氣血衰弱。當進補養者。以此血肉有情。徐徐調養。誠極適應之食餌療法也。

羊肉粥與平民補品

沈仲圭

本草云。「羊肉補虛勞。益氣血」。李東垣曰。「人蔘補氣。羊肉補形」。張仲景治蓐勞。有當歸羊肉湯。用羊肉當歸爲主。益以補氣之蔘著。健胃之生姜。而收止汗除熱之全功。（蓐勞之症狀。爲產後發熱。自汗體痛。）可見羊肉一物。在漢代已目爲婦科要藥矣。予往歲作客滬江。見市廛小食肆中有羊肉粥出售。偶食之。價廉而味美。因歎曰。此平民冬日之食補妙品也。體弱之人。日進一甌。不稍間斷。開胃健力。得益非淺。

(按)羊肉甘熱。補氣血。壯陽道。凡下元虛寒。小便不禁。及精薄陽痿者宜服。

體瘦畏寒可食鰻鱉

沈熊璋

身體瘦削者。一交嚴冬。往往袖手胸前，縮頸傾內。皮膚起粟。鼻垂清涕。此種不能抵禦風寒之狀。並非盡由衣裳單薄。而皮下缺乏脂肪。體溫容易放散。乃其主因。缺乏脂肪之症。必須直接或間接補充其不足之脂肪。而後寒慄之狀。方能不再發生。故西醫治此。恆用魚肝油。中醫則投八味丸。然藥補不如食補。古人已昭示吾輩矣。

查水族中含鐵質脂肪最富者。當推鱉與鰻。且價廉味美。食法又多。體瘦畏寒之人。際此冬季進補之日。正不妨今日甲魚。明日鰻鱺。既治羸瘦。又快朵頤。何樂而不食耶。本草云。鰻補虛損。鱉滋腎陰。則此二物。不僅治瘦而已。亦著名之强壯劑也。惟鱉與雞子相忌。不可同食。

黃雌鷄飯之滋補力

佚名

元鄒鉉所著壽親養老新書。中有黃雌鷄飯。治產後虛羸，補益。用黃雌鷄一只。去毛及腸肚。生百合一顆。洗淨。粳米飯一盞。將粳米飯百合入鷄腹內。以線縫定。用五味汁煮鷄令熟。開肚取百合。米飯。和鷄汁調和食之。食鷄肉亦妙。(按)肥鷄含水分七〇•〇六蛋白質十八•四九脂肪九•三四。非淡素物一•二〇。灰分〇•九一。中西醫家。皆認爲最富滋養分之鳥肉。治產後虛羸。年老體衰之食補品。百合含蛋白質三•三〇。脂肪〇•一一。澱粉二四•一五。木質一•二四。灰分一•五五。水分六九•六三。功能補虛羸。益衰老。本草稱「百合新者可蒸可煮。和肉更佳。」此方以鷄肉配百合。益以補脾淸肺之粳米。不但鮮美可口。抑且相得益彰。對於氣血衰少之產婦。誠爲事簡功宏之補劑。其用黃雌鷄。亦有深意。蓋哺乳動物及鳥類之營養價。牝肉恆勝於牡肉也。

考隨息居飲食譜謂百合專治虛火勞嗽。甄權云。百合治熱欬。愚意黃雌鷄飯移治肺病欬嗽。亦殊合拍。蓋肺病治法。宜注重營養。而營養品中。當推雞肉爲巨擘也。

雞汁之功效

五魁

余友唐君志文。前歲春間。忽起咳嗽一症。經久不止。後愈咳愈重。變成癆症。至精神日漸疲乏。形體日漸憔悴。雖請醫調治。日進湯藥。不能見效。後有人教服雞汁（云唐君之病。因身體虛弱所致。宜用黃色童雌雞。煎汁服。或可有效也。）唐君乃照法煎服一星期後。漸覺舒服。服至三個月。（約用雞二十餘隻。）則諸病全愈。身體康强矣。後唐君之鄰婦。亦患肺癆咳嗽。亦服雞汁而愈。

夫癆病起於弱體者多。雞汁乃富於滋養之品。以弱症而進以滋養之物。則體可康强。體强則病自去矣。然此法爲虛癆而設。若肺火咳嗆帶血者。非所宜也。

蟹在食療上之功用及其毒害

周廣貞

賞菊持螯。爲深秋時節之樂事。豈知此二螯八足之貝類。于食療上有相當之功用乎。玆臚述於下。（一）主胸中氣熱結痛。凡秋深燥邪入肺。與肺之粘膜分泌物。和合而爲燥痰。咳嗽形寒。口渴內熱。咯痰不爽。胸中結痛。食蟹一二枚。咳嗽驟舒。胸痛亦愈。其效勝於蛤殼貝母瓜蔞皮光杏仁等藥。此歷試而知者。蓋蟹得西風而長。其性鹹寒。故於肺之燥邪痰熱。有特効也。（二）治筋骨折傷。內有熱瘀者。生搗蓋之。或去殼用黃。搗爛微炒。納入創傷處。筋卽連續。痛自無形消散矣。（三）治漆瘡塗火湯。皆取其散血消炎之功。（四）蟹爪可以催生。姙婦不可食蟹。以其性專逆水橫行也。其爪爲下死胎胞衣專藥。千金神造湯治子死腹中。幷雙胎一死一生。服之令死者出。生者安。誠神驗方也。但以一邊運動。一邊沉着者。卽是無疑。方用生脫蟹爪。連足用之。

約一平碗。東流水煎去滓。入阿膠一兩、令烊頓服。或分二服。若人困不能服者。灌入即活。取蟹之散血。而爪觸之即脫也。

雖然。蟹之毒害。亦有不可不知者。凡食蟹以被霜者爲佳。未被霜有毒。多食令人腹痛泄瀉。以紫蘇紅糖湯解之極妙。食時尤須薑酒同服。以免中其寒毒。蟹性喜入蛇穴。得其毒則驟長。故重一觔以上者。誤食殺人。又兩目相向。足斑目赤者。有大毒不可食。俗言「九月團臍十月尖」雌蟹圓臍。雄蟹尖臍。雌性成熟早於雄。謂其肉味之豐厚。此則老饕經驗之談。不關食療及毒害也。

食品中含有生活素「維他命」表

豹斑

第一表　含有兩種生活素(抗壞血病性要素)的食品

(一)含有大量的　鮮橘汁　生甘藍菜　蘿蔔汁　發芽毛豆

(二)含有多量的　檸檬汁　帶殼毛豆　馬鈴薯　番茄　煮過的桔汁

(三)含有適量的　發芽的大麥和小麥　豌豆和扁豆　乾甘藍煮熟的馬鈴薯　煮熟的蘿蔔汁　乾茄子　煮熟的桔汁

(四)含有少量的　罐裝或急乾的甘藍菜　乾或蒸的馬鈴薯　陳宿的桔子汁和檸檬汁　葡萄　蘋果

香蕉　綠茶　人乳牛乳

(五)不含的　炙燒的甘藍菜　晒乾的菠菜　清毒的牛乳　紅茶　動物性脂肪　乾五穀類　麥酒

第二表　含有乙種一/乙種二生活素(抗神經炎性要素/促進沈着性要素)的食品

(一)含有多量的　酵母和酒酵　米麥的糠米麥玉蜀黍的發芽

(二)含有少量的　米和他種的粗米飯　黑麵包　豆類　芋類　野菜類和醃漬菜　果實類　牛乳人乳卵黃肉內臟

(三)含有微量的　某種野菜和果實類　海草類　豆乳　豆腐　豆腐渣　煉乳消毒乳　卵白　乾肉
紅茶及可可

(四)不含的　白米　五穀粉〃澱粉　白糖　米飯和白麵包　動物脂肪　罐裝肉　內臟　酒類綠茶
和咖啡

第三表　含有甲/乙種生活素(抗眼球乾燥症性要素/促進石灰沉養性要素)的食品

(一)含有大量的　魚肝油　鯨油和他種魚油　魚的生殖細胞　卵黃　乳脂　菠菜　青莢豆　雜菜

(二)含有多量的　牛乳　猪內臟　犬馬牛羊的脂肪　甘藍番茄　甘薯　西瓜

(三)含有少量的　脫脂乳　牛脂　落花生油　種子油　胡桃　馬鈴薯　香蕉　青藻　生菜

(四)未明的　洋橄油　猪油　酒酵　燕麥　大豆　桔子

(五)不含的　一部分的內臟　胡麻油　甜杏仁　白米

下編　食物療病學

第一章　食物療病之實施

小兒下痢之蘋菓療法

張昌紹

小兒下痢之蘋菓療法。在德國民間。久已流行。但素爲醫界所漠視。最近德國 Frieda Klimsch 氏。始于 Konigfield 小兒療養院內。系統地採用此法。收效卓著。三年來。該國醫界繼起應用而研究者。頗不乏人。如 Moro(1926), Wolff (1930), Melentieva, Heiser 及Kollmann (1930) 等。在德國各醫學雜誌上發表其試用之結果。均極滿意。

(一)理論

關于蘋菓療法之藥理作用。目前尙未大明。醫界意見。甚爲紛岐。玆綜合各家意見。分述如下。

一、機械作用　據Moro 主張。蘋菓在腸管內形成一種無刺戟之充塡物。因其毫無刺戟性。故能甯靜腸壁之運動器官。當其在腸內通過時。不僅機械地清除腸內容。並能吸收種種有害物質。Malyoth說。蘋菓內的纖維素。像海綿一樣。當其經過時。一路吸收各種細菌而排出。使不爲害於腸壁。

二、鞣酸作用　鞣酸(Tannic acid)有收歛作用。而水菓中屢屢含之。此爲吾人熟知之事實。且鞣酸及其製劑如Tannalbin, Tannigeu, Eldoform等。亦曾一度流行於下痢。故Moro氏將蘋菓療法之主要作用。歸諸蘋菓內所含之鞣酸成分。蓋鞣酸之收歛作用。於腸粘膜面形成一種保護膜。隔離一切機械的、化學的、及細菌的刺戟和損害。減輕炎症狀態。使腸管得到生理的休息。Winckel氏亦主張此說。但Heislen, Kohlbrugge及Malyoth等均持反對之說。氏等認爲鞣酸製劑雖常用於下痢。但往往無效。進言之。即假定鞣酸確能制止下痢。但蘋菓內僅含〇・〇六八%之微量。曷克奏此偉效。

三、菓酸作用　Heisler及Kohlbrugge等。認菓酸作用爲蘋菓療法奏效之要素。彼等試用數種富於菓酸之菓汁如檸檬汁等于下痢。亦得同樣有效之結果。遂得菓酸作用之結果。Kohlbrugge氏並主張用連皮之蘋菓。因皮內及皮下組織含酸更富。但Molyoth亦用攻擊鞣酸作用說之同樣武器。反對菓酸之說。氏云。蘋菓內僅含菓酸〇・五九%。且其大部分更受植物性粘膠(Pectin)之緩衝作用(Buffer action)。不能發生任何顯著之效力。

四、粘膠作用說　Malyoth氏消極方面反對鞣酸說及菓酸說。積極方面主張此說。粘膠。

即植物性粘膠 (Pectin)。存於各種菓汁內。由其膠質的作用 (Colloid action)、及緩衝的作用(Buffer action)。能調劑氫離子之濃度 (Hydrogen Ion Concentration) 。並由其膠質的作用。吸收腸內之毒素。使不爲害。

(二)方法

選取成熟完整之蘋菓若干個。剝皮去心。用刀剖成細粉。或於刨床上刨之。病孩於四十八小時內。每一二小時。服食一至四食匙(十五至六十格蘭姆。) 按年齡之大小。 每二十四小時內。約用蘋菓粉自二百乃至一千五百格蘭姆 (200—1,500 gm.) 。 相當於中號蘋菓三乃至二十枚。適足供病孩需要之水分及營養。病兒於四十八小時內。除此蘋菓食餌而外。他種飲食一律廢止。如病者十分煩渴或呈現中毒症狀 (Toxicosis) 時。則可飲小量之淡茶。他若中毒症狀或脫水症狀 (Dehydration) 十分顯著時。需要應急之有效治療。如食鹽水皮下注射等。自不待言。

一般病孩。均樂於服用蘋菓粉。但亦有少數嫌其味酸而拒絕者。則可加糖少許。或加入酌量之香蕉混和之。其味較佳。

服用蘋菓四十八小時後。改用一種過渡期食餌 (Transitional Diet) 此種食餌內不含乳類或菜蔬。食單舉例如左。

上午七時三十分

粥糊（不加牛乳）
麵包
淡茶一杯（不加牛乳）

中午二時

牛肉菜湯（去油去菜）
甘藷糊粥
肉鬆
麵包

下午三時

麵包
淡茶（不加牛乳）

下午六時

粥糊（不加牛乳）
麵包
香蕉

過渡期食餌繼續四十八小時。乃漸轉移於正常飲食。最先加入牛乳。其次菜蔬。最後水菓。淡茶(不加牛乳)

猪肉療病之一例

沈仲圭

猪肉爲動物性食品獸肉類之一。有修補細胞。滋養人體之功。歐洲各國。每人每日之平均消費額。在二十八錢以上。吾國人士。亦向以此爲常食。惜世人僅以供肴饌。快朵頤。不知其在治療上。有甚大之價値。爰舉古人臨床筆記一則。並加說明如左。

續名醫類案載。汪赤厓治張姓。夏月途行受暑。醫藥半月。水漿不入。大便不通。唇舌黑。骨立皮乾。目合肢冷。診脈模糊。此因邪熱薰灼。津血已枯。形肉將脫。亡可立待。若僅以草根樹皮。滋養氣血。何能速生。囑市猪肉四兩。粳米三合。煮汁一碗。另以梨汁一杯。蜜半杯。與米肉汁和勻。一晝夜呷盡。目微開。手足微動。喉間微作呻吟。如是者三日。唇舌轉潤。退去殼黑一層。始開目能言。是夜下燥屎。脈稍應指。再與養陰。匝月而愈。

(按)王孟英言猪肉之功用曰。「補腎液。充胃汁。滋肝陰。潤肌膚。利二便。止消渴。起尫羸。」又曰「液乾難產。津枯血奪。火灼燥渴。乾嗽便秘。並以豬肉煮湯。吹去油飲。」鄒潤安謂「坎爲豕。在地支則屬亥。不但養胃。其補腎水有專能。」食物新本草稱。「豚肉含脂肪頗富。（百分之二十八）為亞於牛肉之貴重肉類。彙而觀之。可見此物滋肝腎之陰。熱性病後。津血不復。以致胃呆便閉。骨立皮乾者。誠極適應之食餌療法。豈可狃於時令病後。忌食魚腥（新鮮之肉曰腥。故論語有「君賜腥」之句。）之戒。而坐視病體之衰羸於不顧哉。

仲景治少陰病。下利咽痛。胸滿心煩。有猪膚湯。（猪膚一斤。白蜜一升。白粉五合。）山田氏云。「猪膚卽猪肉。本草明稱性平。解熱毒。」據此。是物不但津枯液涸者。依為甘霖膏澤。卽陰虛而上焦有熱者。亦可用之以治標也。

陸淵雷氏云。「猪膚湯。卽肉湯拌炒米粉。和以白蜜。」斯言信然。余謂是法等於西醫之用鷄牛肉汁。對於易於分解蛋白質之熱性病後。（發熱症。每日消耗蛋白〇，七％。）僉可代用點心。固非專為「少陰下利」一症而設也。

旋毛虫條虫。常以牛羊豕為第一宿主。故猪肉非煮至法氏一六〇度。恐有傳染寄生虫之危險。但肉中蛋白。一遇高熱。又易凝固而礙消化。折衷之法。可以文火緩緩煮之。

世俗猪肉。多用冷水。此太謬也。投肉於冷水中。而漸次熟之。則肉中所含之滋養分。將與水溶化而散溢。養生之功。豈非減少。故欲保全養分。宜先將生水煮沸。然後入肉。

豬肉富於脂肪。消化時間。比較的延長。（約須四時。）故與脂肪較多之鷄、鶉、雉肉。及不易消化之蕎麥、炒豆。不宜同時飽啖。惟以葱蒜爲配合料。則極適宜。

(又按)重慶堂隨筆。蘭薰(卽火腿)條下。王孟英附有按語。述其友范慶簪之言曰。解渴莫如豬肉湯。凡官爐銀匠。每當酷暑。正各縣傾造奏銷銀兩納庫之際。銀爐最高。火光迎面。故非血氣充足者。不能習此業。然人受火爍。其渴莫解。必市豬肉以急火煎清湯。撇去浮油。缸盛待冷。用此代茶。雄聞而悟曰。此渴乃火爍其液。非茶可解。豬爲水畜。其肉最腴。功專補水救液。允非瓜果可比。因以推及虛喘虛祕下損難產之無液者。無不投之輒應。乃知豬肉爲滋陰妙品也。(下略)王氏之言如此。誠爲有見。近代西林某巨公。本貴介公子也。當其未發達時。意氣豪縱。不可一世。家居常張筵演劇。夜以繼日。從者苦之。然每至天明之時。某輒進精猪肉粥一甌。從者亦皆得食。以此雖日夜辛勞。而虛火不致上炎也。猪肉滋陰之效。有如此者。惟有溫熱之病。在將愈未愈之時。切不可早食猪肉。犯之者必致脚腫。而病復發。纏綿難治。吾見之屢矣。凡事有利必有弊。如此類者是已。沈先生之言。乃專爲熱性病後津血不復骨立皮乾者而發。閱者當分別觀之。勿執一也。

粥油有補精種子之功

陸士諤

煑粥鍋內滾起沫團。濃滑如膏油者。名曰粥油。大鍋能煑五升米以上者良。甘淡平和。其力能實毛竅。滋養五藏。肥肌體。塡補腎精。每晨撇取一碗。淡服。或加煉過食鹽少許亦可。黑瘦者服半年卽肥白。精淸無子者。卽精濃有子。蓋穀氣生精。鹹能入腎。五穀之品。氣淸質純。遠非血肉質濁可比。余遇陰虛病家之吃長齋者。不肯服燕窩人乳等滋陰品。輒令日服粥油。收效頗巨。或疑素有痰飲者。服粥油不無助飲增痰。其實飲家本屬中陽不振。原不宜滋養。若服粥油時。佐以生姜末一二撮。卽可無患。粥油係米穀之精。決無弊害。飯也是水米煮成。痰飲家可不食粥油。痰飲家可不食飯乎。一語道破。自然無疑。吾謂粥油之功。實勝於麥精魚肝油等萬萬。勿以價賤而忽之。

（按）有張秀生者。素有遺精之患。年已四十。猶抱伯道之憾。求之於其友。友固知醫理者。謂之曰。久遺者精必淸。精淸無子。可服米油百日。必見奇效。張試之。百日後遺精漸減。年餘遺精止。體力亦增。後果舉一雄。足證粥油確有補精種子之功也。

陽痿症之藏器療法

楊志一

陽痿一症。除先天不足。睾丸患疾外。都因性慾過度。腎虧精不充其力所致。根本治法。首宜補陰以助陽。不可壯陽以刼陰。所謂火無薪而不烈。燈無膏而不明也。補陰助陽（卽補精助力之謂）之法有二。一曰藥物治療。一曰藏器治療。藥物治療。已詳「靑年病」書中。藏器治療。

乃借助于內分泌。取獸之某部內分泌。而注射之于人體之某部。與國醫食肝補肝。食腎補腎之說。理由正同。此項治法。非人人所能自爲。下列各方。乃宗其意而變通之也。

(一)宰取猪羊之睾丸。酒浸數時。榨汁服之。不煮熟者。恐失其有效成分也。

(二)用建蓮子去心爲末。焙熟。再用猪羊脊髓。和爲丸。桐子大。每服二錢。日兩服。大有補精强腎之功。

(三)鷄子黃含有副腎髓質之分泌素。日用生鷄蛋兩三枚。攪勻。用熱牛乳一盅沖服之。良效。

(四)羊肉四兩。切小塊。山藥末一合。粳米三合。同煮爲粥。加鹽少許。常食大有滋陰助陽之效。

山藥爲遺精良藥

德真

市肆所售之山藥。人皆以爲食品。不知其實有治病之功能。鄙人前歲。因勞心過度。致得遺精之恙。遍往各處名醫診治。迄少回春之術。延至去秋。轉勞瘵。奄奄垂斃。幾成不治之沉疴矣。後有友人過訪。探以鄙人病情。云山藥能濇精補脾。有回生再造之功。堅命速購食之。鄙人因病至於此。出於無奈。遵友人之囑。購山藥數觔。於每日清晨。煮食。不圖食未兼旬。精神大振。遺精亦止。即平日所患咳嗽•潮熱•骨痛•盜汗等症。亦皆痊愈。不治之沉疴。由此霍然矣。

豈不快哉。爰將煮食之方法。詳列於後。以便閱者採擇焉。

一（煮食法）以山藥段許。約十兩餘。洗淨打爛。投於開水鍋內。煮至極爛。用鍋鏟攪之。使成粥糜。和以白糖。頓食之。如置飯鍋上煮熟。則其內之蛋白質凝滯。只可充飢。不能治病。

二（食時）以早晨爲適當。午後亦可。晚間不宜。因晚間之消化力。遲鈍故也。食後不可卽臥。須從容緩步數分鐘。以其性膩。恐有停積之虞。

（按）山藥功用。不僅療虛止遺。如用生山藥去皮切片。和粳米煮粥食之。功能滋補脾胃。爲胃病之良品。

熱性病人之食餌療法

陳慰堂

有發熱狀態。身體物質之消耗必多。故欲預防熱病者之衰弱。及維持對於疾病之身體抵抗力。不得不行適當之營養法。故食餌療法。對於熱性病人。甚屬重要。

▲急性熱性病者——身體物質。因中毒性原因而消耗。因胃液分泌之減少。而食思不振。又以胃粘膜之知覺過敏。而食物攝取不能。病人遂陷於營養不給之狀態。

熱性病人。身體物質之消耗。主爲蛋白質。故吾人補充蛋白質之消耗。甚屬重要。實際上於單純之營養供給。得以補充蛋白質之消耗量。然對於中毒性之蛋白質消耗。苦不得補充之方策。

吾人欲補充其消耗量。其必要條件。爲胃腸之健全。能耐多量蛋白質。同時含水炭素之多量供給。甚屬重要。特對於發熱者所常起之阿采通尿。含水炭素有預防的及治療的價値。持久之熱性病人。以高度營養不給之結果。心臟及神經系統起著名障碍。而生命殆危者不鮮。故求營養之恢復．不可不努力也。

營養上熱量須十分充足。同時使心臟力旺盛。保護腎臟。注意排除身體內毒物。故於敗血症．肺炎．虎列拉．等重篤疾病時。或腸傷寒及慢性敗血症等持久性疾病。心臟力發生障碍之際。不可投給刺戟性食物。其他老人。酒客及元來虛弱病人。其心臟不强健者。病初卽不可投刺戟性食品。

肺炎分利之際。食思存在時爲限。宜投多量之刺戟性食物。如濃咖啡酒類等。

▲腎臟保護——傳染病自己直接障碍腎臟。又間接的可起腎臟障礙。故保護腎臟之食餌法。甚屬重要。卽避去障礙腎臟之食物。同時投給有能輸入多量水分於身體內之性質的食物。限止食鹽量。禁强香料及多量之肉質等。水分務必充分飲用。若病人不訴渴或昏睡之際。水分之經口的輸入不可能時。可用多量之水。注入直腸內。以其能排除新陳代謝產物及毒物。或於水中添加白糖。冷咖啡酒類等富於營養價之物質。

▲酒精——對於熱性病人之應否用酒精性飲料。諸家意見不一。但因時作爲興奮劑。健胃劑。及

元氣恢復劑。而用適當量。能奏偉效。二三學者之主張。於敗血性疾病。應用多量之酒精。從來嗜酒者。一旦於疾病時嚴禁。甚屬不良。故可由患者之個性。而用適當量。至於酒精之種類。由適應症而異。救急之際。當用吸收迅速而使心臟營有力之作用者。如白蘭地・巴德溫・赤酒・葡萄酒・威司克。等。而皮酒以其酒精含量少。可作病人之飲料。

▲牛乳——水分含量富豐。而熱量亦多。且不刺戟腎臟。故頗多用之。冰牛乳及含有牛乳之冷性飲料。病人飲用後。頗覺爽快。或以其溫熱者混於茶・咖啡中飲之。一日用量以一二磅爲度。數回分服。欲求牛乳之熱量增加。可於其中加乳糖（牛乳一磅中加乳糖五〇至百瓦）及卵黃等。如病人對於牛乳不堪飲用時。可加石灰水。茶及白蘭地等。若飲牛乳而起噯氣或惡心時。可於其中加冰水。或混於藕粉・卵黃中。少量徐徐內服。

▲肉汁——爲有熱病者之必要營養品，有刺戟心臟及興奮神經之作用。可與種種之穀粉（燕麥粉・大麥粉・豆粉，）等同時應用。又與卵黃併用時。可使體內脂肪增加。

▲固形食物——熱病者對於固形食物大都嫌惡。其中以鷄卵爲主要食品。鷄卵中混以糖。十分攪拌。使生泡沫。或將卵黃混於赤酒・白蘭地・白糖・牛乳，咖啡及肉汁等中服用。

▲肉類——病人未入恢復時期。厭忌者多。使用之際。當以特殊之調理法。即使其易消化且催進食慾者。選其軟嫩物。細切淸蒸。或冷後使食。

肉以外應用之固形食物。如含有含水炭素之餅・茶食・麵包・等。可浸於水・茶・牛乳・或酒類中食用。

▲蔬菜類——以其中含有多量之維他命(生活素)。於病之經過中。防止發生維他命缺乏症起見。當投與相當之菜食。如馬鈴薯・菠菜・包心菜・白菜・青菜・蘿蔔等。

▲直腸營養——嚥下困難。經口的營養。不能施行時。可行滋養灌腸。但熱性病人遭遇之機會較少。

▲恢復期之營養法——本期之營養法與疾病之際大異。蓋病人一入恢復期。對於食物。特以蛋白質性食物。非常貪食。有時對於含水炭素、亦食慾亢進。此卽疾病中含水炭素性身體特質消耗之現象也。又解熱後三日之經過。而瓦斯交換機能劇增。其增加至百之五以上者有之。故恢復期之食餌。不特單用富於窒素性而已。同時當選富於熱量之食品。但如此多量熱量輸入之同時。亦當努力愛護胃腸。以此目的食物之變化當徐徐施行。且使少量數次攝食爲要。液體之輸入。而恢復期亦宜充分。恢復期施行滋養法得當。則患者之體力增進。體質得較病前更爲佳良。此於腸傷寒所常目擊之現象也。

肺癆病之飲食療法

丁惠康

每早宜飲牛乳一盌。與半熟鷄蛋二個。(若窮人以豆腐漿一大盌代之)八點鐘早餐。宜食粥。粥菜宜考究。

(案)牛乳其性和平。而富於滋養料。爲病肺者每日必需之品。世人每謂牛乳之性極熱。苦勸病人不飲。是無異助結核菌而殺人也。

十二點鐘午膳。宜用極豐富之飯菜、若魚、若肉、若鷄鴨、若炒蛋、若各種新鮮蔬菜等。皆不可少。各物宜煮之極爛。烹飪之法宜精。且宜日日變換式樣。不可使病人望而生厭。是爲至要。然頑固之醫生。往往禁病人食魚肉鷄鴨等滋養品。以縮短病人之生命。　午後四點鐘宜飲牛乳一大杯。若內地無牛乳。用各種代乳粉亦可。　六點鐘晚膳。飯菜比午膳更要豐盛。凡病人所食之飯菜。宜以小盆子盛。且每種僅置少許。如喜吃某種。吃完後儘可再添。萬不可每種多置於碗內。使殘餘之食品。棄之則可惜。食之則他人有傳染之虞。　九點鐘再飲牛乳一大杯。或代乳粉。飲完後卽宜安睡。　凡煙酒酸辣等有刺戟性之食物。皆宜禁絕。

鷄卵對於結核性咳血之特效

沈仲圭

鷄卵富含蛋白脂肪。易於消化吸收。爲營養之要素。調補之佳品。此吾人所習知也。若能根治咯血。實未前聞。同居張君鏡潭。嘗爲予言。『友人項仲霖。初患痰紅。繼則吐血。諸藥罔效。

體日羸弱。嗣得一方。每晨用鮮鷄卵二枚至四枚。置沸水中。泡至半熟。微碎其殼。稍加食鹽。以箸攪勻。徐徐吸食。未有不血止體壯者。項以此物有益無損。乃日啖三枚。用代早點。果然纔及旬日。血症全除。繼服年餘。面色紅潤。肌肉豐盛』云云。圭按王孟英食譜。謂『鷄卵甘平。補血安胎。鎮心清熱。開音止渴。濡燥除煩。解毒息風。潤下止逆。新下者良。並宜打散。以白湯或米飲。或豆腐漿攪勻熱服。』其療吐血。殆取『清熱止逆』之功乎。鄙意最好晨進鷄卵以養血。夕服阿膠以止血。雙輪並進。收效尤巨也。

油浸白菓之療肺良方

智干

肺病最難治。西醫至今未曾發明療肺良藥。遇肺病至第三期。則無不束手矣。然而吾國往往有所謂單方者。藥僅一味。或一二味。其效驗卓著者。無不對症而治。應手而愈。不但療疾。且能斷根。洵足奇也。余妻去年五月病肺。延綿至今。一載餘矣。中西醫藥無不服遍。中藥如化州橘紅。各種半夏。凡可以消痰止咳愈肺之藥。一一試服。西藥如司各脫・解百勒・拍辣託・幾怪拍辣託・（以上均魚肝油名）凡可以消痰止咳愈肺之藥。亦一一試服。結果則時愈時發。甚至骨瘦如柴。氣喘咯血。停經發燒。奄奄一息。中西醫士。咸爲之束手。中醫謂肺經咳傷。本源已虧。西醫謂病已三期。不可救藥。吁。肺病之可怕。大有咄咄逼人之勢。余焦頭爛額。遍求藥方。可云凡能治肺之藥。已極搜求之能事。而病仍依然。且日益加劇。不料於無可奈何中。忽一裁縫某。來述有一種油浸白菓。爲療肺之第一聖藥。具起死回生之功。某君。某婦。某叟。某兒均病肺至垂危之際。一服是藥。無不霍然。至今都康健如昔也。謂予不信。盍一試之。

余乃大喜。問某裁縫油浸白菓如何服法。如何來源。何處可求。渠答稱油浸白菓者。乃採摘樹上生白菓球。浸入極純美之菜油內。愈陳愈妙。取食時。祇須取白菓去殼。搗爛。冲以開水。或芥菜露吞之。每日朝晚服二枚。連服三日。其病若失。因此物能殺肺中黴菌。且能補已壞之肺也。此係單方。藥舖內無從購取。可探聽慈善家。或有此物之製藏。往索之無勿予。

余從其言。細爲訪問。悉蘇州閶門城外某善堂，及胥門外木瀆鎮，均有此物。乃虔誠往求。居然取得二十餘枚。歸而如法服食。果如某裁縫之言。痰漸少。咳漸止。精神亦漸健。飲食亦漸進。並能起坐。不似昔日之奄奄一息矣。今已半月有餘，大異曩昔。現雖尚在調養中。已能行動操作。頓改舊觀。爰表而出之。以告世之病肺者。並願好善者多傳此物。以行方便。蓋油浸白菓。極不費事。亦不費錢也。

療治肺癆病之新發明

楊星垣

全球人類患肺癆病者。幾占十之八九。患肺癆病而死者。又占十之七八。豈知患此病者。不死於病。不死於醫。而復死於藥不對症者之比比也。近有德國著名醫生惠爾斯。在柏林醫藥週刊中。發表一文。略謂鄙人（惠爾斯自稱）根據醫學界老前輩法利孟氏之遺方。敢信鼈血係治肺癆病之第一妙劑。渠（法利孟氏）生前在動物園中。見有患肺癆病之猩猩四十隻。即以鼈血治之。均獲全愈。夫猩猩與人同種同類也。倘以醫治猩猩之鼈血。醫治人類之患肺癆病者。定能獲美滿之效果云。

小蒜大蒜治療肺癆之實例

俞鳳賓遺著

行員患肺癆　某生，原籍山東，寓於河北，近年在北平某銀行擔任職務，患肺癆，就診於德人狄某，狄細察之，乃曰：病已深入，須辭職回里靜養也。某生年約三十，忽攖此疾，又聞醫生之言；憂鬱悵惘者，數日。乃束裝就道，戚戚然，自度治愈之爲艱也！

旅客授單方　途中，有同行者，詢悉某生之疾，曰：余有單方，君可試用，回府時，可備獨蒜（即小蒜）四十九枚，每日煮服一枚；又備大蒜若干，每日煮數顆於鍋，煮時俯首張口，吸入蒸氣，約半小時，如不耐其味。爲時可略短也。

調養之効驗　某生既得其方，歸家覓蒜，如法泡製。小者飲服，大者蒸騰，日見痊癒，不數日而其病若失，健旺勝常。乃重往北平，董理舊職。一日，見狄某，而狄不相識，因肥碩已過於前。爲之述單方之效，狄購蒜無數，裝成兩箱，寄往柏林之某化驗室。

蒜之分類　蒜爲蔬類植物。百合科，青葱屬。雖有小蒜大蒜石蒜山蒜之別，然大類可分爲二：

一曰小蒜，又名茆蒜，澤蒜或葷菜或蒚(音歷)古時在蒚山所發見，即獨囊蒜，乃中國固有之物。舊俗於夏歷五月五日採之，懸掛於小兒之衣襟。作爲辟邪之用。近三十年來，不常見矣。此物，江南農人，名之爲獨囊大蒜。凡欲採集之者，須在夏歷端午以前，過此時期，恐不易得耳。其科學名稱，即Allium Sativum見植物名彙。

二曰大蒜，又名葫，又名葷菜。漢以前，中國無之，張騫使西域，始得大蒜。一說胡國有蒜，十子一株，名曰葫，亦稱胡蒜。因地名之，示有別於小蒜也。大蒜之科學名稱，爲Allium Sporodoprasm 見植物學大辭典，及植物名彙。

蒜之記載　爾雅云：蒚山蒜也。說文云：蒚，葷菜也。菜之美者，雲夢之葷。生山中者，名蒚。爾雅正義云：帝登蒚山，遭蕕芋毒，將死，得蒜，嚙食乃解。遂收植之，本草綱目，以及植物名實圖考等書，述蒜與葫之功用，而均乏治肺之說，姑略之。此物英國藥局方所未載；惟見諸美國一八九〇年所釐訂之藥局方。謂小蒜之球莖，即俗稱囊頭，每劑可用半錢至二錢。在氣管枝擴張症中，有臭痰時，服之，痰能漸少，而臭味可除。蒜汁每次可服十滴至三十滴。蒜越幾斯，卽蒜汁之收乾者，每劑四厘至十厘。蒜丸每粒含越幾斯四厘。在肺癆中可除痰，減咳，止盜汗，增食慾，加體重。連服之，夜間可安睡。在英國醫學會雜誌中，曾亦載治療肺管枝擴張症，以及治療天哮嗆卽百日咳。麥丁台爾氏增訂藥局方，載大蒜汁，雷文特雜質丁幾，和單性糖漿，（分劑未詳）可治喉頭結核，內服或蒸汽吸入，均有效驗。若欲蒸氣，可用下方：

新鮮大蒜汁（不須濾）五十六份　酒精（百份之九十）七份　桉樹油一份

右三味混合。倘得四盎司，於一症內，可供三星期之用。每日早晚蒸騰一小時，吸入其汽，可見小蒜供內服，大蒜供吸汽，不獨吾國之單方。在歐美亦曾引用之，

封翁之談話　友人某，正在訪問小蒜治肺之方。忽與蘇州封翁相邂逅。封述其子姪二人，患肺病時，亦借小蒜之力，得以保全。並曰：單方雖有益，但亦不過略為援助耳，靜心調養，以及起居合宜，實為最要云云。余覺其言之有味，而可警醒社會中，一般徒恃單方，而忽於科學方法者，故并記之。

芥菜滷可治肺癰

吳去疾

肺癰一症。發熱。咳嗽。咯痰臭。胸脇隱隱作痛。仲景金匱。謂膿未成者可治。膿已成者不可治、此特道其常耳。苟得良方服之。亦有能治愈者。鄉人王某。昔年在南京患此症。咳痰如膿。服藥無效。自謂已絕望矣。有人教取陳芥菜滷一瓶。逐日用開水少許沖服。後竟不藥而愈。晤余時極稱道之。余謂此乃古方。折肱漫錄。醫學廣筆記。外科全生集。均有載之。人多忽視。殊不知其奇效如此。古來良方之湮沒失傳。類此者正多。誠可惜也。

肺痿食梨而愈

石岱雲

秋爲燥令。氣候乾躁。人於此時。肺臟每易受傷。前聞鄰叟述。昔有一少年。久咳不愈。以致肺痿。迭經醫治。均謂病入膏肓。藥石難以奏效。必成肺癆而死。少年憤甚。至一山上。擬投繯自盡。忽有一老僧出。睹狀大驚。問其故。少年一一爲具言。僧云。無礙。速即下山。時啖生梨。吃滿三百擔。當可見痊。不必另服他藥。少年感甚。遵示而行。梨吃完。而病亦霍然矣。

野莧菜根與霍亂

高思潛

「前清光緒二十八年秋季。吾鄉盛行霍亂。初覺腹中酸痛。嘔吐且瀉。繼則腿腓筋轉。手脚色紫。大肉盡消。眼珠深陷。後遂四末厥冷。周身出冷汗。以致不救者。不計其數。後有人傳方。

用野莧菜根搗汁冲水和服。雖奄奄一息者。亦可得慶重生。」考李時珍本草綱目云。「味甘冷利無毒。赤莧主赤痢。射工沙蝨。紫莧殺蟲毒。治氣痢。六莧並利大小腸。治初痢」。而不及霍亂。嘗細繹之。野莧確有治霍亂之功效。特古人未明言耳。查霍亂之原因。爲虎列拉桿菌。繁殖腸內所致。其誘因則爲濕熱侵襲。致人身抵抗力減少。故病毒得以猖狂。赤紫莧既能主赤痢氣痢射土沙蝨。而六莧又同治初痢。則野莧亦有同等之功效可知。諸書又以野莧紫莧。療蜈蚣蜂蠆諸蛇螫傷。是莧唯一之功效。在殺蟲解毒。以野莧菜治霍亂者。殺其菌而解其毒。治霍亂之原因也。野莧之性味爲甘冷而利。大有滌熱利濕之能。剷除原因而外。又能兼療誘因。誠霍亂對症之良藥也。

（張錫純按）霍亂爲最險之證。卽治之如法。亦難期必效。用野莧根搗汁冲水服之。果能隨手奏效。可爲無上妙方。然野莧根之種類甚多。當以形似圃中所種之莧菜。而葉綠梗微紅。其根與葉上之筋。比圃中所種之莧菜稍粗。且其梗甚硬。葉可食而梗不可食。梗端吐小長穗。結子黑色。比莧菜子更小者。爲眞野莧菜。然此菜非到處皆有。若無此菜之處。擬可用馬齒莧代之，誠以馬齒莧除虫解毒之力尤勝。有被蝎螫者。愚教用馬齒莧搗爛敷之立瘥。是實驗也。且綱目謂六月六日採馬齒莧曬乾。元旦煮熟同鹽醋食之。可禳解疫氣。霍亂亦疫氣。馬齒莧可解疫氣。當能解除霍亂之毒菌，是以愚謂無野莧菜之處。或可以馬齒莧代之也。然用馬齒莧時。不必用根。宜取其葉搗汁冲飲之。因其葉之背面滿鋪水銀。水銀實爲消除霍亂菌之要品也。特是馬齒莧北方之人。

大抵知之。而其形實與莧菜及野莧菜迥異。北方人不喜食莧菜。故種莧菜者極少。荒僻之區。恆有不知莧菜爲何物者。焉能按其形以覓野莧菜。然花卉中之鷄冠花。雁來紅。（一名來雁黃。一名老少年。俗名老來少）。藥品中之青葙子。皆莧菜類也。故其葉皆似莧菜。若按此等物之葉以覓野莧菜。固不難辨認也。

野莧菜有名灰條莧者。（俗名灰菜）狀似青藜而小。且無青藜之赤。心含有鹹性甚多。食之助人消化力。原無毒性。而奉天農村。多有食野莧菜者。獨不食灰條莧。言食之恆令人腫臉。此植物之因地而異也。

向閱典籍。見有鼠齒莧之名。未知何物。後聞人言。即今花卉中所謂龍鬚海棠也。以其葉細圓而長如鼠齒。故名鼠齒莧。甚易生長。無論有根無根。植於濕土中即活。亦類馬齒莧。其莖原與馬齒莧無異。其花雖大於馬齒莧數倍。實亦四出。惟不知其性何如。尚待試驗也。

芥末之治肺炎

吳克潛

西醫治肺炎。外用芥末泥。貼於胸上。蓋有出汗作用。取宣通之意也。考我國藥品有白芥子一物。用以化痰甚驗。沈金鰲氏謂其入肺經。爲利氣豁痰發汗散寒除腫止痛之用。丹溪稱痰在皮裏膜外及脅下。非此不達。蓋其特性。搜剔痰結之功極深。是以宣肺之力倍著也。惟芥末僅可塗布。芥子則可內服。二者相衡。自當以芥子爲優也。

(按)肺炎一症。因受寒肺閉。呼吸短促。老年小人。每多患之，治以宣開肺氣爲前提。芥子辛溫宣肺。功能引炎。無論內服(須與其他開肺藥合用)外敷。均奏偉效。洵良藥也。

神仙粥能治感冒

沈仲圭

專治感冒風寒。暑濕頭痛，并四時疫氣。流行等症。初得病三日。服之卽解。糯米半合。河水兩碗。生薑五六片。於砂鍋內煮一二沸。次入帶鬚大葱約五七個。煮至米熟。再加米醋小半盃。入內和勻。乘熱呷粥。或但飲湯。卽於無風處睡。以出汗爲度。(錄醫話叢存)

(按)本方以糯米補養爲君。葱薑發散爲臣。而又以酸醋斂之。屢用屢效。非尋常發表之劑可比也。

橄欖可治精神病

前人

橄欖爲綠葉喬木。閩廣產此最夥。味殊苦澀。久之回甘。故昔人比之忠言。錫以諫果。忠果之美名。能治喉痛魚鯁。消酒積，解魚鱉毒。曩閱申報云。治小兒驚癇大人癲病甚效。并舉事實以爲證。洵爲綱目所未載。爰節錄之。以供同道之研究。

其文略曰。青果煎膏。用治小兒痰厥驚癇。及大人癲病。極效。往歲家君司鐸景甯。一諸生以鄉試落第。發癲。終日狂號怒罵。藥治半年不愈。有道士勸其家人以青果煎膏飲之。三日而愈。此後。凡此類病。屢試均驗。膏之煎法極便。祇須以鮮青果稍加明礬。入水火煎。及盡得其氣味。乃去渣核。煉膏卽可。服法。每用一小匙。沸水沖服。日二三次。

冰糖之妙用

沈仲圭

冰糖自砂糖製成。新本草綱目云。「將上等白砂糖。入釜溶化煮沸。投鷄子白。乘熱攪拌。液面如有浮滓。則取去之。至適宜稠厚。移入他器放冷。聽其結晶」。中國醫學大辭典則謂「冰糖乃甘蔗汁之凝煉成塊者」。二書所載製法。雖詳略互異。而提煉所自。同爲甘蔗或甜菜。

單方治卒然腹痛。白砂糖一錢。酒二鍾。煮取一鍾飲。蓋取其緩痛。民間療咳嗽痰滯。生萊菔切片。加糖餅蒸食。蓋取其祛痰。他如金創流血。外敷(砂糖)有止血之功。吸煙被醉。內服奏解毒之效。語其作用(冰糖之作用。大致與砂糖相同)。如是而已。

富庶之家。一至冬令。多服膏滋藥。膏滋藥者。醫病體虛羸之因果。施以適當之方藥。熬成流膏。以便久服。此種「對症發藥」之補劑。自較一般成藥爲優越。

考膏方中多加冰糖。冰糖屬綏和藥。矯味藥。在補劑中之價值。不過增加甘美之味。使病人易於服用。及略能興奮胃機能。既無其他作用。亦乏高深藥理。與西藥舍利別之加白糖。中藥丸劑之加蜂蜜。同爲「非藥的藥」。「丁譯普通藥物學教科書有非藥的藥一章)

雞內金療胃之功用

李健頤

本草備要云『鷄內金。即鷄之胃。能消水穀。防熱止煩。治膈噎反胃。小兒食瘧等證』。考鷄內金。含有胃酸。及百布聖。胃酸即胃中天然之酸素。胃臟之强弱。與胃酸之多寡。有關係。百布聖爲健胃助消化之聖藥。然二質相合。故消化之力宏著。鄙人治小兒胃弱痞積之病。常用鷄內金。用米微炒。同淮山藥蘇芡實炒麥芽白糖等。研末。飯熟。滾水沖食。最有奇效。去年平潭有張姓者。年四十餘歲。患噎膈之症。數月之間。病勢垂危。諸藥罔效。余連治月餘。亦將束手。最後想出一法。用鷄內金米糠二味煎湯常飲。一月零。果然病魔退舍。蓋噎膈之病。是因胃酸及胃液缺乏。消化遲滯所致。鷄內金。能補胃酸。米糠含有維他命。能健胃液。夫胃酸胃液充滿。則胃之運動猛捷。消化之力强健。而噎膈之病立瘳矣。

(按)鷄內金即鷄肫皮。功能助胃消化。爲小兒傷食大人病胃之良藥。如研末服用。收效益著。

龜溺能消菱積

石岱雲

光陰荏苒。又入高秋。正芡熟菱香之時也。惟菱最難消化。食之太多。每易生病。幼時嘗聞人云。曩昔有一鄉人。因食菱過多。胃腸阻滯。上不能吐。下不得瀉。終日脘腹脹痛。飲食不進。即延醫診治。用消導之藥。多方不能見效。乃求診於葉天士。葉用藥亦難奏效。歸乘小舟。正在懷思救濟之法。適過菱塘。忽見一龜。泄尿於菱葉上。即化水。葉大悟。折舟返。告鄉人。多捉龜來。以鏡照之。龜見本來面目。懼而泄尿。遂和消導之藥以進。連得大便而愈云。

林擒之治便血

陳清奉

家父患痢疾便血。就治於西醫屋我。未知爲服何藥。三四日果愈。愈後約二星期再發。再服藥。再愈。愈後再發。連綿三月不愈。家父慕其醫術精明。不願更醫。時屋我亦施術已盡。束手無法。謂家父曰「予術盡矣。今有一便法。請試之何如」。令勿藥。日食林擒三粒。家父逐日食林擒三粒。二星期餘病果愈。連服一月。後不復發。按林擒於歐美俗稱爲果物之女王。極受賞讚。每餐後食之以助消化。其治赤痢便血者。於三十年前發明於德國鄉間。其治療經無數之科學實驗。公認爲極有效之赤痢藥。故歐美各國之治療界採用是法者頗多。在日本盛岡地方於二三十年前

以爲治血痔之要藥。有日食林擒能使便通者亦不鮮矣。其所以能治赤痢與血痔者。因其中含有極多量之タンニンニンソン酸及ペクチン質。入胃能使胃液增加以助消化。被腸壁吸收入血中。增加血液之凝固力。及能消腸胃之發炎。故治赤痢便血血痔神效。(按)林擒卽花紅

萊菔英治驗談

倪宣化

舍弟五齡。性喜飲酒。家父母以其幼小。常禁之。不聽。一日。因煮豌豆湯。案上置酒壺一。內盛鹼水。將以使豌豆之早腐而熟也。舍弟不知。誤以爲酒。飲之。剛入口。便大呼失聲。仆地旋轉。家人驚集。知中鹼毒。適叔祖朗齋公知醫。環請救治。公曰「速取萊菔英來」搗汁調白糖飲之再四。數小時後。舍弟於瀕危之中。得慶更生焉。維時。余十三歲。心嘗異萊菔英之治驗。而莫明究竟。今乃知其性味呈弱酸性反應。其能奏功也。殆卽中和之理歟。

泥鰍治脚氣之神效

蕭熙

家父壯年經商湖口時，患脚腫甚劇。醫藥罔效，四月後，心下悸甚，飲食漸減，延附近名醫診之，醫曰，此脚氣衝心也，不可爲矣，家父駭然，自是灰心人事，以爲斷無向愈之望，越二日，忽有一新遷來之鄰居告以治法曰，君病雖至此，尙未絕望，試購取泥鰍數斤，日以水煮數兩，

幷加大蒜頭一個，服之當效，不効，再購服之，無有不愈者，家父如其言，服之良効，前年家父年已五十有六，脚氣復發，仍仿前法服之，不旬日而全愈，今夏暑假期中，家姊之學友亦患脚氣之疾，延醫服附子雞鳴散等成方皆不見功，余以上述之方告之，患者因平日習慣香美，殊不耐斯等臭惡之物如大蒜頭者，私將大蒜頭一味抽出，僅以泥鰍兩許，加靑鹽一撮煮熟食之，未三日而腫止，五日而腫消，至開學時則又一盛鬋豐容之少女矣。

（按）泥鰍生於溪田或小潭中，如鱔魚之形，初購來時，須置淨水中貯養數日，俟其汙泥吐盡，方取用，用時，先以冷水並泥鰍倒入鍋內，急將鍋蓋蓋好，加手按之，煮死後，乃將其肚一條條用竹絲劃破，取內腸物等，再入大蒜煮之，其法固甚簡便，毋庸贅述，惟須注意者，卽泥鰍之自死者，不可食之。食之。必毒發爲害，蓋此物自死後之屍毒素，Potomein 其分解最爲迅速云。

糖尿病與山藥

王西神

糖尿病。劇症也。患此者必屏穀食。並將食物中含有小粉質者。一律免去。然迄未有特效之療治藥。最近德醫發明猪體內之胰子油，爲治此之特效藥。胰子油者。俗稱。日本人名之曰膵臟。吾國家庭婦女。嘗於冬令貯此油。與紅棗同搗成泥。塗於手背。可以去垢避瘃。極著效驗。又懷妊者。垂娩身時。日服此油。可以早產減痛。却未知其更有此一重特別之功用也。滬製味精某君。近患糖尿病。遍服各藥無效。某君固留學西士。專攻化學者。日事化驗藥品。冀得神效之劑。一日中醫某告以服黃耆山藥二味。某君從之。先服黃耆不效。乃日進山藥一甌。病象日見減輕。日內已差告霍然矣。夫山藥含小粉質最多。何以能治糖尿病。此中化合生克之理。前此殊未有人注意。惟張仲景因漢武帝患消渴病。爲處七味方。方中卽有山藥一味。然則此藥之特效。張仲景固已在數千年之前。早爲發明。惜後人未加深察耳。

(按)西說糖尿病由於膵質萎縮。內分泌中止。血中糖分。逾於常量。故小便覺甘。而以動物膵臟製成之膵島精治之。然人身正苦多糖。何故反以富含澱粉之山藥治愈。是則理所難通也。余謂糖尿病卽中士所謂下消。下消之因。乃眞陰不足。相火獨亢。故喻嘉言有服六味地黃湯至百帖之治。山藥功專滋陰分。淸虛熱。此其所以有特效乎。

龜是痔瘡的特效藥

沈玉書

俗語說：『十八九痔』，可見患痔瘡的人多得很？雖然，事實上未必有九成患這個病，但也不在少數。而稽考古書論痔的，雖分爲二十四種，有所謂翻花痔，蜆肉痔，蓮子痔，鼠尾痔，內痔……等等。治法：又分內服法，外敷法，種種不一，但名稱與治法雖多，而收效呢微乎其微！：近有醫痔的專門醫生，聞說收效上還勝一些，可惜動輒的講包醫，非數十金不可，不然，每日到診，亦須花二三塊錢才行呢！花了錢不要緊，而他還往往把病症延長，非經過若干時日，斷無全愈的機會，兄弟身歷其境，飽受其苦了。

本來我身子很羸弱的，平素都患有氣痔的病，稍一勞動，氣卽下降，結聚成瘡，最利害的時候，呈紅色，疼痛，腫如栗子般大，膿呀，血呀，終日淋漓，痛苦之狀，難以形容，一連六年，都是這樣，醫的書籍，翻了不少，各種方藥，也用過不少，結果，卒等於零。後來有一個和尚知道了，給我醫治，他說：「單方一味，氣死名醫，」我給你一條單方罷，遂找一隻「活的龜」來不大不小，他對我說：「這龜煎湯乘熱洗患處，每一日煎洗七次，三日可愈，七日根斷，但係臭氣異常，千萬不可嫌臭，洗完後，可用清水洗去臭氣，」於是照法試用，第一次洗完，覺痛苦略止，洗至三次，痛就大減，瘡略覺軟，次日，紅腫亦退，洗至第三日，果已全愈，後因嫌他氣味過臭，卒未洗至第七日，就停止了，現在計來相隔四年，還未見有復發，同時將此法介紹給患痔的親朋，無不一洗就愈，計經用此法而治愈的，不下十二三人，因此就以『龜是痔瘡的特效藥』來發表這篇文字，致於是何理由，有這樣應驗，實在不解，醫書說：「龜性陰寒」；「痔由濕火下注而成」，拿陰寒來制濕火，故得奇效。且洗痔時覺甚舒適，并能根治，實在奇怪，所缺憾的，為有臭氣，倘能證實其理，將龜提取有用原素，製成液劑或粉劑，使無臭氣，可為治痔之聖藥吧：敢以介紹出來，希望有達到提煉成功之一日，與外藥爭衡。

荷葉蒂與鍋底焦治咳嗆之奇效

劉琴仙

冬日嬰兒。多患頓咳。西醫名百日咳。查去年省地亦多此症發生。某西醫曾發表論文洋洋千言。發諸報章。余嘗用其治法，功效甚微。反不如土藥之神效也。

予戚某孫女年七歲。患百日咳。已有月餘。連咳數十聲。痰甚難出。初服潤肺等藥無效。繼服西藥司各脫魚肝油。及安替批休。到老水等。更不合。此時咳必唾鮮血盈杯。面目浮腫。因到請余診治。適友人何君亦在。何君曰。吾有經驗簡方。祇用荷葉蒂（去莖）數個煮湯。調鍋底焦。（吹去煤。焦研末）空心服。便效。余奇其效。乃使試之。是夜果停止咳嗽。安睡通宵。次日略咳。則痰與血亦甚少矣。連服數次而痊。誠妙藥也。考二味均爲止血之品。其所以兼治咳者。以荷葉象肺。其絲絡中空。善通氣行水。性味甘芳潤澤。肺金腴潤。則其葉下垂。津液隨之而下。如雨露之降。濁陰全消。亢陽不作矣。其與鍋焦同用又何義。蓋焦乃百草煉成。其色黑。其性溫。取紅見黑止。從治之義也。自愈此症後。曾以介紹同道。亦屢試屢效焉。

老母鴨治水膨之實驗

佚名

臯邑西北鄉。距城三十餘里。有村范家莊。居民以農爲業。有韓叟名玉富。年逾古稀。前歲冬間。曾患膨脹症。醫治罔效。延至客夏。腹已便便然。艱於舉步。輾轉牀笫間。困苦異常。毛孔中日流腥黃臭水。涓涓不已。蠅蛆滿身。覩其狀者。靡不作三日嘔。媳乃爲縫一布囊。中實薪灰。令臥其上。子則終日隨侍在側。爲之囊除蠅蛆。玉富飲食減。腹膨如故。諸醫束手。委諸天命而已。適鄰村有老學究某。聞其症。乃授以祕方。令覓多年之老母鴨一隻。（按鴨愈老愈妙）。宰而滌淨去骨。和多年大蒜。不拘多寡。（愈陳愈妙）共同切碎。用雄猪大腸一條。亦滌淨。將大蒜鴨肉。同納腸中。白水煨之。（切勿放入鹽油酌料爲要）。約十六小時之久。取出視之。糜爛如飴。日飲其汁。鴨汁未盡。腹當更高。鴨汁盡而腹消矣。韓子姑作背城借一之計。效果捷如桴鼓。韓叟迄今精神矍鑠。健啖如壯歲。此項事實。韓國銀親爲予言。國銀者。卽叟子名也。

『按』丁仲祜食物新本艸云。鳧。有扶助消化。治水腫之效。和漢藥攷引荷蘭藥鏡曰。大蒜根。含酷厲揮發油，內服之。其氣鑽透。迅達全身。稀釋疏解。排泄汗液。利小便。惟乾則油氣消失。失却效力。據此。則韓叟之腹水症。其治愈之理。蓋在鴨蒜有利水作用。若用野鴨生蒜。見效當尤速也。

白鵞頭急救白菓毒

董佩箴

白菓「俗稱」卽公孫樹。屬松柏科。生江南宣城。初名鴨脚子。宋時入貢。以其形如小杏而色白。遂名銀杏。明李時珍發明作爲藥用。故今時方中間亦用之，本草綱目載。味甘苦。性平濇無毒。熟食性溫有小毒。近傳三角者有毒。然其所以有毒之理。均無人註明。據多數經驗之報告。少食無害。多食必有中毒之虞。小兒之中毒。尤易于成人。蓋因小兒之體重。較成人爲輕。而好食白果。較成人量多也。美醫譚義爾博士云。『凡菓仁率多含有青酸毒。多食每易中毒』。意白果亦屬核仁之一。其中所含之毒。或爲青酸，亦未可知。不然。何其中毒之現狀。與桃杏仁之毒相彷彿。雖然。意想所及。容多謬誤。還祈明哲指正。

(一)中毒之現狀　中白果毒者驟然大喊一聲，卽時知覺脫失。仆於地上。而發痙攣。如癲癇狀。面色紫褐。瞳孔散大。脈搏微弱。呼吸遲緩。(每分鐘約五六次)且帶白果仁氣味。若不急救，數秒鐘。卽可斃命。

(二)急救之經過　予用白鯗急救白果毒。已治愈四五人。因無記錄，不能追述。惟最近於民國十七年七月間。曾治愈友人趙君悟生。緣趙君因患遺精。每日以白果十枚冲荳腐漿。充當晨餐。照例冲服。不料下咽移時，忽然大喊一聲。身亦隨倒。其家屬驚詫萬狀。疑爲染時疫也。電招予診。予詢知顛末。知中白果毒。急命以白鯗頭三枚・煎湯頻灌半小時後。忽然而愈。愈後亦無其他變端。

(三)驗方之由來　吳興名醫凌曉五先輩於『六科良方』自序曰『予於字簏中。檢得錢塘周氏舊本良方集要。置於案頭。以資參考。至辛亥歲秋九月。次兒忽中白果毒症。狀類驚風。已瀕于死。翻閱是本得白鯗頭可治。遂按方煎服立甦。洵屬千金易得。一效難求也。于是添刊親驗良方數則。以廣流傳』云云觀此則知良方集要中載此驗方。復經凌氏實驗。是驗而更確，且查各種驗方書中。均有用白鯗頭解白果之方。是此方之有價值。已可不問可知矣。雖然。白鯗頭解救白果毒之效如此。而其所以有效之理由。尚不能得其確解。海內外不乏明士。望有以教我焉。

(按)此例中尚有足供研究者。趙君連服白果多日。未曾中毒。何以第十一日忽然發病。莫非誤食三角毒乎。毒白果持續服之。在內排洩遲緩。發生蓄積作用。而起中毒現象。如西藥中之毛地黃乎。大祇食此中毒。而歸咎於三角者。亦當時推測之辭。於後說較爲近似也。

韮菜之救吞金

非非室主

程志歐者。杭產而寓於蘇。芳齡二十。肄業女中。頗知勤奮。課畢歸來。埋首芸窗。溫理功課，性好整潔。案頭文具書籍。位置井然有序。一日。回家稍晏。見書籍凌亂。紙筆狼籍。詢諸女僕。知係弱弟所爲。乃怒斥之。弟固桀驁。反唇相譏。而母氏又左袒其弟。轉責志歐性躁。於是方寸憤懣。遂萌死念。

無何。華燈耀目。夜膳已陳。伊推言腹飽。不赴餐室。獨坐深閨。嚶嚶啜泣。深覺現代社會。雖競言平等自由。而重男輕女之積弊。尙固結一般人士之腦海。卽此口角細故。猶且顯分軒輊。則他日更大之事。必有不堪忍受者。茫茫前途。何以爲生。於是抽毫濡墨。草絕命書竟。取金耳環一付。金鈕扣二枚。呑入腹中。蒙被而睡。靜待死神之來臨矣。

翌晨。病未作。腹亦不痛。仍赴校上課。私將宵來事。洩諸某女士。某固伊之摯友。一面多方勸慰。一面電告伊家。家中聞訊。惶急萬分。卽以包車迎回。並延西醫診治。會有隣嫗來云。是病祗須多啖韮菜。金器卽被包裹。由大便而出。乃急覓韮。(不可切斷)炒至半熟。强之食。不意明日檢視大便。燦爛黃物。果在此矣。

非非室主曰。近年以還。自殺之事。迭見報章。揆厥緣由。或感經濟之壓迫。或遭失戀之痛苦。雖曰懦弱。猶有不得已之苦衷。今因姊弟口角。遽萌短見。未免等生命于鴻毛。豈爲曾受中等教育者。所應出此耶。至韮菜之救呑金。見于中土方書。素著奇績。允宜表而出之。以爲中西醫家臨床之一助也。

誤呑銅元用荸薺之實驗

蔡濟平

吳吞銅元。多食荸薺。自能消化。此方看似平淡。確有實驗。余妹幼時。曾誤吞銅錢一枚。適在鄉間。苦無醫藥。先母卽購荸薺數斤。不去皮苗。洗淨與食。以代餐飯。次日大便。其錢卽隨之而下矣。銅錢與銅元。幷無分別。可以同治。

李代桃繮之戒煙妙法

公達

余戚某君。服務於金融界。染烟霞癖甚深。月入百金。半耗於是。家中食指浩繁。以是時虞不給。其夫人甚賢淑。屢勸戒除。某君亦頗自苦。立意絕之。顧每以四肢痠軟。涕淚交流。忍無可忍而破戒。事與願違。徒呼負負。夫人詩得一計。自任煎膏之勞。而陰和以紅茶一成。祕不使知。果無他異。月餘膏盡。煎時。復和以二成。亦未被覺。于是逐漸遞增。歷年而其所吸之膏。已成爲純粹的茶膏。然彼固仍認其爲雲土原料也。吸之似覺神清氣爽。與歷次無異。夫人見計得售。忻慰莫名。惟仍不向道破。蓋本經驗所得。吸煙者初無所謂。僅屬心理作用。設或告以祕密。必致失敗也。故某君迄今仍在大吸茶膏。以解厥癮。余聞而深服夫人之智。因念同胞中不乏與某同癖者。特誌其梗概如右。以備其家中採納焉。

（按）茶之成分。爲茶素。揮發油。單寧。苦里夏登等。多服有興奮神經之效。是以人當疲憊思睡。或宿酲未消。苟進濃茶一盅。精神爲之一振。此茶素提神之力也。惟其提神。遠不如嗎啡之烈。且人飲茶。究屬少量。故于生理。並無顯著之害。某君之夫人。以茶膏代煙。非僅心理作用。實因茶有代鴉片之可能。目下煙雖不吸。癮實未刈。鄙意最好進一步以甘草膏代茶膏。其遞加方法。一如茶膏之于鴉片。則期月之後。老癮無復萌之虞矣。

第二章　食物療病之驗方

非非室驗方

沈仲圭

□戒烟單方　吸鴉片後。即食生鷄卵一二枚。(沸水冲服)每吸勿忘。半月之後。見烟自厭。(申報)

□小兒疳病方　(一)全蝎三錢。烘乾爲末。每用牛肉四兩。作肉團。加蝎末少許。蒸熟。令兒逐日食之。以蝎末服完爲度。(見溫病條辨)(按)全蝎疏肝風。牛肉培土虛。一通一補。相需成功。(二)大棗百十枚。去核。像核之大小。實以生軍。外裹以麵。煨極熟。搗爲丸。如小棗核大。每服七丸。日再服。此亦補瀉兼施法也。

□咳嗽單方　雪梨一枚。挖去心。實以川貝。(約三錢)飯鍋蒸熟。一次食盡。咳嗽由于燥火者。輒效。

□遺精便方　門人蕭熙。嘗病遺精。以芡實米仁常服而愈。蓋以前者之止濇。收攝精管。後者之利水。舒緩膀胱。(膀胱尿液充盈。壓迫精囊。每致夢遺。)曩見醫藥新聞報載滑精方。用芡實車前二味。用意相同。當亦有驗。

◻心動遺精　蓮心一錢研末。入辰砂一分。淡鹽湯下。

◻玉靈膏　大補氣血。力勝蔘芪。衰羸老弱。別無痰火便滑之病者。服之最妙。白剝好龍眼肉。盛竹筒式瓷碗內。每肉一兩。入白糖一錢。素體多火者。再入西洋參片如糖數。碗口冪以絲綿一層。日日於飯鍋上蒸之。蒸至百次。每服一匙。開水瀹食。

夢遺溺白方

陳藏器

戚張伯甫患夢遺。久而不愈。服藥無效。虛象疊見。溺色泛白。張君憂之。走告余。余曰。單方內有韭子可治遺精一條。韭子無毒。無害於身體。曷不試之。張君如余言。每日空心吞韭子二十粒鹽湯下。月餘而瘳。韭子辛甘而溫。補肝腎。助命門。治虛寒之人。最宜。

腰痛外治藥

沈熊璋

腰痛一症。原因複雜。製方服藥。鮮有效果。惟此藥外治。確有藥到病除之功。非虛語也。法取黃牛腿骨一付。棄骨取髓。熬煉成膏。置瓷器中。用時。取膏少許。置火上化烊。以潔淨棉花。蘸敷患處。日凡數次。

(按)時珍云。牛骨髓能理折傷。擦損痛。甚妙。宏景云。能續絕傷。但據實驗所得。本品不

僅治跌仆致傷之損病・並可治諸般腰疼也・

西瓜能療腫脹

西瓜富於水分及糖質。解渴消暑。爲夏果中之雋品。然不知尚有治病之功效也。凡腎及膀胱有病。西瓜汁可以療之。有利尿淸血之奇効。若患膨脹等病。腹大如五石瓠。危在旦夕。亦可以西瓜治之。法以大蒜數顆。實瓜瓤中。瓜外塗以泥土。於火中炙之。至泥乾欲落。則瓜汁與蒜汁化合。藏之家庭。以供應用。雖極危險之膨脹。服之奇驗。腫消尿利。必漸復原。洵奇方也。吾人宜於夏日製成。以備不時之需。若能施送病家。尤爲莫大功德。患者一面服西瓜汁。一面斷鹽一百二十天。待腎健全。此病庶無復發之虞。

西瓜霜治喉如神

佚名

我們大家都以爲西瓜皮是無用的廢物。却不知道是醫喉痛的神藥。我們家裏每到伏天的時候。就把吃過的瓜皮。除外面靑的一層剩着外。其餘的都切去。洗淨後。放在烈日下曬乾。至瓜皮捲轉而現黃色爲止。隨後搽以鹽。封在甏裏。藏到明年春間。就可應用。凡患有喉痛病的。那末只要在睡前。拿這瓜皮一片。裏面捲此鹽花。含在嘴裏。到明天早上吐去。輕的只要一二次就好了。因爲西瓜皮和鹽的性。都是清涼的。

西瓜霜爲喉藥中最重要之藥味。製法將西瓜頂上切下一塊。用調羹將西瓜瓤挖去。加六兩皮硝。遍塗瓜壳內之周圍。然後以繩捆之。懸於通風處。旬日後。瓜皮上卽有結晶粒之瓜霜生出矣

治水腫方

非非室主

取黑魚二尾。(每尾約斤餘)將肚內各物除去。洗淨。用大蒜頭及青葱塞滿魚腹。外將枯荷葉包好。再塗以黃泥。置火上煨之。至泥乾將落。魚香溢出時。卽將泥與荷葉幷蒜葱。一併除去。給患者食之。每日一尾。重則十餘尾。輕則六七尾。腫水由小便排出而愈。

治腹內縧蟲方

非非室主

石榴皮煎汁。(不限多少)愈濃愈妙。乘飢時服下。但服後宜禁雜食。則見效愈速。(按藏器云。酸榴皮煎服下蚘虫。酸石榴之形較小。縧虫蚘虫。同爲人體寄生虫。旣克下蚘。必能下縧。此不難連想而知也。)

治凍瘡方

非非室主

用大白蘿蔔一個。切成二截。用小刀將其肉挖爛。(切勿把外面的蘿蔔皮挖破)即將切下的一截蓋上。再以竹釘插緊。(因免灰土侵入)乃置炭火內煨熟。取出。其肉已化爲汁。將此汁頻頻搽患處。破皮者卽結合。紅腫者卽消散。洵神方也。

玻璃入腹治方

吳去疾

家庭常識第一集急救門。有救吞玻璃入腹一則。其文云。玻璃誤吞腹中。。其害非淺。可用赤豆煮湯。儘量而飲。服後再用瀉藥。不逾時。赤豆裹玻璃而出。此方試驗見效。幸勿輕視。

大烏龜治三陰瘧

仲頵

活大烏龜一個。連殼左右肩上。各攢一孔。近尾處亦攢一孔。以明雄黃九錢。研細每孔摻入三錢。外以黃泥包固。勿令泄氣。炭火煆存性。研細。每服准一錢。空心陳酒下。二三服卽止。

治痢驗方

張沛恩

鹹肉骨。火煆。研細末。(陳火腿骨最好)白滾湯調下。每日早晚各服二錢。

(按)骨乃石灰質與膠質所組成。醃鹹則含鹽質。故能使大腸細菌無生存餘地。而由大便瀉出也。

治噤口痢方

仲圭

老藕搗汁。煎熟。稍和砂糖。頻服。

(按)下痢而至不能食。此胃氣已竭之徵也。然大劑補藥。又非虛甚者所能受。故必以甘平養胃之品如藕汁者。緩緩調補。冀其胃氣一復。而後可以收斂劑。止其痢也。

治久痢久瀉方

仲圭

石榴皮燒灰存性。研末米湯調下二錢。

(按)初痢必兼通下。久痢則當止濇。此治痢大法也。石榴皮味酸氣溫。濇腸止痢。功與御米殼、赤石脂相若。故克治之。治久瀉尤效。

小兒晝夜咳嗽方

王則樵

用眞山藥一味，煮熟加糖調服、神效之至、

(按)此脾虛不能生肺金、山藥色白入肺、味甘歸脾、甘味調服、入脾肺二經、補其不足、淸

其虛熱、自然痰咳止而飲食增矣、

痔瘡疼痛方

前人

用大田螺一個、放碗內、候掩開、入冰片五釐螺肉內、待螺滲出漿水。用鴨毛蘸水刷上、痔痛卽止、

(按)痔瘡多因濕熱所致、田螺味甘大寒、利濕清熱、以香竄之冰片、爲之嚮導、故藥到痛止、此方治湯火傷、亦妙、

小便不通方

前人

用大蒜一個、梔子七枚、鹽花少許、共搗爛攤棉紙上、貼臍中良久卽通、如不通、卽移塗陰囊上、立通、

(按)大蒜通五臟、達諸竅、梔子泄心肺三焦之火下行、故收效甚佳。

(又方)囫圇蓮房一隻、煎服卽通、鮮者尤妙、

(按)膀胱下口、曲而斜上、以入陰莖、溺能射出者、肺氣注射之力也、蓮房外圓中空、能濇氣而通腎、故用之輒效、

(又方)葱白一握、食鹽一兩、和勻搗爛、炒熱、以布包熨臍上、小便即通、

腎囊腫大方

前人

以陳壁土炒苡米仁、煮濃如膏、連三服、即愈、

(按)土勝、則水受其制、水勝、則土失其權、故腎囊腫大如斗升、苡仁甘淡微寒、而屬土、故治水腫最佳、

小兒遺尿方

前人

以鷄肝加肉桂末、蒸食之神效、

(按)鷄屬木、取木火相生之義、鷄又無尿、取不遺之義、肉桂辛溫、引火歸源、自能攝水、何至遺溺哉、

嘔吐良方

華雨時

予姨日前患嘔吐。日必數次。良苦。進藥即反出。予告以切生姜三片。滾水泡服。或能奏效。後以法服之。果愈。

(按)生姜味辛性溫。達陽明太陰二經以除寒。能散胸膈之逆氣。宜其爲治嘔之聖藥也。惟胃府有火者忌之。

胃病驗方

楊志一

用炒乾鍋焦五兩。神麯四錢。砂仁二錢。焦山查四錢。鷄肫皮五錢。以上五味。炒焦研末。蜜丸如桂圓大。每服一二九。日服三次。

(按)鍋焦。即飯鍋巴也。消食止瀉。功效頗著。合以消積之麯查。開胃之砂肫。用治小兒停食及胃不消化症。無不應驗。

治黃水瘡方

沈壽鵬

予弟少英。在舊年八月的時候。身上生出許多大小的水泡。痛癢難受。破時便潰下黃色濃汁。醫者說是黃水瘡。坐不安。睡不穩。終日叫吵不休。雖延醫搽藥。亦不見效。後予姑母傳來一方。叫拿蠶荳殼的灰和蔴油調和。搽在患處。其效如神。但時當八月。那裏去找蠶荳的殼呢。(因必須不落水的荳殼。若老蠶荳浸透剝下的殼。是無效的)。後來原經姑母去找得少許。拿來與小弟弟一搽。果然一天好似一天。不多幾天就收疤了。這不費一文的單方。眞是神效之極。因此特地貢獻於閱者諸君。當此吃荳時候。剝下來的荳殼不要拋棄。拿它炙做灰。收藏着。倒是家庭藥庫中的一味良藥哩。

水菓可爲藥

陳存仁

凡一切菓品。如橘。梨等類。人知有解渴生津之功用外。餘多作消遣品。其於醫藥上之功用，反湮沒無聞。爰集普通菓品十數種。一一述明其眞價值。以彰其功。

(柿)涼血。乾者潤肺開胃。能治吐血下血。熱淋澀痛。反胃吐食諸證。其蒂與丁香生薑同用。可治呃逆。

(橘)開胃止渴。橘皮能散。能瀉。能溫。能補。能和。化痰。順氣。理中。調脾。快膈。其核乃療疝氣要藥。與杜仲同用。治腰痛。

(枇杷)解渴疾。治肺熱症。婦人產後口乾。食之最宜。

(楊梅)消食下酒。多食則損齒。炙灰末服。治下痢。

(櫻桃)蛇咬。打汁飲。以渣敷傷處。若浸於高粱酒內，可治凍瘃之未潰者。

(白菓)性濇。取其肉搗爛。豆腐漿冲服。治白濁。婦女出門。遇尿急。不得廁所。脹痛難忍。最爲不便。可於出門時吃白菓七粒。可無此患。陳年油浸白菓。可療肺病。

(胡桃)其肉潤肌黑髮。服時。不得併食。須漸漸食。初食服一顆。每五日加一顆。至二十顆止。周而復始。久之。則骨肉細膩光潤。鬚髮黑澤。血脈通潤。

(荔枝)止煩渴。能解口臭。

(龍眼)大補陰血。與人參同食。治一切虛勞不足。

(橄欖)治喉痛。解煤毒。咀嚼嚥汁。能治一切咽喉症。又解河豚毒。取多數爛橄欖。藏於瓶中。久化爲水。可敷燙傷及濕熱瘡瘍。

(柚子)切片。淸水煎。加糖。可解酒醒。

(藕)生食生津止渴。切碎濃煎湯飲。能止血生血。補心脾。患貧血及吐血症者。飲之頗宜。久服自能復原。

(蓮蓬)連殼置飯鍋上蒸熟剝食。能開胃增食慾。固腎氣。止遺洩。取殼炙灰。研末冲服。能止婦女血崩經漏。

(花紅)用好燒酒浸透食之。能治久痢。

(蘋菓)生食潤肺生津液。熟食有補腦之功。

(梨)切去柄蒂。挖去心。實以冰糖。仍將切下之柄蒂蓋好。置飯鍋上。蒸爛食之。治秋燥咳嗽。生梨切片。貼湯火傷甚良。

（葡萄）滋腎水。補血液。養胃生津。强志安神。
（山楂）可解酒消脹。助胃之消化。炙灰末服。能止泄瀉。

家用良藥

佚名

凡家庭之間。無論貧富。必有普通良藥幾種。此良藥者。卽日常生活及食物所用之物。可利用之爲藥劑者。然常人每習焉不察。以其無醫學知識故也。不知救病之良藥。各家中皆有之。人苟有此等知識。則雖處於荒僻之地。而近處無藥舖者。或病者値危急之秋。而醫治刻不及待者。自不致束手無策矣。玆舉家庭固有物。可爲藥劑者。列之如左。

一、砂糖　砂糖有退熱之功用。在各種熱病發熱之際。可用砂糖一錢。溶於水中飲之。則體熱可略減。其性又能刺戟腸胃而助消化。故可用之爲消化劑。多食砂糖。能清潔胃腸。故積食者可服之。人飽食後。腹中不舒。以砂糖一錢溶水服之。頗覺心地爲之暢快焉。

二、炭　炭能消臭及收濕氣。故可置於病人床下。惡瘡發臭。可用饅頭或芝麻粉合末爲軟膏。敷於瘡面。又如泄瀉。胃不消化。噯氣者。可用炭粉一分至一錢。加砂糖拌和。用水冲服。（按我國習俗。食積服山楂末飯灰等。亦炭質也。惟知其法而不知其理耳。）中國植物質之毒。卽燒動物之骨肉。使其變成動物炭。研細服之。其毒自解。

三、薑　無論鮮者與乾者皆有辣味。以之浸酒。或製成糖薑。可治食物不消化之病。血滯身冷。及腹痛氣膨。均可服之。又喉痛及胸痛等。將薑搗爛外敷。能消炎止痛。

四、蒜頭　此物不宜多食。多食則悶。而或至吐瀉。惟服之適宜。則能化痰開胃。止欬之法。可用蒜頭一分搗爛。醋三分和勻。浸半日去渣。再加白糖六分。燉熱合化。用時小孩每服半酒杯。老者每服一酒杯。功能止咳。若肚痛胃痛。可將蒜頭搗爛。敷於痛處。

五、食鹽　鹽爲調和食物之要品。食之甚多。則可爲改血藥。於瘰癧病有益。若用鹽水洗浴。無論或冷或暖。皆能感動皮膚。而於身弱或足軟之人大有益處。通常誤服毒藥。可用鹽一大匙溶化於溫水服之。爲最便利之吐藥。又有數種。手足抽搐而冷。用食鹽炒熱。包於布中。以摩擦四肢。

六、白礬，此物收斂之性甚大。能止身外之流血。又可作洗膿瘡之藥。每用一分至三分。溶於水中飲之。能止腸胃肺腎血溢之病。眼發紅腫。可用濃白礬水洗之。喉中生瘡。亦可用白礬水漱喉。誠家居必用之良藥也。

七、油　油之効用甚廣。火傷之際。用之爲最良藥劑。因可免火傷痛苦。中毒時以油溶溫湯中飲之。可以解毒。有時爲黃蜂。蜜蜂。昆蟲及蛇。蝎所螫。則以溫油摩擦其所。至十餘分鐘時有効。又微細之蟲一滴用油入耳。自死也。（按油有種種此所舉者乃香油菜油橄欖油等是也）

八、酒　酒有種種。多飲之均有害。惟用以治病。則爲良藥也。如溺死。縊死之際。若其人復蘇。用溫酒少許飲之。能提精神。久病虛脫。亦可用燒酒半匙。入於溫水使飲。又跌打損傷。可用酒水各半。洗其傷處。小兒從高處墜下。全身須用暖酒浸洗。否則恐發生他病也。

九、醋　人患各種熱病。身發大熱。用布蘸醋以洗皮膚。令人身涼。又可與糖及葡萄酒加水調服。令熱漸退。流火丹毒。用白礬浸醋內。以棉花浸透敷之。甚效。以蜜水調和漱喉。又可治喉病。

十、冷水及熱水　水爲卓越之藥品。冷水於挫傷及打傷尤有効。當其初傷時。卽用冷水洗滌。可免積血發炎。但水暖卽換之。打傷時可將傷處全部浸於冷水。至無痛苦乃止。出血不止。用冷水淋傷處亦有効。凡患熱症。皆可飲以冷開水。蓋冷水外用有消炎止血之功。內服有解熱平脈之効也。熱水亦爲普通良藥。多服能發表出汗。外用可作脚湯。卽以食鹽一撮。投於微溫湯中。(不可過熱熱則有害)使脚入水約十五分時。卽以毛布擦乾。不可受冷。凡用此法。於普通頭痛。頭眩。耳鳴。呼吸逼迫。胸痛筋骨病各症。行之咸有効。

大衆醫刊價目表

定價

時間	冊數	書價連郵費
每月	一冊	大洋二角
全年	十二冊	大洋二元

國外照表加倍寄費在內郵票代價十足通用

廣告價目

地位	一冊	三期	六期
一頁	二十元	五十四元	九十六元
半頁	十元	二十七元	四十八元
四分之一	五元	十三元半	二十四元
特別地位	封面反頁及底面爲特別地位照表加二分之一		
附注	木刻銅版加印彩色費須外加常年惠登價目面議刊費先惠		

中華民國二十三年二月一日出版

大衆醫刊第五六期合刊

實售大洋四角

編輯者 楊志一

上海西藏路平樂里

發行所 大衆醫刊社

國醫出版社內

上海西門金家坊一八七號

印刷所 讀者書局

電話二三八八三

代售處

千頃堂書局 上海三馬路

現代書局 上海四馬路

時代圖書公司 上海四馬路

百新書局 上海棋盤街

四明周氏醫學三書

浙江鄞縣周岐隱輯

精神病廣義 衷中參西集癲狂驚癇一切神經心志病理方治之大成爲醫家參考必備之全書亦病家自療切效之秘笈全書兩大册定價二元四角實價二元

傷寒汲古 湖南何主席寫印之古本傷寒十六卷首尾完好中有佚文與通行本訂誤共三百餘條佚方八十有八皆世俗所未經見非常名貴爲研究傷寒者必讀之書仿宋精印一大册實價一元二角

婦科不謝方 集論數十家集方百數十首皆切合實用病家醫家均宜備覽後附醫案一卷爲著者近年經驗所得實價三角

以上三種合購實價三元五角寄費在內另購郵費加一

〔傷寒六經分證表〕〔傷寒金匱方一覽表〕全組四大張

兩色套印定價一元　實價七角寄費在內

發行處　寧波廿條橋周岐隱醫寓

最新穎的醫學雜誌

廣濟醫刊

月出一册　價洋弍角叁分

全年十二册　連郵弍元肆角

是刊誠爲〔家庭之良師〕〔社會之益友〕

欲得醫學常識者不可不讀

總發行所 杭州紅兒巷廣濟醫刊社

內政部登記警字第二二三二號

大眾醫學月刊

第一卷第七期

王碩 廿三年一月

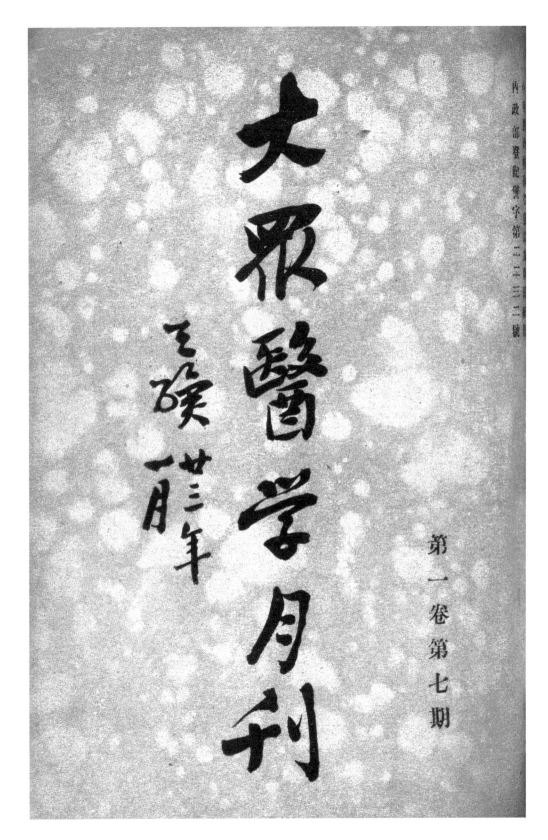

第七期目錄

胎產問題

兒病福音

胃病研究

外症常識

民間驗方

大衆醫藥顧問

春令時症

春令流行之天痘

丁仲英

天痘爲一種流行病。傳染甚烈。在種痘術未發明以前。每年之患此者甚多。因此而傷害其性命者。實繁有徒。大人小兒。皆易傳染。惟小兒體質薄弱。發生尤易。故往昔以天痘痧子。爲小兒之二大危險症候。

天痘之發生。有一定次序。大約爲五期。凡被傳染天痘者。病毒先隱伏於身體之內。大約有十二日之久。十二日已後。病象始發生。此爲隱伏期。病初發生。大多先見惡寒腰痛背痛等象。繼則身熱。脈數氣促。頭痛。暈眩。不安眠。不思食。嘔吐。眼紅喉腫。精神恍惚。大便乾結或腹瀉。甚則神昏譫語。此爲先兆期。發熱三四日。身上卽出痘疹。先見於前額。次及軀幹上肢。最後現於下肢。出疹時。皮膚紅腫。痘斑漸大。凸出如蕾。二三日後。變成水疱。水疱增大。而中凹如臍。同時口喉間現白色斑點。此爲報痘期。八九日後。疱水濁渾成漿。此時大如豌豆。繞以赤暈

○病人甚爲痛苦。面部手足○緊張疼痛。同時體温增高。往往發生危險○此爲灌漿期。過此以後○疱痘逐漸乾燥○結成痘痂。全身奇癢○切忌抓挖○否則必成麻面。十五六日後。病象漸減。痂亦漸落○此爲結痂期。

感染天痘者。於痘疱尚未發出之前。卽能再傳於他人。在發病初期。直至發疹。灌漿。落痂各期。傳染性最烈。於斯時也○病者之涕涎。痰。汗。血液。大小便等。無不含有病毒。故宜遠避。

欲免天痘之傳染。以種痘爲最要。若不幸而傳染。在先兆期內可投以葛根、防風、升麻、桔梗、前胡、連喬、枳殼、川芎、牛蒡子、赤芍、紫草茸等品○煩躁譫語者。加川連、丹皮之類。在報痘期內。伏陷而出不快者。可用當歸、黨參、桔梗、紫蘇、黃芪、防風、白芷、官桂、沈香乳香、檀香等品○乾枯而紫黑者。用黃蓍、黨參、連翹、牛蒡、黃連、黃芩、木通、紫草茸、紅花、生地、甘草、荊芥、桔梗之類。結痂期內。發熱蒸蒸。當靨不靨。毒未解也。當用牛蒡、花粉、當歸、連喬、黃芩、木通、豬苓、地骨皮、麥冬、生甘草之類。

傷風咳嗽處方之討論

顧雨時

日前新聞報本埠附刊載有陶在東君傷風欬嗽良方一則。方用豬肺洗淨。加入川貝冰糖。炭火煨燉。去渣飲湯。陶君兩度傷風。均以此方奏效。特告同病云云。陶君欲以驗方公開。普救同病。居心用意。萬分欽佩。惟此中病理。不免有謬誤之處。陶君並不知醫。原可不必深責。然而事關民衆健康。不得不亟爲糾正。並以告陶君用此方所以有效之理由。想陶君亦所樂聞歟。

夫欬嗽一症。種類甚多。該括言之。可分寒·熱·虛·實四大類。傷風欬嗽。其病原是肌表受風。肌表爲肺之領域。風寒侵襲。入於肺部。肺部不甘屈服而起反抗。於其欬嗽乃起。故嗽嗽即爲其反抗之作用。風寒不去。咳嗽不休。此爲傷風之眞確病理。明乎此。則可知欬嗽非病。乃生理上之一種驅邪工作。醫者於此。當順生理之自然。用藥臂助驅邪。傷風可以立愈。若用藥禁止欬嗽。即是大錯特錯。欬亦愈趨愈劇。或竟氣急鼻扇。肺部被迫而不能作欬。於是肺炎重證。相因而至。此無他。一則能順生理之自然。一則違反生理之自然也。今再推攷陶君所用方之藥理。據本草云。『猪肺補肺。治療肺虛欬嗽。』『川貝潤肺。化燥痰。治虛勞·煩熱。欬嗽·氣逆。』汪機注云。貝母寒潤。主肺家燥痰。風寒濕熱諸痰。非所宜也。夫風寒犯肺。肺並不虛。何必妄補。且補肺有固邪之患。不幾同於止其欬耶。川貝宜於虛燥·肺虛·肺熱之欬。與傷風欬並無絲毫功用。且在禁用之列。由此可知陶君之方。決不能治療傷風欬嗽。然則陶君之傷風。何以屢服而屢效。我知陶君之欬嗽不是傷風之欬。乃因高年肺虛肺燥。且發作於冬令。更可確信無疑。惟其肺虛·肺燥。故得猪肺之補。川貝之潤。而欬乃漸差。若因傷風而欬嗽者。斷不可取以爲法也。當此春寒料峭。流行性傷風隨在皆是。毫厘千里。是不能不審慎出之者。

重傷風(卽流行性感冒)預防綱要

劉行方

人們的體温。失於調節。很容易遭外界寒氣的侵襲。這時候。就是俗時所稱的普通傷風症。若再行加重的話。便是那重傷風症了。重傷風的發生。是感受着流行性感冒菌 Binfluenzae 的緣故，此項病原菌。在西元一八九二年纔發見的。存在病人的呼吸器官。消化器官。和腦膜的中間。隨着排泄物排出體外。隨處分布。它的横徑，約有〇．〇〇二粍。或〇．〇〇三粍。直徑約有〇．〇〇五粍。形體兩端鈍圓。通常各個孤立。有時二個互相連鎖。無鞭毛。不能運動。亦不能形成芽胞。在攝氏表三十七度時。發育最良。二十六度以下。四十二度以上。其發育極感困難。對於外界刺激的抵抗力。很是薄弱。把乾燥日光高熱殺菌劑。極易撲滅。它的侵入門戶。以呼吸爲主因。復有共生的特性。倘與傷寒的桿狀菌。和化膿葡萄狀球菌等。培養在一起的時候。發育繁殖。當[illegible]生的時候。格外來得旺盛。

A症狀。頭痛。發熱。惡寒。全身倦怠。食慾不振。眩暈。嘔吐。耳鳴。聲啞。鼻塞。咳嗽。腹痛。下痢。失神。譫語。引起關節或肌肉僂麻質斯 R heumatsm(卽痛風)併發急性支氣管炎。肺炎。肋膜炎。眼炎。中耳炎。心臟炎。

B預防綱要。

(一)多運動。使身上的各器官。都有運動的機會。如練習八段經。或太極拳等。增進抵抗的能力。發達四肢的肌肉。使呼吸旺盛。血液循環活潑。但是不可過度。須要量力而行。

(二)行深呼吸。把兩手下垂腿旁。向空深吸氣的時候。把肩部上聳。力吸新鮮空氣。達到肺尖。再轉上體向後。深呼氣的時候照舊。每呼吸一次。須二十秒鐘。晨昏各一次。每次爲時十分。可行深呼吸三十次。地方須擇空氣新鮮。樹木叢生的最好。不然。就有害了。

(三)通導大便。使直腸內不消化性的殘渣。合成的固形廢物。排出體外。以免引起直腸黏膜炎。可服用硫酸鎂。或蓖麻油等緩下之。

(四)行冷水浴。是鍛鍊皮膚堅實的良好方法。並能促進呼吸和循環的機能。使皮膚內的血管漲縮。雖在氣候劇變的時候。很從容地適應它的調節作用、不致發生疾病。但是貧血的人。和有腎病的人。不宜行。冷水浴之後。要把皮膚擦乾。纔好。

(五)不可使身體受濕。下雨的時候。沒有帶雨具的人。往往淋得和落湯鷄一般地潮濕。也很容易給感冒有一絕好侵襲的機會。所以最好找一處沒有雨所在。躲一躲纔好。

(六)與病人隔離。同時把病人的排泄物用具衣服等。施行消毒。消毒物品如一千倍的昇汞水。(不可用於金屬的器具。或飲食用的容皿)。二十倍的石炭。酸水。九倍的石灰水。初覺感冒。

。可用下列的洗口劑。石炭酸八分之一兩。甘油一兩。硼酸水十兩。洗滌口腔咽喉。可免累及他人。預防傳染。

喉蛾淺說（二）

謝筠壽

（三）扁桃腺肥大症　此因緊性扁桃腺炎的反復發作。遂變成扁桃腺肥大。腺病性的人。也就是滲出性的人。最多發生。而且還有遺傳的關係。本症有兩種。一種是扁桃腺質地柔軟。粘膜大概呈常色。小兒的扁桃腺肥大症。通常屬于此種。一種是結締織增殖。其質稍硬。多不突隆。往往愈着。表面有腺窩。周圍有蒼白色的網狀索。其餘的粘膜。通常呈充血的狀態。

扁桃腺肥大輕症的時候。並沒有多大的苦痛。不過在咽頭有一種異樣的感覺。倘使高度肥大時。就有狹隘異物樣的感覺。發生嚥下和呼吸障礙。言語障碍。睡眠的時候。發一種鼾聲。此外往往發生氣喘。馨咳。咳嗽。和頭痛等反射的症狀。

扁桃腺腫脹極甚的時候。往往正在中綫。互相接觸。表面也沒有發赤。或僅僅有一些潮紅。腺窩廣而且深。往往有黃白色的乾酪樣物。口臭極甚。

（四）扁桃腺炎的療法　扁桃腺炎的預後。雖多佳良。但有時往往合併着發生白喉。所以有扁桃腺炎的時候。要請醫師診治爲妥。在家庭內的治療。譬如咽頭疼痛。可以含小冰塊在口中。頸部用冰罨法。或濕布罨法。一面用雙養水（百分之三）嗽口。大便不通的時候。可用下劑。使之通順。

（五）扁桃腺肥大的應否切除　扁桃腺肥大的應否切除。第一先要明瞭扁桃腺生理的作用。上面已經講過。對於扁桃腺有二種理論。就是一種認定扁桃腺是一種有益深護人體的器官。一種是以扁桃腺爲使病原菌侵入的門戶。雖各有其理由。但吾人從臨床上視察起來。以這樣的解說爲最妥當（第一）就是扁桃腺健全的時候。當保護身體器官的作用。應當保存。切不可以切除。（第二）扁桃腺常常肥大。或者惹起炎症的時候。容易引起病原菌的侵入。發生各種的疾病。譬如風濕痛病。扁桃腺膿瘍等。這樣的扁桃腺。應當行扁桃腺切除術。

（六）扁桃腺肥大的攝生法　小兒期的軟性肥大症。往往達到成熟期。有因生理上的退行變性。自然縮小。所以輕微的扁桃肥大症。有時用不到手術的。但是有這樣扁桃腺肥大的病人。常常發生扁桃腺炎。所以平時的攝生法。實很緊要。譬如優遊於清潔沒有塵埃的空氣中。行空氣浴和日光浴。此爲氣候療法。關於飲食的方面。給以合理的食物。但每有營養過剩的小兒。也容易發生扁桃肥大。此時應當給以脂肪缺乏的食物。少量的牛乳。豐富的菜類和水菓。（完）

血症概論

吐血之研究

梁俊青

吐血爲一種症象。並非病症。一般人以爲吐血卽是肺癆(意指肺結核症)。其實吐血之原因甚多。肺癆不過爲其原因之一種。卽以所吐之血而論。有從肺部來者。有間接由心臟來者。有從腸胃來者。又有從咽喉鼻腔口腔等處來者。俱須區別診斷。不能混爲一談。且肺部所來之血。亦未必由肺癆所致。例如肺部有梅毒。便可吐血。肺氣管擴大破裂。便可吐血。肺部血管血塊拴塞(主因乃爲心臟病)亦可吐血。肺部患有放射綫菌或脾脫疽菌症。俱可吐血。肺部患有包囊虫或二口虫症(又名肺蛭其症象絕似肺癆。)更有吐血之可能。若女子患有倒經。或大動脈血瘤穿破於肺氣管內。則其血亦可從肺氣管吐出。曾記某病人忽然吐血。醫者診爲肺癆。並據愛克司光攝圖爲證。其後屢治不愈。余仔細診之。方知爲心臟病。蓋患心臟病者之愛克司光攝影片。有時亦可與肺癆等症絕似也。至於從胃部吐出之血。亦非全係胃病所致。例如肝臟萎縮。血液壅塞於食道之下部及胃部。遇有機會。便可出血。其血上湧。卽是吐血。年老之人。其血管容易硬化。胃部血管硬化之後。亦極易出血。其血積於胃部太多。卽被吐出。又如患傷寒症或盲腸炎症之人。有時亦可吐血。其他如腸部血管栓塞。或惡性淋巴腺瘤。或黃疸等症。但可爲吐血之原因。至於鼻腔口腔咽喉等處。有時因種種關係。便可因創口而吐血。不知者乃以爲肺部或胃部出血矣。曩昔在德。曾見有患神經病之女子。以吐血症來肺病部求診。屢經診察。莫究其血從何而來。惟案上痰盂。每晨見其滿積血水而已。嗣經夜班看護暗中調查。方知其所吐之血。乃爲其特以髮針穿刺牙肉所致。凡此種種。不一而足。若謂吐血卽爲肺癆。豈不僨事。是以醫者如遇病人吐血。倘稍有疑惑。則必須仔細診斷。區別病因。對症下藥。然後方可奏效。而病者如患吐血。則亦不必過於驚惶。切勿以爲卽是肺癆。而灰心萬狀。必須求醫者什細診斷。方爲上策。至於區別診斷吐血之法頗繁。有時需要愛克司光檢驗。有時需要顯微鏡檢驗。有時需要血清檢驗。有時需要化學檢驗。種類繁多。恕不具錄。他日有暇。當爲文詳述之。惟關於上項檢驗一事。最好能自己施行。蓋有時遇及危急病人。而又必須檢驗者。萬不能再延時間也。

吐血之原因。既已複雜如上述。則其主治之藥。亦隨症而異。自不能拘執一方也。

鼻孔流血治方

蔡濟平

鼻孔流血。多因熱傷陽絡。追血上溢。亟用引熱下行之法。可以漸止。但不足以言根本治療也。方法彙列於後。(一)黃酒煎熱洗脚(二)大蒜去皮擣如泥。捏作餅子如錢大。左鼻出血貼左足心。右鼻出血貼右足心。兩鼻出血則兩足同貼。血止卽拭去。過久恐起泡爛皮膚也。(三)山梔子一兩煎湯頻服。(四)大紅石榴花。陰乾研末。嗅之卽止(五)茅根五錢。煎湯服(六)鮎魚(粵人呼塘虱魚又呼塘角魚)一條。切去尾取血。另以米酒燉熱。冲入魚血飲之。其魚用烏豆煮食甚驗。

咳血者應注意的事項

張惠民

咳血是肺血管受破壞的現象。牠的原因。以結核性病變爲最多。其次卽爲肺炎，鬱血。肺壞疽。動脈瘤。過度勞動。飲酒及吸煙等。至於牠的療法則頗多。茲述普通應注意的事項於下。以供讀者的參考。

A對於身體的安靜　咳血患者須絕對保持其身體的安靜如靜臥床上等。因身體安靜後可使血液凝固。若亂動而不安靜則有儻進咳血之虞。所以我們對於身體的安靜極爲注重，如用絆創膏。沙囊及冰囊貼於胸部。皆是求身體的安靜及營止血作用之方法。冰囊的止血作用。是根據物理學熱脹冷縮的原理而來。牠的效能包括退熱。消炎、止痛、止血、止吐及止渴等。由這樣看了。止血不過占冰的效用中之一種罷了。近來據學者的報告。說人工氣胸術也可以治療咳血。但是其學理太深奥。且須富有經驗之醫生方可行之。否則妄然施術。難見效果。劇烈咳嗽持續存在。可妨礙患者安靜而招咳血之發生。所以宜用適當量的鎮咳劑治療之。

B對於精神的安靜　患者精神不安。可使症狀俄然轉惡。所以也應注意之。即臨診醫生的態度和家人的動作。皆能感動患者的精神。尤其在發生喀血之際。服侍的人。須安慰病人。不可大驚小怪。雖症狀危篤。亦須鎮靜。一方面命人即急命人速延醫診治。余時見病人喀血後其家人即告手忙脚亂。並不用言語安慰病者。因而病人精神隨之不良。即突然增加其喀血量。所以在患者叫喚。或訴心內苦悶及喀血的時候。必須保持其精神的安靜。方為合理。如果病人呈過度的興奮及失眠時。可用種種的鎮靜及催眠劑。

C食餌　不宜食過熱的食品。因食品過熱者可誘發喀血。在症狀劇烈時。患者嚥下食品即有喀血的恐怖觀念。在不得已情況之下。可停止經口攝取食品。另用別的方法補給營養品。但同時對於食餌中的營養成份須加注意。否則若缺乏了維他命的成分。有發生病變之可能。據多數學者的報告。喀血患者之原因。若為結核性病變。則其食餌中應用充分維他命的成分。能得良好的效果。如果不留意維他命的成分。非但症狀持續。而且治癒不易。總之。我們由上面的觀察。知道食餌中缺乏了維他命vitamin使結核的經過。受不好的影響。故結核的豫防和治療。必須注意各種維他命的缺乏。由這樣觀之。結核患者有缺乏維他命時。應即補給豐富的維他命。方是一個合理的處置。維他命的製劑以日本出品爲多。但我國目下已有自製者。加新亞及信誼之乙種維他命(治療脚氣等症)是也。其他爲患者不可多吃肉食。因肉食有增高血壓及誘發咯血之虞。

D病室　患者的臥室。不宜太亮或過暗。太亮與精神安靜不利。至於室內之溫度。也不可過高。因高熱能使患者咯血。所以患者絕對不能臥於高溫之室內。在往昔有一咯血患者因不服從醫師之指示。於病室內置煤爐取暖。頃刻之間。發生咯血。且持續不止。其家人以電話召主治醫師診治。經施行急救手術後。方停止咯血。由此觀之。病者對於醫家指示須服從不可作爲耳邊語。其他卽爲病室之窗戶。須時時開放。俾室內空氣得以流通耳。

E談話　在輕症時尚無妨礙。但於重症患者。則禁止與他人作長時間的談話。以免誘發咯血。

F便祕　持續便祕存在。能助長血壓昇騰。而發生咯血。所以宜用下劑。以通大便。

吐血治驗案一則

楊志一

(病者)趙某。住江蘇丹陽。

(病狀)咯血色紫。胸膺悶痛異常。

(原因)趙君充當商團團員。荷鎗奔走。偶而受傷。頓時胸痛如刺。即見咯血。

(經過)服清熱潛陽之劑。不下百餘帖。如童便。藕汁。韮菜汁。萬年葉汁。以及市上出售之吐血肺癆草。均遍嘗無遺。絕無寸效。

(診斷)蓋由肺絡損傷。血瘀阻滯所致。瘀不祛則肺絡不固。絡不固則咯血不止。用藥不以祛瘀爲主。焉能奏效。

(療法)擬瘀熱湯加味。降氣導瘀。瘀祛則不必止其血。而血自止。先哲云、止血必先祛瘀。良有以也。

(處方)旋覆花錢半包 眞新絳八分 參三七一錢研冲 海蛤粉四錢 桃仁泥錢半 杜紅花八分 懷牛膝三錢 光杏仁三錢 絲瓜絡二錢 仙鶴草三錢 十灰丸三錢 淡鹽湯吞

(效果)服二劑。胸膺悶痛之勢大減。大便下瘀血甚多。四劑後。胸膺舒適。咯血全止。

肺病指南

肺癆淺說

張蘊石

(病因)肺臟位於胸中。主宰呼吸。以清潔全體之血液者也。特其臟質嬌嫩。最易損傷。傷則血中之濁氣。排洩迂遲。積濇於肺葉之間。釀生微菌。日漸滋蔓。其飲食變化之精微。本由脾氣上輸於肺。而肺不爲之佈化。半則爲微菌取以營養。半則爲瘀熱煎成涎沫。侵肺作欬。吐之不已。

(症像)初期　咽乾發痒。痒則作欬。欬甚於夜。或淸晨。痰吐不多。大率白沫。他無特殊之顯象。不過身體略覺倦怠。飲食略覺不旺而已。與尋常之欬相同。故病者都不自知其爲肺癆。加以注意。卽醫生亦難下精確之診斷也。

二期　咳嗆漸劇，時吐白沫。間有黃色黏液之痰塊。中混血點。或血絲。呼吸短促。兩脅隱痛。面色蒼白。形體消瘦。時覺形寒。日晡潮熱。

三期　咳嗆益密。白沫愈多。喉痛音嘶。氣急鼻煽。夜寐不沉。盜汗。骨枯肉陷。耳輪焦黑。兩顴緋紅。納減便溏。惡候紛呈。去生遠矣。

(治法)肺癆初期。酷似傷風。不可妄投表散。止嗽散主之。察其脈。如右寸獨細數者。病根已萌。亟亟去瘀殺菌爲要。宜桃仁、百部、雄黃、川貝、紫菀、苡仁、甘草、玉金、等主之。病至二期。是出生入死之關。此時肺氣雖虛。切忌一味滋養。能於滋養之中。仍參去瘀殺菌之品。斯爲善治。月華丸合百花丸主之。潮熱不退。加鱉甲靑蒿。脅痛不除。加新絳旋覆。總之必須經過一番去瘀殺菌之後。始可著意其虛。瓊玉膏主之。虛甚者。加紫河車。

便溏者。加山藥、豆扁、於朮、甘草。他若生脈散。異功散。六味丸。大補黃芪丸。固本丸。四味麋茸丸。集靈膏。復脈湯。(去姜桂)保元湯等。或壯其無形之氣。或養其有形之血。對症發藥。自收良效。若一至第三期。神丹莫挽矣。欲圖苟延殘喘。亦惟有上列諸方耳。凡患肺癆病。每晨宜以苡米，煮粥代點勿輟。蓋苡米色白屬肺。中含石灰質。能直達病所。將微菌包圍。杜其蔓延。阻其侵蝕。其功甚偉也。

肺病與抵抗力

侯光迪

先哲有云。人必自侮。然後人侮之。物必自腐。然後虫生之。以之言疾。更屬確然。肺癆症久爲人類之大敵。人跡所至之境。即此症蔓延所及之地。死亡率居七分之一。譬如四百兆中將有六十兆人死于是症。其數至堪驚人。無怪先進各國盡力于衞生設施。儼若大敵之將臨。必嚴陣以待者。然肺癆菌散佈滿天下。物體也。塵埃也。食物也。痰吐也。糞便也。何莫非癆菌附着之所。人與人交接。人與物接觸。在在有傳染之危險。欲避免之。殲滅之。在事實上殊感困難。雖處處消毒。事事潔淨。然千慮必有一失。恐將無一幸免。第每于一種情況之下。往往此患彼否。此染彼免。此無他。個人之抵抗爲之而已。體質強健。抵抗裕如。病菌即無由入。即不自侮自腐。而外物不能侵之謂也。此其一。至于已患肺癆之人。在全世界人類中。幾居半數。而半數之中。

有平時不見肺癆徵象。迨死後搜查肺部却發見結核體。不過生前一度患及。旋即愈復。而死亡原因已非本症。有患癆雖久。仍能維持健康。獲享耄壽者。有病體支離。藉療養之方。得延殘喘者。大抵肺癆一症。不爲不治。全視調養如何。抵抗力之大小。而迥異其運命。故療學家頗謂癆症有醫愈之可能。以吾國衞生之幼稚。生活之低下。患癆者幾十之八九。或患腺病即瘰癧或喉頭結核(喉皮)或關節炎(鶴膝風)或支氣管炎及支氣管擴張等。觸目皆是。雖不盡屬肺癆。而爲癆性結核則一。然未見死亡載道。人口銳減。可見天然愈者。大有人在。由此觀之。益信癆菌不能殺人。果被殺者。實與以可乘之機會也。此又與自腐虫生之理相脗合矣。此其二。今且論治法。證諸前說。癆症與個人抵抗之關係。已甚明瞭。故治療方針。不外由此設想。第一建造健全之組織。第二充實血球之原質。增加血球之製造。空氣。日光。滋養料。久爲療養所必須。夫人能道之矣。但有一種謬解。亟須糾正者。患癆之人。每以魚肝油爲唯一滋養品。或啖生牛肉。及生牛肉汁。鷄卵。鷄汁等。殊不知多食與滋養。確爲兩事。食而消化。方爲滋養。食而不化。轉成賊害。故服魚肝油宜于慢性期內。在纖維變化之時。或在肺病初期。如服之于肺組織變壞之時。則惹起消化之障碍。而摧殘食欲。爲害不淺。如將魚肝油摩擦肌膚上。亦可藉皮膚而吸收。此乃替代內服之一法。當視患者之狀況而規定其次數。如極羸弱者隔日摩擦一次。

肺癆治愈與否與體重增加之關係

謝筠壽

肺癆病人當恢復期中。其體重之逐漸增加者。雖爲病勢減退之一良好症候。但亦並非一定。何則。蓋體重之增加有二種。一則其增加後爲永久不變動者。一則其增加爲暫時之現象。前者乃良好之症候。後者未必爲良證。蓋後者之體重。其所以暫時增加者。多因入療養院或轉地療養等變換其從來之生活法而來。復在良氣候處保守安靜。多服滋養物之故。如斯者不但病人爲然。即任何人依此行之。亦可在短時日內增加其體重。此因一種之生活方法。使生理上發起體重之增加。並非因肺癆病全治而體重增加者也。此可以事實證明之。即令彼等退院或從轉地療養地返家。回復其從前之生活法時。則其增加之體重。可在數月間內仍復減少。倘疾病果眞全治者。則其增加之體重。決無再減。是以知肺病治癒之程度。與體重增加常相平行。

凡在自宅休養之病者。謹守肺病療養之方法。如注意於空氣•日光•安靜。營養等。雖無特別攝取豐富之滋養物。唯忍耐修養。或已在恢復期後之病者。每日稍稍執行業務。此等病者之體重增加。雖常遲遲。但其既增加之體重。後來久不減少。疾病治癒確實。體重亦愈一定。此何者。因患者在其久相習慣之生活居處。復不變其平素之生活狀態。善自休養故也。是以其體重之增加雖遲。而其增加之體重。卽與疾病治愈之程度。殆相平行者也。

昔時對於肺病患者。往往以濫與多量之滋養物爲適宜。此實誤也。夫多給以滋養物。患者之體重。雖可增加。倘停止之。則復減少。或轉地於良氣候地。或使之入院。其體重雖增加。倘歸家時。亦復減少。此無他。蓋非因疾病之眞正治癒。而體重增加者也。是以輕症患者以及潛伏結核患者。與其轉地療養。不如仍其日常之生活而注意於養生。其効力反多。吾人從體重以推測疾病恢復之程度。可作爲標準者。卽發病前健康時之舊體重是也。若病已向治癒之域。則其體重不可不恢復至舊體重。此乃當然之事也。所以在療養期中體重著明增加。遂以疾病爲已臻治癒而樂觀者。非也。或熱已退。而他覺症狀亦良好。僅體重之增加尚少。而悲觀者。亦非也。此等判斷。則有賴于專門知識之醫家。

腸結核與喉頭結核

黃鼎瑚

癆病西名結核症。爲藥石難治之疾病。其蔓延世界區域之廣。可謂無遠弗屆。其攻擊人體範圍之大。可謂無孔不入。內則臟腑。外而表皮。最上者爲腦髓。最下者爲睪丸。其中間若肺。若腸。若腎。若喉頭。若關節。若肋膜。若腦膜。若淋巴腺。若膀胱。苟癆菌之所至。無有不受其蹂躪者。時至今日。雖科學昌明。與日俱進。然而藥物之直接撲滅癆症者。尙傳缺如。此所以癆症之猖狂至此。而爲人類之大敵也。

結核症。大概可別之爲肺結核。中醫名之曰肺癆。腸結核。中醫名之曰腸癆。淋巴腺結核。中醫名之曰痰核。曰瘰癧。結核性腦膜炎。中醫名之曰慢驚。此外則尙有結核性腹膜炎。結核性肋膜炎。腎臟結核。膀胱結核。睪丸結核。卵巢結核。皮膚結核。關節結核。全身粟粒結核。喉頭結核數種。癆症中以肺癆爲最普遍。人類之罹有是症者。幾佔百分之七十。蓋肺部之傳染最易。癆菌一經吸入肺部。卽爲其摧殘。除肺癆而外。其次爲結核性肋膜炎。腸結核。喉頭結核。淋巴腺結核。若皮膚結核。及膀胱結核等症。則尙爲僅見之疾病。

腸結核一症。常爲肺癆之併發症。其起因由肺癆患者。不自知其痰液之包含多數癆菌。往往無意中嚥入胃腸。癆菌不停留於胃內。而寄托於腸管。肆其侵害。卽成腸結核。此爲原因之一。此外則牛乳亦能爲小兒腸結核之媒介。緣牛體亦有患結核症者。若牛之結核菌。由牛乳而導入人之腸壁。卽易惹起結核症。此於歐美各國小兒常見之。蓋牛乳在外國。爲小兒之普通飼養品。故得病較易。若吾國雖亦有專以牛乳爲嬰兒之食物者。惟雇用乳媼居多。余年來診察癆症。若小兒之僅有腸結核。其爲牛乳傳染者。尙不多見。至成人之腸結核。則十之八九爲肺癆之併發症。而由牛乳傳染也。

腸結核之著要症象。爲大便次數之增加。雖亦偶有便結者。惟大便溏薄者居多。通常每一晝夜。少至二三次。多則四五次。間亦有膿血夾雜。惟尙不多見。溫度爲癆瘵熱型。晨低晚高。重者能增至卅九度或四十度以上。身體瘦弱。精神疲乏。面色蒼白。檢驗糞便。則有結核菌之發見。其豫後。較單獨肺癆更不佳。蓋其治療更難。且常有因腸結核而成結核性腹膜炎者。併發症愈多。病勢愈沉重。而治療愈棘手，故肺癆之兼有腸癆者。大多因體力不支。以致不治。余特於此爲肺病患者進一勸告。勿以病因輕微而忽視。勿以體力强盛而因循。若必待病重力不能支。或已罹有併發症。而始就醫診治。則要求病之脫體。蓋亦晚矣。

診斷腸癆。雖大便之檢驗爲必須之手續。惟大便之發現癆菌。不能卽定爲腸癆。因肺癆患者。其痰液嚥入胃腸後。雖未成爲腸癆。亦能於大便內檢出癆菌。故腸癆之診斷。除檢驗癆菌外。若大便次數之增加。糞質之溏薄。肺癆之有無。熱型之癆瘵性等。皆須加意偵察。

肺癆既無對症之藥石。而兼有腸癆者。其治療當屬更難。施用手術。又非適合。如人工氣胸術。橫隔膜神經切斷術等。雖爲近代診治肺癆之特效療法。而有可靠之實驗。惟肺癆患者。有合幷症如腸結核等。若施行手術。非惟不能去除痼疾。抑且足以促成病勢之加重。故其治療。亦僅有所謂姑息療法者。一面以食物營養。食物不足。再以藥力藉以增加自身之抵抗力。一面另以藥物調整大便。及吸收腸內癆菌之毒素。腹部則每日可以人工太陽燈照射。雖時有治腸癆新藥品之發明。惟皆異曲同工。其效用不外乎前述者。

喉頭結核之成功。或則因癆菌間接由淋巴液之循環而傳染。或則癆菌經空氣由呼吸而直達喉頭。或則肺癆患者。其痰液包含之菌。於咯痰經過喉頭時。留戀不出。肆其侵害。三者雖同爲喉頭結核之原因。惟由肺癆而釀成者居多。蓋喉頭爲排洩痰液必經之路。其傳染較易。故喉頭結核。亦常爲肺結核之合并症。某西醫書載有統計肺癆之患有喉頭結核者。無論有輕性重性。其數爲四分之三。其症象之最惹人注意者。卽爲聲嗄。重者於發言時。完全失音。其故在結核之潰瘍蔓延。及於聲帶。以致聲帶之行動失其自由。卽爲促成失音之原因。患者於食物或吞口涎時。喉頭感受異常痛苦。咳嗽則因喉頭多受刺激而增加。

治療方法甚多。若噴氣也。注射也。含藥也。滴藥也。電療也。其目的則同在減少局部之痛苦。消滅結核性之潰瘍。然而喉頭結核之賴以治愈者。殆未之見。故其治療。仍當補充身體之抵抗力。

綜觀腸結核及喉頭結核發生之原因。多由肺癆患者本人痰液之傳染。緣肺結核之痰液。包含多數之癆菌。不獨傳染及于已身之其他臟腑。抑且爲他人肺病之媒介。故患肺癆者之任意吐痰。實於公共衛生。大有危害。惟國人多缺乏衛生常識。每於公共場所。當衆唾吐。毫無顧忌。由是而染得肺癆者。不在少數。此所以肺癆之在我中國獨多也。

人類之獲有肺癆後。其羅病之範圍。不常限於兩肺部。且可由肺癆而釀成各臟腑之結核症。其最危險者。當推全身粟粒結核。是病能於同時極多之臟腑。得有病理學上之結核變態。而其傳染亦能於極短時期內。即已成功。症象多沉重。而豫後多不佳。蓋全身粟粒結核症。已爲極難治之症。若再轉成結核性腦膜炎。則求愈更難。所幸全身粟粒結核症。及結核性腦膜炎。於臨床診察。尚不多見。若腸結核及喉頭結核。爲肺癆之并發症。則余年來於治療癆症。時有所見。故特表而出之。以告讀者。

腦病淺說

說腦

宗子和

腦爲髓海。諸髓屬焉。而由腦至尾脊髓則屬於腎。是腦爲諸髓之主。而腎又爲腦之主矣。西醫言人之精神才智出於腦。中醫則云心爲神明之主。而腦不與焉。何兩說之相左也。余以爲舍心而言腦。西醫之粗。舍腦而言心。中醫之陋。蓋心腎相交。水火濟而後妙用神。心屬火。火能燭物。而下照於腎。腎爲水。水能鑒物。而上通於心。陽用陰涵。火資水養。相維相繫，而不可一日離。腦以腎水之滋生爲體。心火之靈明爲用。上居巔頂。如虛堂之懸鏡。如皎日之中天。人之巧拙於以分。智愚亦因之而判。要皆水火之精神。上輸於至高之部分。猶肝腎水木之精。通於耳目也。故眞頭痛不治。眞心痛亦不治。腦與心之並重可知矣。西醫知腦之可貴。而不知腦之本原由於心。中醫知心之可貴。而不知心之妙用存乎腦。試觀年老之人。心神虧耗。而腦之應用不靈。又觀人之記憶或搆思。必閉目冥心。凝神設想。思慮過劇。必致頭昏腦眩。其大彰明較著者也。經曰腎者作强之官，伎巧出焉。又曰。心爲君主之官。神明出焉。腦本腎之伎巧。濟以心之神明。其價値可不言而喩矣。余敢斷之曰。君火得相火。而周身之氣化以行，心主得腦筋。而神明之運用以妙。

中風症淺說

張蘊石

(病因)陰精衰弱。陽氣偏亢。變化內風。煽動痰火。激其氣血。併走於上。直衝犯腦。夫腦爲神經之總樞。得陰精之涵養。以主宰一身之知覺運動者也。陰精既虛。則腦髓空乏。不能抵禦風火。任其衝激。甚則血壓隨之亢進。不及還流。盡攻入腦。腦管漲裂。多致不救。

(症象)卒然昏倒。『必有頭重眩暈耳鳴目花等前驅症。』肢體不動。或則但失知覺。而能運動。或則知覺未泯。而運動不靈。見症雖殊。其爲氣血上衝。擾亂腦之神經則一也。脈象大都浮弦有力。若弦而急疾。弦而無根。或見濇伏者。皆不治。

(治法)平其風陽。降其痰火。使氣血不致上衝。則腦不受其刺激。而神經之功用可復。潛陽鎮逆湯主之。『羚羊牛膝白芍龍齒牡蠣竹瀝菖蒲磁石代赭磨鐵鏽水煎』服一二劑後。亢逆之勢漸平。善後調理。宜滋陰涵陽湯。『龜甲生地白芍歸身龍齒牡蠣萸肉滁菊茯神麥冬石斛菖蒲遠志用海蜇地栗煎湯代水』要知是症。最忌表散。一經誤投。禍不旋踵。須留意焉。

何謂腦漏

丁仲英

腦爲全體之主宰。苟有疾患。將影響於全體。往往於猝然之間。發生危險。症而成爲腦漏。其危險更不堪設想矣。然世俗之所謂腦漏者。患者一日復一日。一年復一年。並無重大之影響。亦少見猝然之間。發生變化。可知名謂腦漏。其病根並不在腦。

所謂腦漏之症。鼻流濁液。氣味腥臭。勞心勞力之後。發作更甚。初起。多由於傷風感冒。久而不愈。釀成是症。或多吸塵埃。烟屑等不潔之物。以致發生。內經謂膽移熱於腦所致。恐非確論。蓋此症既非由於膽熱。與腦亦無涉也。

鼻腔內部。有小竇數處。及不潔之物。壅於是處。最易發炎爲患。感冒發炎。延入該處。一時亦不易平復。積久不愈。所謂腦漏之證作矣。病根在鼻。名曰『鼻淵。』惟久則腦部不免受其影響。故有時發生頭暈。或不耐沈思。

本症治法。以辛夷花。蒼耳子。白芷。防風。薄荷。菊花等疏散風熱之品爲主。往往得效。或用辛夷花瓣塞鼻。亦可減輕。

體弱之人。最易罹此。蓋因缺乏抵抗力。而爲病魔所乘。預防之法。宜注意衣服之合法。毋令過寒或過暖。以免傷風感冒。又須袪除塵埃。使呼吸之氣。免雜汚穢。則鼻膜常健。不致發炎。鼻淵亦無自發生矣。

頭眩之研究

尤學周

頭眩之症。據古籍所載。其原因可分爲二。(一)傷其陽中之陽。如勞倦內傷。饑飽失時。嘔吐傷上。泄瀉傷下。大汗亡陽。焦思不釋。眴目驚心。被毆被辱而氣奪。悲哀痛楚而大呼等是。(二)傷其陰中之陽。如吐血。衄血。便血。癰疽大潰。金石破傷失血。男子縱慾。女子崩淋。產後去血過多等是。細釋之。知所謂傷其陽中之陽者。耗亡津液。血中液體損失太過。或神經感受刺激之故。所謂傷其陰中之陽者。精血之不足耳。約而言之。則爲貧血與神經刺激二大端。

腎虛頭眩由於縱慾不節。貧血爲其主因。蓋精血原屬一體。精爲血液所化。八十滴之血。僅值一滴之精。縱慾者。腎虛而血亦虧。不能上輸於腦。發爲暈眩。同時心悸不甯。面色蒼白。甚者猝然昏倒不省人事。患者宜避免神經之刺激。否則。因反射用作使血管收縮。立卽暈眩。其他如忽然起立。入浴太久。亦能發生此種現象。暈眩之時。急使患者仰臥。頭部向下。飲以高粱。白蘭地。葡萄酒等興奮之品。大多不久卽可復原。其脈搏雖細小。決不以此致命。惟在昏倒之後。患者意識全無。或含糊不明。不可强以湯水飲之。往往有誤竄入肺之危險。

頭眩發於倉卒。此時如散步河濱。奔馳峻坡。或步行於車馬不絕行人如梭之熱鬧市廛。而忽爾昏倒。卽非危險之症。在此危險之環境之中。亦覺可怕。故宜及早治之。以防變生不測。方用熟地一兩。白芍一兩。當歸五錢。白朮五錢。黨參五錢。川芎三錢。萸肉五錢。半夏三錢。天麻一錢。陳皮五分。多服則其效驗愈顯。受益無窮。斷不可以一二劑不能見功。而棄置不用。

青春寶鑑

精液與人生

時逸人

「儲精之生理」血液之於人。本屬重要。然吾人排泄少量之精液。其疲勞。恆較失多量之血液者爲甚。其故何與。蓋精液中原質。在昔時醫學家。惟認爲有分體繁殖之作用而已。迨至近年。經多數學者之研究。始知其於身體之營養。所關綦重。卽一方能助生理之酸化作用。一方又有保持神經興奮之效力。摘去睪丸之人。身體恆弛緩而肥大者。卽爲酸化力減少之徵。排泄精液。疲勞殊甚者。以保持神經興奮力之養分。減少故也。

「精液之生成」合信氏曰。赤血輪行至外腎。卽由微絲管。攝入衆精管。而成精。以藏於精囊之內。然其中有三物焉。一曰精液。其色空明。初薄後稠。中有膠質。二曰精珠。計四千粒。長共一寸。三曰生元。（現名精虫）。形如蝌蚪。計五百條。長共一寸。三者之中。以生元爲最要。其頭部作扁桃形。其尾部作細絲形。其在精液中。顫掉迴轉。無一瞬之休息。其動也。先尾後頭。蠕蠕而進。此爲造搆胚胎之基本。

「慾火屢動之害」方其慾火動時。則陰莖陰囊之空隙。無處不充以血液。於是陰莖勃起。熱度頗高。生元爲血熱熏蒸。亦蠕動而不能息。由陰囊至陰莖。皆爲生元所遨遊棲息之地。泄而去之可也。若未曾泄去。則有四害焉。離位之精。勢不能復返。將停滯。而爲橫痃下疳諸症矣。血中精液。屢經吸收而未出。則精囊將有滿溢之患。而爲夢遺滑脫諸症矣。慾念勃興而未遂。慾火怒張而未泄。將有上沖逆傳之變。而爲癰疽瘡瘍諸症矣。生元屢動。則密佈於精道。而爲白淫諸症矣。故曰。不能息慾念者。毋寧縱慾乎。

「縱慾之害」精入精囊。不能久而卽出。則其質薄。斷難成孕。一害也。新精屢泄。則囊內之微絲管亦屢屢吸收血內之精液以補之。於是全身血輪之能力減。而心臟衰弱。致有倦怠昏瞀之虞。二害也。血爲食物中之精汁。精爲血中之精汁。而生元又爲精中之精汁。大抵精稠者。則生元壯而健。精薄者。則生元幼而弱。既幼且弱。則其蠕動迴轉之能力不足。於是有陰痿之患。三害也。陰囊器械。屢屢用之。如機器之易壞。而百病於以叢生矣。四害也。故縱慾者。其全身必虛弱。其顏色必蒼白。心神必不鎮靜。全體震慄。下肢瘦削。每一動作。則汗出津津。此皆濫用生殖器之結果。行屍走肉。有愧爲人。

「手淫男色之害」男女交合。泄精之後。則精道豁而空。於是婦人陰電。直射而入。彌縫其空隙。流行於全體。與男子原有之陽電。相吸相引。相愛相感。有極大之能力。絕大之變動。此類陰電。由人身熱度。製造而成。故流行全體。沆瀣一氣。無枘鑿之患。若手淫遺精者。則精出之後。補其空隙。僅天空之生氣耳。人身之呼吸空氣。惟肺爲能。今乃以陰莖代肺之用。受未經製造之空氣。襲入千熬百鍊之陰道中。能毋有異族敵國之患乎。若夫男色。則泄精之後。所補入精道者。皆穀道中糟粕惡濁之氣。較之天空生氣。又不同矣。其害可勝言哉。世人有手淫盤龍之癖者。亦當知所戒矣。

「節慾之效力」精不屢洩。則安居而變稠。精自充足矣。此效一也。精不屢洩。則無事更攝新血。而卵力足。此效二也。血中精汁。不爲卵攝。存於全身之血內。而人之體質强矣。此效三也。腦氣不爲慾念所牽累。則氣血和平。而便於作事。此效四也，有此四效。吾人何樂而不爲耶。

「結論」先聖有言曰。絕嗣之墳墓。無非好色狂徒。嗚呼。其故可深思矣。原夫精之爲物也。基礎於氣血之變化。經曰。氣歸精。精歸化。又曰。精化爲氣。其重要寶貴。有如此者。蓋吾身中。有限之精血。豈能供無窮之耗費者乎。子瞻氏云。傷身之事非一。而好色者必死。吾同胞之青年者。其經此捧喝而自勉耶。

青年之腰痛

丁仲英

腰痛之原因　經曰，腰者腎之府。轉搖不能。腎將憊矣。此指年老或大病後氣血兩虧者而言。然此症近時老少男女以及幼穉皆有之。不得謂腰痛盡爲腎憊危症也。腰痛之原因。歷來醫家。分爲七類。一曰陽虛不足。少陰腎衰。二曰風寒溼氣。三曰勞役傷神。四曰墜傷。五曰寢臥溼地。六曰乘騎奔走。七曰久坐神傷。

青年之腰痛　近時青年。多患腰痛之證。一則青年血氣方剛。好勇鬥狠。强力持重。往往閃氣受傷。腰部適當其衝。因是由傷致痛。二則青年性慾頗甚。難於控制。發生手淫惡習。元陽走漏。機能減退。腰部酸痛。都市青年。大都屬於後者。緣不良之環境。易於引之走入歧途。造成本症。

腰痛與腎部　腰痛屬腎。雖爲經言。實不可爲訓。腰雖爲腎之府。腰痛則未必盡屬於腎也。近時青年所患之腰痛症。酸疼沉着。牽及脊背。不可久坐或久立。顯係摧殘過甚。機能薄弱。譬諸大廈之支木。日事刮削。則木身消瘦。不能支持。有搖搖欲墜之勢。苟爲腎病之腰痛。其痛處有一定之出發點。其勢亦較重。與普通青年所患者。大有差別。

腰痛之治法　腰痛之原因。既不一。其治法亦不同。青年腰痛。尤宜辨其是否爲受傷。抑爲惡習所造成。前者當用活血疏絡之品。如桃仁。紅花。三七。牛膝。威靈仙。川楝子。絲瓜絡等。後者當用培補之品。如胡桃肉。補骨脂。杜仲。續斷。肉蓯蓉。鹿角霜等。

性神經衰弱之治法

尤學周

性神經衰弱。有三種現象。其一爲腦神經症狀。此因手淫過度。或房事不節。斲喪其精神。影響及於腦部。發爲頭眩、不眠、憂鬱、憤怒、精神疲勞、等徵象。其二爲脊髓神經症狀。蓋脊屬督脈。督脈下循陰器。性慾過度。腎虛而督脈亦空。遂見步履艱難。腰痛背脊酸疼。四肢寒冷等證狀。其三爲局部症狀。屬於泌尿器者。如小便時膀胱疼痛，尿意頻數。溺後餘瀝。屬於生殖器者。如睪丸作痛。陰萎，遺精早洩。見色流精。茲分述其治法如下。

腦神經衰弱之治法。可參閱「神經衰弱淺說」一書。脊髓神經衰弱之治法。以青娥丸（補骨脂。杜仲。胡桃肉。青鹽）爲主。如背脊酸痛者。可加金狗脊。鹿角霜。鹿茸之類。步履艱難者。可加牛膝。菟絲子之類。四肢酸痛。手足寒冷者。可加桂枝。桑枝。附片之類。屬於泌尿器者。可用八味丸。（熟地。山藥。萸肉。丹皮。澤瀉。茯苓。附子。肉桂）爲主。如膀胱疼痛者。加茴香。台烏。橘核。川楝子之類。尿意頻數。溺有餘瀝者。倍山藥。吳萸。加烏藥。益智仁。補骨脂。人參之類。屬於生殖器者。以六味丸（八味丸加附子。肉桂。）爲主。睪丸作痛。加烏藥。茴香。橘核。荔枝核。紅花之類。陰萎加肉蓯蓉。巴戟天。海狗腎。鹿角膠。鹿茸之類。遺精加牡蠣。龍骨。訶子肉。御米壳。芡實。金櫻子之類。以上不過示以大法。蓋病有深淺。體有强弱。非一言可以概盡。又當隨證施治。相機應變。

遺精之原因與治療

謝筠壽

成熟的男子。在兩性性交快感達到最高度的時候。發生著射精的一回事。這是人類繁殖上一個最重要的工作。但是沒有性交。在睡夢中發起陰莖勃起和射精。這就叫做遺精。遺精的回數是沒有一定的。有的一週一回或二回。有的二週一回。有的四週一回。總之或多或少。是隨著各人的體質和生活的狀況。是極不一定的。如果是已經結婚的男子。長久沒有性交。因爲精液的充滿。反射的在夜間引起射精。並且這樣的遺精。夜間多有猥褻的夢。翌日精神上和肉體上。均不感覺到任何樣的痛苦。或者反而覺到精神上的平靜。而且遺精的間隔。至少在一週以上。這樣的遺精。從醫學上的眼光看起來。實在不能當作病理的現象看。就是可以作爲生理的射精。所以肉體和精神健全的青年男子。往往有遺精的一回事。

至於病理的遺精呢。那就不同了。第一是他發生的回數頻繁。一週間發生幾回。甚至不但每夜遺精。就是在白晝也時時覺著陰莖的勃起。大便或小便的時候。運動步行的時候。舟車動搖的時候。衣服被褥接觸的時候。都發生精液的漏洩。更甚的時候。見着美貌的婦女和驚愕悲哀的時候。精神上受着感動。也可以發生遺精。這樣的重症遺精。病人的疲勞。可謂達到極點。就使不是這樣重的遺精。如果是多回反復的時候。病人也覺到倦怠而沒有氣力。記憶力和思考力都減退。發生頭痛頭重。耳鳴心悸。四肢怠倦和振顫。背部疼痛。精神朦朧。作事厭惡。憂鬱等種種症狀。

講到遺精的原因。除上面所講生理的遺精以外。發生病理遺精的原因很多。第一種是因神經衰弱而來的。譬如因房事過多。手淫。或因避孕的目的。在射精前中止交接。屢次施行之後。引起性神經衰弱。更因性神經衰弱。引起遺精。第二是因泌尿器生殖器及其他鄰近器管的疾病而發生遺精。譬如包莖。攝護腺炎。攝護腺肥大。慢性淋病。糖尿病。膀胱炎。膀胱結石。尿道狹窄。尿道炎等。種種疾病。第三是同爲神經系統的疾病。譬如脊髓病。脊髓炎。腦腫瘍等病症。此外一切的心身過勞。環境不良。生活不攝生等。都是發生遺精的原因。

遺精的治療和方法。遺精的原因。既然有上面所講的幾種。所以如果要醫治遺精。第一要除去原因。這是要請醫家診斷和治療的。但是病人個人可行的方法和注意的地方也頗多。茲逐條的寫在下面。請大家注意罷。

(一)病人有手淫。房事過度和中止交接等事情的。應當翻然改悔。努力除去。

(二)避免心身的過勞。給以相當的休息。就是須要有正規的生活方法才好。

(三)用毛巾濕冷水絞乾後。摩擦陰部和大腿的內面。逐日行之。倘不間斷的時候。往往有奇效。

(四)臨睡前應當節制飲料。因爲膀胱的充滿。是能夠引起遺精的。

(五)遺精最多的時候。要算在午夜後晨間四五點鐘。大多這個時候。膀胱充滿。要免却因爲膀胱充滿的遺精。不要貪睡。即刻起來小便一次。再行入睡。

(六)睡眠的時候。最好是屈着足側身而睡。因爲遺精的時候。大多陰莖是勃起的。勃起的陰莖。一觸着褲子或被褥。就引起了射精。

(七)被褥不可太暖。尤以足部為要。過暖了引起下半身的充血。是要發生遺精的。

(八)大便的閉結。能夠使生殖器充血。也要引起遺精。所以大便應當每日通順。

(九)誨淫的書籍圖畫和電影。自然不應當看。

(十)刺戟性的飲食物。譬如酒。濃茶。咖啡等。均應當禁止才好。攝取淡泊的食物。

(十一)患遺精的人。還要有一種勇氣。不要過於害怕。想着今夜還是要遺精的。這樣的思想。往往引起了幻夢。果然引起了遺精。所以要安然入睡。不要胡思亂想恐懼才好。

濁海明燈

忍精淋痛治驗

胡天宗

湘潭孫某。年近而立。患淋痛病。初往徽城王醫診視。服藥兩旬。淋痛無減。今正踵余門診。攜服前方視之。多用八正分清等類。予細察之。若因濕熱阻閉溺竅。前醫方藥。服之效矣。余對孫某曰。汝之淋痛。乃房事忍精。圖貪久戰。蓋陰莖有精溺二竅。是必敗精阻道。病在精孔。

乃有形敗濁。用分清法不效。病人直言。係由房事後。次日便溺覺痛耳。此證葉氏論之頗詳。有虎杖散方。用杜牛膝根絞汁一鍾。冲入麝香少許。隔湯燉溫服。并宗朱氏法。用兩頭尖。韭白。歸尾。川楝子等味。連服三劑。溺痛悉除。所以治淋病。當分濕阻溺竅與敗精阻道。分別處治。自然應效。

慢性淋病有怎樣的危險

謝筠壽

世人雖大多知道慢性淋病的難治。但是沒有知道慢性淋病有怎樣的危險。往往放任著不加醫治。此果知道了有下面的危險。吾想大家必定早去醫治了。

(一)急性再發　世人以爲淋病的急性症候經過了。從此可以太平無事。就沒有危險。這是一種很錯誤的觀念。原來不把淋病醫治斷根之後。就是你永遠不去尋花問柳。但是潛伏的淋菌。仍舊可以急性的發作起來。這就叫做再發。

(二)急性合併症的出現　尿道裏有了潛伏的淋菌。不但損害尿道。還可以隨時作祟。侵犯鄰近和遠隔的臟器。譬如侵及到睾丸。發急性睾丸炎。轉移到關節和心臟。發生急性關節炎和心膜炎。都是有很大的痛苦和危險。

(三)狹窄的形成　尿道受著淋菌的侵及。柔軟的粘膜。就結成了硬固的瘢痕。因瘢痕的收縮。引起尿道的狹窄。尿道狹窄的結果。使病人不能排尿。有因此引起尿中毒。膀胱破裂。腹膜炎等等的危險病症。

（四）有傳染於對手方的危險　歡樂健康的家庭。因爲一方受著淋菌的侵及。已經受著很大的痛苦了。一方面又要傳染給一個無辜的愛妻。也使他受著很大的痛苦。歡樂健康的家庭。就此打破。充滿了愁雲慘淡的空氣。吾知道受過了這樣痛苦的人。方才明白吾的話呢。

車前子治淋濁

葉橘泉

淋濁是細菌毒素侵及尿道粘膜發炎。分泌亢進而成。往往排尿困難。甚至疼痛愈甚則尿愈不利。尿不利則淋濁細菌愈阻滯於尿道之內。用利尿藥使尿液通暢。得大量之尿液冲洗尿道。則淋濁自可漸愈。

考車前子爲車前科車前草之種子。赤褐色。有光澤。狀類胡麻子。惟粒較細。味微苦。

本品成分內含配糖體 AUCUBIN 粘液質。用爲利尿藥。淸利尿道。促令內腎排去血中毒素。並令溺道中一切細菌及雜物。由尿液放出。消退尿道炎症。潤滑內膜。故用於淋疾之炎證劇痛。且腫脹而感疼痛之亢進期。尤爲有效。並能兼治濕性脚氣。關節腫脹。蓋亦利尿排毒之功也。

婦女慈航

談談婦女們的白帶

陳景文

婦女們所患的白帶。實在並不是病。乃是一種病狀。凡生殖器因病理的改變。而流出的異常分泌。醫學上就稱爲白帶。發生的原因。在吾國醫學說來。各各不同。有謂風寒入胞絡的。有謂濕熱內蘊的。有謂脾弱氣陷的。有謂脾弱腎虛的。議論紛紛。似欠精當。茲根據最近病理的研究。分述如下。

（一）發炎　包括在此類的。有（1）急性子宮內膜炎。（2）慢性內膜炎。（3）慢性子宮實質炎。（4）子宮頸炎。（5）子宮頭破裂。和外翻而起的慢性炎。患病的大原因。除幾種特別關係外。大半是因爲臨產時施行不潔的手術。以致傳染病菌。而爲本病的導線。所以生產這回事。實在是婦女們百病之源。關係畢生幸福很大。應該愼重將事。請教產科專門醫師。纔不致抱恨終身。

（二）染毒　婦女們受淋菌和梅毒的傳染。最容易發生白帶。照醫院的統計。十個病人中。差不多有五個以上。是因爲染毒所致。但染毒雖然危險。一經查出病根。對症施治。倒也容易斷根呢。

（三）生瘤　瘤是一種贅生物。種類很多。大概分爲有毒無毒二種。有毒的。稱爲惡瘤。如癌腫和肉腫等。無毒的。稱爲順瘤。如肌腫囊腫等。無論順瘤惡瘤。倘然生在子宮和頸管裏。也就是白帶的要因。

（四）移位　移位是指子宮體離其常位的意思。正常的子宮。是呈浮游性前傾和前屈。倘然前傾過度。醫學上稱爲子宮前傾。後傾過度。稱爲子宮後傾。側傾過度。稱爲子宮側傾。前屈過度。稱爲子宮前屈。後屈過度。稱爲子宮後屈。側屈過度。稱爲子宮側屈。無論何種異常移位。都能使血循環阻礙。子宮充血。造成慢性子宮炎的結局。所以也是發生白帶的原因。患病的人。應該受婦科醫師的檢查。查出病根。設法改正其方位。那白帶的毛病。就立刻會治愈的。

（五）體病　貧血。結核。體質衰弱。習慣性便祕。都能發生本病。就是行經期間的不衞生。也是本病的一個要因。

發生白帶的原因。既然這樣複雜。醫治的方法。當然要隨機應變。對症發藥。患病的人。更應該受婦科專門醫師的詳細檢查。切勿因爲怕羞。諱疾拒醫。致失治療的機會。而受永久的痛苦纔好。

白帶洗滌方

葉橘泉

婦女白帶是陰道粘液分泌過多所致。用白礬四錢。單甯酸一錢。開水三十四兩。泡勻。候溫度與體溫相等時。用灌注器注射入陰戶。一日兩次有效。

（按）白礬係收斂劑。單寧亦爲收斂藥，能收斂陰道粘膜微血管。制止分泌液。不但能止帶濁。如射入子宮內。能治月經過多。射入肛腸又能治久痢下血。並痔漏流血。漱喉可治喉熱痛爛。灌鼻可止鼻血久流。白礬一錢。玫瑰花泡水三兩。大麥泡水三兩。和勻漱喉。能療喉痛失音，

痛經之研究（續第三期）

朱叔屏

經來作痛之婦女。往往有不能生育者。故一患痛經。有以不能生育爲慮。然證以臨診之經驗。痛經與生育。雖不可謂全無關係。然亦不能必其不能生育。當視其疼痛之原因而定之。如上述之第一原因。生殖器管。失其常態者。不特月經難下。同時亦不能受精。故難於生育。第三原因。關於局部病理者。如卵巢。輸卵管。子宮等發生疾患者。往往影響於生育方面。如骨盤膜炎，膀胱。直腸等部之疾患。雖能使經來時發生痛苦。然於生育方面。或不致受若何影響也。

經來作痛。通常名謂肝氣不宣。故牽及乳部。蓋子宮與乳部之關係甚大。如妊娠之初。月經

閉止。此時倘不能必其爲懷孕。而驗諸乳頭。則有可證之徵象。懷孕一月。乳頭漸形紫色。第二月乳頭漸變黑暗色。四圍有暗色之暈輪。三四月後。其變化尤顯。產後。子宮弛緩下墜。授乳以後。一受刺激自能收縮。在授乳期間。月經不下。斷乳後即月經復來。凡此種種爲證。痛經之影響於乳部。亦非偶然之事。所謂肝氣不宣。指神經之因刺激而發生疼痛之謂（古人所指之肝。一部分指神經而言。）理亦近是。其說倘未透切耳。

關於痛經之治法。多宗內經『不通則痛』之意。用四物湯加紅花。丹皮。木香。香附。兩頭尖。桃仁等破滯行瘀之品。此方用之於第一原因。頗能見效。第三原因。有時亦能幸中。對於第二原因。不特不能見效。反易生變。宜將歸脾湯（白朮。黨參。黃芪。當歸。遠志。茯神。木香。龍眼肉。甘草。大棗。生姜）逍遙散（柴胡。茯苓。當歸。白芍。薄荷。陳皮。甘草。煨姜）二方。參酌用之。 （完）

女子萎黃病之我見

孫里千

西醫謂萎黃病爲青春女子所獨有之特殊的貧血。按貧血症。以神經系統及筋肉發生官能障礙爲最速。亦最顯明。且以卵巢機能不全爲原動力。其先覺症爲耳鳴頭眩。肌肉搐搦。繼則肌肉疲勞。五官麻痺。蓋此等障礙。多由貧血後。血液運動減退之結果。由新陳代謝所產之有毒物。鬱滯於組織而刺激。遂陷於各種狀態者也。故萎黃病之貧血。於臨床時所得。自訴症爲疲勞。頭痛。背痛。胃弱。嗜眠。呼吸迫促。皮膚蒼白。或帶憔黃。月經常少。或停閉不行。驗之血液。常呈著明新陳代謝薄弱。血色素缺少等像。則是症之屬於貧血也。無疑義矣。素問陰陽別論曰。二陽之病發心脾。有不得隱曲。女子不月。其傳爲風消。其傳爲息賁者。死不治。此卽彼所謂萎黃病也。亦卽所謂貧血症也。惟彼不知二陽之病發心脾。而但以面色萎黃。而名病耳。按二陽者。陽明經也。陽明者，腸胃屬之也。脾與胃爲表裏。肺與腸爲配合。脾主爲胃行津液。腸主泌別清濁。以奉心神。化而爲赤。是爲血。以奉生身。女子月經。雖爲排除之穢濁物。然營血不足。血海空虛。則失其排除之能力。污穢不去。而新血愈難生矣。推其源。總不外心脾爲病。蓋室女寡歡。思慮憂鬱。最傷心脾。胃與心。母子也。心傷則害及其子。又胃與脾。藏府也。藏傷則病及於府。故凡內而傷精。外而傷形。皆病連於胃。此二陽之病。所以發於心脾也。脾胃生化之源巳絕。安有精微以奉心化赤哉。氣爲陽。血爲陰。陰虛生熱。熱盛生風。風熱交熾。金水兩刼。肌肉消鑠。傳爲喘急息賁。於是輾轉相代。氣竭於上。精絕於下。則死不治矣。而面黃肌瘦。氣息喘急等症。特其發病之徵象耳。彼所謂卵巢者。內經謂之女子胞。非隸於肝腎且隸於陽明者乎。今二陽爲病。無以生化其元氣。則其機能不全而致不月也宜矣。經曰。氣主煦。血主濡。神經筋肉。非氣血所煦濡之區乎。今氣血無以爲繼。則其官能之起障礙也亦宜。彼徒知萎黃由於貧血。

而豈知貧血之由於心脾鬱結轉屬二陽爲病乎。中西理本一貫。惟彼逐末而忘本耳。

胎產問題

女子孕期之注意

張壽漢

女子受孕後。按生理上有逐次之變化。故易變尋常之態度。若能照衞生之方法。因勢利導。卽可減少孕婦之痛苦。及難產小產諸弊病。卽產後亦易回復健康。今將孕期中之注意點。略述於左。

1.飲食——孕婦之飲食，可照平時習慣。惟有刺激性（如辛辣濃酒）與不易消化之物。切不可食。肉食亦須減少。應食清淡與富有滋養料之食物。但亦須有節制。凡孕婦不喜食之物。雖滋養料充足亦不必勉强。孕期中往往食慾異常。其嗜好食物中如不礙於消化者。亦不必相阻。或因嘔吐而抑制食慾。甚不相宜。祇須每餐減少分量。增加餐數。產期將近之時。應忌飽食。晚餐更宜減少。晚餐後稍食水果。尤有裨益。

孕婦之飲料。白開水最佳。淡茶。焦麥湯等亦可。黃酒葡萄酒之類略飲尚可。燒酒和白蘭地等。則須禁絕。

2.衣服——孕婦之衣服宜淸潔而寬鬆。厚薄適時。不可寒冷。腹部下肢更須溫暖。小背心及束胸之惡習。更當解除。腰帶亦不可過緊。欲使產婦腹壁寬鬆。宜於懷孕四五月後。用白色布纏於腰腹。俟臨產時解除。(布闊七寸五分長約四五尺)既使胎兒穩固。更使臨產時腹部地位寬暢。此卽古人瘦胎之意。但不可過緊。

孕婦之足。每有略腫。故鞋履亦宜寬大。高跟皮鞋。更不相宜。

3.運動——適度之運動。足以强健身體。舒展精神。故孕婦可照尋常之操作。惟業務勿可過於繁重。如猛力舉重。疾走行遠。屈曲身體。蹯坐久時……等事均宜屏除。每日遊於空曠淸氣之地。幷練柔軟體操。皆頗有益。如跳高賽跑等。當然在禁絕之例。乘汽車馬車……等。行於平坦之路猶可。但亦不可久坐。孕之末期。若有下肢浮腫之病狀。卽不可運動。宜安靜平臥。注意飲食。最宜多飲牛乳。通利大小便。延醫診視。尤爲穩妥。因恐有心腎病也。

如遇陰道出血。尤不可行動。速使平臥。並速延醫診治。若流血太多。時間太久者。則有生命之憂。不可忽也。

4.注意空氣——社會之習慣。內房睡室。緊閉窗戶。於冬季尤甚。殊不知新鮮空氣。爲人生康健之主要素。能洩濁清肺。補助血液。無論晝夜。不可或缺。在孕婦非特宜清己之血液。且須清兒之血液。故新鮮之空氣。尤為緊要。惟在嚴寒之際。以不使感冒為限。（未完）

產褥中的食養

俞松筠

(甲)飲食的注意

產後如無意外的變化。那末。飲食仍從舊日的所好。不必多事變更。祇求易於消化。不逾其量。就很妥善。在產褥初期。進以牛乳雞蛋米湯薄粥。最為適宜。口渴可飲已沸的溫水。尋常在二星期後。可以恢復常食。

牛肉有碍子宮的收縮。其餘肉類。食之可以促進自然的通便。如係自己授乳。應當多吃滋養料豐富的食物。牛乳雞汁。易增乳量。允宜多飲。

產婦在產褥期中。每天應需食量。平均計之。大約蛋白質一〇〇克。脂肪料五〇克。含水炭素三〇〇以至五〇〇克。

(乙)食物營養的原則

食物營養之法。非但對於產褥熱疾患的治療。很關密切。即使非產褥熱的治療，亦當注意，因為食物所含各種物質。在消化器中。由化學作用。變成種種化合物。吸入血中。再由循環作用。流入四肢。以供組織臟器的消耗。而爲維持生活的要素。尤其是受有疾患痛苦的人們。更當注意食物的營養。以謀抵抗病菌之侵略。

(丙)急性熱病的食養

急性熱病人的食養品。大抵是用粥湯栗粉牛乳蛋白蛋黃肉汁糜粥等物。較爲適宜。但在粥湯中。最好加牛乳卵黃果汁等物之一種。糜粥中加酒鹽或白糖爲善。所有飲料。在已沸之淸水中。加葡萄酒果汁。但須根據下列症候。分別取捨。

(一)消化機能。完全消失。或很衰弱時。宜用果汁澱粉糖汁。並在水中。稍加葡萄酒等類。

(二)消化機能。受有障礙時。宜用粥湯栗粉中。稍加牛乳。或在肉汁中。稍加蛋黃等物。

(三)興奮性飲料。如酒類。宜於急性熱病。

(丁)慢性熱病的食養

慢性熱病人。須用易於消化食物。因患有此病的消化機能。雖較佳良。但究不十分康强。此種食品。不外下列各種。

(一)汁　牛乳　乳製品　牛乳湯　乾酪　牛酪湯　肉醬　雞蛋　蛋黃　蛋白汁　果汁

(二)湯　栗粉　麥粉　糜粥　麵包　豆粉

(三)其他　酒　咖啡　食鹽　苦扁桃等

急性熱病人者。雖不宜多食脂肪。但在慢性熱。反可制止身體蛋白質的稍耗。而含水炭素。亦具此功。故宜多進。病人進食的時刻。不能和普通健康人一樣。最好一日分五次。例如午前八時十一時。午後一時四時八時。按時分食。除遇病人的習慣。熱度的昇降。稍宜變更外。總以嚴守各時的規則。較爲妥善。

產後三大問題

楊志一

(一)惡露之研究　所謂惡露者。乃產後之子宮出血也。子宮何以出血。蓋由胎胞之蒂。[illegible]附於子宮之內。其附着之處，有許多血管。互相連接。藉以輸送養料。交換氣體。以長養胎兒者也。及至分娩之後。其子宮與胞蒂相連之血管。盡皆斷絕。遂致血液從此而出。此即惡露也。其色多紫黯而成塊。爲已離血管之敗血。非盡祛之。則停滯於子宮。而爲腹痛（即俗所謂兒枕痛）之患。若流血已多。瘀血已盡。而復用祛瘀套方。則血管復開。每有血崩之虞。不可不辨也。

(二)血暈有二種　血暈有虛實兩種、大抵虛性之血暈。由於產婦本元素虧。子宮之縮復乏力。血管之凝固無權。當其子宮開張血管破裂之際。血液乘勢暴下。則百脈空虛。心臟衰弱。腦乏榮養。知覺失脫。而致驟然暈厥。此即西醫所謂產後腦貧血之急性症也。至若血暈之實者。

由於子宮惡露不下。汚濁之氣。薰蒸腦部。而致目眩昏厥。口噤面青。此卽中醫所謂產後敗血衝心之重症也。

（三）產後行房之害　性慾固宜禁於胎前。尤當禁於產後。蓋婦人產後。如受巨創。氣血耗虧。血管凝固之權未復。胞宮之裂痕未平。離管之瘀血未淨。此時切宜加意攝養。以圖恢復。若誤犯房事。輕則寒氣襲於胞宮。瘀血敗精。兩相交阻。而腹痛作。重則血管重裂。而血崩成。症之可危。孰過於此。（按關於上述三症治方。可參閱「婦科經驗良方」一書）

兒病福音

小兒結核與小兒急性結核發生之預防

謝筠壽

所謂小兒結核者。乃傳染之結核菌。在小兒時期。專宿於淋巴腺。尤以在胸內之氣管枝淋巴腺（肺門淋巴腺）。長久潛伏。往往發不規則之高熱。小兒期原因不明之熱。作爲潛伏結核熱可以無誤。其熱頗頑固而久時持續。竟有達數月者。其熱之特徵。爲一週間雖繼續發高熱。次則爲低熱或無熱之時期。後則突然又發高熱。如斯之熱型。呈一大波狀。此時氣管枝淋巴腺恐爲腫大。

從外部雖不能知。但熱長時繼續。則起氣管枝加答兒。一見似侵及於肺之模樣。此乃因毒素之刺激而發起氣管枝加答兒。隨熱之下降一同消退。不侵及於肺者也。

小兒殆多抱有幾分之潛伏結核。但對結核抵抗力弱之小兒。其結核性貧血著明。呈疲勞之顏貌。食量少易於發熱。總之。結核潛伏之中心爲氣管枝淋巴腺。由此而傳播於身體之各部。發起種種危險之結核病。滿一二歲。容易播及於全身。發起全身粟粒結核之可恐疾病。滿二三歲達四五歲。及於腦而起腦膜炎。滿四五歲時侵及於骨及關節。四五歲後此等危險疾病逐漸減少。在頸之周圍。則有多少瘰癧之發生。卽停止於所謂『腺病』之狀態。自滿十一二歲起始。則又易起變化。但多起慢性型之肋膜炎及腹膜炎。自十五歲後。專爲肺結核。

上述自四五歲至十四五歲之所謂小兒結核。一般雖不盡有此等危險。倘無適當之注意而放任之。則漸次體力虛弱。其結局一時爆發而爲急性結核。侵及於肺膜腹膜。陷於無法治療之慘悲狀態。終至於斃者不少。故小兒結核。只要加以適當之注意。決非可恐。倘怠於注意。則結核急性的爆發於全身。而無可挽回。此多由於爲父兄者之不注意所致。

預防之方法。對於貧血。體質薄弱。易於發熱者之兒童。以日光新鮮空氣及滋養豐富之食物。實爲必要。居屋宜擇南向。日光照射之處。日間最好使長時在室外。使在日光照射之處。令其遊嬉。或讀書。又以此虛弱之兒童。寄養於鄉間之親友家數年。爲最良之策。常宜注意小兒之食量。

如食量長時減少時。即當就醫診察。有無何等樣變化之前徵。食餌外在冬令可與以魚肝油劑。或沃度劑鐵劑等。均屬有利。星期假日。使之養成徜徉於山野之習慣。有一事不可誤解者。卽薄弱體質之兒童。對於過劇之運動。宜絕對的禁止。如賽跑角力登山等。皆危險而有害。宜禁戒之。青年者其潛伏結核一變而爲活動性結核。發起高熱及咯血。身體急速衰弱。陷於無可收拾之狀態者。其最大原因。常爲不適應於其體質之過度運動。故爲之保護者。對此宜深加以注意者也。

小兒肺炎之研究

楊志一

冬令及初春。小兒患肺炎者甚多。苟醫治失當。每致不救。其來勢之險。傳變之速。於斯可見。余於此症。經歷頗多。深知所以救治之道。爰本研究所得。敍列於后。

(一)起病原因　據西醫說。由於肺炎雙球菌傳染而成。實則體力與氣候。亦大有關係。考商務書館出版之「肺炎」一書云。「健康體之肺細胞。有殺菌作用，可將吸入肺炎菌撲滅。但缺乏該作用時。卽感染而成肺炎。冬天溫度激變，肺表面常受寒冷。易減少抵抗力。而失殺菌作用。故多肺炎。」其說是也。

(二)經過症象　初起寒熱。咳嗆作吐。狀似感冒。繼卽身熱轉甚。(大約體溫在攝氏三十八度至四十一度)咳嗆痰鳴。氣急鼻煽。涕淚俱無。爲此症必有之現象。待熱度下降。咳鬆氣平。

病勢始見轉機。經過時間。約在一星期以上。若肌熱留戀。氣促鼻煽。日增不已。而咳反不劇。是爲病進。甚則脈微肢冷。乃心陽衰弱之象。殊爲危殆。

(三)一般誤治　時醫治肺炎。每喜用麻杏石甘湯。或用桑叶。牛蒡。杏貝。等普通清解之劑。結果十無一救。此非病之不治也。乃治之失當也。要知肺炎與風溫不同。風溫多屬肺胃有熱。初起見舌絳口渴。投以清解劑。其效如響。肺炎爲肺寒。初起却舌潤苔白。即渴不多飲。捨溫開藥外。別無治法。二症之辨。毫厘千里。醫所當慎之又慎也。

(四)對症療法　所謂肺寒者。乃寒風客肺。肺氣閉塞也。肺既寒矣。非溫不可。肺氣閉矣。惟開是尚。溫之開之。斯爲對症。大抵用藥程序。初起肌熱無汗。咳嗆不暢。氣急鼻煽。肺氣欲閉者。即用生麻黃六分。白杏仁四錢。白芥子八分(西醫外敷芥末以引炎。其理正同。)黃鬱金三錢。薤白頭錢半。仙半夏三錢。橘紅一錢。紫菀八分。天將壳四只。(包)。服藥後。如得汗不多。則麻黃可增至八分。必使汗暢熱減。乃照前方去麻黃。易桂枝八分。如咳嗆痰鳴。神蒙驚惕。脉滑數帶弦。可加製南星錢半。乾菖蒲八分。嫩鈎藤三錢。如肌熱不爲汗解。舌潤脈軟。神疲露睛。心陽已呈衰象。則用烏附塊三錢。竹節白附八分。川桂枝一錢。淡乾薑一錢。(五味子四分同搗。)白芥子八分。仙半夏三錢。橘紅一錢。炙百部錢半。汲汲以回陽溫肺爲先務。(西醫治肺炎。服荻加令以强心。其治亦同。)連服數劑。始有轉機之望。

(五)注意營養　小兒肺炎。除施用藥物保護其心藏。制止其傳變外。而於營養一項。尤應充分注意。如米湯。藕粉。牛乳等。宜每日分次飲之。俾抵抗力漸增。病勢自減。即中醫所謂扶正達邪是也。同時須令安臥靜息。室內溫度。宜保平均爲要。

小兒慢性腸炎

沈仲圭

(原因)有原發性續發性兩種。原發性因營養不良而起。續發性由急性大腸炎釀成。

(症狀)自覺症爲一日數回乃至十數回之下痢。便中混有黏液。呈粥狀。或流動性。腹鳴而痛。裏急後重。食慾減退。他覺爲苔膩。腹部膨滿。羸瘦貧血等。

(治法)原發性用黨參　白茯苓　白朮　陳皮　山藥　炙甘草　各一升　炒扁豆十二兩　蓮肉　炒苡仁　各半升。　共爲末。每服三錢。紅棗湯送下。

續發性用猪肚一枚。入蒜煮糜。杵爛爲丸。如梧子大。每服二十丸。米飲送下。

(攝生)宜食滋養又易消化之食品。多其次數。少其分量。至於安臥靜養。轉地療養。亦頗重要。

小兒蛔蟲

前人

（傳染）不潔之青菜果物。多附着蛔蟲之卵子。苟不煑熟。或消毒。則未死之成熟卵。逕入胃腸。孵化成仔蟲。循靜脈。經肝入肺。經一定之發育。由氣管出喉轉咽。復至小腸。長大成蛔。

（症狀）蛔蟲棲息於小腸。偶然游行於胃及大腸。其病狀除腹痛嘔吐下痢。（或便祕）嗜好變更。食慾不振。異常飢餓。唾液分泌過多等消化器狀外。並現貧血症。在神經質之小兒。則則惹起瘈瘲。舞蹈病狀運動。睡眠不良。瞳孔散大等。若蛔蟲入於輸胆管。則爲黃疸。穿過腸壁。則發腹膜炎。上入胃部。則成吐蛔。（按小兒腦炎。亦有因腸中蛔蟲反射而致者。卽金匱所謂蚘厥是也。）

（治法）鶴虱　苦根楝　檳榔　炒胡粉　各一兩　枯礬一錢五分使君子　蕪荑各五錢　麵糊爲丸。亦可末服。一歲之嬰兒。可服五分。年大者酌加。或用閩產使君子。去硬殼。火炒。如炒落花生然。至生香氣爲度。研末。每服一錢。

（預防）預防法之最重要者。（一）令兒童養成「飯前洗手」之習慣。並禁止其咬齧指甲。（二）肉類及菜類食物。宜煑透。青菜宜加意洗滌。（三）水菓可去皮者。去皮食之。不能去皮者。先以開水冲過。然後入口。

胃病研究

胃潰瘍療法

黃國材

胃潰瘍病。(卽胃癰)因鹽酸水過多。腐刺胃粘膜。以致潰爛。而嘔吐黑血。腹部疼痛。不可按捫。惟飯後尤甚。有一張姓兒。年十二歲。一日飯後。偶然腹痛。服平胃散藿香。正氣散等。不效。愚診。脈弦緊。苔膩白。腹痛不可按。飯後尤甚。大便閉。小便赤。嘔吐痰涎。帶血絲。兼取胃中水而試以化學。則見鹽酸過多之症。可知種種症狀。中法診之是胃實痛。西法診之。卽係胃潰瘍。依西醫治法。必以重曹等化酸消炎。而愚卽以牡蠣、海蛤粉、大黃、海螵蛸、含鹼質者代之配成散劑。服四劑。病竟霍然。以愚主張。凡病當以西人之實質。參以中醫之氣化。爲人診病。一面用西法檢查實質細菌爲何病。一面以中醫之虛實寒熱別之。如急性胃加答兒。必分寒急性胃加答兒。熱急性胃加答兒。諸如此類。編成講義。再以藥提煉原質。蒸露熬膏。竭力研究。自可超西醫之上矣。

胃痛良方

葉橘泉

胃痛。俗稱心氣痛。胃痛多半是胃炎。慢性胃炎之痛。時發時止。或輕或重。其痛在胸骨之下。或噯氣。食後消化不良。或嘔吐酸涎。是時胃之粘膜及胃腺主質及間質俱發炎。分泌粘液。名謂粘液性胃炎。此病若投與生鷄蛋殼，每次用二三具。焙燥。研細末。開水送吞極效。（見陳日華經驗方）

橘泉按。鷄蛋殼卽母鷄所生之蛋。敲破放去蛋白及黃。再撕去裏面之衣膜。而研細應用。本品之成分。爲純粹之有機鈣。雖含少量之膠質。焙燥後祇呈石灰質之作用。蓋石灰質本爲滅酸藥。鈣鹽對於局部的作用。能制止血管出血。並能消散炎症。緩解滲出性及分泌。故入胃後。於中和胃酸。消退胃炎減退粘液之分泌。作平胃止吐。制酸鎮痛等之用。合理的治療也。

胃炎之研究

繆俊德

——中名食傷食滯日名胃加答兒——

釋名——西醫對於診斷。比較中醫勝一籌。對於病之命名。亦與中醫爲不同。而多指胃部作用言。即如胃炎。乃指胃之一部分。現有發赤。腫脹。灼熱。疼痛。官能障害等徵候之謂也。中醫指爲食傷。食滯者。謂飲食所傷。食停於胃也。名雖不同。要亦無關。然以鄙見。中籍所載。往往以本病症狀。錯認他症。或以同一病而生出許多分證。列於各門之內。如吞酸嘈雜等。胃病也。又何須多立名目耶。西醫乃包括此症。而名之曰胃炎。指病之所在以名病。簡直了當。吾人宜取法於斯。非計新舊。而學時髦。亦非阿私所好。有所偏愛也。然於此點。同此情形者甚多。不爲修改。恐亦多煩腦筋。多費紙筆也。謹願共我同仁商榷之。

症候診斷——胃症。有急性慢性之分。急性者。爲食傷。慢性者。久病不愈。有謂爲痰飲者。其實痰飲。又包括神經等症。中籍以痰爲病名。故又多一錯處也。慢性胃炎。占痰飲之一部分。而不能謂痰飲爲慢性胃炎也。

胃炎之初起。胃粘膜腫脹。食物停滯胃中。而腐敗。發酵。體發微熱。頭痛。失眠。四肢疲倦。舌被厚苔。胸悶煩渴。惡心嘔吐。嘈雜。噯氣。胃痛。痞滿。大便或瀉或結。小便減少。口中無味。而放惡臭。小兒則多吐乳。上腹膨出。胃部有壓重之感。此急性胃炎也。及至數日以上。有自然恢復原狀者。有不注意飲食之調養。以無足輕重。久置不醫。則症情轉劇。或時發時止。乃成慢性胃炎。急性胃炎之初起。有熱時須與傷寒(腸窒扶斯)分別之。勿以傷寒誤爲此也。中醫籍向不及此。及症象畢露。始謂前醫所誤。然經驗富足之醫家。絕無忽此。新近臨症之醫者。

何不明此而愼於斯耶。在誤服毒藥。或藥物用過其量時。往往發成急性胃炎之症狀。所異者中毒之後。多劇痛。而嘔吐。大便帶血色。面色發靑。亟易辨別。西醫稱爲中毒性胃炎。而中籍不載。或見於諸毒之內。然多忽於症狀。最易錯認者也

致如急性胃炎。經過二三禮拜而不治。或再發時。即爲慢性胃炎。其病恆成年成月而不愈。則在日期久長中。最宜注意於胃潰瘍。或胃癌之潛發。若有發現。即宜急治。慢性病者。其症狀亦同急性病也。

（未完）

外症常識

流注治法

劉左同

大凡流注。多生腿部。腫痛潰爛。至十數處（西名骨結核）因風寒入絡瘀凝爲患。病延日久。肉腐爲膿。血化爲水。以致形瘦骨立。非用大劑補托。斷難取効。姑擬一方。用生黃耆一兩。全當歸三錢。黨參三錢。白朮二錢。茯苓三錢。甘草節八分。肉桂五分。炮姜五分。大熟地三錢。砂仁八分拌。象牙屑焙一錢。鹿角霜三錢。懷牛膝二錢。紅棗四枚。水煎服之。外用海浮散加入紅升丹。白降丹少許和勻。滲入瘡口。覺痛不妨。以陽和膏蓋之。每日更換兩次。按紅升能提毒。白降善去腐。性至猛烈。須藏之一二十年以上者。方爲合用。滬南新北門外與聖街口雷允上爲最佳。用時預加入他藥。功効極偉。非屬有名大症。決不用此。誠恐症輕藥重。反足爲害。

唇疔治法

劉左同

唇疔一症。由於平素多食煎炒之品。腸胃積熱。循經絡而上升。血凝毒滯。遂生疔毒。疔以知痛爲輕。或麻或木或癢者爲重。皮色焮紅腫痛者。宜用坎宮錠。水磨塗之。再用蚤休研末不拘多少。菊花露蜜糖調敷腫處。不紅而腫者。當用離宮錠。醋磨塗之。敷藥同前法。倘消之不散，勢必外潰。可用千搥膏貼之。既潰後。用九一丹滲入瘡口。以太乙膏蓋之。毒去新生。自然收口。內服五味消毒飲。方用地丁草五錢。甘菊花五錢。金銀花五錢。蒲公英三錢。紫背冬葵子二錢。外科蟾酥丸三粒。（按蟾酥丸爲治疔要藥。既潰後。不必再服。）並當多服野菊花葉汁。倘無野菊花時。可用芭蕉根汁代之。

鶴膝風治法

劉左同

鶴膝一症。性最纏綿。病在筋骨。風寒痰瘀凝滯而成。所用通絡消痰之劑。病重藥輕。所以不應。未潰之先。金鑑大防風湯最妙。僕數數用之。頗有奇驗。認症宜確。立方宜堅。切莫三劑不效。再易一方。終至不治。猶憶去歲中華書局徐耀坤先生之文郎。患咬骨疽。經年不愈。余投大防風湯。多至六七十劑。方始腫消痛止。可知醫家病家。並皆難也。倘若腫處已潰。已入虛損一途。速當進內托黃耆湯。方用鹽水炒黃耆五錢。當歸三錢。木瓜二錢。連喬殼二錢。柴胡一錢半。羌活。肉桂。黃柏各五分。生地一錢。牛膝二錢。陳酒清水各半。煎湯空心服之。外貼陽和膏。瘡口滲海浮散。即（製乳香。製沒藥。對半研極細末）每次換膏藥時。並當先施薰洗法。方用青防風二兩。艾絨五錢。羌獨活各一兩，白芷二兩。當歸二兩。赤芍二兩。蜂房五錢。甘草一兩。煎湯先薰後洗。每日兩次。

耳疳治方

蔡濟平

耳中潰爛。流膿流水。因胃濕與肝熱相併而成。用陳皮燒灰一錢。燈草燒灰一錢。冰片一錢。共研勻頻吹入耳。又十大功勞葉（藥名。普通藥店均備。）取葉尖瓦上煅灰研末，加入冰片少許吹耳。均效。

腹臍流水方

蔡濟平

臍內出水。可用枯礬或黃柏研末滲之。如係潰爛出濃。即用赤石脂研末敷之自愈。

治癬効方

蔡濟平

用野菠菜根。(即土大黃)蘸醋擦頑癬。數次即愈。(濟平按此方親試極效。但須鮮者。藥店不備。草藥攤或野外草地。可以採取。)

治痔漏方

蔡濟平

痔漏。內已成管。乃腸中濕熱瘀積爲患、非旦夕可愈。茲有一方、用柿餅放炭火上。燒灰存性。每一兩。入滴乳石一錢。乳石須揀極嫩。共研細末。每服一匙。一日服四五次。用茶或米粥湯調下。飯前空心服之。初服月餘。必流血水。管漸化出。或痛或不痛。次流黃水。結疤全愈。永不再發。但須有耐性持恆。否則效等於零。外用十大功勞葉五錢。槐花一兩。每日煎湯薰洗一二次。頗有奇功。

幾個治瘰癧的簡效方

朱壽朋

瘰癧之種類甚多。西醫名爲淋巴腺結核。中國屬於癆病之一種。在通常之治療上。無甚特効。西醫往往施以刀割。此實捨本逐末之方法。然吾國之民間單方奇藥。時有意外之價値。而行醫者亦多不注意。殊爲可惜耳。茲述簡效單方數則。不論行醫或家庭。儘可酌量採用也。

一，壁虎不拘幾條。放酒內浸至第二日。用陰陽瓦炙乾。又浸。如此九次。研爲細末。用六錢加透明雄黃四錢研和。每用三釐。肥人五釐。好酒調服。忌鹽三七日。連服三次。

二，斑蝥一歲一個紅娘子一對。糯米一升。入鍋同炒。候米黃爲度。去斑蝥紅娘子。只喫炒米。米盡則瘰癧當消矣。

三，鼠糞三錢。鹽水拌炒爲末。以一錢拌砂糖爲餡。以二錢和麵。將餡納入。製爲小餌

幾個治瘰癧的簡效方

七枚。烘熟。一日食盡。隔二日再服。如此三服效。

四，用紫背天葵子。每歲一粒。同鯽魚搗爛敷之。

五，大枳殼七枚。切作對開。滾水泡軟去瓤。每個內納斑蝥一個。大黃九分。用線紮緊。置砂鍋內。加水一碗。煮乾。去斑蝥大黃。取枳殼曬乾。研細煉蜜為丸。如綠豆大。每日三服。每服三分。白湯下。未服時先煎服六味地黃湯加益母草三劑。再服此丸。

六，金頭川蜈蚣一條。陰陽瓦焙研末。鷄蛋一枚。敲一孔。將末納入封好。置飯上蒸熟。每日一個。服至如患者年數而止。未潰即消。已潰即斂。

七，小活蝙蝠七枚。鷄子七個。略敲小孔。置蝙蝠於內。鍋內蒸熟。置陰陽瓦上煅存性。研細。無灰酒調服。日一次。七日服盡。立愈。

八，綠萼梅花七朵。鷄子七枚。將頭敲一小孔。置花於內。封好煮熟。去花食蛋。

九，九頭獅子草。採鮮者洗淨。切搗水煮。濾渣取汁。熬膏攤貼。未破者潰。已潰者收口。

十，瘰癧已潰者先用溫水洗淨。拭乾。再用錫壺裝燒酒二兩。炖熱去酒。乘熱以壺口對瘡口合之。即為吸住。旁人用手扶住。勿使脫落。候自冷脫落。視壺中必有膿血甚多。瘡重者再吸一次。洗淨以後。再以棗礬散香油調敷之。痂乾落即愈。

棗礬散 紅礬敲碎如黃豆大。用大棗去核。將紅礬入內。炭火上燒存性。取下蓋地上。去火毒。棗礬同研為末。加冰片少許。

民間驗方

鷄肫皮之消食

葉橘泉

鷄肫皮消食。民衆知之者頗多。往往自用本品醫食積有效。

新藥中有『陪潑辛』者。係從牛或豚之胃粘膜製出之發酵素。作消化劑。應用於胃液缺少。消化不良症。頗效。每服祗須半瓦（一分三厘）。蓋其提取純粹要素也。鷄肫皮即鷄之胃粘膜也。考生物學定例。弱于齒則强於胃。牛馬齒弱而鷄鴨無齒。其胃尤强。消食之功效更著。若得提取其要素。確定其用量。亦一國產新藥也。

綠礬治痿黃病

葉橘泉

一般農民。往往于勞作將暇的時候。（舊歷七八月）容易發生痿黃病。他們叫做『脫力黃』。或叫『秋黃子』。其實。這是他們勤勞過度。食品粗糲。缺乏營養。而患的是貧血病。他們當然不懂得什麼原因。嘗聽得有人傳出單方。用綠礬一些些研細。拌入麥肉內。做成丸藥。或用綠礬炒焦研細。拌入有滋養性的藥如黨參。白朮。茯苓等。粉肉。做成丸或散藥吞服。很有效力。因爲牠效驗準確的緣故。所以有些取巧的舊中醫。偷偷的做成祕方。賣丸藥。專治黃病。每每被他們成爲有名的黃病專家。雖然。本品所以能治痿黃病的理由。恐怕他們雖知其效。而不知其所以然哩。

蓋本品的學名。叫做硫酸鐵（Fe So4 T H 20）又叫鐵養硫養三。其成分是鉄質。鐵質最能補血。故貧血性之痿黃病。對於此項鐵質藥。爲最有益之無上妙品。但不宜多服。多者作嘔吐而反礙胃。宜愼之爲幸。

焦神麯之止瀉

葉橘泉

腹部着寒。或食物不化。而惹起腹痛泄瀉。民間頗有自知用焦神麯研細化服有效。

考神麯之製法。係助消化之藥數種磨粉加入麵糊。壓成餅。如器麯法釀酵之炒成焦炭。名焦神麯。蓋神麯內有酵母菌。係有益人體之一種無毒菌芽。炭末內服。則能密覆腸內黏膜。制止小腸分泌。又能吸收毒素。故其止瀉消食。頗有合於學理。

戒煙簡効方

清明

甘草（八兩）川貝母（四兩）杜仲（四兩）右藥三味。用清水六斤。熬至一半。將藥用布濾去渣。加入好紅糖一斤收膏。每次服三錢。開水冲下。

治天白蟻方

濟平

頭中格格作響。狀如虫蛀。是爲腦鳴。又名天白蟻。與頭風病因。大致相同。茲有單方三則列下（一）用春茶子（如無春茶子。別種茶子亦可。惟打油茶子不宜。）不拘多小。研末吹鼻中。（二）當歸川芎各一錢煎服。（三）土茯苓三五錢。煮猪肉食之有効。惟此方服後。忌飲茶一月。

大衆醫藥顧問欄

食後卽吐

(問)鄙人每日早起。覺胸脘脹悶。食後數分鐘。必將飯米及菜蔬等吐出。不吐卽不安。吐出始快。早起間吐酸水。飯後若食茶或水。卽吐出較多。或隔二三時食茶水。卽亦必吐出若干。西醫認爲胃病。投以胃藥。未能見效。中醫謂爲濕熱留戀。診治服藥。亦未見效。後以無效遂亦停止服藥。惟自去歲至今。對於以上症象。總未蠲除。卽就現在之情形而言。如早起胸脘脹滿。食後卽吐。吐出飯米菜蔬等。每日三餐。一碗半或兩碗。食慾頗佳。惟食後輒覺脹悶。必吐出始快。如食油膩之物。則吐出有酸味。大便每日清早一次。稀的。若遇大便不通時。則人必不舒適。食慾必減。中焦更見煩悶。幷見口渴倦怠無力之現象。(胡湘靑)

(答)據述早起胸脘脹滿。食後卽吐。吐出之物。爲飯米菜蔬。大便帶稀。執此以推。似屬脾陽不運。胃失降和所致。惟苔脈未詳。峻劑尚宜緩投。玆先擬二陳湯加減。以覘動靜。

藿香梗一錢半　雲茯苓三錢　生熟苡仁各三錢
姜半夏三錢　沉香曲三錢　炒穀麥芽各三錢
橘　皮一錢　姜竹茹錢半　白蔻殼一錢
資生丸三錢(包煎)

受寒嘔吐

(問)鄙人居於廠地。氣候較冷。早晨起床。受寒卽嘔吐。至今三載。終日如是。飲食照常。

亦無增減。精神如恆。不過嘔時受苦一點。嘔吐出氣味稍酸苦。經敝處醫師診治。服健胃劑。亦未見效。現已停服。此病只須到熱帶地方。不受寒氣之侵入。即無形自愈。鄙人事居寒地。不能移職。請示良方。(陳君)

(答)據述晨起嘔吐。恆因受寒。移地則愈。迄今三載。足徵脾胃虛寒。清陽不佈。即王太僕所謂食入反出。是無火也。良以氣候與人體。影響至巨。轉地療養。固勝於藥餌補救。今既格於職守。未能如願。姑擬溫運方如下。

川桂枝八分　雲茯苓三錢　旋覆花(包)二錢
淡吳萸四分　姜半夏三錢　代赭石(煆)四錢
炮姜炭八分　陳廣皮一錢　白蔻仁(研)八分
老生姜三大片　公丁香三分

婦人白帶

問)婦人年五十歲。久患白帶症。時發時止。其色黃白不一。發時腰痠痛。勞神太過則甚。近日臥後則兩耳如蟬鳴。是否爲中風朕兆。抑爲帶病表現。請示明方治。(高仲升)

(答)按白帶已久。遇勞更甚。雖苔脈未詳。執果溯因。似屬脾氣虛弱。帶脈不固所致。至臥後耳鳴。亦屬久帶精氣耗傷。虛陽上浮之象。茲擬健脾束帶。而潛虛陽爲治。

潞黨參三錢　雲茯苓三錢　煆牡蠣四錢
炒白朮二錢　厚杜仲三錢　煆龍骨四錢
淮山藥三錢　川斷肉三錢　蘇芡實三錢
炙甘草八分　陳廣皮一錢　生苡仁三錢
白菓肉十枚

本社顧問部啓事

本刊醫藥顧問一欄。向由楊志一醫士担任答復。近因楊醫士診務忙碌。無暇兼顧。本部除另已聘定醫家担任外。嗣後讀者諸君。如需楊醫士本人解答者。照例減收兩元。以示優待。特此啓事。

大眾醫學叢書(一)

神經衰弱淺說

楊志一著　一冊實價四角

本書於神經之生理。衰弱之原因。療養之方法。預防之要訣。靡不詳論無遺。誠青年健腦益智之新書也。

性的衛生

楊志一編　一冊實價六角

本書於性的生理。性的誘惑。縱慾之害。及性病之攝生。結婚之注意。性慾之標準。節慾之方法等。詳爲解說。瞭如指掌。誠青年養生之寶鑑也。

家庭醫藥寶庫

楊志一　朱振聲　合編　二冊實價一元六角

本書集全國數百位名醫著作之結晶。無論大小百病。以及一切急救自療方法。莫不應有盡有。切實指導。並將醫學訣門，靈驗秘方。公開發表。備此一書。小病即能自行治療。大病可免生命危險。其價值可想而知。

吐血與肺癆

楊志一著　一冊實價四角

本書內容共分四章。第一章吐血門。第二章咯血門。第三章普通肺癆門。第四章特種肺癆門。每門又分診斷。原因。證象。治療。攝生法。經驗方。急救法。特效藥。精警語等節。論列精詳。字字皆從經驗中得來。同時附入除癆療蟲方。肺癆驗痰法。葛可久肺癆神方等。尤爲可貴。

性慾與肺癆

楊志一編　一冊實價四角

本書分上中下三卷。上卷詳述性慾之重要。及節制之方法，中卷詳述縱慾成癆之危險。及肺癆者之性慾問題。下卷首論肺癆與虛癆不同之點。次述肺癆初中末三期之現象。及肺癆與虛癆之治法。靡不盡量貢獻。應有盡有，誠肺癆病療養之新書也。

青年病全集

楊志一著　三冊實價壹元二角

本書出版以來。極受青年熱烈之歡迎。良由內容豐富。宗旨純正。對於青年遺精、手淫、陰萎、早洩、色癆、淋濁、花柳病、神經衰弱、發育不全、女子白帶與白濁等症。均有精詳之論列。妥驗之處方。稱之爲『苦海慈航』。誰曰不宜。

介紹實用

醫藥新書

外埠寄費加一

萬病驗方大全……二冊……實售洋一元二角
全國名醫驗案類編……八冊……實售洋四元八角
民衆醫藥常識……四冊……實售洋二元二角
家庭醫藥顧問……一冊……實售洋二元
國民醫藥須知初集……二冊……實售洋二元
國民醫藥須知二集……一冊……實售洋一元八角
丁甘仁醫案……四冊……實售洋二元四角
清代名醫醫案精華……四冊……實售洋二元四角
清代名醫醫話精華……四冊……實售洋二元四角
實用中醫學……四冊……實售洋二元四角
新本草綱目……二冊……實售洋八元
惲氏保赤新書……一冊……實售洋一元
惲氏脈學發微……一冊……實售洋六角
傷寒論輯義按【有光紙】……十冊……實售洋四元
劉譯皇漢醫學……二冊……實售洋八元
臨床應用漢方醫學解說……一冊……實售洋一元六角
和漢醫學眞髓【平裝】……一冊……實售洋二元四角
中國針灸治療學……一冊……實售洋二元八角

▲上海西藏路平樂里第九號　國醫出版社經售

名醫張壽甫先生遺著

衷中參西錄第七期出版預告

◉傷寒論數百年的疑難一語道破
◉於仲景心法之外出奇制勝
◉是食古不化的當頭棒
◉是徒尚空談的腦後鍼
◉未讀傷寒論者不可不先讀此書
◉既讀傷寒論者不可不再讀此書

全書一巨冊。准於陽歷六月底出書。定價一元六角。在未出書以前。書資先惠者。概按一元收價。郵費在內。出版以後。概照定價。不折不減。同時訂購六部者。概按五部收價。

門人 李寶龢 高崇勛 張堃 等同啓

收件處　天津法界大安里中西滙通醫社

上海國醫出版社經售各種醫藥新書

【余不平著】外科學總論……每部一冊實售一元二角六分
【周岐隱編】精神病廣義……每部二冊實售二元
【朱振聲編】腎病研究……每部二冊實售一元
【朱振聲編】婦女病……每部二冊實售一元
【朱振聲編】保腦新書……每部一冊實售四角
【朱振聲編】百病秘方……每部一冊實售四角
【朱振聲編】求孕與避孕……每部二冊實售一元
【朱振聲編】肺病指南……每部一冊實售四角
【朱振聲編】痛症大全……每部一冊實售四角
【朱振聲編】肝胃病……每部一冊實售四角
【張贊臣著】中國診斷學……每部一冊實售八角
【張贊臣編】中國歷代醫學史略……每部一冊實售四角八分
【張贊臣編】咽喉病新鏡……每部一冊實售四角
【朱振聲編】白病自療叢書……每部十二冊實售一元六角
【尤學周編】虛勞五種……每部一冊實售五角
【李如珪編】胎產問題……每部一冊實售四角
【葉勁秋編】花柳病治療學……每部一冊實售三角
【葉心佛編】節育的實施……每部一冊實售四角

外埠函購寄費一　社址西藏路平樂里九號

大衆醫刊價目表

定價

時間	冊數	書價連郵費
每月	一冊	大洋二角
全年	十二冊	大洋二元

國外照表加倍寄費在內郵票代價十足通用

廣告價目

地位	一冊	三期	六期
一頁	二十元	五十四元	九十六元
半頁	十元	二十七元	四十八元
四分之一	五元	十三元半	二十四元
特別地位	封面反頁及底面爲特別地位照表加二分之一		
附注	木刻銅版加印彩色費須外加常年惠登價目面議刊費先惠		

中華民國二十三年四月一日出版

大衆醫刊第七期

實售大洋貳角

編輯者　楊志一　上海西藏路平樂里

發行所　大衆醫刊社　國醫出版社內　上海西門金家坊一八七號

印刷所　讀者書局　電話二三八八三

代售處

千頃堂書局　上海三馬路

現代書局　上海四馬路

時代圖書公司　上海四馬路

百新書局　上海棋盤街

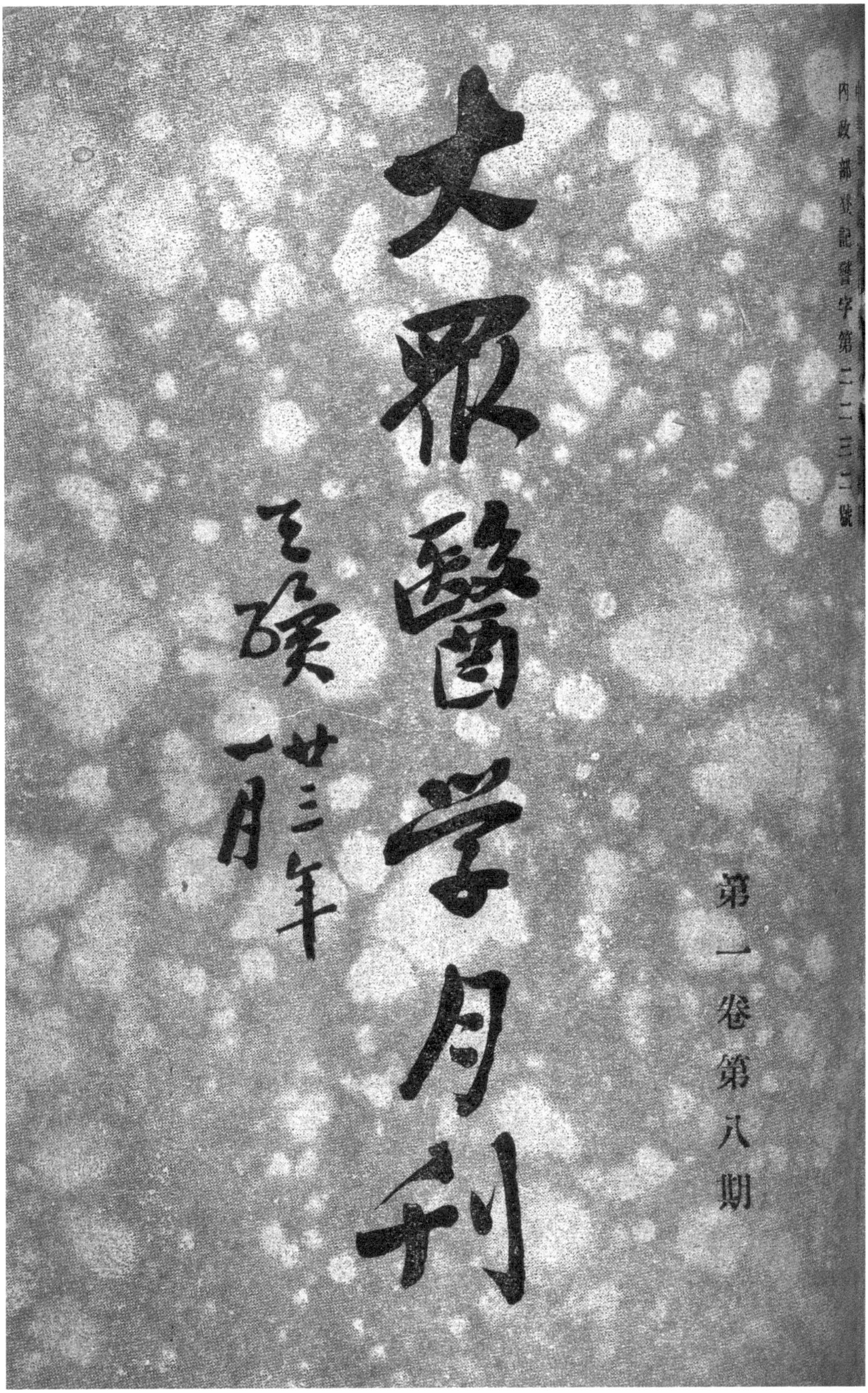
內政部登記醫字第二二三二號
大眾醫学月刊
廿三年一月
第一卷第八期

第八期目錄

目錄

食物養生

水菓可爲藥

謝安之

水菓一物。可稱爲天然良藥。所含之糖質。乃受日熱蒸熟者。性最滋補血液。且含水質酸質。二質頗善治病。食而覺爽。多因菓內含酸之故。凡合時而食。又細而嚼之。則不消化之病自無矣。間有患者。食水菓與蔬菜同時。及和有牛乳之食品等所致。雖然。獨宜與五穀之類合食。素問藏氣法時論曰。五穀爲養。五果爲助。（謂桃李杏栗棗也。）五畜爲益。五菜爲充。氣味合而服之。以補精益氣。若夫食之過多。及其生熟不均者。則又皆非所宜。甯多費數文。購佳者鮮者。以免發痧。或泄瀉諸危候。食水果宜膳後。若無定時。及膳間食之。仍有妨消化部運動。其汁蓋爲最要易化之質。故用之必須合度。凡患寒熱往來之症時。及肝藏不張之人。食之最爲有益。頭風時食之亦效。至於清瀉。尤其所長。惟無花果梅子葡萄與成熟之橄欖最神效。胆汁過多者。若數日內。食料專用水果。能見奇功。且其他各病。亦可依法以治之。祇須七日或十日之間。其酸質至胃而化成鹽質。可除血內之酸質。故患風濕病之人。可多食含酸之果。頭背痛者亦可。蓋其血含毒質。而水果足以敵之。至於堪爲小兒藥料。尤不少焉。總之。食肉者病多。食水果者病少。而膚亦滋潤。人能仿此行之。則無謂之痛苦自減矣。

鷄蛋之研究

趙石民

鷄蛋亦重要食物之一。與牛乳同。含滋養品甚富。分析之。蛋殼約占百分之十一。蛋白百分之五十七。蛋黃百分之三十二。蛋白及蛋黃中。含水約百分之七十。蛋白物百分之十二。脂肪物百分之十二。此其大概也。蛋白蛋黃中含有各種鑛物質。與吾人身體發育最有關係之鑛物。如鐵。如燐。如硫磺。如鈣。亦應有盡有。蛋黃中之鐵。係有機化合物。與血中之鐵。性質相同。尤爲不易得之補品。蛋黃中之燐。亦係有機化合物。能補腦。若蛋黃者稱之爲補血補腦聖藥。庶幾名實相符也。

食物中含滋養品種類最多者首推牛乳。能與之相抗衡者。厥惟鷄蛋。惟牛乳中含炭水化物較多。鷄蛋中則含鐵較多。各有其特長也。

吾國每年輸出之食品。鷄蛋亦爲大宗之一。揚子江流域一帶。鷄蛋日見昂貴。未始非係外人收買所致。出口之鷄蛋。可分數種。(一)雞蛋粉。其法將蛋白蛋黃。與殼分開。置於一鋅製之盤中。烘乾之使成粉。惟時或發現鋅少許於其內。近年來美國對於吾國輸出之蛋粉。取締極嚴。苟蛋粉中含有鋅萬分之一。或防腐劑如硼酸之類。即拒而不納。有用機器製粉者。然强半係外人在華經營之事業也。鷄蛋粉可以之代新鮮雞蛋。製造餅乾或他種食品用之。尤覺價廉物美。(二)蛋白粉。法將蛋白與蛋黃分開。乾之使成粉即得。可作食品。及各種工業上用途。如製造藥品。人造牛乳油等。紡織工業上亦時用之。(三)蛋黃。分有鹽與無鹽兩種。有鹽者。蛋黃中加鹽百分之十至十二。以爲防腐劑。工業上用之。無鹽者。蛋黃中加硼酸百分之二。不再加鹽。以之製造各種食品。蛋黃鮮有以之製粉者。因製粉時。須用極高之溫度。蛋黃中之脂肪物易揮發而減少也。

糙米能治脚氣病之理由

公退

脚氣病Benberi由來久矣。素問謂之厥疾。至唐始名曰脚氣。該症有流行性。至爲危險。考該症起因。約有二說。一說謂因腎虛挾風濕而發。一說謂食米之國。多有是症之發生。因米經精鑿後。則米中所含一種銀皮酸之原質(卽維他命Vitamine)缺乏。血液中遂失抵抗之力。據近代西醫考察。以後一說爲確。因是說經生理化學家霍勃氏。Hopkins種種實驗。而後斷定維他命爲人生食物中必不可少之要素。吾人苟常食機器米則難免脚氣病之患。如食糙米。則未聞有是病之發生也。蓋因糙米中含皮糠最多。皮糠中含維他命最多。故糙米能治脚氣病之理由。亦卽在此。

煮食物所需時間久暫表

志 華

食物煮之過久。足以毀壞生活素。以減少其營養價值。幷使之不易消化。然煮之過暫。則又常因其不能殺盡各種微生物。而有生病危險。間有含澱粉者。因不熟而不能消化。猶其小事也。故烹調食物所需時間久暫學識。實甚重要。茲爲范馬爾氏 Farmer,F.M. 所著之烹調學中所列的表。摘譯於左。以供家庭及飯店之參考。

品名	所需時間
咖啡	一—三分
羊肉腿部	二—三點鐘
火腿重八—十斤	四—五點鐘
大雞重六斤	二—三點鐘
小雞重二斤	一—一·五點鐘
海魚重二—三斤	二〇—三〇分鐘
比目魚重一—二斤	三十分鐘

品名	所需時間
卵煮軟	六—八分鐘
卵煮硬	三五—四五分鐘
醃牛肉或舌頭	三—四點鐘
家禽重三—四斤	二—三點鐘
蝦	二五—三〇分鐘
鱸魚重三—四斤	四〇—四五分鐘
小魚	六—一〇分鐘

番薯白者	二〇—三〇分鐘
豌豆	二〇—六〇分鐘
各種帶莢豆類	一—一·五點鐘
菠菜	三〇—三〇分鐘
白菜	三五—六〇分鐘
葱	四五—六〇分鐘
番薯甜者	一五—二〇分鐘
茄	一五—二〇分鐘
蘿蔔嫩者	四十五分鐘
蘿蔔老者	三—四點鐘
米	二〇—二五分鐘

生理片段

消化和吸收

楊席儒

問　食物在口內有幾種消化作用？

答　(1)機械的消化作用，就是用牙齒咀嚼，將食物磨成細碎。

(2)化學的消化作用，就是唾液能將食物中的澱粉質，化為可溶性的糖類。

消化和吸收

問 食物在胃內有幾種消化作用？

答 (1)機械的消化作用；就是胃壁的蠕動，能使食物和胃液混和。(2)化學的消化作用；就是胃腺所分泌的『胃消化液』，能將『蛋白質』化爲可溶性的配布頓。

問 胃液中含有什麼？

答 (1)胃蛋白酵素。(2)鹽酸。

問 食物在胃中，當有若干時間後，才入小腸？

答 胃的上口與食管相接連處，名噴門；胃的下口與小腸相接連處，名幽門。食物入胃後，幽門緊閉，經過二至四小時後，幽門才開放，使胃中之『食糜』進入小腸？

什麼叫作『食糜？』

就是食物經過口中胃中的消化後，食物已成粥糊狀者是也。

問 食物在胃中有吸收之能力否？

答 胃中的吸收極微；只能吸收配布頓，和溶於水中的鹽類·糖份等。

問 食物入小腸後，又經什麼消化液消化之？

答 胃中之『食糜』入於十二指腸以後：(1)有胰腺分泌的胰液。(2)肝臟分泌的膽液。(3)腸中的腸腺所分泌的腸液。

問　胰液是怎樣的一種液體？

答　無色無臭的透明液體，有鹽味和黏稠性，呈鹼性反應。

問　胰液能消化什麼食物？

答　胰液中有三種『消化酵素』；（1）胰澱粉酵素，能使澱粉化爲麥芽糖。（2）胰蛋白質酵素，能消化蛋白質。（3）胰脂肪酵素，能分解脂肪，變成脂肪酸和甘油。

問　什麼叫乳糜？

答　食物在腸中。經過腸中的三種消化液，消化後，於是食物中的澱粉（又名炭水化物），蛋白質，脂肪等，都被消化而成「乳液狀」，故名「乳糜」。

問　腸絨毛是什麼？

答　在腸粘膜上有無數橫襞，表面密生細小突起，好像天鵝絨，叫做腸絨毛。

問　腸絨毛的內部有什麼？

答　有微血管和乳糜管。

問　腸絨毛內的微血管在何處？

答　在腸絨毛的表面。

問　腸絨毛的微血管有何主要作用？

答 專吸收水份，鹽類和蛋白質，炭水化物等。

問 腸絨毛所吸之食物，先運至何處？

答 先輸於門脈。

問 乳糜管在何處？

答 在腸絨毛的中心部。

問 乳糜管有何主要作用？

答 專吸收已經消化的脂肪。

問 什麼叫作乳糜管？

答 在小腸中之淋巴管，而有吸收乳糜之作用者。

問 大腸之主要作用是什麼？

答 （1）專吸收水份。（2）排除不消化的殘渣，形成硬固的廢物，由肛門排出於體外，叫做糞便。

問 適度的運動，與消化有什麼關係？

答 行適度的運動，能增進食慾，並能使消化機能旺盛。

問 胃腸宜如何保護？

答 （1）食物應十分咀嚼，使易於消化。（2）不可暴飲，暴食或間食。（3）食器務須淸潔。（4）

食時尤宜精神愉快。(5)飲食要有一定的時刻。(6)胃腸不可壓迫。(7)胃腸不可受冷；因受冷是有害於消化，或致泄瀉。

問 何以在飲食時，須心中快樂呢？

答 因快樂爲使消化作用旺盛。

問 若在飲食時而氣怒者，與消化有何妨礙？

答 喜怒哀樂，是名情感；情感與消化作用，極有關係。若在飲食時發怒或憂傷者，最易使消化作用受影響；能使消化液不發生，以及腸之蠕動狀停止，而現消化不良之現狀也。

血球及其功用

般若

吾人試取血液於顯微鏡下觀察之。可見無數小粒。其形不一。此即血球也。

血球可分三種。其功用亦各異。

(一)赤血球。Erythrocyten 此種血球數目最多。因其含有赤色素。故得名。其功用在於內呼吸。即運輸氧氣至各細胞。以爲營養之需。赤血球經過一時期後。即行毀滅。其色素爲肝所吸取。以製造膽汁之色素。

(二)白血球 Leucoeten 其數少於赤血球。因其不具色素。故得名。能變其形。有似變形蟲。常借其變形之技。遷移於人身各部。且能吞食細小之物。吾人苟於一處受傷而不經意。毒菌入內。卽變成膿者。乃白血球無數成羣。吞食細菌所致也。不然。而任毒菌入體。我儕其殆矣。

(三)小血球 Thrombocyten甚小其數少於赤血球。而比白血球爲多。其功用在血之凝結。血液中本有如海綿體之纖維質。常凝結時。小血球麕集其上。結成一凝結塊。苟吾人偶爲刀所刺。卽有血流出。但稍出卽止。有血塊凝結其上。此小血球凝結之力也。

心臟和血管

楊席儒

問　心臟和血管之總稱，是什麼？

答　循環器，乃使血液循環全身之器官也。

問　心臟在何處，其形如何？

答　爲圓錐形空中之肉質器官，大如手拳，偏於胸腔中央之左方，在左右兩肺之中；心的尖端斜向左下方。

問　心臟肌是什麼一類之肌肉？

答　不隨意的橫紋肌。

問　心之外面有什麼？

答 外之外面，有漿液膜包裹之，名心囊；又名心包膜。

問 心臟內分為幾腔？

答 有橫隔分為上下二腔，又有縱隔分為左右二腔，共成四腔。上方之左右兩腔，名左心房，右心房：下方之左右兩腔，名左心室，右心室。

問 心房與心室之間有什麼？

答 有瓣膜；瓣膜之尖端，有細小強韌之腱索，和心室之底部接連着，左心房與左心室之間者，名僧帽瓣；因其形似僧帽。又因其是由二個薄膜所合成，故又名二尖瓣。在右心房與右心室之間者，名三尖瓣；因其是由三個瓣膜所合成，瓣膜之開放。均下向心室。

問 心臟之四腔，其壁有厚薄之不同否？

答 心室比心房厚；左心室比右心室更厚。

問 左心室與大動脈之間，有什麼瓣膜？

答 大動脈半月瓣。

問 右心室與肺動脈之間，有什麼瓣膜？

答 肺動脈半月瓣。

問 所有之瓣膜，其主要之作用是什麼？

答 防停血液之逆流。

血管之構造

前人

問 血管之作用是什麼？

答 乃血液循環之通路。

問 血管可分爲幾部？

答 (一)動脈：由心臟輸出血液之血管；就是將新鮮含氯之血液，由心臟而傳導於全身者。

(二)靜脈：就是將汚濁，而含二氯化炭之血液，由全身回流於心臟之血管。

(三)微血管，又名毛細管；爲聯絡動脈末稍與靜脈開始之細小血管，常構成網狀，佈滿全身；其管壁甚薄。

問 動脈與靜脈有何不同？

答 (1)動脈彈性甚强，管壁亦厚；靜脈之彈性較弱，管壁亦薄。

(2)動脈內無瓣膜；靜脈內有半月形之瓣膜。

(3)動脈就是將心臟中之血液傳送到全身者；靜脈就是將全身之血液，回送到心臟者。

(4)動脈內是含有氯之血液，其色赤；靜脈內是含有二氯化炭之血液其色紫。

問　微血管有什麼作用？

答　微血管壁甚薄；能將已消化之食物，經過微血管壁而入血液之中；體中之廢料。亦由微血管壁經過而排泄於體外。

問　動脈，靜脈，微血管之分佈，三者有何不同？

答　動脈，分佈在身體的深部；靜脈除分佈深部以外，又分佈在皮下；微血管是滿佈全身，幾乎到處都有。

問　動脈與靜脈有何不同？

答　附動脈與靜脈的比較表如下：

動　脈

一、從心輸出血液的血管

二、從心起始，次第分歧，越分越小而成微血管。

三、管壁厚，彈力性强。

四、有應心鼓動的脈搏

五、一般分布在深部

靜　脈

一、輸血入心的血管
二、從微血管起始，次第集合越聚越大，而終於心臟。
三、其管壁薄，彈力心性弱。
四、無脈搏。
五、分布深部以外，又分布皮下

青春寶鑑

結婚的衛生

董志仁

結婚條件。社會上一般人的眼光。是專門計及對方人物的漂亮。齒牙伶俐。舉動闊綽。金錢累累者。對於品行性格學識。反不計及。實是可憐無知的一樁事。更有現時代一般受過教育的女子。往往中學生要嫁大學生。這種虛榮的愛才。又是高尚知識女子的錯誤。其實眞正擇婚的條件。反爲一般人所不注意。就是：

1.血統關係。凡不明血統而成婚姻者。生出子孫。多遭癡駿、不具、精神病、眼病、及聾啞等病的不幸。雖較遠的血族、也應該禁止。

2.疾病關係。對方的身體强弱。是為一般人所要知道的。但是他的或她的父母。患癩病、肺病、或精神病的。一般人就少注意了。其實遺傳的關係。頗有患發的危險。又有生殖器發育不全者。或生殖器有疾病者。更是伉儷的魔障。在結婚前。是應該仔細偵查的。同時男女也應自己在未結婚前去思想一下。我的生殖器犯着過度的手淫否。生殖器有無異常否。覺有可疑之處。就應該到醫生處診斷或治療完善。假使不是這樣、未雨綢繆。那末結婚後夫婦間的感情。難免不洽。等到男的另娶妾媵。女的另戀情人。實在要悔不當初了。

二、結婚的時期。結婚在年齡上。以我國舊時的習慣。是男子三十而娶。女子二十而嫁。是很合生理衛生的。如果依照現代社會的惡習。男女均在二十歲以內結婚。實是減少壽命的禍機。又有結婚的時期。須釋春風和暖。萬紫千紅。百花開放時最好。其次在九十月。秋高氣爽的秋天。是適宜。在結婚時期迫近時。若有罹生疾病。須延期結婚。不要和俗例所舉行的冲喜法。舉行結婚儀式。尤其是患慢性肺勞病的。往往在結婚後。使病狀增進。宜格外注意。不可以為疾病未劇。當無大礙去着想。

三、結婚後的注意。結婚後在蜜月內過着甜蜜的光陰。往往有縱慾的現象。須知生殖器過用。為兩者疾病衰弱的起原。不可不節制。同時須注意拙著性慾衞生篇。(見本刊第四期)切實履行。現在尙有補充的。就是夏冬兩季的時候。最易縱慾。其一因着天時暑熱。衣單臥蓆。頗能引起性慾的衝動。其一寒天畏冷。同枕共衾。可以取暖。也是交媾的好機會。其實夏季開泄。冬季蟄藏之令。都應該守身如玉。保持衞生。最好的方法。是隔離寢室。至於交媾時。一般人因想保持長時間的快樂。或恐精出體衰。往往熬忍丟情。爲害不淺。法國亞爾搏阿爾病院長別爾開品士曰。「男女交媾而不丟精。則擾亂腦筋。其害甚於手淫。而女子陰機熬忍可久。其受害尤多於男子。余治婦人陰部掀腫、白帶、子宮病等。其原因多由於不丟精者」這是結婚後所需要知道的。

末了我還附帶說幾句。前面所講的私拚淫奔。果然是壞事。但是一般婚姻介紹。往往左右瞞騙。或者男女自已。幷不願意。而强爲結合。以致婚後成就一對怨偶。因怨而鬱。因鬱而病。甚至自殺。直接是不能享受家庭的快樂。間接是損害民族國家了。我們應該隨時勸導這班舊腦筋的人們。

遺精之研究

鍾志和

遺精爲青年人最普遍之一種生殖器疾患也。倘加精密之調查。爲數頗足驚人。故當力求杜絕其流弊。是爲至要。青年春機發動。慾火攻心。難以抑止。爲謀性慾之發洩。往往演成遺精之隱疾。其輕者累及終身體魄之康健。以及將來生育之不振。重者因而戕身自殺者亦習有所見。報載湖南某郵局職員青年某甲。患遺精症甚劇。每次晤見其未婚妻即患遺精。因之體力孱弱。但恐日後貽害其妻。陷家庭於不睦。遂服毒自殺。此種慘劇。直接危及自已之生命。間接影響於社會之安甯。並國家之强弱者頗鉅。顧亭林先生有言。謂國家存亡匹夫有責。余於是爲文警惕現代之青年。冀若輩早有覺悟而謀自救。則幸甚矣。茲將遺精詳述於後。以供參考。

■原因　（一）劇烈之脊柱疾患或脊髓炎。（二）手淫爲最大之原因。青年在春機發動期。愛看淫書。淫戲。淫電影。思想污穢。常起不正當之觀念。遂幻想假作性交之事實。而以雙手或其他器物刺激陽物令其興奮。乃致射精。（三）射精中樞及勃起性中樞。因各種緣故所致之中樞衰弱。每起遺精。（四）精液流出過多。而患遺精。（五）後尿道充血。（六）精囊無緊張力。（七）射精管弛緩無緊張力。（八）煙酒過度或用腦過度。神經衰弱。（九）夢遺。（十）有謂因性交過度。但未證實。

■症狀　（一）頭暈目眩。或頭痛。背痛。後頭痛。偏頭痛。（二）頭及脊柱之肌軟弱。腰酸。四肢無力。（三）有時眼有黑圈。皮膚蒼白。面容憔悴。（四）食慾不振。厭食。舌厚。有苔。惡心。嘔吐。胃痛。胃酸過多。其後胃酸減少。因消化系統功用紊亂。遂起消瘦。（五）便閉口臭。（六）血運循環受累。倘步行過急。或登高上樓。即有心悸亢進。氣喘等狀。稍有驚嚇。則更劇烈。有時每呈貧血。（七）疲乏怠惰。在遺精後尤爲顯著。下午脚底手心每覺灼熱。而舉步甚重。雙手易於顫動。(八)睪丸處有神經痛。(九)神經衰弱。每有失眠及神經易惹動輒發怒之概。(十)少聚精會神等合羣性。(十一)神氣沮喪。遇事少剛毅勇果冒險進取之志。(十二)記憶力銳減。時有耳鳴。眼暗。等情。(十三)性神經衰弱。陽萎。早洩見色不舉。缺少情感。生育缺少。嗣麟絕無。(十四)重者釀成癆病而死。

療法—(一)嚴禁手淫。爲第一緊要之信條。凡淫書淫畫。以及污穢淫褻之戲劇電影。均當禁絕。爲家長者。當預爲勸導其子女。並詳爲申誡手淫之大害。俾可預防。凡學校當局。亦須設法妥爲防範。並隨時聘請醫家講演其危險。俾學生不致盲然從事。後悔莫及。(二)適當之運動。或體操使青年者無閑暇可以思及不正當之慾念。(三)被褥等以輕鬆爲宜。以免刺激陽物。易於勃起。而患遺精也。(四)禁止吸煙飲酒。以及富含刺激性之食物。(五)夜間臨睡前。舉行柔軟體操。或適當之步行。(六)臨睡前以熱水或冷水濯足。俾生殖器之充血。可以減少(七)夜間側臥。被褥等不可過暖。(八)通利大便。睡前寡思慮。少用腦力。(九)失眠者當速延醫求治。或可內服臭化物及雙二烷尿素蘋菓酸Barbitoue等劑。(十)性神經衰弱者。或病勢仍在進行者。宜急聘醫家診療。切弗擅服市上奸商庸醫之催慾興奮劑。如育亨賓Yohimbuie壯陽丸等。以免發生危險。

花柳病之禍害

姚菊巖

淋病經過中合併之睪丸炎。每使成男性不姙症。不能生育。因睪丸為分泌精液之機關也。

患白濁之人。尿道口常有白濁菌淋漓。易於手指接觸。故手指上常有淋菌沾着。直接的擦入自己眼中。間接的揩在手巾上。而傳染他人。發生膿漏眼。治不得當。每致失明。

女子有淋病者。分娩小兒。每因胎兒經過產道。將母之淋菌傳入眼內。發生初生兒膿漏眼。其例甚多。往往失明。幸目下新法接生。不論產婦有無淋病。小兒生下。必用一〇%蛋白銀水。點眼一次。以資預防。又據盲目學校之統計。百分之四十四之盲子。是由於淋病所起。

婦女之傳染淋病。若僅及於子宮頸與尿道。則病好後仍可受孕。如其已入子宮口而達子宮腔中。則受孕甚難。或不能受孕。

婦女之痛經。大都由淋菌侵入子宮內。發生子宮內膜炎之故。輕者每屆月經來潮之時。小腹部及腰部疼痛難堪。

梅毒菌侵入血液不足慮。九一四確能撲滅之。所慮者梅毒菌侵入腦部。而發腦梅毒。在治療方面頗感棘手。勞動階級之患梅毒。以梅毒性瘋癱為多。蓋勞動之故也。智識階級之患梅毒。以侵犯腦中樞為多。蓋多用腦力之故也。故上流社會之患梅毒者。以澈底之根治療法為要。毋使養癰貽患。而造成不治之腦中樞梅毒。

血症概論

吐血不要怕

王景賢女士

吐血的原因。是什麼呢。就是內臟的陽絡損傷。使血從口裏吐出。有幾個因爲吐血過多。雲時昏厥。有幾個因爲吐血之後。變成癆病。所以人們患了吐血。都要大驚小怪的嚇壞了。其實吐血變成昏厥的緣故。都是大驚小怪。由自己嚇出來的。因爲嚇得心悸亢進。血行速極。所以血出太多。變成昏厥了。吐血變成肺癆的原故。都是藥石亂投。被醫生醫壞的。因爲錯用止澀藥劑。强止其血。反致鬱血停留。變成肺癆了。而且吐血和咳血。絕對不同。咳血果有變成肺癆的可能性。吐血是不容易變成肺癆的。何必恐怕呢。要曉得普通吐出來的血。大半不是好血。多是平時鬱結所停留的廢血。是應該流出的。何必恐怕呢。你們若還不相信。我就提出幾個古書裏的証據來。張仲景所著的金匱說。『嘔家有膿血者。不可止嘔。膿盡自愈。』華陀所著的神醫祕傳說『治郡守病。血鬱於上焦。使其盛怒。吐黑血數升而愈。』照此看來。那末我前面所說的。你們便可相信了。倘若患了吐血病。那就不必恐怕哩。倘然不信我言。起了恐怕憂愁的心。必有許多害處。橫生出來。因爲起了恐怕的心。心悸亢進。吐血必要增重。起了憂愁的心。神經鬱結。鬱血更要停住。鬱血停留。好血不能流通。愈蓄愈多。就要使血管破裂。吐血愈加增劇了。併且怕懼太過。夜寐也要不安。憂愁太過。飲食也要不香。種種的疾病。便要重重疊疊的加出來了。那末輕病轉爲重病。重病趨入死路。那是多麼危險可怕的事啊。所以我希望諸位同胞們。倘使患了吐血。千萬不要怕。只要安心靜養。請一個良好的醫生診治。那就可以全愈了。倘使鄉間的人們。請不到醫生。可以速服童便一二杯。或用白毛鴨一隻。殺取他的熱血。再冲入熱紹興酒。加食鹽少許。用箸攪和。慢慢地飲下。很有效力。不但治吐血有效。並且還能補益身體。那就不必怕了。

咯血調養法

駕山

咯血者，肺臟或肺管粘膜出血。因咳嗽而咯出也。其原因雖不一。大抵以肺癆病爲最多。血液之狀態。或爲絲狀。或爲點狀。以混和於痰中。或爲純粹之血液者亦有之。病人但知亟用藥物以止其血。而不知調養法爲重要也。

一、關於衣食住者。

(一)衣服宜寬。忌緊迫。腰部束帶忌緊縛。被宜鬆。足部宜溫暖。

(二)食物飲料宜微溫。忌太熱。太熱則血液循環加速。易從破裂處滲出。

(三)堅硬咀嚼之物。宜勿食。流動液體者。如牛乳。半熟鷄蛋。稀粥之類。每日回數宜多。食量宜少。
(四)勿食刺戟性食物如酒煙酸辣之類。
(五)臥時上身宜高。身體宜安靜。不可起坐妄動。無論朝夕。均宜靜臥。
(六)臥室之窗戶。宜四面開放。以通空氣。惟不可直接當風。恐罹感冒。

二、關於動作者。

(一)精神宜安靜。萬勿生恐怖驚怯。
(二)切戒言語過多。能不語爲尤佳。
(三)喉頭作癢欲咳嗽時。宜勉强忍之。萬勿任其多咳。
(四)大小便宜在牀上。不可坐起。尤忌用力猛掙。宜服輕瀉藥以通利之。
(五)不可用深呼吸法。

三、關於治療者。

(一)咯血極多時。以三錢五分食鹽。化冷開水食之。有止血之效。
(二)咯血止後。須安臥至七日後。方可起坐及步行。
(三)咯血極多時。宜以布帶緊縛其四肢。約半時至一時。以減少其還流於心臟之血液量。去其布帶時。宜緩緩去之。不可急劇。

(附言)咯血者如用嗎啡。則痰不易出。病毒必潴留心肺內。故以不用嗎啡爲佳。患是病者其注意之。

血症扼要譚

楊志一

(一)吐血與咯血　以病理言。吐血屬胃。咯血屬肺。吐血爲胃部血管破裂所致。其症輕。咯血爲肺臟血管損傷而然。其症較重。以症狀言。吐血之狀。其量多。其色紫而黑。或兼嘔吐。或雜食物。及入水必沉等是。咯血之狀。其量較少。其色多鮮紅。或兼咳嗽。或見痰紅。及入水必浮等是。以此辨明。施治自免誤矣。(拙著吐血與肺癆一書。論治甚詳。讀者可參閱)

(二)止血先祛瘀　世人治血症。初則以寒涼止血爲先。繼則以滋膩補血爲務。以致血止而復發者有之。瘀阻肺部。轉成肺痮者有之。瘀滯胃脘。釀爲胃癰者有之。此皆昧於祛瘀生新之義。故先哲有「止血必先祛瘀」一語。以昭示後人。用意至爲深切。唐容川血證論云「男女血證。不知去瘀生新之法。抑思瘀血不行。則新血斷無生理。即瘡科治潰。亦必先化腐而後生肌。腐肉不化。則新血亦斷無生理。且如有膿管者。必爛開腐肉取去膿管而後止。治失血者。不去瘀而求補血。何異治瘡者。不化腐而求生肌哉。」其論更爲精當矣。

（三）用藥之宜忌　繆仲淳曰「治吐血有三訣。一、宜行血不宜止血。行血則血循經絡。不止自止。停之則血凝。二、宜養肝不宜伐肝。養肝則肝氣平。而血有所歸。伐肝則肝虛不能藏血。血愈不止矣。三、宜降火先須降氣。氣有餘。便是火。氣降則火降。而氣不上升。血隨氣行。無溢出之患矣。」此篇語語精要。堪作治血之準繩。尤要者。吾人臨症之際。須審「升降」二字。血症既屬氣火之冲激所致。則一切升提之藥品。在所當禁。免助其勢而增其病也。

（四）童便之價値　凡吐血者。急取童便一盅飲之。或於對症藥中。加童便冲服。或自服迴輪湯。（須無梅毒淋濁等症方可）均著成效。但須取清淨者。考尿水含有安母尼亞及鹽酸。能斂血管以復血行。其惟一之功用。厥爲止血。并無補血之效。世人不察。誤作補劑。固無意識。而西醫說尿是人體內的排泄物。絲毫沒有用處。亦未免抹煞事實。

肺病指南

肺癆病的三種「起病式」

朱仰高

肺癆病的可怕。是沒有人反對的。其實從根本上想一想。牠的病原菌「結核菌」的毒力。倒也不如其他如鼠疫或霍亂菌的這樣利害。這二菌的毒性。可算是非常的急烈。可算是一觸卽要豪着其害的。把結核菌的毒素。與這二種的毒素來比一比。倒覺得結核菌的來得比較的慈善了。惟在其他方面思索之。則又因其是慢性的。便容易使人忽略。而任不知不覺的將來中。得着可怕的結果。好比白蟻的毀屋。輕輕地慢慢地可把一處極大的屋簷蛀得空空如粉的一樣。那麼這結核菌的可惡性危險性。就可以明白了究竟在那裏。

惟因這肺癆菌是一種慢性的傳染菌。吾人對於牠的防範。亦只要慢慢的。但是要忍耐的繼續的去做。卽是牠侵入了人體之後。只要發覺得早。終尙可以設法去消滅牠。至少亦可以把牠圍住。不使其逍遙自在。毫沒有顧忌。惟若不能如此早時的發覺。而把牠放鬆了。那麼就種進了不了的禍根。將來生命之危險。就可以立見。所以可說早時的發覺與預防。要比任何一種良好靈藥爲要緊。

當然吾不必將初期肺癆病的種種診斷法一一地說明之。本文的用意。亦不在此。只要把初期肺癆起源的式樣。稍稍地寫出一些來。或可使人注意這可怕的惡魔。免得失去了這貴重的早時期。

以先醫家的學說。把肺結核病的發源地恆是看作在肺尖部。但由近來的研究與經驗。確證明沉重性肺癆病。倒不常在尖部開場。而在其四週處發現。(如鎖骨下部)。我們可用X光切實的診斷之。其起源時所占的部位極小。漸漸地方纔向週圍處放大。茲將其三種起源的式樣。簡述於下。以待病家的參考。

（甲）傷風式的起源　初起時卽呈高熱度。（三十九度）體重大減。痰液排泄不多。形似普通傷風症。（Crippe）有時一經治療。其病卽去。但若不加留意。不多時。（三四個月或半年一年不等）屢發屢愈。其後發症時之痰液則漸漸地加濃。形成膿狀。而可極黃厚。病家因其屢發屢愈。往往不關心意。認爲不甚嚴重。尤其因在不發之時間。全無熱度或咳嗽。故更覺放心。不料一旦發而不去。熱度經久不退。咳嗽愈嗽愈甚。精神漸漸不支。方覺其病之不輕。惟已治療不易。而竟有誤命者。良可嘆矣。

（乙）氣管支炎式的的起源　此式最是普通。故亦最多。起病時並無熱度。多咳嗽較甚。用藥後亦不甚見效。惟痰液不多。如卽時檢查身體。（X光痰液及血液之檢查）往往可得病原之何在。如誤爲普通嗽症。則將來蒙其大害。

（丙）出血式的起源　此種起病式樣。外觀較爲利害。其實。咯血亦並不表明肺病之甚。病家惟因見血。多數驚懼。而反注意。故此類病家。反得早期治療。惟咯血症性甚慢。不易根去。需有長久之忍耐性。方可期其全癒。

上述的種種之外。醫家尙有其專門的診象。與其斷病的方法。來診斷其病家。病家切不可因之而自行斷病。反覺疑驚。（按記者有時遇此種情形）不是肺病。亦怕有病。此種情形。非是此篇之意。特愼重聲明之。

肺癆病之熱型

黄鼎瑚

體温之增減。與疾病之消長。關係甚大。以肺病而論。熱度高卽可以測知其病勢進行速。熱度低則其病勢進行遲。通常之肺病熱度分二種。有常在攝氏表三十七度至三十八度者。謂之亞熱型。亦有至晚增至三十九度至四十度。謂之癆瘵熱。熱度愈高。豫後愈不佳。惟慢性肺病熱型並不高。或體温竟完全無變化。與常人無異。反之繼續性之高度熱型。卽爲病勢推進之徵象。

熱度大牢晚升而晨降。晨間體温往往降至較平常高〇，三或〇四度者亦有降至平常温度狀態者。亦有反其道而行者。則晨高晚低。謂之顚倒熱型。但不多見。豫後則更不佳。有向來無熱度。或熱型甚低而突然增高者。此時醫者當細爲偵察。蓋發生合併症。或病灶突然進行。皆足以致之。故肺癆之兼有腸癆者。或結核性腹膜炎者。或結核性腎臟炎者。其熱度必高。

此外藥品之足以引起反應者。用之偶或不愼。亦可因此喚起高度熱型。是以病者每日體温之檢查不可輕忽。緣病之起伏。合併症之發生。藥物之是否得宜。雖不可盡於熱型中得其癥結。要亦爲測驗病勢之一助也。

檢查體温可於早晚行之。每日兩次。以所得之結果用表記之。則症候之變遷。庶於是乎測知。便利醫家。當非淺鮮也。

肺結核與血球沉降速度之關係

丁惠康

現代醫學。對於血液學之研究。不遺餘力。德國醫學家林斯邁及威德張兩氏。利用血液之沉降速度法。以預測肺結核之進行程度如何。及檢驗其治療法之合宜與否。其原理謂吾人血液若抽出於血管外後。則必漸漸凝固。此時可見上層爲一種黃白色液體。卽血清是也。其下層則爲血球之沉澱物。普通血液在血管中。血球血清爲混合體。永不凝結呈沉澱現象。但在病重時方有之。尤其肺結核患者。其血液中。血球沉澱性變化甚大。病勢沉重時。則沉降速度快。病勢佳良時則慢。故以血球沉降之快慢不同。而定病之輕重。及預後之佳良與否。此二氏之血球沉降速度檢驗法也。如常人每小時其沉降速度爲二至五厘。而結核患者必較速。若經數度沉驗。其沉降速度如每次加速者。病必不良。當另謀療治方法之改進。反之若沉降速度每次檢驗漸行遲緩時。可知療治之合宜。故各期肺結核之是否進行。及其治療之是否合宜，均可藉此而證明。故此法不獨可診斷肺結核進行之程度如何。且於肺結核之治療上。亦有莫大之貢獻也。

自此法發表以來。各國醫家之對於結核症治療。便利不少。且可定治療之步驟。及現時治療之是否合宜。造福病人。良非淺鮮。歐美各國。大多均巳採用。余在上海肺病療養院病人。均用上法檢驗。其成績亦佳。

述肺部之梅毒

梁俊青

肺部之梅毒。發生於梅毒第三期。前人以爲乃罕見之梅毒症象。其實臨診時若留意診察。則必訖異其數見不鮮。蓋其症象絕似肺癆。醫者若不留意。往往誤診爲肺癆也。按梅毒之發於肺部。初不明顯。僅有咳嗽。胸前苦悶。胸骨疼痛等症狀。病者身體日益瘦弱。胃口逐漸低減。其後則痰中帶血。多少不一。呼吸感覺困難。有時發熱甚高。有時則微覺發熱。所吐之痰除帶血外。多半爲膿液性。此時病者每以爲肺癆症。（即肺結核症）而求診於醫者。而醫者聽其病情如上述。檢驗其肺部。有氣管性呼吸或水泡音。以愛克司光照之。有空洞或浸潤性病灶。往往亦不假思索。以爲乃第二期或第三期之肺癆症。於是乎日光療。太陽燈療。氣胸術療。營養療。藥物療。氣候療。諸如此類。不一而足，而病狀日益加重。甚至氣急痰湧而死。一般人猶惜其求治太晚。以致不救。其實寃也。

至其診斷。因症象與肺癆相似。頗不容易。診者除注意其已往病歷外。並須檢查其身體有無梅毒徵象。若病者喉頭有類似梅毒性潰瘍。或瞳孔反射消失。或膝蓋骨筋反射消失。以及其他梅毒徵象。同時肺部又有上述現象。則必須施行華氏梅毒血清反應檢驗。在必要時須舉行腦脊髓水之華氏梅毒反應檢驗。有時華氏之梅毒血清反應可以呈顯負性。此時可注射零四五之獅牌九一四以激動之。然後取血檢驗。若係梅毒。則必顯正性之華氏反應。有人謂用愛克司光檢驗可以診斷肺部梅毒症。其實非富有經驗之肺病學專家不能辨之。蓋肺部之梅毒。雖在愛克司光片上有濃厚之背影。呈顯於氣管分枝處。爲其特徵。然其病灶往往在肺尖或鎖骨下亦有之。有時且有萎縮性條紋或空洞。極易被人誤認爲肺癆也。總之診斷肺部之梅毒症。必須注意病人以前有無梅毒傳染之可能。其身體各處有無梅毒徵象。同時參考其華氏之梅毒反應。以及目前肺部之種種症象。則其診斷不易致誤。有時眞正之肺癆症。患者亦可同時染有梅毒。此時可注射九一四驅梅毒劑以覘之。若其肺部之症象不退。同時痰內又檢得結核菌。則知其肺部之症象乃因肺癆而起。並非肺部有梅毒之侵蝕。普通人對於曾經傳染之梅毒。往往諱莫如深。其實若其梅毒發作於肺部。則必給予醫者以診斷方面之困難。反可自誤。願社會人士注意及之。

胎產問題

女子孕期之注意（二）

張壽漢

5. 潔淨身體——孕婦之身體。因有胎兒之關係 。排洩較多。皮膚為排泄緊要之器官。故須日日沐浴。每日晨起浴之最佳。至孕末之期。更宜勤浴。水之冷熱適度。下體勿浸在盆內。以免污水溢入陰道。按中國婦女。鮮知沐浴之益。所以浴室少備。以為一過夏天。即不沐浴。其實新陳代謝。無時或息。若不按時沐浴。則皮膚上之生活機能受阻。為害非淺。但多數已成習慣。一時改革不易。欲求潔淨身體之法。最好用毛巾醮熱水。揩擦身體。擦時預將窗門嚴閉。如遇冬季。置一火爐。待房中溫度勻和後。方可卸衣。

孕婦外陰部。往往因泌液增多。易致不潔。宜用硼酸水一英錢。化開水一磅。勤加洗滌。或用微溫水洗之亦可。若其夫曾患白濁症者。更宜常洗。或醫士診察。而按法治之。

孕婦又常有牙痛之患者。宜常擦牙漱口。雖有蛀牙而無搖動者。切勿輕易拔去。因產後多能自愈。

6. 注意乳房——凡受孕後。乳房逐漸膨脹。以增乳腺之作用。故衣服亦當寬鬆。不可壓抑。若有乳頭進縮之狀。每隔數分鐘時。以清潔之指。引之使出。孕末前三四星期內。用炭匿酸甘油。和水一倍。每日擦乳頭兩次。

在授乳期內之婦。或有懷孕。宜速速斷乳。否則非特母兒兩受其害。且易小產。初乳適合初生兒之消化。有益于兒甚大。故親自哺兒。爲孕婦第一之希望。亦爲母之天職也。

7.節制房事——孕期中能絕慾最好。次之亦當節慾。若逢往日行經之日期。及孕末之前數日更宜注意。若曾流產者。尤當謹愼。

8.靜養精神——孕婦須要甯靜。七情六欲。驚駭之事。宜設法避之。睡眠宜足。每晚須睡八小時以上。日間最好略睡片時。以資休養。

9.通潤大便——大便須每日有一次。若有大便閉結之習慣。尤宜注意調理。(A)飯後略食水果。(B)多飲白開水。(C)勉勵適當運動。(D)改換日常之食品。若有便閉日久。發生不爽快之狀態。須請醫士診治。切不可擅服重瀉之藥品。而引起小產之惡果。

10請醫診察——婦人受孕後。應請醫士隨時診察。若有身體不爽之症候。可請醫士設法改善。至孕之末期。則每隔一二星期。受診一次。

11勿急臨盆——在臨產前之數星期。往往因子宮收縮。胎動過重。致腹作痛。此名曰前驅陣痛。亦名試痛。惟無整調。在綿綿作痛之時。用熱物暖之即止。有時因受寒或大便不暢。致有作痛之徵狀。必須細細辨明。切勿誤會發動。慌忙臨盆。致成難產。亦不可揉擦腰腹等部。以免發生未熟之誤。

益母草對於產後之功用

葉橘泉

「益母草之用於產後。收縮子宮。排瘀生新」。崩漏。或產後腹痛。瘀血不下。或胞衣不下。或流血太多。均可用益母草煎劑。或益母膏。有特效而無流弊。此為中國數千年相傳，廣被民間應用之單方也。「用量」益母草。三錢至五錢。作煎劑服。一日量。

益母膏。六錢至一兩。開水化服。一次量。

茺蔚子。（益母草子）二錢至四錢。一日量。。煎服。

橘泉按。益母草為唇形科之 Leonurus Sibiricus L 也。莖方形。高四五尺。葉對生於節間。有三深裂。各片又有深缺。夏季於葉腋間。環生淡紫色之小唇形花。一花結四子。名茺蔚子。其莖。葉。花。實。均可供藥用。中國各處均產。神農本草經。列為上品。因其對於胎前產後。婦人諸病。推為妙藥。而頗被賞用。所以有「益母」之名也，據日本久保田氏暨中島氏等之研究。謂「本品之子實。主用於通經。子宮收縮。鎮靜。變質。解熱等諸目的。而葉。莖。根。花。用作收斂消炎。利尿瀉下解毒劑。而使用之。並實驗得本品之植物鹽基中。分析出一種單斜晶三菱形結晶。名之謂 Leonurin 。但此物不過原料之〇・〇五%內外將此 Leonurin 注射於動物。見其血壓有一時的下降。但數分鐘內。卽恢復。且在下降時。心臟之搏動不見減少。可知其與迷走神經中樞無關。而對迷走神經末梢有刺激作用。對於心臟。並不現著明的毒性。對於血管。著生收縮。對於子宮。增加其緊張性。而收縮子宮運動之速度亦著增加。將試驗液注射於動物靜脈。以觀察其尿量之變化。則注射後數分鐘。其尿量卽增加至二倍乃止三倍。且其作用富有持續性。採取家兔之脫纖血。作百分之五之血球液。以檢試溶血作用。凡二百度之稀釋度。能證明有完全之溶血作用。又謂益母草中含有多量之無機鹽類，當臨床應用時。此種鹽類須發生一定之作用。固不俟言。而此次新分離所得之植物鹽基。對於身體亦必能發生種種作用。亦可推而知之也，且素來以益母草用於通經。子宮收縮。鎮靜。變質。解熱等目的。其藥理之一部分，亦得以Leonuriu之作用以解說之。故「Leonurin可謂益母草中之一有效成分云云」。於是。我國數千年相傳而廣被應用於產婦科上之益母草。現在可由新的藥理作用。以達議論藥效之域矣。然當臨床應用之時。本品是否祇限以上之功效。而有無其他特效之發見。尙待學者之研究進步耳。

避妊新法

謝筠壽

世有不少之避妊希望者。然而避妊之法亦多矣。有利於避妊之目的者。往往不利於要求之人。如手術法等是。有利於要求者。往往不能確實達到避妊之目的。如坐藥等是。所以避妊之方法

●迄今尙無一定全者。亦一恨事也。玆德國發見一新穎之避妊法。如果有良好之結果。豈非一有興趣之問題。

此新避妊法之動機。由於娼妓之不妊症而來。原來長久爲娼妓生活之婦人。雖結婚後亦多不能舉子。追求其理由。知娼妓因過度之房事。在體內產生一種精虫之毒素。即所謂『賜保命毒素』(Spermato xin)是也。倘能將此等毒素。人工的作成於婦人之體內。則事實上該婦人與行避妊法之理由正相同。然則如何而可作成此毒素耶。是乃本文研究之主題。據德國所發表者。以丈夫之精虫。向其妻行皮下注射。二次或三次。能發生「賜保命毒素」云。其有效期間約半年。又以動物之精虫。爲此目的而注射時。其結果亦同。但以同種類之精虫爲有効云。

小兒病

驚風之研究

陳杏生

從來醫家。關於驚風一症。(即西醫所謂腦膜炎)既乏精確理論。治療上又難收美滿效果。是以小兒罹此疾病而夭亡者。幾等恆河沙數。殊可慨也。余十四年前。深信前人急慢驚風之說。分別醫治。似已能盡根本治療之能事。及今思之。頗覺前人立論之謬。與醫治之失當。故每一依據其法。多屬隔靴搔癢。難求切合於病情。宜乎無準確之效力。茲以鄙人研究所得。從事實驗。爰將前人醫治誤謬之點。分述於後。以開驚風症之新治療。

關於前人所論急慢驚風症治。試立表以釋明其意。

驚風

急驚風屬陽實熱之症

一，症狀爲筋絡抽搐。面赤身熱。或角弓反張。目睛上視。或痰涎潮壅。牙關緊硬。或氣急氣喘等類。惟本病之發暴而急。

二，主治之法。不外淸涼退熱。

三，療治理由。謂熱極生風。風動則筋抽。能退其熱者。即所以治驚。緣驚抽之作由於熱。故不必求抽筋之醫治。而抽筋自愈也。

慢驚風屬陰虛寒之症

一，症狀爲吐瀉。或久病之後。抽筋絡搐。身軀或微熱。或頭部獨熱。或竟不發熱。面色青白。或有痰。無痰。或氣急。或肢冷氣微等類。惟本病之發緩而慢

二，主治之法。不外補陽溫脾。

三，療治理由。謂吐瀉或久病傷脾。脾土虛而肝木來乘。木不自制。侮土生風。風動則筋抽。能治脾土者。則脾土之病愈。而肝木自平。故抽搐雖不治。而治其致病之由來。則筋搐自止矣觀前人所論驚風症治。似乎皆從根本。殊不

知此種治法。徒爲惑人而誤事。豈眞有裨益哉

茲將其謬誤各點。分條舉述。以告後學。免致盲從。而貽人於夭折也。

(一)慢驚風症之抽搐。謂土虛木乘。侮土生風。風動則抽搐。蓋已明指脾土病而涉及於肝木病矣。夫既爲脾土與肝木兩臟之同病。何以用溫陽補脾之藥獨治一脾臟。試觀仲師傷寒論。太陽病傳至陽明。如太陽病未罷者。卽當太陽與陽明合治。乃前人之治驚風也。不知仲師療法之意義。而妄爲圖治於偏面。欲冀痊愈。其可得乎。況溫陽補脾之藥。是否能熄肝風。此爲其謬誤者一。

(一)急慢驚風之抽搐。俱爲該兩病所有之症狀。而同屬乎肝風。固毋待言。何以其治法。一主寒涼。一主溫補。夫肝風之動也。究因寒而動耶。抑因熱而動乎。惟攷閱難經。祇有熱極生風之句。未聞有因寒動風之說。此又爲其謬誤者一。

(一)急驚風症。嘗見於涼解後。有熱退抽搐未停者。慢驚風病。每投溫補之藥後。脾土之虛復。而抽搐仍在者。甚至因抽搐不止而至死。若果如其言。病根在肝在脾。則誠當愈矣。今之不愈者。又可從臨床上驗實。足資證明其不確。此又爲其謬誤者一。

基上種種之謬誤。實由於病理之不確。欲其治愈驚風之疾者。吾知其當深思其故。而別求有効之之方藥也。

慢驚風論治

徐志勉

慢驚風西醫謂之虛脫麻痺。乃由慢性營養障礙而起下痢。蓋下痢因大腸之吸收機能減退。而反增蠕動性而來者也。若繼續下痢。則漸次消失其體內之水分。故各臟器細胞之水分。亦隨而消失。其機能亦因之而衰退。卽循環器之細胞消滅其機能。則忽然失力。而陷於虛脫。且神經細胞因減水分。而起退行性變化。消滅其機能。遂現出麻痺現象。可知慢驚風非一種獨立之疾病。因營養障礙而發生一部分之症狀也。中醫謂慢驚之症。緣小兒久痢久瘧後。脾胃虛弱所致。醫學正傳曰。慢驚風者。因吐瀉日久。中氣不足。而得。金鑑云。小兒稟賦不足。或因急驚用藥過峻。暴傷元氣。每致變化慢驚之症。沈金鰲曰。其候因外感風寒，內作吐瀉。或得於大病之後。或誤治傳變而成。其症爲小便清白。身微溫。口鼻中寒。或肛門下陷。不知人事。(虛脫)目上視。或斜轉。(滑車神經寬緊之故)神昏手足瘈瘲。口角流涎。(神經麻痺)脈沉無力。睡則露睛。此眞陽衰耗。而陰邪獨盛。或陰盛生寒。寒爲水化。水生肝木。木爲風化。木尅脾土。胃爲脾之府。故胃中有風。瘈瘲漸生。此爲虛症也。亦危症也。俗名謂之天弔風。虛風。慢驚風。皆此症也。治宜先用辛熱。再加溫補。補土卽所以敵木。治本卽所以治標也。若用寒涼。再行消導。或用胆星抱龍以除痰。或用天麻全蝎以驅絡風。或用知柏芩連以清火。或用巴豆大黃以去積。殺人如反掌。實可畏也。宜先用逐寒蕩驚湯，後用加味理中地黃湯。蓋本病爲營養障礙而起吐痢。四肢冰冷。口鼻中氣寒。手足瘈瘲等症爲多。故用胡椒炮姜肉桂丁香以强心。使增進其心臟之緊縮力。挽回其虛脫症狀。用熟地白朮當歸黃芪黨參炙甘草棗仁等。健脾補血。振進其機能。促其吸收。則各臟器細胞得水分營養。不致虛脫。病可霍然而愈矣。若因急驚過用峻利之藥所致者。宜培補元氣爲主。虛而挾痰者，用醒脾湯。痰熱相兼者。宜清心滌痰湯。稟賦羸弱。脾虛肝旺者。用緩肝理脾湯。從來於驚風症分急慢。卽謂治法之補瀉各異。急驚之不可補。亦猶慢驚之不可瀉也。

痧疹淺說

戴橘園

痧疹者。一症也。南人謂之痧。北人謂之疹。又有謂之出痲發瘖子者。痧有正痧。風痧。疫痧。喉痧。之分。疹有時疹。風疹。濕疹。癮疹。之別。正痧者。初次所發之痧也。風痧者。感風所發之痧也。疫痧者。疫癘流行。沿門傳染者。是也。喉痧者。身發痱痧。咽喉腫痛者。是也。時疹者。感受時邪之氣而成。風疹者。感冒風熱之邪而成。濕疹者。脾胃積濕。濕鬱不化。浸淫肌表而發也。癮疹者。內有鬱熱。外感風邪。風濕相搏。而發也。痧疹之名。雖有種種之不同。痧疹之病。皆屬於肺胃二經。肺主皮毛。胃主肌肉。邪由口鼻而入於肺胃。病由肺胃而發於皮膚。治法。總宜以清宣透達爲先。痧疹一透。各恙皆痊。切不可用偏寒偏熱之劑。過寒則腠理閉塞。表邪錮結不解。伏熱無由發泄。痧疹不出。反致內陷。斑悶瞀亂之症隨之矣。過溫。則邪隨藥湧。火勢猖狂。痧疹雖出。邪氣燎原。鼻衄牙疳等症蠭起矣。治之之法。初起及出。均宜辛涼解肌透表。出齊之後。方用甘寒瀉熱救陰。此統治之法也。若論分治，正痧宜治其感。風痧宜散其風。疫痧宜清其疫。喉痧兼利其咽。時疹則解其時邪。風疹則清其風熱。濕疹則化其濕鬱。瘾疹則除其風熱。此分治之法也。總之。肺經胃經。爲受病之根本。先散後清。爲治法之宗旨。用之而當。效如桴鼓。差之毫厘。謬以千里矣。

小兒泄瀉之蘋果療法

程瀚章

小兒患泄瀉的。不論是急性慢性腸黏膜炎。治法向來多用收歛性或吸着性藥劑。像鞣酸蛋白。沙洛爾。炭末。銀炭末。愛杜方。（這幾種已經較新的方法。）等。但自從海斯勒。（Heiser）氏倡導用蘋果療法以來，摩洛（Moro）方洛尼（Fanconi）氏等繼續證明之後。對於這種疾病的治療。面目又見一新。西洋和日本。近來又大加提倡。我想這種簡便的方法。大家也許贊同的多嗎。

蘋果粉。是用新鮮蘋果。由眞空乾燥法而得的粉末。正好像我國杭州製的西湖藕粉或其他的番薯粉。葛粉之類。但藥業者所製的蘋果粉。大概因爲手續繁瑣或原料高貴。所以每一百克的乾燥粉末。要化國幣四五元之多。太不經濟。次一等的。每五十克約一元左右。所以我在臨證上常要想一種代替的方法。因爲每次要服用五克到二十克的粉末。一天量的消耗。未免太大的緣故。近來我却勸病家向水果店購買上等蘋果若干。每個約重一百五十克。去皮和果心之後。重量僅存其半做一回量。在煮飯的鍋上蒸熟。取出搗爛，再調水成漿狀。加糖精水少許（不要加糖。恐腸內發酵）服下。小兒大都喜歡服的。一日三次。照這樣服三四天。竟一樣奏止瀉之效。而小兒很快的恢復正常。

幸運得很。小兒泄瀉。大都在這夏秋的時節。而這時候水果店中的蘋果。正在上市。所以取給不愁缺乏。爲病家經濟上打算。眞是節省得不少啊。

胃腸病

胃病問答

孫穉雲

（問）什麼叫作胃加答兒？（答）就是胃粘膜炎。（問）胃粘膜炎之主要病狀。是什麼？（答）嘔吐。

(問)什麼叫作腸加答兒？(答)就是腸粘膜炎。(問)腸粘膜炎之主要病狀。是什麼？(答)泄瀉。(問)胃或腸的加答兒。多因何故？(答)由於暴飲暴食。或受冷所致。(問)什麼叫作肝胃氣病？(答)肝胃氣病。是中醫的名稱；在西醫稱爲「胃腸消化不良」。

(問)胃腸消化不良的病，何以中醫稱他爲肝胃氣病呢(答)因爲在中醫說來。肝主怒；而胃腸的消化不良。常於飲食時發怒而產生。所以稱他爲「肝胃氣病」；其實呢。喜怒哀樂是由大腦的情感部所管理的。與肝絕無直接關係；所以在科學上講話。就不應當用「肝胃氣病」的這個名稱。當說他的胃腸消化不良。是由於情感部受過份的壓迫而起的。

胃炎之研究

(二)

繆俊德

他如神經衰弱。婦人臟躁。月經病。貧血。萎黃病等患者。及過用煙酒之人。住往有消化不良症。中名脾虛。胃弱。亦曰食滯。其症狀亦類慢性胃炎。其實此病多以久病虛弱。或爲貧血家。或爲營養不良所致也。吾人於此。須探悉其原因。整理其生活法。所謂治病必求諸本也。而消化不良。亦有胃酸缺乏症、過多症之不同。前者特異之徵爲口渴發燒。後者則多呑酸吐水也。其治法亦詳於后。

吾人當知一病之徵候。皆足爲診斷上之資助。尤其是中醫缺乏理化學器械。僅以望聞問切爲診斷。亦欠妥當。茲爲便於臨症。鑑別診斷。特列表如下。以備參考。幸細玩之。

臨證實用診察表（一）

病名	消化不良		急性胃炎	慢性胃炎	胃潰瘍	胃癌	傷寒
自覺證狀	胃液多時吐酸水	胃液少時口發燒	噯氣吞酸嘈雜惡心頭痛頭暈發熱中毒性者有劇痛	噯氣吞酸嘈雜頭暈發熱時有時無	食後或夜間有時胃發劇痛而嘈雜吞酸	同胃潰瘍而有噯氣	頭痛腰痛眩暈失眠冷感熱度昇高
舌	無苔	有紅舌	灰苔中毒性者多腐蝕	舌苔有無不定	無苔紅舌	有苔	有苔
胃口	不食		不食	不食	不食	不食	多食
鼻	無病		無病	無病	無病	無病	鼻塞
脈			數	虛細軟			浮
胃部	胃脹感	胃空感覺痛	胃部壓重感外形隆起觸覺敏銳	隆起而有緊張	在胃部壓之有痛感	有硬塊而感覺銳敏呼吸時不變部位	
嘔吐物	酸水粘液	無	胆汁粘液中毒性者帶血色	多在清晨吐出稀薄粘液有臭氣	在飯後一小時病人吐血	有膿物帶血及食物剩餘之渣	大多數不嘔吐
大便	常便秘	不定	不正中毒有血痢	多秘結	便秘有時爲黑	色煤膠形便塊	不正如豌豆湯
其他症狀		皮膚乾燥	口渴口臭有熱中毒性者精神恍惚面青藍	發燒口臭心悸有時流涎	高度口渴有時呼吸促迫及虛脫		神識多不清

腸癰淺說

丁仲英

何謂腸癰　腸癰。即盲腸炎。盲腸者。小腸與大腸連接之處。位於小腸之側。長約三英寸至四英寸。在人體內並無何種功用。有害而無益。如食物過多。或食後而作劇烈之運動。致食物積於盲腸中。久久不得運化。則腐敗而盲腸發炎。失治則潰爛。涎及大小腸。往往有性命之憂。

腸癰之證狀　此證初起。腹部作痛。按之愈甚。甚則發熱。飲食減少。泛噁作吐。渴而引飲。脈弦數。舌苔厚。且有一特別之點。痛在腹之右部。臍之下側。少腹之上。有時右腿必常蹺貼接於右腹側。不便屈伸。偶一伸動。其痛愈甚。俗所謂縮脚腸癰是也。

何以年來多腸癰　年來之生腸癰甚多。臨證上時常見之。蓋昔日於此症。在初發之時。多以平常之腹痛視之。用通導之劑。去其積穢。即能向愈。失於治療。或治不得法。即養癰成患。潰向外流。變爲重篤之症。近日發見其特點。知痛在右腹下者。即爲腸癰之初步。與普通之腹痛大異。於此知腸癰之多。非症之增加。乃診斷之進步也。

腸癰治法　病者腹痛難忍。確斷其爲腸癰者。可用導下之法。芒硝大黃固不可少。而徒用硝黃。不加去瘀破血之品。亦不生大效。本症利在速下。分量宜重。姑息養奸。必成大患。

眼疾須知

近視預防法

佚名

近視有得之遺傳。非保護所能免者。然此要屬例外。大凡近視者。以讀書人爲多。而農夫樵子則最少。以眼之勞逸不同也。防免之法。約有三事。

(甲)光線　光太弱則目力爲損。猶之物太重則精力不勝也。故曰身過勞則傷。目過勞則耗。嘗見人黃昏讀書。不張燈火。女子刺繡。亦有暗中摸索者。如此最足傷眼。蓋昏暗光中。辨認毫芒。正如使小兒負重物。必不能勝任也。

昔者。美國有山洞。幽冥無光。湔中有水。魚棲其中。歷千百世。遂皆無眼。有地鼠居地下。常不見光。目遂昏。且眼亦甚小云。人在暗光中作事。雖不遽至瞽目。久之。亦恐近視散光。諸患作矣。最妙。早臥早起。多用日光。少用燈光。開窗。坐於窗右。使光線從左上方射下。如此。則光不奪目。直射書上。而反映於眼簾。最可取。用洋燈者。置案左側。每日拭罩使明。罩上另有燈撲。可購用。否則剪硬紙以代。亦能反光。如更用黑紙戴額上。令光不致直射於眼爲妥。西人室中備電燈者恐光射目。常於燈下懸半透明磁盤。故使燈光上射天花板而後反照於下。法不同而用意一也。或問不能備明燈奈何。曰。不然。一燈能用數年。所費固無幾。何處不可節省。而必謂無力購置耶。且光暗則目傷。目傷則作事成效少。賺錢無多。其損失。較備明燈爲倍蓰。若目受病。則恐醫藥之資。視此爲猶鉅矣。故家中不置明燈者。非果財力不足也。特恐且嬾耳。燈罩每日須擦清淨。其下通風。否則油烟縷縷。匪惟傷目。亦復傷肺。

(乙)毋看小字書　看小字書眼最受累。如必須看者。十數分鐘。便一休息。譬力弱擔重物。必須數步一憩也。望遠最能養目。不妨時一爲之。

(丙)配眼鏡　有人頭痛目眩。不知病根安在。一旦配得合光眼鏡。頓覺胸襟爲快。天地皆寬。無論讀書作事。皆極便利。有力者每二年驗光一次。如鏡不合。則更換之。此亦要事也。

砂眼之預防法

衛生教育會

從一般的統計推算起來。中國所有盲瞽。如果排齊隊伍。請大總統行閱兵式。用單行在他面前走過。再如用一小時走過二千人的速率。日夜不停。須一月方能藏事。如再加入近於盲目。僅僅足以自活諸人。則非二個月不可。

西國預防諸法。果能通行於中國。則此數千萬人皆可逃免。說者謂中國致貧弱之因。不外荒年。火災。疾病。三大端而經濟損失。無不以疾病爲最。蔓延於中國的疾病。種類極多。而砂眼爲最。其爲經濟損失。直接間接的原因。較任何種疾病爲甚。砂眼症者。即中國千萬人盲目的大原因。在中國人民。有砂眼症者。居百分之十五。向北愈甚。在北部幾佔百分之四十。直隸。某處。患砂眼者。竟佔百分之八十。推測全國的平均數。當在百分之二十五。換言之。即中國患砂眼者。有一千萬之多。每年更有五百萬餘人新受此害。其中數百萬終不免於盲。則設法除滅砂眼症。當爲中國有心人所樂聞。

考砂眼症係一種慢性炎病。起源於眼瞼結合膜及膜下。爲急性病者極鮮。此症之特點。爲結膜發生粒狀囊胞。繼更肥大成乳頭狀。互相聯結。終乃損及膜之組織。致成瘢痕。令眼瞼內部變光潤爲粗厚。久之。更延及眼球。爲慢性角膜炎。更自結合膜之血管叢生至入角膜而爲血管翳。漸至上瞼下垂。眼瞼內翻。或至倒睫。以及結合膜之黏連及收縮。甚至爲角膜之潰瘍及溷濁。以上種種病症。皆足令患者常感痛苦視覺漸減。終至盲目。所幸者。砂眼症治愈之法已備。且其傳染之患。亦可預防。惟治之之道。需時甚久。且視覺已失之後。僅能得一部份之恢復耳。欲戰勝砂眼症。非先治愈已患此症者不可。蓋凡患是症者。皆足爲未患者之仇敵。凡手巾。面盆。門鈕。欄杆。暨各通用諸物。皆可爲傳染之媒介。患者手摸眼後。觸物則傳染病毒。即沾染物體之上。他人取此物時。病毒染手。忘而揉眼。病毒即傳染入目。而多一病人矣。如此傳染不止。患者日增。既不能隔離患者。禁與他人往還。祇可求兩者之合作。各用常識。兩方面均應明了此症之傳染法。嚴防用手揉目。凡有患者。亦應守持禁律。以求清潔。與未患者同。

眼結膜炎之原因與症狀

孫雲林

眼結膜因爲受有一定刺戟。或公用手巾時將污物擦入眼中。而發生炎症。以致眼結膜發赤。腫脹。疼痛。流淚。怕光者。乃結膜炎是。其發生之原因。若詳言之。則有理化學的刺戟及傳染二因。由理化學的刺戟而起者。如外傷。異物之吹入眼內。點眼藥之刺戟。眼瞼位置之異常。光線不足。用眼過勞。及有蛔蟲等。由傳染者。如直接或間接之接觸。細菌之傳播等。更以其原因與症狀之不同。分別多種。

（一）因淋病或白帶下傳染而分泌多量膿液者。曰膿漏性結膜炎。

（二）初生兒因經過產道而得如上之症者。曰初生兒膿漏性結膜炎。

（三）因刺戟而起輕度之炎症者。曰結膜加答兒。

（四）症狀與輕輕之化膿性結膜炎相似。而專犯小兒者。曰格魯布性結膜炎。

（五）因感染白喉桿菌而起者。曰白喉性結膜炎。

(六)因眼之不攝生。下眼瞼結膜穹窿部之外側。發生濾胞而腫起者。曰濾胞性結膜炎。

(七)因傳染而眼瞼結膜。在贅殖的乳頭間。有帶黃灰色之顆粒者。曰顆粒性結膜炎。

(八)因腺病及外來刺激。眼球結膜發生局限性小水泡者。曰水泡性結膜炎。

外症一斑

破傷風之研究

李棻

(病理簡說)破傷風爲急性傳染病。其病原菌曰破傷風桿菌。廣播於塵埃垃圾田土之中。倘人之皮膚損裂。卽有傳染破傷風之可能。此症最多發現於農夫苦力及赤足之工人。以其足底皮膚易遭破損。而所踐之地田街衢又多破傷風菌存在。其次初生兒亦易得此症。蓋由舊式穩婆好以不潔之剪。斷小兒臍帶。破傷風菌卽由臍帶而入。破傷風爲一凶險傳染病。初發特徵乃下顎及頸部筋肉發生强度之痙攣。繼則漸及軀部背部四肢。而呈弓狀之强直。厥狀可怖。至所以呈此症狀者。

因破傷風菌侵入人體後。循此而上。發生上行性神經炎。終至延髓脊髓之中樞神經器官中毒發炎。急發者多數不救。

(學理解釋)漢書藝文志。有金創瘲瘛方三十卷。顏氏師古。以瘲瘛爲小兒之病。然瘲瘛非小兒所獨有。則師古之說有闕憾。循名責實。所謂金創瘲瘛者。實卽破傷風之濫觴。古代多攻戰。創人不尠。醫術旣疏。創人又不諳消毒衞生之法。加以戰場上沙石俱飛。馬蹄騰躍。兵器甲冑。皆有沾染破傷風菌之可能。宜破傷風之多。而蔚爲專書也。仲師傷寒論曰。瘡家不可發汗。發汗則痙。此雖未明指爲破傷風。然亦在疑似之間。而患破傷風者。實有多汗之徵。巢氏病源謂之金創痙。又曰。金創中風痙。或曰腕折中風痙。千金要方。有被傷風入四體角弓反張口噤不能言方。有破傷風腫方。是皆眞正之破傷風也。金代劉完素素問氣宜保命集。始言破傷風。因此卒暴傷損。風襲之間。傳播經絡。互使寒熱更作。身體反强。口噤不能開云云。要之中醫之論破傷風。造劉氏始正其名。然以較新醫之理論精晰者。則有詳略之殊矣。不過新醫譯名所謂破傷風者。以余觀之。與病義亦不吻合。亦以習用日久。難能改革耳。

發背之原因

易上達

此症有二種。一因太陽經之濕熱而作。由肌肉血脈而發。其根淺。一由臟而發。因人之五臟背附脊骨而生。每有日夜濫飲酒之輩。飲酒過多。停在胃中。酒本輕淸之物。最易化氣上騰而薰灼心肺。心肺乃氣血運行之總機關。日積月累。受此酒薰。肺則糟腐矣。如飲酒者糟鼻同。此不過鼻孔內略出酒氣而已。倘然糟鼻。何况此肺心與胃相近。豈有不受其連累乎。肺若糟腐。必發生一種大毒。然後此毒向背發出。阻滯太陽經之氣血。不得流通。發爲背疽。不數日。其大盈盆。藥難挽回矣。

風疹塊之預防及治療

曾立羣

蕁蔴疹卽風疹塊。係一種皮膚上所現之病也。紅腫處處。大小形式無定規。亦有起水泡結疹等狀。則屬稀有者矣。腫處奇癢難忍。能於瞬息間發現。亦能於瞬息間漸歸隱滅。常有時發時愈。感極大痛苦者。其原因甚多。如因蚊蚤蟲蛋所刺。或接觸一種有刺戟物（因着漆而起者俗稱漆咬）而起者。均可謂之外感蕁蔴疹。有因一種食品而起者。例如蝦蟹魚酒等。食後頭暈煩悶。偏發此疹。嗣後每食之而必發。勢非屏除不已者。更有因患黃疸慢性腎炎等而乃常發此疹。則非延醫作根本治療不爲功。

預防之法。注意於減少皮上一切刺戟。若能自知其病原。如接觸或食任何物品而起。則當愼而避之。

普通療治。先須清除腸胃中宿積。用瀉鹽菓子鹽等。外治用火酒、花露水、薄荷酒、平和性油膏等。止癢除病。有奇效焉。

治諸般濕瘡方

沈熊璋

（治黃水瘡、寒濕瘡、濕火瘡、火革瘡、手搔瘡、坐板瘡、等）青黛三錢　煅海蛤粉壹兩　煅石膏貳兩　輕粉　生黃柏各五錢（方名青蛤散）右藥研細末。貯瓶中。瘡濕爛甚者乾糝。否則。以麻油調搽。或以鮮荷葉汁、鮮馬蘭頭汁、絲瓜皮汁調搽。

小藥囊

消渴新方

張錫純

消渴者。膵病而累及於脾也。蓋膵爲脾之副臟。在中書名爲散膏。即難經所謂脾有散膏半斤也。（膵尾銜結於脾門。其全體之動脈。又自脾脈分支而來。故與脾脈有密切之關係）有時膵病發酵。多釀甜味。由水道下陷。其人之小便。遂含有糖質。(西人名爲糖尿病)乃由膵病而累及於脾。致脾氣不能散精達肺。(內經謂脾陽散精。上達於肺)則津液必短。不能通調水道(內經謂脾主通調水道)則小便無節。是以渴而多飲多溲也。曾閱申報。有胡適之者。患消渴證。在北京協和醫院治不愈。歸延中醫。重用生黃芪治愈。以其能助脾氣上升。其上升之氣。中含輕氣。與肺臟吸入之養氣相合。卽能化水。(輕二分養一分卽化水)以止渴也。又金匱腎氣丸。原善治消渴。其方以乾地黃爲主。(卽生地黃)取其能助腎中眞陰上行。甯心火以潤肺金。則肺無心火之刑。又有腎陰之助。自能生金以止渴也。又拙前擬醴泉飲以治消渴多驗。方中重用生山藥。取其能補脾固腎。以止小便頻數。而所含之蛋白質。又能滋補肺臟也。又閱醫報。載有治消渴便方。但用生猪胰子切碎吞服。猪胰子卽猪之膵。是人之膵病。而治以物之膵也。愚因集諸藥。合爲一方。用之極有效驗。遂名其方爲滋膵飲。

(滋膵飲)生箭芪五錢。生地黃一兩。生懷山藥一兩。煎湯送服生猪胰子一錢。至煎渣時。亦如此送服。

治瘋狗(卽癲狗)咬傷驗方

劉觀泗

瘋狗噬人。其毒至極。或嚙其衣。亦觸毒氣。設不早治。或治之不得其法。速則七日。緩則

治瘋狗(即癲狗)咬傷驗方

數十日至百日。定必毒發。歷三四小時而死。死狀甚慘。遍考中國醫書。苦無良方。間有蟹蠡及草藥攻打。惡物從小便出者。痛如刀割。九死一生。非法之善者也。或用大劑人參敗毒散。加生地榆一兩。紫竹根一大握。濃煎服之。若病人牙關已閉。急用錘。擊去門牙。將藥灌之。一劑盡。則神色即醒。繼續服之。其病可愈。但未經泗親加試驗。不敢妄下斷語。惟天虛我生先生所輯家庭常識第二集中所載張君一方。曾經泗親加試驗。活人者三。故敢負責介紹。去臘。今春。曾印七萬張。託各地郵局代辦所代爲分贈。又活數人。近復印十萬張。寄贈全國腹地。及華僑所到之處。敬乞　仁人君子。俯賜設法轉贈。俾廣宣傳焉。其方如左：

大黃三錢。桃仁七粒去皮尖。地鼈蟲七個。炒。去足。上三味藥。共研末。加白蜜三錢。用酒一碗。煎至七分。連渣於空腹時服之。如病者不善飲酒。用水對和可也。一服藥後。特設糞桶。以驗大小便。大便必有惡物如魚腸猪肝者。小便則如蘇木汁。通大小便數次後。藥力盡。大小便如常。須再服藥。藥再服。則惡物又下。繼續服藥。不拘劑數。直服至服藥後。大小便毫無惡物爲止。假令惡物未盡。中止服藥。則留餘毒於腹中。定貽後患也。

一被狗噬者。倘不明狗瘋與否。請服藥以驗之。若爲瘋狗。被噬者。服藥後。必下惡物。若係好狗。則大便略溏而已。藥性和平。決無妨害。泗曾無病試服之矣。

一此方即抵當湯。去水蛭虻蟲。加地鼈蟲。白蜜與酒也。

一小孩減半。孕婦不忌。年老亦可服。惟須斟酌體力。減少分量耳。

一家狗被瘋狗咬傷。可以此藥灌之。既可救一命。且可免後患。於陰德大矣。

一毒發之期。大都四十九日爲多。近則二三十日。遠則六七十日百餘日不等。視受毒之輕重也。

一地鼈蟲各大藥舖均有之。其價甚康。請各鄉村藥舖備之。以資急用。

附啓者。賜閱諸君。對於此方。倘有疑問。敬乞惠函。當即奉覆。定不延誤。永遠通信處。福建閩清縣六都鹿角村。再者。此舉純爲傳播良方而起。倘有其他作用。神人共鑒之。況泗非以醫術謀生者耶。

異傳癲狗咬秘方

佚名

道光廿六年。沈雨蒼先生在湘潭經過。目擊米船夥被癲狗咬。初未醫。見人亂叫亂咬。醫治百藥無效。遇有醴陵客云。此癲狗咬毒氣入心發作死證也，乃傳出秘方於世。藥方錄下。

眞紋黨三錢　獨活三錢　生姜汁三錢　炒枳殼一錢　柴胡三錢　生地榆一兩　茯苓三錢　羌活三錢　甘草三錢　前胡五錢　白桔梗二錢　撫芎二錢　加紫竹根一把。用水濃煎。重者三服。試驗如神。況藥價甚廉。每服至多半元。公諸於世。功德無量。

大衆醫藥顧問

答李蝶鵑君　肛門小粒痔瘡。舍割治外。別無治法。

答王洪濤君　遺精既愈•不必服藥。但宜多進滋養品。卽有發育之可能。

答湖劍侯君　經西醫診斷。既已入肺癆初期。則宜及早療養。胃口尤宜注意。中藥中陳苡仁一物。每晨取以煮粥代點。大有益肺治癆之功。

答陳君龍君　鼻流濃涕。名曰鼻淵。爲胆熱移腦所致。宜用藿香葉不拘多少。硏末。猪胆汁泛丸（每服二三錢。開水送下。

答陳元鑑君　令郎初生四月，因痙症轉爲左手脚不仁。延今五載。圖治殊難。惟身體既有陽虛現象。則黃蓍五物湯。（重用黃蓍）。不妨試服。

答顏叔和君　令嫂乳瘡。潰爛爲日已久。恐釀成乳岩。因敍症不詳。無從斷定。方難懸擬。

答徐修雄君　漏精爲神經衰弱症象之一。首宜清心攝養。非專恃藥物所能奏功。拙著「神經衰弱淺說」一書。可供參閱。

答安子元君　（一）令嫂左目胬肉突出。幾掩瞳神。宜速就眼科專家割治。（二）令姊吐血復發。其血量若何。血止後痰多。是否有欬嗽。以及月經若何。舌苔若何。因未述明。方難懸擬。

答劉如川君　令正經行腹痛。痠硬拒按。有時經色紫黑。顯屬氣滯血瘀所致。宜用逍遙丸。（中藥）早晚各服三錢。開水送下。或用益母膏。開水冲服。（每次三錢）亦可。

答龔霞光君　久濁轉成慢性。非易斷根。除宜調補體力外。如白果蛋。（見第二期本刊）苡仁•芡實。（煮食代點）威喜丸。（每服二三錢）。均可常服。

答彭立雄君　胃病經年。嗜酒而起。若白脉遲，此脾陽爲酒濕所困。所示藥方。頗爲對症。如於原方中加資生丸三錢。煎服，收效益宏。

大衆醫刊價目表

定價

時間	冊數	書價連郵費
每月	一冊	大洋二角
全年	十二冊	大洋二元

國外照表加倍寄費在內郵票代價十足通用

廣告價目

地位	一冊	三期	六期
一頁	二十元	五十四元	九十六元
半頁	十元	二十七元	四十八元
四分之一	五元	十三元半	二十四元
特別地位	封面反頁及底面爲特別地位照表加二分之一		
附注	木刻銅版加印彩色費須外加常年惠登價目面議刊費先惠		

中華民國二十三年五月一日出版

大衆醫刊第八期

實售大洋貳角

編輯者 楊志一 上海西藏路平樂里

發行所 大衆醫刊社 國醫出版社內

印刷所 讀者書局 上海西門金家坊一八七號 電話二三八八三

代售處

千頃堂書局 上海三馬路

現代書局 上海四馬路

時代圖書公司 上海四馬路

百新書局 上海棋盤街

楊志一醫士診例

主治

傷寒時症肺癆吐血胃病
腎病神經衰弱婦人經帶
胎產小兒痧痘驚疳

時間

門診上午九時至下午四
時出診下午四時至七時

診所

上海西藏路二馬路口平
樂里一弄四家
電話九二七六六號

診金

● 門診　一元
● 出診　四元
▲路遠遞加拔號加倍
● 改方　六角
● 膏丸方　四元
● 通函論症　四元
▲診費先惠原班還件

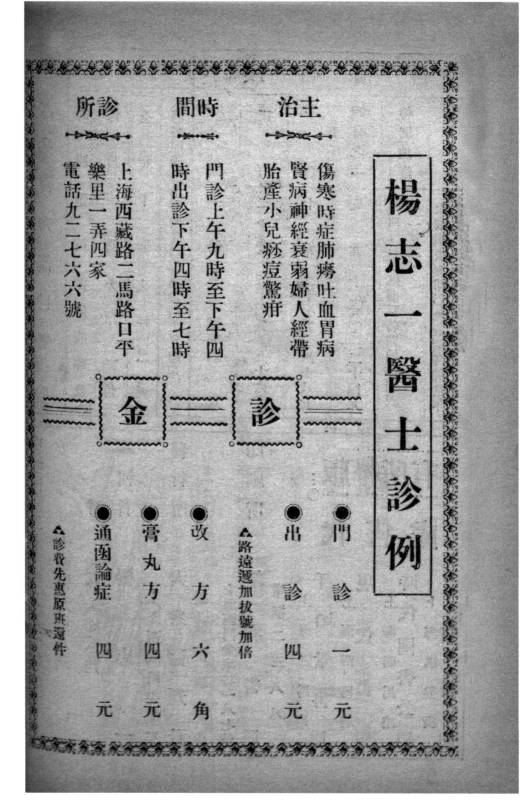

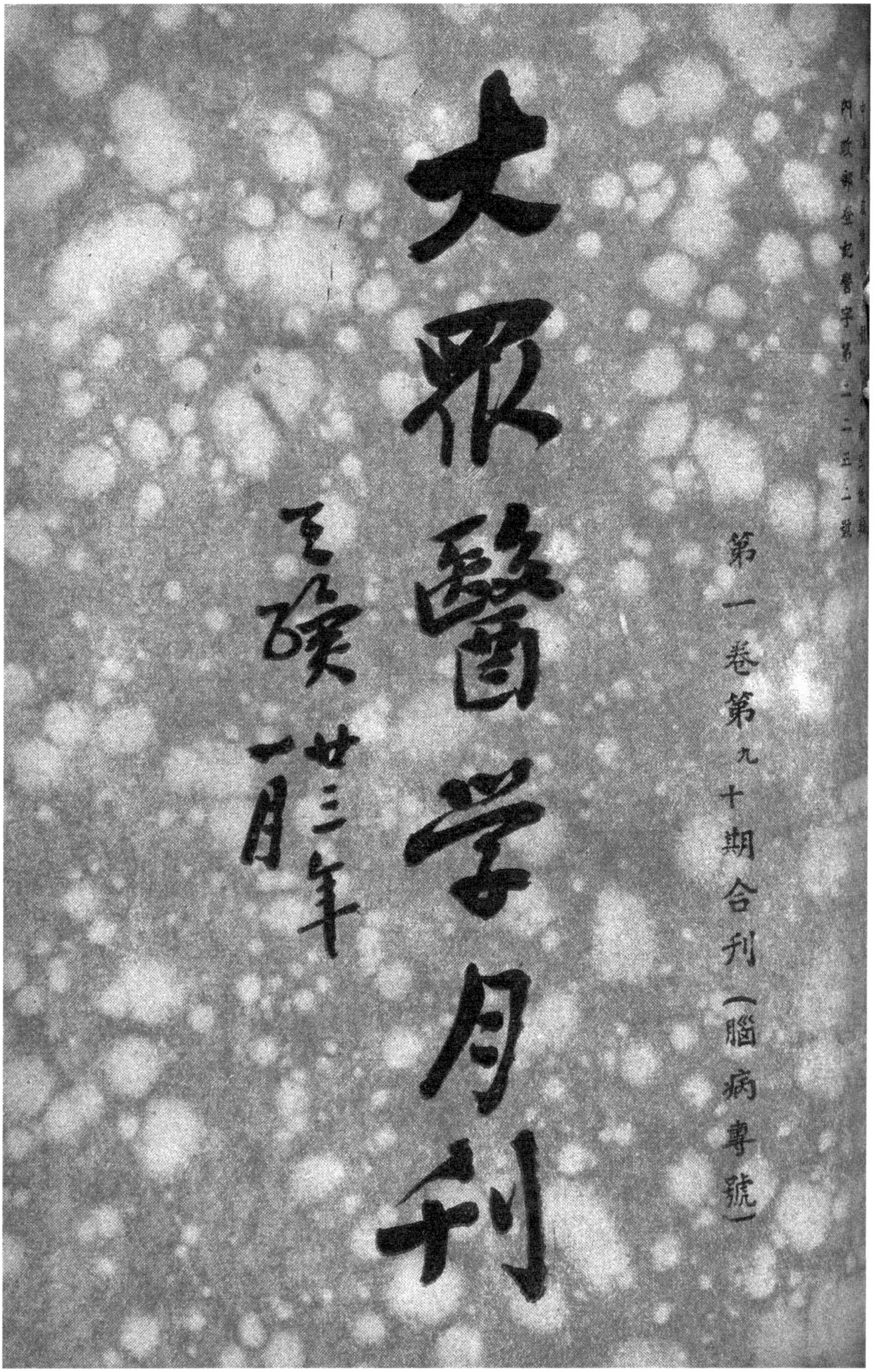
大眾醫學月刊
廿三年
一月
第一卷第九十期合刊（腦病專號）
內政部登記證警字第二二三二號

腦病研究目錄

腦之生理

腦之衛生

（一）消極方面

（二）積極方面

補腦之品

腦漏

頭痛

頭眩

腦病研究目錄

中風

腦貧血

記憶薄弱

神經衰弱

狂癲癇

腦膜炎

腦之生理

腦之構造及工作

黃勝白

(一)腦的形狀　腦在頭蓋骨的腔中。爲長圓形。輭如麵團。腦的外面。有腦皮三層。腦分爲二部。名大腦。小腦。大腦在前。小腦在後。皆以由前邊至後邊之凹溝。而分爲左右兩半球。腦的表面。甚不平坦。在大腦的面上。有綫蟲樣的凹凸皺紋。其凸者是名腦迴轉。而凹者。名腦溝。小腦的表面。有片形的襞皺。是互相平行的。

(二)腦的組織　如將腦子用刀剖開。那裏面爲白質。外面爲灰白質，那白質是神經纖維所組成。而灰白質乃爲神經細胞所組成。大腦灰質。是一切智慧精神之源。此等色質的成分。以燐爲大宗。故人之智愚强弱。全視腦中燐質多寡而定。

(三)腦迴轉的作用　吾人腦迴轉。以及腦構的序列。大致相同。雖數有多少。然相差無幾。

故可以一定之名稱呼之。並各迴轉。各司他的運動。此乃由禽獸的試驗。病人的檢查而得的。如著名解剖學家卜老啫。曾發明左邊第三個前頭迴轉。凡為司言語肌肉的運動。若此處受病。那病人就不能言語了。其餘如顱頂葉的中心迴轉。是司四肢運動的。如詳別之。以上部為司臂。下部司腿。皆可以動物試驗之。若將獸的頭蓋骨鋸開。使腦露出。然後以電氣。刺戟中心迴轉的上部。或下部。則其腿或或臂。勢必隨之伸縮。由是可知人四肢的癱瘓。皆因其原屬之迴轉。受傷所致。可見四肢百體強弱之原。亦全在乎腦。

由腦下延。別為脊髓。脊髓在脊溝的中間。由後頭骨孔向外之延髓。同腦相接連。有膜三層以裹之。由腦與脊髓分出支線。佈滿全身。此等支線。統名神經。

(四)神經的分類　神經一物。有如電線。能傳達刺戟之用。其由腦所分出者。為十二對。名腦神經。都分佈於五官及心胃。由脊髓分出者。為三十一對。名脊髓神經。皆分佈於上身及四肢。

(五)神經的作用　神經作用。分為二種。一為傳腦之命令於身體各部。一為傳身體各部之刺戟於腦。傳命令的名運動神經。傳刺戟於腦的。名感覺神經。如人手誤被火燙。則手指被燙處之神經。傳此刺戟於腦。腦因此始知痛楚。而恐其再燙。急令運動神經。傳此刺戟於臂膊肌肉。使其收縮而手遂收回。不致再燙。此等一感一應的運動。非常的快。傳痛之神經。由手至腦。名為感覺神經。縮手之神經。由腦至手。即運動神經。覺感神經有病。則皮膚麻木。在醫學上稱為不仁。運動神經壞了。則一部肌肉痿廢。譬如手足不能自動。這個叫不用。如果總機關的頭腦有了病。那便百病叢生。甚或發癡發狂了。

小兒之腦

瀚章

小兒之腦。其重量之增加極速。生下之時。相當於大人約四分之一。一至一年終。則一躍而進於二分之一强。至四五歲。已與大人相差無幾矣。

腦之絕對量。據賣司氏所述如次。

生下時。男兒腦重三四〇克。女兒腦重三三〇克。

初生兒之大腦約三二〇克。成人約四倍之。

初生兒之延髓四叠體腦橋約五克半。成人約五倍之。

初生兒之小腦約二〇克。成人約七倍之。

腦之重量與體重之比。初生兒則腦重約與體重八分之一相當。大人約四十分之一相當。

生後數月間。腦皮積尚未達於一定之面積。迴轉及溝僅現其痕跡而已。腦質柔輭。呈淡紅色。富有血液。灰白質與白質之境界。直至三個月左右。始漸明瞭。三月以前。則尚不明。神經細胞發育亦僅少。在延髓小腦。其神經纖維。雖多數已有髓鞘。而大腦則至九個月時。其大部分乃有髓焉。

腦筋之發達

鄭倫

數年以前。有人說。到了一定的年紀。腦筋就完全停止發達。這句話實在是不對的。因爲近來知道那智慧較足的人。總有幾條腦系未曾完全發達。并信在成年之後。如果措事得宜。定可發達。增，加多少思想力。然而大半的人。一出了學校門。就不肯多用心思。以致無發達之機會。舍此以外。看各人的情形。專就記憶而論。也許會有發達至止境的一日。程度却也有高下。這種情形。宛如新印進的痕迹。時時在那兒把舊的痕迹掩過。於是就記不起來了。

腦筋發達。大約是沒有限止。語云。「學無止境。」吾人有無限止發達之腦。當時求上進。時時研究探討。始不辜負這個有用的腦筋啊。

心與腦之研究

汪秋元

內經云。心者。君主之官。神明出焉。蓋以心爲一身之主也。然與西國解剖不合。彼以爲知識全出於腦。不出於心。故以腦爲一身之主。心則不過爲造血之器官。非知識之器官也。雖然。心爲器官。腦亦器官耳。神經乃知識所由之路徑。而知識之本質。仍爲不可思議之物。並非腦與神經也。就可知者言之。心爲血之總機關。全身必須賴血之榮養。血液不充。或流行不暢。皆足生病。以血爲一身最重要。而血之總機關爲心。故以心爲一身之主。以腦爲一身之主者。全身神經。皆由腦分出。人身知覺運動。均賴神經。倘某處痲木斷絕。即失知覺。亦不能運動。二者於人身均極重要。然神經必須賴血之濡養。而能司其職。不至痲木或斷絕。又凡血虛之人。其機能恒不健全。思想亦不靈敏。可見知覺運動。雖由神經。實賴血之力多也。然則心當較腦爲重要。中醫以心爲一身之主是矣。

肝與腦神經

譯君

古人之所謂肝者。含有二義。一指肝之本體。一指腦神經而言。而世人不察。據西說以駁內經。此實大謬。玆將肝之神經作用。解釋如下。

內經云「肝在天爲玄。在人爲道。在地爲化。化生五味。道生智。玄生神。神在天爲風。在地爲木。在體爲筋。在藏爲肝。在變動爲握。在竅爲目。」按文中所言肝者。指腦而言也。玄。道。化。三字。無非形容腦之奧妙。而轉出神智兩句。抉明腦之妙用。尤覺顯然。而其中所謂在變動爲握者。神經爲患也。人以爲肝風之動。其實腦病影響於神經也。在竅爲目者。目爲腦所主。實亦腦之竅。靈樞大惑論。則謂目系上屬於腦。腦轉即引目系急。目系急則目眩以轉矣。

又云「肝藏魂」按魂者唯何。靈樞本神篇云。隨神往來者謂之魂。蓋人之知覺屬魂。知覺關乎腦。腦固魂之居。魂固腦所藏也。

又云「肝主筋」筋主健運束骨。而利機關也。靈樞筋篇。更有十二經筋之詳述。可知經筋之名。神經其實。所以同類異名者。意指神經中有知覺運動之不同性耳。肝病者。兩脅下痛。引少腹。令善怒。虛則目䀮䀮無所見。耳無所聞。善恐。如人將捕之。氣逆則頭痛。耳聾。不聰。（藏氣法時篇）按痛爲神經痛。怒爲神經過敏。凡此之類。無一而非腦神經病也。

夫腦與神經居人體之重要地位。豈有學醫而不言此。後人不知內經之所謂肝。即是神經。因疑中醫不知神經爲何物。對於腦與神經所發生之疾患。以奇病目之。蓋彼不究內經文字命意之所在。致有此誤會也。然則內經何故以神經屬之於肝。蓋內經學說根本不同。其所根據者。爲四時。爲生理之形能。以春時之生氣爲肝德。憂鬱之痛苦爲肝病。其所以憂鬱歸之肝者。因憂鬱之人。春時無愉快之感覺。反多痛苦之感覺。故內經以善怒多疑。體痛。嘔逆。手戰。痰瘧。等病爲肝病。凡此種病者。夏秋冬之時。均尚可忍。至春季無有不劇發者。故曰逆春氣。因其逆春氣。故名之曰肝病耳。

聰明人的腦子是否比笨人大

高昌栢

看看這樣一個問題。倒不容易囘答。平均高級人類的腦子。確比低級的。大不過假如細細地討論。立刻就會遇到困難。在同種的人中間。一個極聰明人的腦子。竟會比常人或笨人的輕而且小。這個疑團。由來已久。竟不能解釋明白。

把全腦來權輕重。量大小。本來是錯的。這個實不足以證人之智愚。因爲人之智愚。並不以全腦爲標準。譬如腦中有空處。腦的樣子。各人不同。所含東西的分量也不同。並且所包含的一種東西。也各人不同。

關於智慧的東西。實在是腦子表面灰色層裏的腦細胞。腦子摺進的地方。都有這種灰白質的細胞在裏面。所以一個多摺紋的小腦子。所含的灰色質。要比一個大而平滑的多。而灰白質的厚白。還因人而異。就在一個腦子上。也是不勻的。

假使能考驗這實在情形。我們要出腦子的大小同心思的粗細。有何關係。就不難了。要做這件事情。就要實行計算各人腦細胞的數目。然而即使如此。恐怕還不能算完全得到這個問題的結論。因爲腦細胞還有好壞之別咧。

睡眠時腦部之狀況

吳履吉

關於本問題之說明。有三種學識。一爲物理的變化說。謂吾人平時。腦細胞概爲放線狀突起。惟一至睡眠時。則此放線狀突起之一部或全部。已被收縮。因而隔絕各細胞間之聯絡。遂成無所感覺之狀態。二爲化學的變化說。謂人當醒覺之時。體中本具有一種催眠素。此物漸次蓄體於各體組織中。達至一定限量時。即立時催起睡眠。迨經若干時後。催眠素漸次減少。腦中所費之營養料。再以補足。即回復其舊狀而醒覺。三爲血液之分量說。謂腦中血液之分量。降至某定限時。其人即催起睡眠。故欲熟睡者。必用衾褥温煖其體。所以使血液專注集於皮膚。令腦中空虛也。此三種學說。似以第三說。最爲妥穩。

腦之衛生

(一)消極方面

腦力使用過度之害

丁惠康

吾人若使用腦力過度。其所生之結果。與肉體過勞者相等。甚或過之。皆消耗其最要之生活力故也。其結果將引起消化力之不良。精神之悒鬱。神經之衰弱。身體之頹唐。於是百病叢生。寖成病夫。微特害及其個人之健康與生命。且與社會之生產力。國家之强弱。亦有直接之關係焉。茲略舉使用腦力過勞之害如左。

(一)思考無節——吾人如以一腕爲一種之動作。較之同一時間之全身運動。其疲勞爲尤甚。精神之動作亦然。若思考無節。歷久時間而不休息。則其害甚盛。故吾人使用腦力。不可拘拘於一事物。其間應有充分之休息。藉慰其身心之勞疲。而其精神勞作之所得。亦較大也。

(二)從事於素所不樂之事業——使用腦力之時。其心快樂。則精神雖勞而不覺其勞。故所作之事業。以能合其嗜好興味者。爲最要之目的。若違其所好而强爲之。則其害無過於此者。

(三)强度之刺激——刺激之劑。如酒精、咖啡、煙草等類。世人每當精神勞頓時用之。是不啻與以二倍之疲勞也。安可輕用之乎。

(四)消化與腦力——飯後爲消化力最旺之時。若於此時間而用腦力。則思考力將愈覺勤勞。而消化作用。復受障害。

(五)環境與腦力——此外所當留意者。厥爲吾人之環境。如光線。空氣。溫度等。與精神之動作。均有極大之關係。故日常用功時。當注意環境之優良與否。而適當之運動。尤爲思考力之源泉。更不可忽視之。

最易傷腦之食物

許尙義

刺激性食物。(其實此等物。非食物也。今姑名食物)。無營養價值。有害而無益。今略舉數種於下。並說明與生理上所受之影響。

(甲)酒　皆含有酒精。(Alcohol)酒精爲無色透明之液體。有異香。性易燃燒。而妨害他物之燃燒。故在體內燃燒時。脂肪即不燃燒。此飲酒者所以多肥也。嗜酒者。㊀胃腸刺激過度。活動遲鈍。消化不良。(所以嗜酒者食飯極少。其明證也)。㊁能麻痺全神經系。失身心之常調。倦怠而覺眩暈。精神衰弱。記憶減退。㊂腦質軟化。成酒精中毒之徵候。每至生腦充血之危症。㊃使心臟之動作弱。炭素之排泄遲緩。其毒害必至遍及全身。㊄嗜酒之徒。其死亡較早。享長壽者。百不得一。故我人苟爲健康計。長壽計。切勿嘗試。

(乙)烟類　含有烟精。(Nicotine)爲一種最毒質。無論爲鴉片。爲雪茄。爲淡巴菰。或以紙卷。或以管盛。總之足以損腦而衰神經。今略述吸烟者於生理上之影響。㊀肺之氣管受刺激多作咳嗽。而患肺疾。㊁胃之消化力損。嘔吐作惡。㊂使腦力衰弱。或受刺激。或受昏迷。㊃能使心力柔弱。跳躍不均。㊄少年人吸烟。能阻止身心之生長。阻礙生機。智力因此不能發展。或曰。吸烟能激提精神。頗覺愉快。乃不知毒質之劇動性。刺戟神經。並非能增益精神。祇挪移而速盡之耳。噫，奈何世人吸烟者之多。(吸紙烟尤多)。而尚不省悟耶。

(丙)茶與咖啡　其性質。均能興奮神經。而咖啡爲甚。飲茶適度。或稍能助食物消化。對麻醉劑。有消毒力。然飲濃茶而得不眠症者。頗不乏人。咖啡多飲有毒。有害神經血脈。鄙意以爲用自開水代之。經濟衞生。雙善兼備。不用此二物爲宜。

幻夢最傷腦力

吳履吉

夢之起原。據生理學家研究。謂大腦當一部分休止時。其中樞內。尚現有一種精神機能。即成夢境。故語云『日有所思。夜有所夢』陸放翁詩云、『心安了無夢。一掃想與因。』是夢之起於思慮過度。可斷言也。抑夢境之種類。又各視其人之品性而異。如好貨者。其人必常夢黃白物之出入。好色者。其人必夢男女之媾合。他如孔子之夢見周公。莊周之夢爲蝴蝶。皆因其平時之積想過深。先嵌入影象於腦際。一至睡眠之時。即重行發現。而迷信之徒。乃緣此以占吉凶。則惑之甚矣。顧夢境雖不關於吉凶。然實則有傷於腦。凡多夢之人。往往雙睫甫交。幻夢即因之而起。甚或夢中有夢。迷離惝恍。不可究詰。紛繁雜沓。無法解除。其腦力之敝疲。較之醒覺時。解釋難題。尋繹事理。又加勞焉。及其翌晨早起。則其心身之困倦。亦必視不眠者猶甚。是皆吾人所確經實驗者也。欲去其病根。宜探其原因。致夢之故。雖由於思慮過度。然如就褥前之食物尚未消化。睡眠時之尿量積蓄過多等。亦能引起種種幻夢。故欲圖就寢時腦部之安適。必須於平時清心寡慾。不作種種妄想。兼注意於各種衛生法爲要。

(二)積極方面

腦力之休養法

顧樂康

吾人於用功讀書。或研究思想之後。每覺腦力疲倦。記憶力減弱。有時面部發熱。手足冰冷。皆因腦力消耗過度也。若再繼續用功。則非惟不能得學識上之進步。抑且有碍衛生。數日後精神憔悴。皮膚呈黃色。漸致疾病。是故求學時代。切不可過於用功。而傷身體也。腦力之休養法有六。茲分述之如下。

(一)直立緩行　用功之時。灣腰曲背。心肺部受壓頗大。血流不能舒暢。頭腦中血液。因之不十分活動。宜直立緩行二分鐘。使溷濁之血下降。而新鮮者循環全身。

(二)窗口遙望　於腦力疲乏之際。即起立至窗口。遠眺深山叢林。則雙目清涼。頓覺心曠神怡。此法既休養腦力。又調和目力。窗外無山水之景。則臥榻靜養三四分鐘。其效亦同。

(三)行深呼吸　多時伏案用功。肺中空氣不潔。氧化力衰弱。至空氣清淨之天井中或花園內。兩手叉腰。閉目挺胸。行深呼吸七八次。最爲有益。

(四)柔軟體操　軟柔體操。爲一種極溫和之運動。不必有一定操法。伸手蹈足。皆得曰操。數分鐘後。四肢自由活潑。腦力亦不覺疲乏矣。此法施之於臨睡時。更爲有效。

(五)變換學科　專攻一科。則費時多而得益尠。故研究一科學至二三小時後。必要換他一種。如久習算學。朗誦國文。或披閱圖畫。

(六)玩弄音樂　中國音樂如簫笛之類。聲音頗雅。課餘之暇。微微吹之。心耳俱悅。洵休養腦力之良法也。

保腦與生活的衞生

方延良

腦是人生一切生活的主宰。黃帝內經曰。腦爲髓之海。主知覺運動。又曰。眞頭痛。頭痛甚。腦盡痛。旦發夕死。夕發旦死。此腦之於人也。關係詎不重哉。吾儕處於文化競爭。努力革命時代。凡百工作。要求生活健全。應當把腦力保養得周密。纔可以發達記憶力。和推想力。并應忖外交的事物。內心的思想。若是迷於花柳。困於烟酒。內而暴怒傷陰。外而炎天酷暑。烈日射入頭顱。皆能罹神經衰弱的病症。於是西醫有腦充血。和腦貧血之研究。內經亦有腦爲之不滿。頭爲之苦傾。厥逆。病巔疾之訓。此中西醫理相脗合之證。愛衞生者。勿以予言爲河漢也。但是妨害腦經的質物。如上所述。絕對的不可近。而保養腦經的方法。雖非邱處機之還精補腦術。可以白日飛昇。然睡眠適當。精神和平。這兩句話。到也算得一服補腦劑。語云。和平養無限天機。閱者不可以其淺而忽之也。至於工作之餘。則談笑散步。亦不可缺。但睡眠的功效。與腦經關係最爲密切。如睡眠的時間。果能適當。能使神經興奮。疲勞恢復。精神還元。此勿藥而能增進健康。何樂不爲。稽之上古。風俗敦厚。民生產養休息之餘。日出而作。日入而息。今之民衆。生活日高。工作之勞。異於往昔。若無充分的睡眠。奚冀疲勞之恢復。但睡眠的鐘點。大率以全夜八小時爲適當。太過不及。皆非所宜。若到日長如小年的時期。著餘閒暇之際。可以稍事假寐。藉消永晝。而逸神思。并不是終日在黑甜鄉裏討生活。就可以養腦經的。昔者。宰予晝寢。志氣昏惰。此孔子所以不取也。而況衛生家乎。

神經系之衛生

閻彝銘

神經。爲吾人全身之海陸大元帥。掌節制各機關之命令。實主要之樞紐也。一失常態。影響即波及全身或局部。故保衛之法。最不可忽。爰分述之以告國人。

(一)身體爲神經所依附。無康健之身體。决不能有康健之神經。其理至明。故欲保神經之康健。須注意全身之衛生。吸收清潔空氣。以新鮮血液。活潑腦筋。更宜攝取適當養料。以營養神經。免其虧損。消化器有病。宜速療治。否則營養不良。顏色蒼白。精神即因之抑鬱不振。頭痛發暈。思想遲鈍。或竟至發生神經衰弱病。

(二)腦力宜時加鍛鍊。當用而不用。則不惟智識學問。不能增進。腦髓之容積。且將因之消減。作用愈形薄弱。成爲意志衰弱之人。

（三）運用精神。固爲勞動之神聖。然使用過度。易起腦病。致遺終身之大患。常見一般學生。因功課太忙。或考試將近。遂日夜勤讀。毫不休息。往往引起腦部充血。頭疼。失眠。眼花等症。而所學之事。則因記憶力與思想力消滅。不久仍然遺忘。惟頭疼症。則久留不去。以作用功過度之紀念品。殊憾事也。故不規則及過度之腦力運用。宜切戒除。

（四）少年之腦髓發育尙未完備。切忌過用精神。以消耗才智。老人精力已衰。過用腦力。則虛脫而難恢復。易患失眠症。故宜少用心思。

（五）食後因食物之壓迫。腸胃充血。腦髓因之貧血。（體內血液有定量。多於彼。則少於此。至易明瞭）。甚覺困乏。故西諺曰「腹飽不願讀書。」此時若使用腦力。旣妨礙消化力。復有害於神經。最不相宜。西諺曰「飯後宜安靜。至多行走千步」不謂無見也。

（六）休息腦力。睡眠最爲重要。行動言笑。閱書深思。均費腦力。用之過度。則新陳代謝之老廢物。滯積於腦之血液中。令人困倦思睡。睡則腦中之血液。散布四肢。排除老廢物於外。故精神肉體兩方面之困倦。均可借以解除。西諺云「睡眠爲天然之最良保姆」。即此亦足見睡眠之不可缺矣。然睡眠亦不宜過久。過久則精神漸變遲鈍。思考力愈形薄弱。幼兒眠時較長。成年人日以七點至八點鐘爲度。尤以夜間早睡。黎明即起爲要。欲求安眠。須注意下述數事。（甲）晚飯不可多吃。免胃中宿食。感觸第十對迷走神經（N.V gus）。致做夢而擾安眠。（乙）將睡前。不可過用腦力。就寢後。不可閑談或冥想。致礙沈睡。（丙）睡前不宜飲濃茶酒類及有激刺之食物。（丁）眠時之位置。以身之右側面向床。頭部少低於足部爲宜。所以防內臟壓迫脊髓神經。胃中滯積飲食。並腦部貧血。滋養不足。妨礙清睡也。（戊）寢室宜空氣流通。勿以被蒙頭而臥。

（七）運用腦力之久暫。因長幼强弱而異。然平均每日以六點至七點爲度。每一點鐘之工作中。須休息十分鐘。不可連用數點鐘功。毫不休息。使神經過勞。不易恢復原狀。影響全身之健康。致發生易感易怒之現象。學校每課後休息數分鐘。意至善也。宜利用之。行簡易體操。或窗外散步。

（八）作事有定時。養成習慣。即少精神困乏之患。

（九）冥想與同時思考數事。如在聽講時。分心外務。或偷看小說。或披閱他種課本。最能疲之腦力。宜切戒。

（十）日光爲强身却病之要劑。亦健全神經之妙品。天朗氣清。則精神愉快。陰雨綿延。則鬱悶不樂。西諺謂「日光所照之處。無需乎醫生」。良有以也。故作事宜覓光線充足之地。暇時宜散步戶外。不可幽居暗室。然頭部亦不可受劇烈之日光。

（十一）頭骨。爲神經腦髓之保護器。至關重要。塾師及父兄。常怒打幼兒之頭部。幼兒頭骨尙薄弱。擊之最易震動其神經。致變爲呆痴。切戒。

(十二)打耳光。除能震破耳膜外。尙能震壞內耳之器管及神經。宜戒除。

(十三)鄕學生徒。喜乘人就坐。暗自背後撤去其椅橙。使人坐空倒地。以玩笑之。此事甚易震盪神經。引起麻痺病症。甚或第一項椎骨脫臼。壓迫呼吸中樞。立致氣絕斃命。切戒。

(十四)酒。能麻痺運動神經。使血管擴張。感覺奮興。意志衰弱。判斷力錯亂。記憶力減退。若久飲不已。則酒精侵入腦髓之細胞膜。而破壞其組織。血管內膜。漸次變爲堅厚。由是彈力消失。血行遲緩。腦部之營養不良。精神遂因之恍惚。甚至血管崩裂。罹中風不語而死。至酒後之狂暴失德。及夜夢蛇蝎等毒虫。爬繞其身。猶神經中酒毒之小者也。故酒萬不可不戒。

(十五)吸烟之害。除消化不良。心悸亢進。(因烟毒能麻痺迷走神經。)耳鳴目眩。痰多口渴外。尙能麻痺中樞神經。敗壞血質。切戒。鴉片之害。較此更烈。尤當戒絕。

(十六)手淫。早婚。及房事過度。均足擾害神經之康健。宜留心節制。

(十七)大便秘結。則糞中毒質。由血液輸入腦海。能引起頭疼。發暈。故通便亦爲神經系衛生之要件。不可以等閑視之也。

(十八)狂喜暴怒。足使神經激刺過度。立時麻痺昏厥。宜戒。

補腦之品

增進腦力的食物

劍我

凡使用頭腦的人。必須要選擇增進腦力的食物。從前有人說。吃了雀的頭。便會早起。所以拏去給懶惰的人吃的。從今日的學說看來。也不能說他一定是荒唐無稽的話。因爲要營養頭腦。却是用動物的腦髓拏來吃。是一個最良的方法。如果像西洋菜裏面。那麽把牛的腦髓特別做成一種菜。那更好了。

要頭腦强健。宜吃含有燐質的東西。向來用腦的人。很需用燐。那燐這件東西。若用在火柴時。那是他的原素。反是毒物。非用適當的化合體來攝取他不可。燐與蛋白質化合之後。那就行了。凡牛乳雞蛋。肉類等物內都有。所以攝取了這些東西。那營養料自然會入身體內了。最經濟的攝取燐的化合物。是咀嚼細骨。凡小魚小鳥等骨極細的。都可以嚼着吃的。最爲便利。

然而也並不是用腦之人。會急激的分解消耗的。所以雖稱這食物很能營養腦子。也不必一時多量攝取。最要多量的，便是含那生精力的蛋白質澱粉質等普通食物。照這意味看來。日常的適當攝取飯食。最為重要。這量。萬不可有過不足。太少了。就要不能維持生活咧。太多量的攝取了食物。這消化上又不可多費精力。因此頭腦中所用的精力。勢必要不夠了。結果在用功之時。頭腦使不能活動。讀書也記憶力大減咧。

不消化的食物。也與多食一般。要使胃腸過勞。便成多費精力。遲鈍頭腦活動的原因了。所以要頭腦銳利而强健。多食既不可。那不消化之物。也宜竭力避去。切勿攝取。

腦子需要食料麼

殷佩斯

腦子是許多神經同神經細胞合成的。這許多東西拚在一起。我們稱之為神經組織。這種組織裏邊所要血分的供給。我們知道比身體各部都要豐富。就是心的肌肉組織。也不及牠。血分中帶有食料。腦筋就靠着食料以助其作用。神經組織裏却無儲蓄的養料。假使血液的供給。稍停片刻。神經組織。總比身體各。組織。先要疲乏。

有一個極簡單而又奇異的試驗。可使讀者自己明白這個道理。我們眼球背後接受各種光線。

使我們看見的網膜。就是神經組織。網膜的外邊有一層血管組織包着。假使你把一隻眼睛閉了。用獨眼望出去。再把手指緊緊壓在張開的那隻眼上面。（在眼皮上把眼珠緊壓）三四秒鐘之後。各種東西。都會變成黑暗。眼睛開在那兒。光線仍有許多。而完全盲不見物。把指頭拿開。一二秒鐘內。就又能看見東西了。這理由是緊壓眼珠的時候。就阻止了血流到網膜上去。在一二秒鐘內。已把前次取得的養料用盡了。以後就不能再行工作。因此眼睛變成像盲的樣子。

從此類推。其他神經。以及神經中樞的腦海。如缺乏養料。就要機能失職。功用停頓了。

益腦之食物

西神

頭腦與飲食物有密接之關係。故用腦過度之人。宜擇易消化者食之。若食難消化之物。則消化時許多之血液聚集腸胃。自不能流通至腦部。雖運動劇烈之人。稍食不消化之物。亦能消化之。而用腦過度之人。則多無暇從事運動。故消化力較弱也。然除病人外。過食易消化之物。反能弱胃。亦不甚宜。要之。多食易消化之物。而不可過度。

普通益腦之食物。以成分多者爲佳。即多含燐質及蛋白質之物。在植物質之食物中。以豆類。米麥爲第一。在動物質之食物中。則牛乳。鳥。魚。及鳥魚之卵爲佳也。

次當注意者爲飲料。勤學及用腦之人。多喜飲紅茶。綠茶。咖啡等。取其有刺戟性也。然多飲反有害於腦。牛乳爲益腦之上品。人之嗜欲不同。有絕對的不喜飲之者。則宜設法混合他物。以改變其味。酒視人之體質之不同。有絕對不可用者。有用少許反能增加消化力者。若酒精則刺戟性非常劇烈。能衰人意識。凡用腦過度及勤學過度之人。均不宜飲酒。

體重一百兩。一日攝取一百六十六溫量。即能充分活動。體重一千二百兩。則須攝取二千溫量。如欲得如許溫量。須攝取白米飯三合五勺。

世人誤以飽食能健身。不知飲食物在某程度以上。則不成營養。變爲糟滓而排出。故與其過飽。毋甯稍飢。且必覺飢。方可進食。蓋自胃之消化力言之。自吸收力言之。均以腹空時進食爲有益也。

腦漏

腦漏之自療

宋愛人

（原因）腦漏即鼻淵。鼻竅者。下通於肺。而上通於腦。故呼吸則歸之於肺。而齅觸則歸之於腦。是鼻者不獨爲肺之竅。且亦爲腦之竅矣。吾國醫說謂鼻病夥屬於肺。顧亦有時而兼言及腦者。夫人生一身之氣。皆下行而上。復上而下。以周流循環。肺中有寒者。即形寒飲冷之寒也。肺寒。則寒氣上行。而腦亦與之俱寒。肺中有熱者。此臟腑蒸變之熱也。肺熱。則熱氣上炎。而腦亦與之俱熱矣。肺寒肺熱。皆足以致鼻淵也。內經曰。春夏善病鼽衄。此言傷於風也，又曰。膽移熱於腦。則爲鼻淵。此言裏有熱也。

（證狀）腦門時覺辛辣作痛。常流濁涕。久則如膿如滋。腥臭難聞。能令腦空耳鳴。頭重眩仆也。

（治法）羚羊菊花湯　羚羊角剉末三分。（或一二分均可）黃白菊各一錢。辛夷花五分。細芽茶一錢。先取黃白菊煎五六沸。入芽茶再煎一二沸。入辛夷再煎一二沸。然後去渣冲入羚羊末服。此治鼻淵方也。

再附外治方如下　（一）孩兒茶研末吹之。（二）辛夷蕊塞之。（三）松花粉時時嗅之。雖數十年亦可愈。(四)乾葫蘆殼。瓦上焙乾。研細末。嗅之。或清酒。或濃茶。調服。久之皆有效也。

腦漏簡治法

尤學周

原因　傷風鼻塞。經久不愈。則轉移爲本症。居於煙塵瀰滿之處。亦能發此。鼻液奇臭者。多因勞病梅毒而生。

症狀　鼻流黃水。氣味臭惡。鼻腔腫大。內呈灰白色。

療法　每日用淡鹽水湯注入鼻中冲洗。另用白芷一兩。辛夷五錢。蒼耳子炒三錢。薄荷一錢。爲末。每二錢。清茶調服。由於梅毒及癆病者。先治其本病。

鼻淵與腦漏之異同

劉蔚楚

羅發。年四十。寓上海寶山路馬玉山糖食製造廠。司事羅君。十年前患花柳。治痊而體漸弱。比年鼻流濁涕。如淵泉然。遇寒則清。遇燥則濃。臭穢異常。左鼻尤甚。痛牽左腦。中西更醫。近數月不嗜食。暈甚則眩仆。兩人扶掖而來。述此病狀。望其色青黃寡血。唇乾舌膩苔黃。問咳微渴。左鼻塞痛。夜有盜汗。脈右寸關浮滑。餘皆數弱。余曰肝脾腎久虛。新受風邪。痰多氣阻。宜先治標焉。擬蘇梗前胡法夏各錢半。白芷白菊花辛夷花各一錢。冬桑葉絲瓜絡刺蒺藜各三錢。天麻六分。甘草四分。煎服。參以白薇枇杷葉。各二錢。廣皮砂仁各五分。風去痰清。渴止溢汗減。此時應治其本矣。攷陳實功謂腦漏又名鼻淵。總由風寒凝入腦戶。鼻流濁涕、黄水點滴不乾。久則暈眩不已。實症宜清通。虛症宜補中滋腎。此言鼻淵之關於腦者也。王士雄謂風火外侵。膽熱上移。胃濁上薰。皆成鼻淵。若腦漏乃本原不固。所流腥水。粘而不稠。煩勞即發。治宜攝補。與鼻淵同流異派。須分別言之。西說則謂鼻內腔甚大。上下通連。鼻淵者乃腔膜發炎。或外來刺激。膜腐則毒水流下。與腦無關。腦果洩則病殊危險云。此西說與前賢之各異者也。羅君鼻腔內痛。明明牽及左腦。眩仆脈虛。腰足痿軟。苟不用欲榮其上。必灌其根之法。先調胃脾。兼補肝腎。豈非背症論治。違脈用藥乎。余亦惟據脈症。以咨羅君般般求治之心。不暇他計矣。擬大補元煎。高麗參油歸身各一錢。淮山藥杜仲各二錢。去山茱萸杞子熟地炙草。加龍骨牡蠣各二錢。春砂仁獨活各六分。虛燥則參白薇白芍白菊花各錢半。黑陳阿膠各一錢。五味子三分。不燥則參北箭耆瑣陽各四錢。桑寄生炒棗仁各三錢。兔絲子山茱萸枸杞子淮牛膝絡石籐磁石各二錢。補骨脂一錢。內寒則參附子一錢。玉桂心三分。時或加細辛三分以通腦。又絲瓜近根籐。連根煅研細末。作鼻煙少少搐之。至月餘而濁涕無。暈定思食。惟腿足痿軟。精神虛憊。乃取裁於健步虎潛丸。改作湯劑。再月餘向安。復囑以清水加酒。燉服羊腦三數次。復培養如無比山藥丸。減去五味子。作一兩二錢。（蘭台軌範。謂此方最能補腦。）或問於孫公一奎曰。汪石山醫案謂。數見此症皆不治。而今人尙有治愈者。何耶。孫公曰。石山高明。豈有不識治法。特爲症之太深者言耳。易曰。大哉乾元。萬物資始。至哉坤元。萬物資生。坤元者。胃氣也。內經曰。營者。水穀之精氣。衛者。水穀之悍氣。皆藉胃氣以爲養。人之所以運動升降。不息不死者。賴此營於中。衛於外。而胃氣爲之樞。經又詳言飲食入胃。五味入口。胃氣上升。變化氣血。以養五臟之神。然後精明。察色聽聲。辨味剖臭。而九竅有所用。倘腎虛而不能納氣歸元。火升迫肺。津液不得降下。幷於空竅。轉濁爲涕。而爲逆流。肝腎愈虛。則有升無降。故曰出入廢則神機化滅。升降息則氣立孤危。宜戒惱怒。遠酒色。假之良醫。治之於早云。余亦歷閱是症難治。而羅君倖痊。病不復作。爰撮略前賢諸說。見是症與腦亦有關系也。

頭痛

頭痛之種種原因

黃勝白

發生頭痛的原因雖多。但是所以釀成頭痛的證象的。不過一種。就是腦殼裏的血壓。有了變動。就是由心臟流入頭腦裏的血過量增多。（頭充血）或過量減少。（頭貧血）引起血壓變動。以致發生頭痛之原因。有下列種種。

（一）傷風受涼。這是最多的一個原因。

（二）勞力過度。勞力的人。頭痛甚少。但是假如身體本虧。又加以十分過度的操勞。那引起來的頭痛。是非常利害。

（三）勞神過度。這是一種最厲害的頭痛。因爲腦質受傷。腦中燐質缺乏的原故。

（四）爲烟酒所虧的人。因烟質都是能傷腦質的。尤其危險的。就是酒烟能使血管變硬。

（五）因心臟衰弱之故。

（六）腦膜生病。如腦膜炎之類。

（七）中毒。除烟酒中毒外。如鉛中毒。（用鉛製器皿）及銅中毒。（久用銅器。吃進銅綠）等。此外如中麻藥毒。尿中毒。糖尿病。皆有甚劇之頭痛

（八）最多的頭痛。是因大便秘結而生的。因爲大便乾結。使血壓增加。熱血攻入頭部。因此口苦眼紅。頭筋漲痛。因此頭痛的。非常之多。

（九）時氣寒熱。及傳染病。皆有頭痛。

（十）風溼感冒。寒溼凝經。腦殼的肌肉。曾經破裂生疤。一至陰天。皆有頭痛

（十一）如鼻癰。腦漏。痄牙等症。皆能引起頭痛。

（十二）眼病如眼珠發硬之類。最多頭痛。尤以額角太陽等處痛勢最烈。

（十三）還有頭受重擊而傷腦質的。

（十四）凡腦質不強。神經衰弱的人。皆有無定的頭痛。

（十五）腦質及腦膜自己生病。那便是最厲害的眞頭痛。

危險之頭痛

仲英

頭痛之危險　頭可分爲三層。外層爲頭皮肌肉等。中層爲頭蓋骨。內層前上爲大腦。後爲小腦。小腦之下爲延腦。中層與外層。所以保護內層之腦。腦爲全體之主宰。知覺運動。皆由所使。腦有損傷。足以影響全體。甚則危及其生命。頭有疾患。不論何種痛恙。久而不治。遺害漸漸

擴大。足以賊及於腦。其危險爲何如。

頭痛之原理　疼痛爲神經感受刺激而起之反響。如以一針刺入皮膚。則引起痛楚。此痛楚之發生。輕而尖利。而快捷。足以使人即刻注意於傷處。因此可以阻止針端。不再深入。如刺入深者。疼痛繼續緊張。使人繼續注意。皮膚得受保護。故疼痛如警捕吹號。與人以速疾之警告。頭痛之原理亦然。所以促起人之注意。設法所以去其根源，使腦部不受重大之影響也。

頭痛之病狀　頭痛之原因甚多。如晨起頭痛者。每因睡於空氣不流通之室內所致。午後頭痛。或時痛時止者。或因於虛弱。腦力疲乏。或用目太過。因鼻病（如鼻淵）而起之頭痛。痛在前額。因耳病而起之頭痛。多在頭之側面。因便祕及胃病所擾者。其痛點大多在額。且有噁心。腦膜發炎。其痛最甚。又無論何種急性熱病。如傷寒。温熱。瘧疾等。皆致頭痛。且兩太陽之脈管。跳動甚急。其痛多隨高熱而來。蓋因腦內盈血。及病毒激惹腦部之故也。

頭痛之解除　欲解除頭痛。當審其病根所在。睡室空氣不足。宜遷移他室。虛弱者。節省腦力。不可太勞。耳鼻有病。先治耳鼻之疾。便祕先用瀉劑。腦膜炎速用羚羊尖，川連，石决明等。以解其炎。其在急性熱病者。尤當相機進行。不可徒執一法。蓋病情瞬息千變。非一言可盡。非一法可療者也。

頭痛淺說

沈仲圭

頭痛有內傷外感之別。外感之頭痛。當辯何經。太陽之頭痛。頭腦痛而連項脊。以太陽之脈。從巔入絡腦。還出。下項。循肩髆。挾脊。抵腰中也。陽明頭痛。頭額痛而連面目。以陽明之脈。起於鼻。絡於目。交額中也。少陽頭痛。耳前後痛。而上連頭角。以少陽之脈。起於目銳眥。下耳後也。且外感頭痛。不過病狀之一端。故太陽頭痛。必兼惡寒脈浮。陽明頭痛。必兼目痛鼻乾唇焦。漱水不欲嚥。脈尺寸俱長。少陽頭痛。必兼耳聾胸滿脅痛。目眩口苦。苔滑脈弦。治療之法。當求其本。或發表。或清裏。或和解。不必專治頭痛而頭痛自愈。內傷頭痛。有血虛者。脈象沉數。痛在日晚。驚惕善恐。宜四物湯加減。（熟地。當歸。芍藥。川芎。玉竹。杞子）有氣虛者。脈大無力。痛在清晨。面黃肢倦。宜補中益氣湯加減。（人參。黃芪。白朮。甘草。當歸。升麻。柴胡。加玉竹。甘菊。川芎。）有胃火上沖者。脈象洪大。口渴飲冷。頭筋扛起。宜加味升麻湯。（升麻。葛根。赤芍。甘草。石羔。薄荷。灶心土）有痰厥者。胸膈多痰。動則眩暈。宜半夏白朮天麻湯。（半夏。白朮。天麻。陳皮。茯苓。炙草。生姜。大棗。）有肝氣暴逆者。脈象弦數。口苦脅痛。耳鳴目眩。宜一貫煎。（沙參。麥冬。生地。川楝子。歸身。杞子。

）更有偏頭痛。左屬血虛。右爲氣熱。眉稜骨痛。多屬陰虛血少。若陽氣大虛。腦受邪侵。而成眞頭痛者。亟進附子理中湯加蔓荊子川芎。或可挽回。

煤氣過甚頭痛昏暈

朱振聲

每至隆冬。朔風凄冷。嚴寒徹骨。無產階級者。居不蔽風。衣多敗絮。不勝其寒冷。有產階級者。衣則重裘。房屋之中。煤爐熊熊。一室皆春。雖冰天雪地。亦亦不知人世間有寒冷之事。同一人也。同一時也。而寒暖迥異。冷熱懸殊。不平之事。孰有甚於此者。

煤爐一事。雖爲禦寒之必需品。然設備宜周到。否則每中煤氣之毒。此氣名曰「瓦斯」。能令人呼吸不暢。窒息而亡。北地家家有火坑。多燃以煤。一不經心。往往發生危險。南方雖無火坑。大多備有火爐。亦燃以煤。一至冬令。中煤氣而喪生者。亦詩有所聞。其次者。頭暈或頭痛。咽喉乾燥異常。此皆因陋就簡。設備不周之故也。

張姓媼。與其子媳三人。同寓於愛文義路。子業商。早出晚歸。家務由其媳主政。終日栗六無暇。媼年老畏冷。獨處一室。與火爐爲伴。素有肝風。不時頭眩作痛。去年之冬。頭痛加劇。甚至發厥。半夜後稍覺清明。延醫調治。卒無效。其戚孫姓家。余曾治愈一產後發厥之症。於余頗有信仰心。故介紹往診。觀前醫所處之方。非平肝熄風。即滋火柔肝。曾有用羚羊角者。按其脈。細數而微帶勁象。謂爲肝風。平肝柔肝之品。均已用過。杳無效果。謂非肝風。則無別種徵象。一時亦難下斷語。頗引以爲奇。正凝思之間。忽覺周身熱湧。回視火爐。正火光熊熊。環顧四週。窗戶盡闔。心中若有所觸。恍悟前醫之所謂肝風。誤矣。實煤氣過甚之故也。惟病者自信肝風無疑。余乃將計就計。曉以患肝風者。不宜十分暖熱。室中熱度過高。引動肝陽。風動尤甚。火爐宜撤去。家人從余言。復爲處一方如下。

小川連(炒)三分　黑山梔二錢　連喬殼三錢　赤白芍(各)錢半

天花粉三錢　川通草一錢　淡黃芩錢半　青諫果(碎)三枚

萊菔汁(冲)一杯

服二劑即平。此症之誤。第一在於其子若媳。以職務之關係。未能常侍左右。夜間雖在一室敍歡。然爲時甚暫。未受煤氣之毒。故未覺及此理。第二在於前醫之疏忽從事。未能深究病源。謬然用藥。所幸藥性病情。並無大抵觸處。故未發生意外。眞相既白。事理似覺平淡。在當時實有「丈二頭顱摸不着」之感。甚矣。診病之不易也。

偏頭風痛

尤學周

偏頭風者。頭之左側或右側作痛。其勢甚劇。或有牽及頭之全部。疼痛不舒者。發無定時。冬日較春夏爲多。其在女子。有隨經汛而來者。每當月輕來潮。頭痛即作。發時。或片刻即痛。或作或輟。有發半日或一日而止。亦有疼痛至七八日之久者。

當偏頭風發作之時。其證象除頭痛而外。且牽及於胃。胃部不舒。消化呆滯。作噁嘔吐。不思飲食。怕聞一切氣味。厭聽一切煩雜之聲。鬱悶煩躁。眼花耳鳴。視物不明。甚則一小時內。全不可見。故久患偏頭風者。往往有失明之虞。

患偏頭風者。其困苦。在身體上所受之影響。較平常頭痛爲大。蓋發作之時。既不能食。又不得安眠。非常難受。精神爲之衰頹。身體即隨之虛弱矣。且節外生枝。往往併發怔忡。健忘。失眠。癲癇。痴狂等症。

本症發作之時。最宜安靜。病者獨居一室。垂簾閉戶。使室內光線。不刺激病人。並禁止他人入內。以免煩雜。治法。用當歸。川芎。夕利。白芷。鬱金。半夏。陳皮等品。或用蓽撥。細辛。同研爲末。猪膽汁調。搐鼻中。又有用生蘿蔔汁少許。滴入鼻中而取愈者。然皆僅能取效於一時。往往復發。蓋本症與體元有關。宜改良其生活狀況及多進補益之品。一切有害身體或刺激神經事物。如勞力、勞神、大憂、大怒、酗酒、吸烟等。皆宜嚴禁。

八種頭痛

朱振聲

(一)氣虛頭痛　氣虛頭痛。時發暈疼。上午更劇。因頭部陽氣式微所致。血虛頭痛。派弦細或芤數。此症脈細弱。毫無弦數之象。用黃耆八錢。天麻二錢。香附錢半。清水濃煎。溫服。

(二)眞頭痛　眞頭痛。頭痛甚。腦盡痛。手足清冷至節。旦發夕死。夕發旦死。古法。吞黑錫丹。灸百會穴。然黑錫丹功力雖大。而收效甚緩。不如用大劑理中湯加蔓荆子。川芎。或可挽囘。

(三)偏頭痛　偏頭痛者。由風邪客於陽經。或肝邪上逆所致。其經偏虛者。邪氣湊於一偏。左虛。則痛偏於左。右虛則痛偏於右。防風一錢。甘菊花三錢。羌活錢半。製天虫三錢。石決明八錢。連喬殼二錢。湖丹皮錢半。黑山梔二錢。黑豆衣三錢。淨鈎鈎三錢。煎服。

相傳王荊公患偏頭痛。得一秘方。用生萊菔汁一蜆殼。仰臥注鼻中。左痛注右。右痛注左。或兩鼻皆注亦可。試之果驗。

（四）腦後作痛　後腦屬腎。腦後作痛。風入腎經所致。用熟地五錢。山藥。雲苓。當歸各三錢。炒白芍二錢。川芎。陳皮。炙草。各一錢。天麻錢半。麻黃三分煎服。

（五）腦前作痛　外風引動內風。前額作痛。鼻竅不利。陰分素虧者。用淡豆豉三錢。川石斛四錢。防風一錢。池菊二錢。藁本一錢。黑豆衣三錢。淡芩二錢。葱白頭二枚。

（六）大頭瘟痛　大頭瘟痛。乃天行時疫之證。頭痛如劈。重不能舉。頭腫。甚者大如笆斗。熱毒甚也。治宜大清疫毒。石膏八錢。川連六分。知母三錢。犀角片（另煎冲）一錢。生地三錢。山梔二錢。黃芩二錢。丹皮錢半。赤芍二錢。連翹三錢。竹葉三十張。

（七）雷頭風痛　雷頭風痛者。頭痛而起核塊。或頭中痛而有聲。輕如蟬鳴。重如雷響。用防風一錢。羌活錢半。薄荷二錢。菊花三錢。白芷一錢。川芎八分。天麻八分。黑山梔二錢煎服。如不效。用天麻。升麻各一錢。新荷葉一大張煎服。其不省人事者。用地膚子同生姜搗爛。熱酒冲服。取汗即愈。

（八）頭部終年似痛非痛　頭部似痛非痛。終年常然。此腎水不足。邪向上冲。因而作痛。有人患此症數十年。百計求醫服藥。迄無一效。後用熟地。玉竹各一兩。山茱萸肉四錢。淮山藥。元參。川芎。當歸各三錢。五味子。麥冬各二錢。水煎服。二劑而安。永不復發。此方服一劑後。頭痛更甚。不可懷疑畏怯。放膽再服。二劑斷根。屢試屢效。

頭頂圓蓋劇痛

陳益生

針昆崙穴其痛若失

戊辰夏六月。在本邑平民醫院施診。有農夫年四十餘。苦歷八年頭頂圓蓋劇痛。診察色脈。無從辯別何經。緣思凡物之圓深者曰昆崙。圓而末剖散者曰深侖。昆从日从比。所以示山之高於日月。所謂日月相隱蔽爲光明也。西說輕養二氣。合化則爲水。輕居天空，養從地騰。人體頭頂天氣所主。昆崙穴。屬膀胱經。爲藏津液之府。于是爲針灸左昆崙九壯。扶養引輕。化溺排泄。其痛即失。七月又在懷南醫局。針愈同恙三年壯夫。

頭眩

頭眩之種種原因

江逢治

頭眩證不及頭痛證多。但證象却較爲險惡。大率患頭眩的。都是另有一個很頑惡的病根在內。茲將大概能致頭眩的病因。列述如下。

(一)貧血或血枯　人身各體。都憑血液營養。假使身中血液不足。或紅血輪減少。或血輪變壞。都會發生極厲害的貧血症。患貧血的人。腦筋無血營養。頭部貧血。常覺頭空眼黑。甚而至於暈倒。所以血枯。或血不足的病人。除頭痛以外。頭眩是一個最多的現象。

(二)腦弱　腦弱的緣故。大率是腦中强慧質受傷。假如人腦質受傷。不能及時發覺去補充他。便成極利害的腦病。此種人不能多用心。稍一思索或研究。即覺頭眩甚至天旋地轉。眼前發黑。病利害時。並不用腦力之際。也發頭眩。目眩地轉。不敢行走。此皆由腦中燐質既傷。易生幻象的緣故。

(三)凡有胃病的人。胃內食物停積不化。也能使頭眩。

(四)腸病。如多年下痢。腸內有絲蟲。寸白蟲之類。也會發生頭眩。

(五)心臟及血管等。有了疾病。血液運行失常。也會發生頭眩。

(六)假如胃有病。小水不利。因而血中尿毒。多有極厲害的暈眩。此乃症情趨於險惡的現象。

(七)腦中各病。如偏頭風。中風。風癱。或腦裏生疣等。皆有極厲害的頭眩。

(八)小腦有病。生瘡成膿之類。小腦有病的現象。就是專門暈旋。並行立不穩。如醉漢行路一般。

(九)眼睛有病。如眼筋不用。也會使人頭暈。但患此種頭眩的。同時也患歧視。眼睛望出去，所見的事物。都變成兩個。所以格外容易使人眩暈。

(十)還有所謂耳眩的。即耳內的三半規管。有病的原故。這耳內的三半規管。是人身五官以外的第六官。專體平均體重的。如人將頭旋轉太速。或將身連打旋風。驟然停止後。便忽然覺目眩頭暈。立脚不牢。這便是三半規管受了震盪。一時間失却功能的緣故。所以假如三半規管有了病。便患極厲害的頭眩。此等病人。平時常覺耳鳴。或重聽。有時耳中忽覺有尖銳之聲。便覺天旋地轉。脚下的地皮。直往下陷。非扶着東西。便立脚不住。病人顏色青白。額角汗冷如漿。甚至於作嘔大吐。此等頭眩。最爲難受。有時終年眩暈不止。病人終年臥床。不敢行走一步。並不敢起立。平常患這個病的。都是隔幾時發一次。

色慾爲頭眩之大原因

尤良生

內經云。腦爲髓之海，眩因髓虛而作也。男子嗜慾無節。女子白帶淋漓。腎精虛而諸髓空乏者。腰痠脊痛。甚至腦中之髓。自脊而下。故眩暈目花焉。眩之爲患。腎水不足也。又有童年知識初開。腎精未足。女色未近。亦患眩症。有所難解。豈知獨淫作傷。屢洩腎精。甚於女色。漸成癆怯。後必吐血。誤認傷症。父母所不解。則曰先天不足。求學太勤。不咎其過。反憐其勤者。所謂莫知其子之惡也。醫能知其弊。教之保身爲先。補腎調治。癆途自返。

凡治眩之法。男則節慾補腎。女則止帶固精。不治眩而眩自愈。又有因痰而眩者。亦由腎水虧而虛火上炎。爍液成痰。壅遏清明之機而爲暈眩。亦宜滋水以濟火。而痰自化。眩必愈矣。凡夢遺精滑之人。都有頭眩目花。腰脊痠痛之患，甚至于不由自主。寐中相火妄動。莖舉即發。因精過滑而不約所致。治宜黃柏。知母。先瀉虛火。兼能益水。再以補腎固精。則陰莖不至屢舉。精安於舍。而不妄遺。舍此別無良法。若徒用固澀而不瀉虛火。陰莖時舉。頭時作眩。雖補奚益哉。

各種眩冒治療法之我見

陳磐石

眩冒者。頭眩鬱冒也。其病作時。如火之上冒。潮水之泛濫。登時面紅耳熱。眼目昏花。蕩眩欲倒。其病不除，最後恐發生腦冲血之大患。病因甚多。有虛炎上冒。肝陽上擾。痰火上湧，元虛陽氣不升。下焦閉塞。火虛寒水上凌。此病要旨。不外以上數種。今分而論之。

一、虛火上冒

(病因)由於體弱火盛。元氣本虛。眞陰不足。不能濟火。致虛熱蒸騰。上犯淸竅而成此病。

(證狀)脈數。舌鮮紅。面無胎刺者。眩冒面熱。用苦寒降火。多不效。

(治療法)洋參。麥冬。生地。菊花。生白芍。焦山梔。旱蓮艸。荷葉邊。及六味地黃丸。加減選用。

二、肝陽上擾

(病因)由於熱盛灼金。金不制木。致肝木肆橫。木火互熾。水不能涵木。遂上擾而成此病。

(證狀)脈弦數。舌紅多紋痕。眩冒面赤。或脅痛者。

(治療法)羚羊。石決。柴胡。甘菊。枸杞。地黃。元參。代赭石。荷葉及梗等加減主之。

三、痰火上湧

(病因)痰火素盛。不之祛除。上逆而成此病。

(證狀)痰多。脈滑數。或兼咳嗽。胸腹不舒。

(治療法)溫胆湯加竹茹。枳實。杏仁。川貝。雲苓。代赭石。山梔。風化芒硝。滑石等主之。

四、元虛清陽不升

(病因)氣虛下陷。清陽不升。濁陰不降。

(證狀)脈細軟。舌薄無胎。體虛或病後而作者。

(治療法)補中益氣湯。加代赭石。磁石。滑石。

五、下焦閉塞

(病因)例如美孚燈下孔。被塵垢閉塞。則火亦時上冒。人身下焦閉塞。元火被遏則時欲上冒。其理亦同。

(證狀)脈伏。舌白。惡寒。而時惡熱。胸腹時覺攻衝者。

(治療法)用青皮。厚樸。沉香。半夏。升麻。荷葉。

六、火虛寒水上淩

（病因）由於陽虛寒水勝。膀胱氣化不宣。致寒水上凌。而成此病。

（證狀）身瞤動。欲如僻地。如臥泥水之中。一動則頭眩欲死。脈沉或遲。舌白多涎沫者。

（治療法）黨參。附子。白朮。川芎。鹿角。磁石。甘草。

（志一按）本篇第六種眩冒。其見症不但頭眩欲死。抑且心悸不得眠。西醫所謂心藏衰弱是也。余治此症。嘗用仲景眞武湯合苓桂朮甘湯。輒效。以其能強心扶陽也。

中風

中風症病根之所在

汪企張

中風之因。由於腦血管溢血。蓋腦中血管。構造複雜。粗細不同。因所經腦葉各部位之中途。偶有破裂。則全身各器管。發生種種不同之障碍。故欲詳知腦溢血一症之究竟。不可不先有腦中樞。及血管分布之認識。簡言之。腦爲神識中樞。且有支配全身各重要器官之本能。而中樞所

在。各有定位。譬如吾輩。全身運動中樞。在大腦皮質之兩半球前正中迴轉。後正中迴轉。及副
正中葉。再細分之。上肢之運動中樞。在前正中迴轉之中三分之一部。下肢之運動中樞。在前正
中迴轉之上三分之一。與副正中葉。及正中迴轉之上三分之一部。顏面運動中樞。在前正中迴轉
之下三分之一部。舌運動中樞。在前正中迴轉之下部等。而其所經之途又有一定。又若知覺中樞
亦然。譬如視官中樞。在後頭葉之皮質。聽官中樞。在顳顬葉之皮質。嗅官中樞。在鈎狀迴轉。
味官中樞。在穹窿迴轉前部。而以上中樞。所發之神經絲索。其通過部分。亦有一定。若一旦此
等中樞。及通過部分之中途。遇有障碍。或損害。即發生其神經絲索。最後所達部分之疾病。惟
損害在大腦之中樞。則多妨碍神識。不然。則清明也。又按腦中血管徑路。起目左右由頸動脈。
及椎骨動脈之分枝。由內頸動脈系出者。有眼動脈。前大腦動脈。中大腦動脈。而兩側之前大腦
動脈。復結合而成前交通動脈。中大腦動脈。即席而味氏窩動脈。此動脈。較前大腦動脈。易起
障碍。由椎骨動脈系出者、有後下小腦動脈。基礎動脈。前下小腦動脈。聽動脈。及上小腦動脈
。後大腦動脈。此處。復兩側連結而成後交通動脈。此外尚有向後分布者、爲前脈絡膜動脈。終
末動脈。此等動脈。各營養其所經區域而分布之。如前大腦動脈分布區域。在穹窿面。爲上前頭
迴轉之全部。中前頭迴轉之一部。兩正中迴轉之上三分之一。上顱頂葉迴轉之大部分。在內面。

爲前楔狀迴轉之中央。眼窩面。及嗅覺部。又如中大腦動脈分布區域。在穹窿面。爲前頭葉。及顱頂葉。塡充前大腦動脈所不分布之部分。及後頭葉之前部。顱頂葉之上部。眼窩內之一部。在席而味氏窩。則分歧而布於下前頭迴轉。前正中迴轉。後正中迴轉。下顱頂葉。及顳顬葉。又如後大腦動脈分布區域。在穹窿部。爲後頭葉之後部。在內面。爲後頭葉之全部。及前楔狀迴轉之附近部。腦底動脈分布區域。爲大腦之內部等。故溢血。各就其分布部位之不同。而發生種種之病狀。惟腦溢血一症。據歷來解剖經驗上。在內囊部。爲血管最易破裂之處。而運動及知覺之神經絲索。則必通過內囊之後脚。故內囊後脚之中三分之二處。溢血。則反對側。發半身運動麻痺。後三分之一溢血。則知覺失脫。若兩脚同時溢血。則反對側。運動知覺。共起麻痺。此外。又如大腦脚有病變。則反對側之半身知覺失脫。及同側之眼神經麻痺。再若髓橋後部有病變。則反對側之半身麻痺。及同側之顏面神經亦麻痺。又前部有病變。則同側之上下兩肢。及顏面神經麻痺。此皆關係神經管轄區域之間。血管通過途中。發生障碍。所起之疾病症狀。徵歷來解剖多數屍體。發見溢血部位之確證。非意想武斷之辭也。

中風之原因及預防

楊志一

命名之由來　風者善行而倏變。喻病之變化甚速。發於頃刻之間。患中風之人。在病發之前。因有先兆可見。然此種先兆。幾微易忽。常人往往不加注意。如口唇牽動。如手指麻木。有時不易深覺。即或知之。終以爲偶然之事。決不疑及爲中風之兆。及其發作於俄頃之間。人事不省。勢暴而驟。遂加以中風之名。

中風之原因　中風之原因。乃腦部出血。出血之原因。大多由於充血。人身之靜脈血停滯。普通稱爲鬱血。若動脈血之一部分增加。則充血而致血管破裂。此種人之血管。因種種關係。其血管壁較常人爲堅脆。血液稍充。即易破裂。吾人於非常興奮之時。往往血往上衝。忽然昏倒。年老之人。最易患之。

眞中風與類中風　中風者。即仲景金匱所云『邪入於府。即不識人。邪入於藏。舌即難言。口吐涎』之類是也。類中風則證情較輕。邪未入臟入腑也。然欲確實明辨眞類不同之點。及其識別之方法。甚難肯定。大約眞中風即腦出血。類中風即腦充血及腦部之微血管破裂。一則厥而不復。一則厥而易復者也。

中風之預防　中風之症。甚爲危險。往往昏厥不醒。故宜早爲預防。預防之法。在使血流不加速。血壓不過高。神經不使過於興奮。飲酒之人。尤須絕對禁止。治療上以余之經驗。金匱之風引湯。最爲合拍。此方之藥品。爲大黃・乾姜。龍骨・桂枝・甘草・牡蠣・寒水石・赤石脂・白石脂・紫石英・石膏等十二味。以石藥爲最多。近世醫家。多不敢用。甚爲可惜。

中風有中絡中腑中臟之討論

汪企張

金匱云、是病爲風。中則半身不遂。或但臂不舉。而强分爲邪在於絡。肌膚不仁。邪在於經。即重不勝。邪入於府。即不識人。邪入於藏。舌即難言。口流涎沫。申言之。肌膚不仁。即知覺失脫。重不勝。即運動痲痺。不識人。即神志昏迷。難言流涎。即言語澁滯。咽喉失司。玆按五藏六府。雖各有中樞。然而心動中樞部溢血。則心搏靜止。呼吸中樞部溢血。則呼吸停止。詎僅人事不省而已。肝脾腎中樞部溢血。雖不頓死。而亦各有其生理上固有之障碍。決非一人事不省現象可包括。至屬於六府之胃膽膀胱大腸小腸三焦。除三焦本體。根本不經外。有中樞在腦。亦有在脊髓。而其障碍。殆皆局部現象。不定發生人事不省症狀。蓋神識主司。實在大腦。藏府之中樞。既不盡在大腦。則人事不省。即不能委之藏府之中風。其實爲大腦中主司各官之一種秩序紛亂現象。一若家中失愼。舉室秩序大亂。其損害之巨細。不定與舉室紛亂關聯。迨事後調查整理。或損害嚴重。或破壞輕微。以故人事不省。有至死不省者。有三數日恢復其中常態者。非眞中風中藏府使然可知。至於神識淸明。不過口眼喎斜。或手足癱瘓。即明示患部。未損大腦。而溢血部位。亦極狹隘。或僅於腦絲索經過之途中。發生障碍之一現象而已。譬之屋外邊房。發生火警。在牆高壁厚之主屋。不易延燒。故內部毫無驚擾紛亂之狀。且證以今日解剖結果。此類症狀病人。均內部損及神經。而與經絡。根本絕無關係。則所謂風中經絡云云。充其量。不過神經絲索最後所達部分之一種障碍。乃果而非因也。

治療中風之經驗

郭受天

門東某叟。年已近七旬。身體向來豐滿。酷嗜煙酒。大便常常秘結。所以喜食肉麵。歷年至長夏時間。多發生濕性脚氣症。一次或數次。每次發時。疼痛異常。足不能落地。故隨發即隨時對症治療之。今年幸未發作。一日。獨自在後院閒坐。忽失常態。大號一聲。昏仆於地。口流鮮血。全身拘攣。人事不知。喉間痰哮有聲。其家人見此狀態。驚慌失措。當由多人將伊由後院地上。抬至房內。又命人呼理髮匠。欲爲其針灸。理髮匠某。見伊人事不知。但聞喉間痰聲漉漉。束手無策。辭以不能針。伊家人於危急萬分中。忽憶余屢次爲伊治脚氣症。俱獲奇效。遂急延余往診。余至距伊跌時。已歷五小時。此時牙關仍緊閉。致舌象無由診視。姑置之。次察其脈象。

則洪大而弦硬。伊家人告余曰。伊上午八時。尚食菱角半斤。毫無病狀。不知如何卒然而發者。余告之曰。此卒中風病也。症極危險。請約略言之。

中風一病。在吾國病理上。分類既繁。學說尤廣。既有眞中類中之分。又有中臟中腑中經中絡之別。復有氣虛風火熱痰等名詞之各異。若欲詳言之。雖連篇盈尺不能盡。至近世西洋醫學謂本病爲腦中血管破裂而出血。該叟之病源。遠因於平時之嗜酒。忽一旦全身拘攣。昏扑於地。口流鮮血。以中醫之學理推之。當然屬諸熱甚火旺者。非清熱以息風不可。因憶金匱要略除熱癱癎之風引湯。確係對症。遂略爲加減與之。果一劑而血止。再劑而神識漸清。連服至五六劑。則行動如常。惟稍稍帶有舌强言謇之現象耳。其家人喜出望外。爭詢余果有何種神妙之術。而得此佳良迅速之經過。余笑謝之曰。此非神妙之術。乃遵仲景大法治之耳。

此方之藥品。爲大黃。乾薑。龍骨。桂枝。甘草。牡蠣。寒水石。赤石脂。白石脂。紫石英。石膏等計十二味。以石藥爲最多。試取清代名醫陳氏之言以證明之。

陳元犀云。「此方用大黃爲君。以蕩除風濕熱之邪。取乾薑之止而不行者以補之。用桂枝甘草以緩其勢。又用石藥之濇以堵其路。而石藥之中。又取滑石石膏清金以平其木。白赤石脂。厚土以除其濕。龍骨牡蠣。以斂其精神魂魄之紛馳。用寒水石。以助腎之眞陰。不爲陽光所爍。更用紫石英以補心神之虛。恐心不明。而十二經危也。明此以治四臟之風。游刃有餘矣。後人以石藥過多而棄之。昧孰甚焉」。陳氏之言如此對於本方之解釋。可謂深切透明矣。余猶有所言者。以本方之奇效。全有石藥。近世西洋各國。盛行加爾叟謨療法。謂其有鎮靜、鎮痙、鎮痛、止瀉、强心、止血、强壯、消炎、制泌等作用。而本方之石藥。其主要成分。即爲加爾叟謨。是加爾叟謨之醫治作用。即本方之作用。況又加以有效之大黃。復佐用芳香之桂枝。尤合近世各國下劑配佐法之通例。石灰劑與下劑同用。尤能使其濇而不滯。噫，古醫方之神妙。誠有不可思議者也。

小兒腦充血

夢梅

腦充血又名腦積血。小兒之患是者。或因家庭壓迫過嚴。或校師責罰太甚。精神興奮。心力過勞。最易致此。又有因心臟疾患。呼吸器疾患飲食過度而起。

病發之時。顏面潮紅眼目眩暈。耳鳴噁心。知覺異常。其重者。甚或人事不省。

治療之法。將患者安臥於牀。墊高頭部。頸部及胸部紐扣。速即解放。以便呼吸而使血液下行。取熱水或和芥末薑汁。摩擦手足腿臂。手巾醮冷水罨於頭部。內服瀉劑。愈後。須限制飲食物。解除其致病之原。

腦貧血

腦貧血之由來及其調護

壽白

腦貧血有時成爲全身貧血的一個症狀。但是全身的血量和血液的性狀。即使沒有變化。也有只發腦貧血的。腦貧血成爲全身貧血的一個症狀的時候。自然不成問題。若是沒有全身貧血而發生腦貧血。那就是腦血管一時性收縮的結果、原因有些是完全神經性。有些因爲其他體部的疾患。以致血管起反射的收縮所致。前者多半在神經性或神經過敏的人忽然起立。或入浴太久的時候發出。

腦貧血的症狀。先是面部蒼白。頭昏眼花。繼發惡心嘔吐。後來忽然昏倒。冷汗淋漓。不省人事。

本來已有幾分全身貧血的人。尤其容易發生腦貧血。

病人完全沒有意識。或是意識不甚明瞭的時候。勉强使他食用湯水。往往有誤竄入肺的危險。又意識不明瞭的時候。常發嘔吐。若誤將吐物吸入氣管。就要發生肺炎或肺壞疽。務要十分注意。病人將要嘔吐的時候。務要使他頭部橫向。如此便易吐出。

腦貧血與肢體痿廢之關係

張錫純

人之全身運動。皆腦髓神經司之。此說倡自西人。乃實可徵信。是以西人對於痿廢之證。皆責之腦部。其致此證之由。實因腦部充血。與腦部貧血之懸殊。盖腦髓神經。原藉血爲濡潤者也。而所需之血。多少又以適宜爲貴。彼腦充血者。血之注於腦者過多。力能排擠其腦髓神經。俾失所司。至腦貧血者。血之注於腦者又過少。無以養其腦髓神經。其腦髓神經。亦恒失其所司。至於腦中所以貧血。不可專責諸血也。愚嘗讀內經而悟其理矣。

內經謂『上氣不足。腦爲之不滿。耳爲之苦鳴。頭爲之傾。目爲之眩』夫腦不滿者血少也。因腦不滿而貧血。則耳鳴頭傾目眩。即連帶而來。其劇者能使肢體痿廢。不言可知。是西人腦貧血可致肢體痿廢之說。原與內經相符也。然西醫論痿廢之由。知因腦部貧血。而內經更推腦部貧血之由。知因上氣不足。夫上氣者何。胸中大氣也。(亦名宗氣)其氣能主宰全身。斡旋腦部。流通血脈。彼腦充血者。因肝胃氣逆。挾血上衝。原於此氣無關。至腦貧血者。實因胸中大氣虛損。不能助血上升也。是以欲治此證者。當以補氣之藥爲主。以養血之藥爲輔。而以通活經絡之藥爲使也。爰本此義。擬方於左。

斡頹湯　治肢體痿。或偏枯。脈象極微細無力者。

生箭芪(六兩)當歸(一兩)甘枸杞(一兩)淨萸肉(一兩)生明乳香(三錢)生明沒藥(三錢)眞鹿角膠(六錢搗碎)先將黃芪煎十餘沸。去渣。再將當歸枸杞萸肉乳香沒藥。入湯同煎十餘沸。去渣。入鹿角膠俟融化。取湯兩大鍾。分兩次溫服。爲一日之量。

方中之義。重用黃芪以升補胸中大氣。且能助氣上升。上達腦部。而血液亦即可隨氣上注，惟其副作用能外透肌表。具有宣散之性。去渣重煎。則其宣散之性減。專於補氣升氣矣。當歸爲生血之主藥。與黃芪並用。古名補血湯。因氣旺血自易生。而黃芪得當歸之濡潤。又不至燥熱也。萸肉性善補肝。枸杞性善補腎。肝腎充足。元氣必然壯旺。元氣者胸中大氣之根也。(元氣爲祖氣。大氣爲宗氣。先祖而後宗。故大氣以元氣爲根。一先天一後天也)且肝腎充足。則自脊上達之督脈，必然流通。督脈者又腦髓神經之根也。(髓生於腎。由督脈而上達於腦)。且二藥皆汁漿稠潤，又善贊助當歸生血也。用乳香沒藥者，因二藥善開血痺。血痺開。則痿廢者久瘀之經絡。自流通也。用鹿角膠者。誠以腦既貧血。其腦髓亦必空虛。鹿之角在頂。爲督脈之所發生。是以所熬之膠。善補腦髓。腦髓充足。則腦中貧血之病。自易愈也。此方服數十劑後。身體漸漸强壯。而痿廢仍不愈者。可繼服後方。

補腦振痿湯　治痿廢偏枯。脈極微細無力。服他藥久不愈者，

生箭芪(二兩)當歸(八錢)龍眼肉(八錢)淨萸肉(五錢)胡桃肉(五錢)䗪虫大者(三枚)地龍去淨土(二錢)鹿角膠搗碎(六錢)製馬錢子末(三分)共藥十一味。將前九味煎湯兩鍾半去渣。入鹿角膠末融化。分兩次溫服。每次送服製馬錢子末。一分五厘。爲一日之量(製馬錢之法。見衷中參西詳論腦充血之原因及治法。並論及腦溢血腦出血治法篇中。)

此方於前方之藥。獨少枸杞。因胡桃肉可代枸杞補腎。且有强健筋骨之效也。又嘗閱滬濱中國醫學院報。謂腦中血管。及神經系之斷者。地龍能續之。愚則謂必輔以䗪虫方有效。蓋蚯蚓(即地龍)善引。䗪虫善接(斷者能接)二藥並用。能將血管神經之斷者。引而接之。是以方中又加此二味也。加製馬錢子者。以其能瞤動神經。使靈活也。此方與前方。若服之覺熱者。皆可酌加天花粉天冬各數錢。

小兒腦貧血

夢梅

腦貧血亦名腦血虛。有慢性及急性二種。慢性者由於授乳太久。（小兒滿一歲。或一歲半者。即宜斷乳。有授乳至四五年之久者。母子均受其害。身體必皆不健）。營養不良。其證時覺頭痛耳鳴。眼目昏花。記憶力減退。急性者由於精神感動。出血太多。其證面色蒼白。精神朦朧。致猝然顛仆。

治法。將患兒仰臥於床。解鬆頸紐。低垂其頭部。治法適與腦充血相反。因欲使血液易流至頭部也。再以毛羽刺激鼻孔，促其噴嚏。此法爲誘起鼻神經與呼吸神經之交感。使吸氣速入口腔。呼氣突出鼻孔。昏迷者遂得醒覺。常人用鼻烟及香烈之藥粉。嗅入鼻中。以治急症。與此法大略相同。彼時未知此理耳。如小兒漸醒。另用燒酒半湯匙。和溫水半杯灌服。以提其神。慢性者其平時飲食。須多用牛乳。雞蛋。魚肝油等滋養物品。

記憶薄弱

練習記性之法

陳明道

練習記性之法。其要有四。即留意。明辨。選擇。恒習是也。

留意則深印於腦。如墨之深入。字不易擦去。更可以攝影喻之。光濃則瞬息而成。光淡則歷時許久而始成。故事之觸目經心者。自不能忘。他事雖關緊要。苟不着意。不免有遺失矣。

明辨則不但能分析事物之異同。且能以理而類聚。否則頭緒紛亂矣。

選擇者。因事有輕重。先其重而後其輕。文有優劣。先其優而後其劣。刈所學者樂記之。且廣記之。而記性因以增力矣。

恒習者。時時復習。隨時默記。不俟遺忘。如印書者之印板。用之日久。必重鐫而新之。否則字跡殘缺。莫由識其文矣。

記憶與『多想』

錢保敘

所謂記憶。有各種不同之解說。第一指腦筋裏黏住什麼事情。第二指忽然間提及的事情。能夠想起來的。換句話說。就是記得從前看見過的。還有一種是任意把什麼事記得。并且放在心裏的能力。我們把他集在一塊兒。這三種解釋。其實是不相同的。

我們發見的各種證據。都覺得記事不忘的能力。無論如何訓練。是不能改善的。至於那追憶的能力。全靠當初注意得怎樣。但那追記事情的能力。可以訓練出來的。因爲這關於各樣事情。和我們心理的關係。我們很願意從記憶力裏把些事情都牽連一塊。可惜沒有根長繩綁將起來。實際上這也是訓練記憶的好法。

學習記憶。最要在「多想」。多想則搜索探思。反復記誦。其印象愈深。且多想又能和別件事牽連在一起。可以記得愈準而愈容易了。（按多想亦宜有節制。尤貴心神專一。不可雜有他念。）

神經衰弱

神經衰弱之原因與證狀

王完白

（甲）先天的原因　人之腦力。各個不同。强弱之差頗鉅。此與先天之稟賦。極有關係。若其父母生活失當。或沉溺於過度之嗜好。或有神經性疾病。則本身腦力已不健全。所生子女即具有神經性之素質。易患神經衰弱之病。譬如小資本之商店。能安分營業。尚可維持生計。若稍有越出範圍之舉動。因無積蓄之故。易起周轉不靈之恐慌也。

(乙)後天的原因　雖無遺傳之神經性素因。但其人若常日操勞。用心過度。亦可自起本病。多憂慮之人。更易成病。往往些微小事。亦煩惱甚劇。致終日如坐愁城。故患此者多爲勞心之著作家。教育家。持籌握算之實業家。及多愁之婦女等。亦有因嗜好煙酒。或繼急性熱病及慢性梅毒結核等病而起者。

(丙)性慾的原因　此外有因男女性慾關係而成本病者。如性的缺乏或過度。或他種不正當之擾亂。皆易釀成本病。

症狀　神經衰弱之病象。幾乎人各不同。有局部性者。有全身性者。然二者兼發。較爲常見。亦可照臟器受累之部份。分爲腦類。脊髓類。心脈類。胃腸類。生殖器類等。茲爲通俗起見。但就所顯之病狀。擇其常見者。舉出十二種。(拼成六對。以便記憶)。

㈠體質虛弱　此病固屬腦部。但身體亦大受影響。因而隨之虛弱。體重減輕。貧血乏力。或竟至不能起牀。然亦有腦病雖重。而體力尚可維持。外觀無甚病容者。

㈡精神疲勞　精神欠缺。爲本病之主要病狀。例如不能計算簡單之數目。或寫信記帳等尋常瑣事。亦甚費力。稍加思索。即頭脹面紅。又夜間不能安睡。尤爲腦部要狀。

㈢感覺過敏　如尋常小事。在病者感受即覺甚爲嚴重。些微之痛。已覺不能忍受。他人對之稍不稱意。即覺受有重大之侮辱，故常出言躁急。對人不加寬諒也。

㈣視聽異常　視力極易疲乏。看書數分鐘。即覺眼有閃光。或眼球作痛。耳畏響聲。甚有聞聲作耳痛者。睡時聞極時輕聲響。即易驚醒。

㈤憂鬱厭世　病者終日面帶憂容。無事生愁。或自慮病重。不久人世。倒臥床上。且哭且訴。似非哭不足以洩其鬱悶之氣者。亦有大哭以致昏厥者。至此易萌短見。實行自殺者亦所恒有。

㈥畏懼避人　病重者常有畏懼性。如大庭廣衆之處。絕對不敢見人。强之使出。竟致全體戰抖。大汗淋漓。熱鬧市街。亦不敢行走。然獨居一室。或又恐懼。非有人相伴不可。

㈦頭腦壓迫　此爲常見之狀。每覺頭顱內有一處如受壓迫。或前額。或顱頂。或後腦。有限在局部者。有散漫無定者。

㈧筋骨痠疼　此乃脊髓性病狀之一。在頸間。背間。肋間。腰間。或腿部等處。時覺痠痛。或自顯。或稍動乃顯。

(九)心臟受擾　如心悸亢進。心動不規則。或心部作痛。稍受刺激。心之搏動立增。甚至眩暈。宛如心臟有病者。

(十)血運失調　如突然而起之熱陣。在顏面上最易覺察。動脈之搏動。各處皆易按得。最顯著爲腹內主動脈之搏動。猛而有力。儼如脈囊病然。病者對此。甚以爲苦。胃空時更甚。

(十一)生殖障碍　即男女之性神經衰弱。男性如遺精。陽萎。早洩等。女性如經期不調。卵巢隱痛等。性欲或亢進。或減退。病者每爲此引起過度之不安。

(十二)消化困難。乃胃腸神經衰弱之故。即官能性之消化不良。臟器未必有病。然因此而營養缺乏。體力更弱矣。

以上病狀。非患者所必有。大概只見數種者多。且輕重之間。亦有差別也。

神經衰弱與失眠

周進之

凡神經衰弱。已成爲症候者。則精神抑鬱。思慮紛然。臥時常覺。睡意毫無。而精神又非常疲倦。勉强入睡。有徹夜不交睫者。有終夜惡夢所擾。而疲憊不堪者。有祇睡三四小時。一到習慣醒時。即不能睡者。此所謂習慣醒者。惟親歷者方知之。譬如第一夜於午前三時醒。第二夜亦復如是。以至於以下諸夜。無不皆然。一到此時。不能入寐。不眠之時。心焦氣悶。痛苦已極。倘力爲排解。則妄念乘之。於是追想既往。懸念將來。一切喜怒哀樂之妄想幻境。均乘機竊發。不可制止。精神已疲極思睡。而種種之妄想幻境。尙恍惚如在目前。有不能斷絕之勢。愈欲睡而愈不能睡。轉瞬晨鐘破曉。意態始覺朦朧。日間勞頓異常。心緒惡劣。有不得不從事於晝寢之勢。或有全然與此相反者。其精神疲倦。日夜思睡。偶或醒覺。輒感不快。且睡時恍恍惚惚。鼾聲已達於戶外。而自己或不覺其睡。且自謂未嘗交睫也。此種似眠非眠之症狀。較失眠者其神經之受病。恐猶深一層。蓋其腦系已由衰弱而入於昏朦之境矣。（按交泰丸、治失眠甚效。見「神經衰弱淺說」書中）

青年之神經衰弱

尤學周

一般青年。常有因多讀書報。或稍稍運籌。即覺頭暈目花。心煩不堪者。亦有記憶銳減易於遺忘者。有反覆床第。不能熟寐者。此皆神經衰弱之症也。

神經衰弱。爲慢性疾病之一。雖一時無生命危險。然一患此症。則惰氣叢生。頭腦不靈。其所受影響亦甚大。如減少工作效率。或無心工作。如身體因之日漸衰弱。而引起其他危險病症。

甚則減少壽命。且能遺傳於子孫。不可漠然視之。

本症之發生。原因甚多。其屬於身體方面者。大多由不知衞生所致。常人於普通智識。甚爲缺乏。於個人衞生。尤不經意。富者晏安樂居。不知運動。貧者操作不息。不知休養。且無正當之娛樂場所。所謂遊藝之場者。非銷金之窟。即伐性之所。故一切傷身之嗜好。如烟酒嫖賭。爲之風行猖狂。日夜流連。此神經衰弱之主要原因也。青年之苦無性慾發泄機會者。耽於手淫。亦能誘起本症。其餘如急慢性傳染病五官疾病。生殖器疾病之類。皆能造成本症。

其屬於精神方面者。精神過勞。爲其主因。凡爲勞心之職業者。如日夜相繼。不稍慰藉。神經必由過敏而陷於衰弱。而社會環境。響影及於精神方面者尤大。吾人在社會上所受種種遭際。皆可使精神感受痛苦。以戕賊神經。國人有一特性。即好妄想。非愁苦。即疑慮。青年又爲性慾所驅使。春情縷縷。幻想無際。故多春夢而促起遺精之症。同時神經亦陷於衰弱。且青年於此新舊過渡之社會中。以運途境遇與一己之理想矛盾。發生無聊之悲哀。作繭自縛。亦其一因。此外如情慾之抑制。生活之狂蕩。感情之緊張。環境之紛擾。以及貧窮之困阻。皆能誘發本症。神經衰弱之症。隨文化之高潮而加增。文化愈盛。神經衰弱之症亦愈盛。地方愈文明。患此症者亦愈多。上海一隅。爲全國文化最盛之處。故青年患者尤多。夫青年爲國家之主幹。德國鐵血宰相俾斯麥之言曰。『看汝等青年何若。即可知汝國家之前途。』及患此症。則精神不甯。身體亦不振。不能任當大事。以致感情反常。態度消極。人生樂趣。至是殆盡。苦悶抑鬱。悲觀厭世。相繼而生。夫精研科學。努力工作。服務社會。保衞國家。是皆全國人民所厚望於今日之青年者。而大多數之青年。不幸而患此症。於己。於家。於國。均蒙不利。實深可痛。

神經衰弱之症。其來也漸。其去亦不易。一面自己注意於攝生。一面服藥調理。潛移默化。久則自能於不知不覺中恢復其康健之軀。不可操切從事。以求速愈。蓋愈操切。愈難收效。所謂『欲速則不達』也。

青年既患是症。不可起謬誤觀念。或抱幻想杞憂。致益增其病勢。本症雖不易愈。然亦非不能愈者。惟在有決心調治耳。故對於此症。不可緊張惶恐。過於重視。宜坦然處之。若無其事。一面利用快愉之感情。事事求其樂觀。則舉動活潑。全體之機能健旺。神經方面。自獲相當之成效。飲食方面。宜取適當之滋養物。以强其體。如牛肉、羊肉、鷄蛋、牛骨髓、甲魚、胡桃肉等。不特富於滋養。且有益於腦。爲補腦之上品。神經衰弱者。服之最宜。藥物如人參、黃芪、當歸、熟地、桂圓肉、白朮、鹿角霜、棗仁、柏子仁、阿膠、龜版、枸杞子、遠志、茯神、龍齒等。可以隨證選用。

神經衰弱漫譚

知味

腦髓神經之病。雖至不一。其最易犯而難治者。莫如神經衰弱症。近世文明日進。人之需用腦力日繁。故犯此病者亦日多。若在上古無爲之世。當無所謂神經衰弱焉。論其原因。固以勞心焦思，用腦過度爲主。而酖湎酒色。亦易致此。凡夫婦嗜酒。暨高年結婚者。所生子女。尤易犯之。此外如傷寒、梅毒、血虧、腸胃病、生殖器病等。亦每足誘致是症。又此症復多遺傳。故婚姻擇偶。當深加注意。

本病主徵。爲頭內朦朧。頭脹頭重。頭痛。頭暈。耳鳴。眼花。心悸。不眠。視力。記憶力。思考力均減。胃部疼痛。間有手足覺冷。顏面潮紅者。精神方面。有違常態。往往發憂悶恐懼之念。行於街衢及空隙之處。而頓覺恐怖。發眩暈。心窩苦悶。心悸亢進。全身蒼白。冷汗淋漓。甚或卒倒者。是謂憂鬱病。即心病是也。

又有便通不整。發腹鳴鼓腸。略事運動。則心窩苦悶。呼吸促迫。心悸亢進。食慾減退。（亦有多食者）脊柱之全部或一部患疼痛。若打拍之則益甚。此乃脊髓神經因衰弱而形成過敏之狀態。凡因色慾過度而患此病者。其生殖機能必發生障碍。而發陰萎遺精等病。且昏瞀憂鬱。疲倦煩悶。不勝勞力勞心之務。而抱厭世嫉俗之觀。此乃生殖器神經衰弱之徵象也。

要之神經衰弱之症。雖種種不一。而其頑固苦楚之況。固靡不相同。苟非除祛致病之源。則均將永淪苦海。終無誕登彼岸之可冀。且荏苒不治。勢必大損身心之康甯。而致病勢日益增。甚者復恒有輕生自戕之舉。可不愼哉。

狂癲癇

狂癲癇之研究

楊煥文

人之氣血。周身循環。晝夜不停。一失其平。則有血幷於陰。而氣幷於陽者。幷於陽謂之重陽。即狂病也。幷於陰謂之重陰。即癲病也。後世將癲狂混同論治。殊悖經旨。又有誤認癲癇爲一者。亦非也。癲爲久病。癇作之病。症雖相似。治法迥異。分別論之於左。

(一)狂

原因　張景岳曰。凡狂病多因於火。或以謀爲失志。或以思慮鬱結。屈無所伸。怒無所洩。以致肝膽氣逆。水火合邪。而發爲狂。此是實證。非虛證也。所云其邪乘於心。則爲神魂不守。邪乘於胃。則爲暴橫剛强者。以今考之。蓋緣自腦來第十對神經。散結於心肺胃之間。故發現之證狀有如此也。西醫論病。亦謂人勞其精神。競爭生存。焦心苦慮。感動興奮。精神過度。而釀成本病。大抵上流社會較下流社會易罹此病。而荒於酒色。富於名譽心者爲尤多。若所謂此病與梅毒有密切之關係。是又一因也。

解剖　本病主要之變化爲腦髓萎縮。而與額腦爲甚。其溝深廣回轉瘦削。而腦皮質亦起變性。於硫腦膜內面。有菲薄之被膜新生間。以新舊種種之出血竈。其狀恰如出血性硬腦膜內層炎。其軟腦膜亦肥厚。處處與腦質相愈著。其皮質之神經細胞纖維。連合纖維。亦甚消耗。而間質組能因以增殖。要之本病主要的解剖變化。即爲神經細胞及纖維之變性消削是也。然此病變不獨於皮質爲然。中心神經節部亦呈變性。於骨髓索（骨髓傍）及側索。（痙攣性骨髓痲痺）亦見此變性現象也。在我國經脈解篇。所論太陽甚則狂癲癇。太陽自背入腦。已標示此病與腦質及脊髓相關。但其說未詳密耳。

證狀　難經曰。狂疾之始發。少卧而不飢。自賢也。自辨智也。自倨貴也。妄笑好歌。妄狂不休是也。此即西醫所謂之麻痺狂誇太妄想也。患者自視甚大。或視為帝王。然亦有居恒鬱鬱不樂。自疑頭腦空虛。手足斷脫。或疑人將害己。而拒飲食。或號泣咆哮。粗放無禮。憤怒不顧。如此漸達於完全癡呆。此外之現象。有瞳孔變化。言語障害。振顫吐舌諸狀。並有如卒中癲癇之發作。

治法　此症當以清火為先。或痰或氣。察其甚而兼治之。若止因火邪。而無脹閉熱結者。但當清火。宜抽薪飲。黃連解毒湯。三補丸之類主之。若水不制火。而兼心腎微虛者。宜硃砂安神丸。或服蠻煎。二陰煎主之。若陽明火盛者。宜白虎湯。玉泉散之類主之。若心脾受熱。叫罵失常。微兼閉結者。宜清心湯。涼膈散。滾痰丸主之。若痰飲壅閉。氣道不通者。則瓜蒂散以吐之。若三焦熱結甚者。宜大承氣湯以下之。用攻痰之藥。使患者吐出頑痰而愈。屢試有驗。西醫詆中醫論痰。每統血中之明汁。炎症之黏液。癰疽之濃汁。液管之津液。混雜在內。漫無區別。不合生理。不知中醫論痰。是廣義而非狹義。故金匱分咳嗽及痰飲為二門。從肺咳出之痰也。若其他部凝聚之液體。則謂之痰飲。亦嘗區別而分治之矣。要之中醫治痰之藥。實兼能治腦。

(二) 癲

原因　癲病俗謂之失血風。多因抑鬱不遂。侘傺無聊而成。心經蓄熱。或痰閉氣結者。亦能致此病。又兒在胞胎。其母卒受大驚。能令子發癲。謂之癲子。西醫則以癲癇認爲一症。

解剖　患癲者。其腦之黃白漿必少而壞。其腦血衣亦必腫厚。近血管處并有黃點。其腦筋衣則積有多水。與頭骨相離。衣多明汁兼有血水。附近血管或變油質。或變膠狀。而腦內各房前後俱脹大。大腦內迴紋均縐縮。後面尤甚。久則癱瘓。其腦衣多壞。甚或發炎。而延及小腦。

證狀　患者精神恍惚。言語昏瞀。終日喃喃。時明時昧。行動猖狂。喜怒不常。有狂之意。而不如狂之甚。

辨證　癲屬陰。狂屬陽。癲多喜。而狂多怒。狂爲痰火實甚。癲爲心血不足。

治法　此症治法宜清心安神。兼降痰。用牛黃丸、麥門冬丸、茯神丸諸方。大致雖同於治狂。然狂爲實火。宜乎攻下。此則須安神養血。西醫則多用麻醉興奮之劑。詳見癇症。

（三）癇

原因　癇病由于驚動臟氣不平。鬱而生痰。閉塞諸經。或在母腹中受驚。或幼小受風寒暑濕飢飽失宜。逆於臟氣而得之。要不外陰陽二種。心腎虛損者。症多陰癇。痰火上逆。痰涎壅塞。心包絡經脈阻閉者。症多陽癇。西醫謂此症以遺傳爲必要之原因。並謂此外如兩親之飲酒黴毒。分娩困難。頭部外傷。精神感動。以及鼻腔咽頭並耳內之茸腫腸寄生蟲子宮轉位等反射作用。而感應腦髓。亦爲本病之原因。

解剖　此證腦內病狀初無一定。年久者每有頭顱傷損。腦衣實厚。腦漿太多。或不足。腦內生瘤。或腦厚。一說爲自腸管發生之自家中毒。

証狀　癇病發則卒然側仆。口眼相引。手足搐搦。背脊强直。舌有咬傷。口吐涎沫。聲類畜叫。目瞳子大。手足顫掉。搖頭口噤。甚則如死人。遺溺有頃乃解。

辨症　癇與中風中寒中暑尸厥等仆倒不同。癇病仆時。口中作聲。將省時吐涎沫。省後又復發。時作時止。中風中寒中暑尸厥之類。仆時無聲。省時無涎沫。省後不復再發。間有發者。亦不如癇之甚也。

治法　中醫治此症大別有五法。一曰清神。用犀角、羚羊、牛黃、鬱金、連翹之品。二曰豁痰。用控涎丹、滚痰丸之類。三曰祛風。用天麻、全蝎、川芎之品、四曰降。降而涼者。琥珀、元精石、海石等。降而鎮者。金箔、沉香、硃砂、紫石英等。降而通者。大黃、麝香、白礬等。降而斂者。五味。龍齒等。五曰補。補氣用參耆。補血用歸芎。補陽用桂心、鹿角膠、白附子、補陰用二地等。又凡此症之不甚重者。用定癇丸。頗能有效。惟時久則難治。此症以臭素劑爲最有力。亦有用士的年治者。木鼈子精也。木鼈子亦名馬錢子。王清任有龍馬自來丹一方。用馬錢子地龍香油爲丸。與西法吻合。

癲狂癇之證治

張文元

（一）說明

癲狂癇之界說。歷代學者。各執一是。內經有癲狂癇之名。而敍述症候。獨詳於狂。（見靈樞癲狂篇）至於癲癇。雖有骨癲。筋癲。脈癲。及癇瘈。癇厥等區別。然皆無詳細症候之記載。殊爲遺憾。惟癲狂篇謂「癲疾始作而引口。……癲疾始作先反僵。……癲疾者暴仆。……」云云。是合癲癇爲一病矣。難經但述癲狂而不及癇。其論癲疾。亦謂僵仆直視云云。與內經不謀而合。巢氏病源。謂癇者小兒病也。十歲以上爲癲。十歲以下爲癇。又分癲爲陰陽風溼勞等五種。五種之外。復有牛羊馬猪鷄等名。是雖分名繁多。要亦祖述內經也。千金方亦謂大人爲癲。小兒則爲癇。而癇又有五臟六畜等區別。是又遵守巢氏之說也。明代張景岳氏。主持癲癇一病之說。尤爲激烈。其言曰。「癲即癇也。觀內經所言癲症甚詳。而癇則無辨。即此可知。後世有癲癇。風癇。風癲等名。所指不一。則徒滋惑亂。不必然也。」又曰。「如別錄所載五癇。……即今人之謂羊癲猪癲也。此不過因其聲之相似。遂立此名。可見癲癇無二。而諸家於癲症之外。又有癇症。誠屬牽强無足憑也」綜此數說。皆因守內經。合癲癇爲一病。天經地義。絲毫不可移易者。然衷考實際。則癲狂癇。各自爲病。絕無彼此混合之理。王肯堂氏。獨具隻眼。不落前人窠臼。不作固步自封。以爲「癲癇狂大相逕庭。非名殊而實一。」其於三者之界限。劃分極清。而敍述症候。又綦詳備。（詳見後）可謂有功後學不淺矣。晚近陳氏邦賢。以新義引伸之曰。「癲即精神病之靜者。狂即精神病之躁者。癇即神經病之總稱。」云云。對於癲狂癇之界說。可謂搜剔入微。瞭如指掌矣。洒者不學無術之流。居今之世。猶復癲癇混稱。靜躁不分。甚有疑癲狂癇爲一病者。捫燭扣盤。可笑孰甚。竊謂癲狂二病。流俗統稱曰瘋。有心瘋氣瘋等名。而於癲。則曰文瘋。於狂則曰武瘋。文武之義。即靜躁之謂也。與陳說恰相吻合。至於癇病。有眞性癇病（特發性）與症候性癇病之分。陳氏謂即神經病之總稱者。蓋合眞性癇與症性癇而言也。其實症候性癇。不過於他病經過中續發類似癇病之症候之謂。與特發的眞性癇病。迥乎不侔。陳氏混同立論。殊覺白璧微瑕耳。所謂眞性癇病者。民間所呼之羊羔瘋是也。

（二）原因

癲狂癇症候各殊。原因亦異。大別之癇癲與狂。以精神的（或心理的）原因爲基礎。而癇病。則兼神經系統之病變爲原因也。茲分別述之。

（1）癲狂　癲與狂。同源異派。其發病動機。雖事實多端。至不齊一。要皆導源於心理的或精神的生活。發生反常之事件而病者也。與歇斯的里病。殆爲一類。其精神生活之變化。雖以抽象的精神爲主體。然所以致此變化者。仍不能脫離外界之關係。通常此等患者。多由七情六慾。失所調劑。或爲人事之挫折。或爲職業之失敗。或爲環境突然改變。（先富後貧）或爲地位驀地降落。（先貴後賤）他如戀愛之失敗。婚姻之柢牾。以及割愛絕情等。皆足使患者之精神生活。壓迫。痛苦。障碍。引起癲狂之變化。本病發生。無間男女。而有智愚及階級之分別。大抵智者鈎心鬥角。競爭生存。常較無知無識之愚者爲多。而處於鐵蹄下生活如牛馬之被壓迫階級。（包括精神生活不自由者言。非指勞働階級。）則又較養尊處優。逍遙灑脫者。最易造成斯病。此外神經性素質。及精神病之遺傳。均與本病有密切之關係。而其輔助原因。則有教育不良。精神感動。。家庭不睦。性慾不調。以及其他疾患外傷等。皆爲發生斯病之引導線。

（2）癇病　本病最初發作之眞正原因。迄今尙無定論。然精神及神經之變常或障碍。與本病發生之關係。最爲密切。此外本病患者。以七至二十歲者爲最多。遺傳。血族結婚。父母酗酒。先天梅毒。以及歇斯的里。神經衰弱等之家族。皆爲本病之素因。至其誘囚。則不外傳染病。中毒。外傷。感冒。疲勞。大驚卒恐。暴喜暴怒等之精神感動。耳鼻咽喉病。腸寄生蟲病。生殖器病。以及姙娠。流產等。皆能誘起本病。

(三)證候

(1)癲疾　本病症候。器質上不起變化。唯精神行爲。一反常態。患者神情恍惚。語無倫次。終日喃喃不休。喜怒哀樂。逸出常軌。有時似傻。有時如狂。指鹿爲馬。誤甲作乙。撲朔迷離。顛倒錯亂。絲毫禁持不得。經過緩慢。往往歷數月數年。甚至帶病終身者有之。王肯堂曰。「顛者或狂或愚。或歌或笑。或悲或泣。如醉如癡。言語有頭無尾。穢潔不知。積年累月不愈。俗呼心瘋。此志願高大。不遂所欲者多有之」。此之謂也。(2)狂病　內統云。「狂始生。先自悲也。喜妄善怒。少臥不飢。自高賢也。自辯智也。自尊貴也。善罵。日夜不休。狂言驚。善笑。好歌樂。妄行不休。目妄見。耳妄聞。善呼多食。善見鬼神，」王肯堂曰。「狂者。病之發時。猖狂剛暴。如傷寒陽明大實發狂。詈罵不避親疏。甚則登高而歌。棄衣而走。踰垣上屋。非素所能。或與人語所未嘗見之事。如有邪依附者」。綜此二說。狂病症候。殆盡之矣。但狂病有由癲疾轉變者。有先病狂而後變爲癲疾者。有癲狂症候俱見者。其經過。亦如癲疾之纏綿(3)癇病王肯堂曰。「癇發則昏不知人。眩仆倒地。不省高下。甚則瘈瘲抽掣。目上視。口眼喎斜。或口作六畜之聲」。此癇病症候之梗概也。若夫詳細硏討。縝密考究。則可別爲次之二種（眞性癇病）。（甲）重症癇病　發作前常有一種預兆。或則發熱惡寒。苦悶恐怖。或則惡心嘔吐。腹鳴噯氣。此屬於知覺性者。或則眼花閃發。幻視。聽覺障碍。幻聽。幻嗅。幻味等。是爲感覺性者。若夫筋肉拘攣。或短縮。則爲運動性預兆。皮膚潮紅或蒼白。或發汗。則爲血管運動性預兆。他如精神神經性預兆。則呆遲鈍。不安。眩暈。頭痛等症候。預兆期之持續時間。殊無一定。長者歷數分至十數時間。可以診知。短者。則不及診察。刹那間移於發病期矣。更有絕無預兆。突然發病者。其發病經過。可分三型。初起。猝然倒仆。失神昏迷。顏面蒼白。瞳孔散大。全身彊直。牙關緊閉。後弓反張。呼吸中止。約亘數秒至數十秒間。則間代性痙攣症狀。接踵而起。是時患者。口眼喎斜。眼球旋轉。齒牙鬬磕。口吐涎沫。瞳孔縮小。以頭搶地。四肢軀幹。抽搐不已。或作六畜之鳴叫聲音。此際逗留數分時間。則諸症發作休止。患者陷入昏睡狀態。再列片刻。即漸漸甦醒。醒後除覺疲乏之外。一切復如常態。但此患者。對於發病之狀况。絲毫不能記憶。甚或於發病前一二時之事蹟。亦都忘却。是爲本病之特點。上述症狀。一度發作後。常有數回至數十回之反覆。但其頻度。殊不一致。有一日數次者。有數日至數週一次者。更有數月。數年一次者。每次發作時間。最多見於白晝。夜間殊爲少數耳。（乙）輕症癇病。患者於作業。談話。嬉戲間。驟然眩暈。失神。作業等暫時休止。無痙攣症狀。少頃醒覺。即復常態。發作頻度。亦如重症癇病。歷時過久。往往轉成重症癇病者有之。

(四) 病理

(1) 癲狂　有遺傳性者。則因含有病毒性狀之兩性生殖素。於結合時。即將本病特性。賦與胎兒。故至相當期間。遂發本病。內經所謂「得之母腹中」者即此。若夫並無遺傳素因者。則因環境變易。致患者不能遂其所欲。精神上受重大之打擊與壓迫。或竟使某部之精神。痞塞障礙。以至放棄生理的任務。而完全營爲病理的作業。故此病變叢生。諸症蠭起。應響所及。全身行爲。意識。情緒等。一反生理常態。而莫由自主。誠以精神作用。爲人體一切之主宰。故其發生病變。亦能左右人體一切也。然其發作有靜躁之殊。癲狂之分者。蓋隨其精神界所受壓抑障礙之程度。種類及性質。而不同也。(此說現代學者。孜孜攻究。尚未臻諸完備。其精神的分析學。即以此類爲對象。而研討也。) (2) 癇病　精神變化。於本病固有關係。但由病理解剖的實驗。無論先天性或後天性者。其腦部多起異常狀態。如腦損傷。腦膜强厚。腦漿過多或過少。以及腦內生瘤等。多爲本病發作之原理。所以然者。腦爲中樞神經存在處。腦病。故知覺及運動神經。均被波及。遂見以上諸症。然其發作特獨。迥異一般腦病者。因爲病毒不同。病性殊異使然耳。

(五) 診斷

探詢既往症。即可明悉。否則診查現症。注意于三者各個之固有的特徵。亦不難準確判斷。其特徵之主要者。在癲疾。以精神恍惚。狀類痴呆為主。在狂病以猖狂放誕。妄言妄動為主。至於癇病。則以抽搐昏迷。有發作性。而反復者。為其主徵。

(六)類症鑑別

癲與狂。同類異症。可以靜躁區別之。癲狂與癇。完全不同。即其發作症候。亦可顯著區別。此癲狂癇三者之鑑別也。歇斯的里病。(臟躁。)為精神病中最習見者，其發作與癲狂癇三者。均有類似之處。大有鑑別之價值。述之如次。1.歇斯的里患者。多發于女界。而癲狂癇三者。則不限此。2.歇斯的里雖有似癲如狂之症狀。然為一時的發作性。非如癲狂之持久者。3.歇斯的里亦嘗發見癇症狀。但神識不全脫失。僅止於溷濁朦朧之狀態。顏面無蒼白色及紫藍色。瞳孔對光反應。依舊存在。痙攣持續時間。在半小時至一小時以上。醒覺多數突然。此皆與癇病不同者。此外與癇病尤宜鑑別者。即腦出血。(卒中)此可據體質。年齡。以及發病之特徵。持續之時間。發作之頻度。癱瘓之有無等。推勘比較。自易鑑別。

(七)治法

癲與狂為精神病。治法以精神療法(心理療法)為最要。古人所謂「心病用心藥」者是也。我國醫。對於精神病之療法。多用釋疑。開導。激怒。恫嚇。使憂。使喜等法。各隨病情爲轉移。往往馬到功成。此可於古人醫案中檢得之。大有參考之資料。然其方法之根據地。則皆以內經五運行大論之五志相勝爲準繩。五志相勝云者。即「悲勝怒。恐勝喜。怒勝思。喜勝憂。思勝恐」。等是也。醫者明乎此理。則於臨症之際。視其所傷者何。即以其所勝者治之。隨機制宜。庶乎有濟。此我國古代學者對於精神病治法之大概也，洎乎晚近。一般精神學家。對於精神之療法。率皆趨重於精神之分析。而以利用暗示。(催眠術)發洩情緒等。爲其最賞用最有效之治法也。其行使此法之目的。務使患者廻憶於有生以來。以迄現在。所經過於本病有關係之事蹟。完全從口述出。則於術後之患者。即爲無殊健康之人矣。此項原理。以解放精神壓抑爲基礎。精神之壓抑解放。病焉得而不愈。(此說詳見布拉文著華超譯之心理學與精神病治療法)以上所述。爲古今中外之精神療法。至於藥物療法。不過治標的對症療法而已。內經之生鐵落飲。後世之磁硃丸硃砂安神丸等。均可隨症選用。又內經之奪食療法。亦宜參用。此外有痰者。宜礞石滾痰丸。熱盛者宜白虎湯涼膈散等。便秘者承氣湯通之。此癲狂治法之概况也。至於癇病。初起痰涎壅盛。胸高氣突者。用稀涎散吐之。如牙關緊閉。藥難入口者。先以烏梅擦牙使開。繼再進藥。同時再用通關散紅靈丹之類。搐鼻取嚏。以刺戟其臭神經。舒展其呼吸器。再用大活絡丹。辰砂僵蠶散等，和緩神經以止痙攣。如痰涎已吐。痙攣亦止。人事尙復昏糊。則宜至寶丹。蘇合香丸等。興奮醒覺之。此癇病發作期間之治法也，發作後。察其有痰熱瘀血者。酌用犀地清絡飲。及犀羚三汁飲。痰盛者用茯苓丸。如血分有虛熱者。則宜導赤清心湯。陰虛者。用阿膠鷄子黃湯。加減。陽虛者用補陽還五湯加減。氣機衰沉者。用補中益氣湯。此癇病治法要略也。此外尙有針灸療法。扁鵲曰。「百邪所病者。針灸十三穴」。即鬼宮。鬼信。鬼壘。鬼心。鬼路。鬼枕。鬼床。鬼市。勞宮。鬼堂。鬼藏。鬼臣。及鬼封等是也。至於灸法。以病者兩手拇指。用麻繩縛定。用大艾炷騎縫灸之。甲及兩指角肉。四處著火。灸七壯。神驗。此秦承祖之法也，又癇病暴仆之際。針兩手指端十二井穴。或人中穴。亦可救急。至於西方療法。對于癲狂。一般新起學者。刻正致力于心理療法。此外則爲對症療法。如溴素劑之鎭靜等。最多使用。若夫癇病。催吐可注射鹽酸阿泡瑪琲於皮下。鎭靜止痙。可用溴素劑纈草根等內服。如爲梅毒之傳遺者。可用驅瘀毒法。

治癲狂病之心得

王潤民

余於未述此病之原因以前。當先述余之絕大經驗。余有一堂妹年二十五六矣。當十七八歲時。得癲狂症前後約七年。始則月餘一發。繼則愈發愈頻。自十三年秋間起。幾難隔十日不發。發時氣力甚大。而赤如火。夜不能眠。詈罵歌唱。不避親疎。甚則以手抓糞汚牆壁。拋擲碗筷。種種怪狀。不一而足。余伯父母苦之。求醫問藥。或育陰息風。或平肝降火。或用化痰之品。或疏安神之方。胥無寸效。繼則服馬寶熊胆及藥房中之藥水等。亦無效果。繼則以爲有寃鬼附身。轉而爲迷信之舉。經懺禮拜。耗費良多。而病曾不稍減。質之本邑西醫。亦謂不能根治。余伯父母亦旣以爲不治矣。至十四年春。余偶讀中醫雜誌第九期補白欄張錫純「論治癲瘋」一則。其全文如左。

癲瘋最爲難治之證。因其根蒂最深。（論者謂此病得於先天未降生之時）故不易治耳。愚平素對於此證。有單用磨刀水治愈者。有單用熊胆治愈者。有單用蘆薈治愈者。有用加味磁硃丸治愈。（方載衷中參西錄第七卷）有日用西藥臭剝抱水過魯拉爾諸藥。强制其腦筋。使不暴發。有徐以健脾利痰清火鎮驚之藥治愈者。然諸如此治法。效者固多。不效者亦間有之。仍覺對於此證。未有把握。後治奉天小西邊門外王氏婦。年近三旬。得癲瘋證。醫治年餘不愈。寖至每日必發。且病勢較重。其病甫發時作狂笑。繼則肢體抽掣。昏不知人。脈象滑實。關前尤甚。知其痰火充盛。上併於心。神不守舍。故作狂笑。痰火上併不已。上迫腦氣筋。失其所司。故抽掣失其知覺也。先投以盪痰湯。（方載衷中參西錄第三卷。係生赭石細末二兩。大黃一兩。朴硝六錢。清半夏鬱金各三錢。）間日一劑。三劑後病勢稍輕。遂改用丸藥。硫化鉛。生赭石朴硝各二兩。硃砂。青黛。白礬各一兩。黃丹六錢。復用生懷山藥四兩。爲細末焙。覆熱調和諸藥中。煉蜜爲丸二錢重。當空心時間。水送服一丸。日兩次。服至百丸全愈。

又治奉天女師範學生劉仲生。素患癇瘋。十餘日一發。愚曾用羚羊角加清火理痰鎮肝之藥治愈。隔二年證又反。再投以前方不効。亦與以此丸 服盡六十丸全愈。

又治一瀋陽縣鄉間童子。年七八歲。夜間睡時。騷擾不安。似有抽掣之狀。此亦癇瘋也。亦治以此丸。服至四十九、全愈。

此丸不但治癇瘋。又善治神經之病。奉天陸軍軍官趙鍜齊。年五十。數年頭迷心亂。精神恍惚。不由自主。屢次醫治不愈。亦治以此丸。惟方中白礬改爲蓬砂。仍用一兩。亦服至百丸全愈。因此丸屢用皆效。遂命此丸爲愈癇丸。而以蓬砂易白礬者。名爲息神丸。附製硫化鉛法。用眞黑鉛。硫黃。細末各一斤。先將鉛入鐵鍋中鎔化。即將硫黃末四五兩。撒在鉛上。其黃即發焰。急用鐵鏟拌炒。所鎔之鉛。即變爲火色。終成砂子。其有未盡變者。又須將硫黃末接續撒其上。勿令火熄。以鉛盡變爲火色爲度。待涼冷。入藥鉢研細。其掛於藥鉢週圍。作黑亮之色者。仍係未化之鉛。勿刮下使用。

此文之所謂癇瘋。包括癲狂在內。實非專指癇瘋而言。觀其用熊胆蘆薈磁硃丸等可知。（此等藥劑皆普通治癲狂之劑。）余因其謂「善治神經之病」。又謂「屢用皆效」。因令余伯父母試之。亦未見效。時適購得醫林改錯一書。見其中有癲狂夢醒湯一方。謂癲狂一症。乃係氣血凝滯。腦氣與藏府氣不接。如同作夢一樣云云。余警其見解特異。不落前人痰火肝氣諸泛論。因開原方與之。甫服三劑。精神即稍安靜。夜能小睡。前後半月間。共八劑。未曾復發。後服黃芪赤風湯。二十餘劑收功。（此方亦見醫林改錯內。）今余述事實已畢。試系之以理論。

古人於癲狂一症。議論甚多。最古者爲內經謂「重陰者癲。重陽者狂。」難經曰。「邪入於陽則狂。邪入於陰則癲。」（難經中似有此二語。但一時記不清楚。待查。）後之醫者，更復主火。主痰。主肝風。主陽明邪熱。主邪入於心。議論紛紛。莫衷一是。而治法亦無一定。竊謂皆隔靴搔癢之論。試略辨之如下。

（一）辨主痰說　諸說中主痰者最多。亦最有力。甚至有造爲痰迷心竅之說。試問痰何得迷塞心竅。且心又何嘗有竅。此在稍明生理學者皆知其妄。無稽之言。不足以當一駁。

（二）辨風說　中醫之所謂肝風。其見症恒爲西醫之所謂神經病。至肝之本身。固未嘗有風也

（三）辨陽明邪熱說。傷寒陽明發狂。誠有之矣。然與此之所謂狂不同。陽明之狂。因迷走

神經起於延髓。終於胃腸。胃熱而迷走神經受炙。致影響於腦而狂作。此種發狂爲暫時的。或淸或下。足以了事。（淸則白虎。下則承氣。）若普通之所謂癲狂。與此大不相同。徒淸不足以了事。徒下則胃氣傷而病終不去。此點不可不認淸楚。

觀此種種。則主火主痰肝氣陽明內熱諸說。皆不能成立。宜乎滾痰丸、大承氣湯、安神定志丸、生鐵落飲等之功效。十不獲一也。

至於近世西醫之論此症。分癲狂之原因爲四種。一由先天遺傳性。二由梅毒入腦。三由遭撲擊等重傷。四由飲酒過度。其治法似不外用臭素等鎮靜劑以暫時治標。未聞更有善法也。夫以西醫之明解剖。識病理。而卒於此症未能根治。何歟。豈亦一間未達歟。嘗謂此症之原因。實由於腦神經受大刺激。或受極大驚恐。或所欲不遂。或悲傷過度。以致神經錯亂而發。試舉例以明之。如科舉時代。恒有功名心熱。而屢試不捷。致憤而發狂者。吾有一伯父即如此。又有孜孜爲利之徒。一旦投機失敗。或錢財爲人所攫。以致發狂。更有鎩羽情場。愛情之代價。乃爲痛苦。俯仰身世。淚如雨下。於是書空咄咄。如失魂魄。發狂以終其身者。比比皆是。此等人。當其爲名爲利爲戀人之時。幾乎目之所視。耳之所聽。精神之所貫注。祇知有利名與戀人。並其一身而忘之矣。一旦所欲不遂。精神之刺激。直至無以復加。安得而不發狂。此實發狂之最大原因。亦爲最多原因。彼西醫之所謂四種原因者。以吾觀之。實爲最少之原因耳。

或謂西醫於腦神經之功用。至爲明瞭。何部主思慮。何部司運動。何部司言語。何部司視聽。研究靡遺。子所說最大之原因。在稍有常識者猶知之。豈有西醫不知之理。余曰。唯唯否否不然。智者千慮。或有一失。愚者千慮。或有一得。試問西醫既知此病之原因。何以用神經藥而不効。吾謂實因其不知此中有一關鍵之故。關鍵何在。請略言之。傷寒論曰。「太陽病……而小便自利。其人如狂者。血證諦也。抵當湯主之。」又曰。「太陽病不解……其人如狂。血自下。下者愈。……宜桃核承氣湯方。」又近人惲鐵樵氏。於傷寒輯義按一書中。自述其經驗曰。「十年前鄙人患病。奇重奇劇。見症則神經過敏。消化不良。心跳手顫。舌本亦强。而當病最劇時，往往發言不由自主。蓋已有漸入癲癇範圍之傾向。嗣後服龍膽瀉肝湯及耆婆丸等。久之又久。便血數次。病乃漸愈。嗣又屢治便血之證。凡將便血。或血未盡之頃。留心體察其人言行。必小有異徵。至血下已盡。則言動較爲安詳。然後。悟得傷寒論抵當証。及婦人熱入血室各條所以然之故。否則仲景用抵當攻血。謂血下乃愈。其理極不可通。而婦人熱入血室之証。必譫語如見鬼等。亦難知其故矣」云云。瘀血之能令人發狂。昭然可見。

讀者諸君。須知人當神經受絕大刺激時。其首先受影響者厥爲血液。今神經既錯亂而至於發狂。則血液斷無仍此循環之理。必易發生循環障礙無疑。（循環障碍 Circu atorydistuspancos）王清任謂癲狂由「血氣凝滯。腦氣與臟腑不接」云云。以今語釋之。即循環障碍也。此病初步在神經。用神經藥治之。有可愈之理。及其既成。（指病根已深）。則治在血液。徒治神經無益。此實治斯病之絕大關鍵。而西醫徒用鎮靜劑之所以無效也。更簡言以明之。「此病既成。治在液血。與其謂之神經病。無甯謂之血行病。」吾爲此言。自負爲眞確之理論。且純由苦心探索而得。絕非抄襲古今中外任何人之言。惟於循環障碍之眞相。尚未能詳細說明。頗以爲憾。近頃丁同學成萱對此有所解釋。頗多補余不足之處。特節錄之。亦研究之一助也。其文如下。「我們知道腦神經之中最長的莫如迷走神經。這種神經是分布到各個臟腑之內的。既能主知覺。又能主運動。還有一種制止心動的力量。另外又有一種名叫交感神經。也是分布到各臟腑。更和脊髓神經腦髓神經相連絡。可是此種神經有一種正與迷走神經相反的力量。就是能催進心動。兩種神經的作用。互相平均。故心動能整齊。設有一者受了障碍。則心動也發生障碍。例如癲狂病發作時。每每體溫升高。心動亢進。要曉得心動之所以亢進。是由於腦神經受了大刺激。而影響到交感神經緊張。心動因之十分亢進。——交感神經是很容易緊張的。所以人們常有發熱的現象。——因心動極度的亢進。則迷走神經無力制止。於是迷走神經的末梢也就痲痺了。心動雖然亢進。能使血行促進。同時却因心室不甚擴張的結果。全體靜脈致起鬱血。就是在輕度的心動迅速症。也有這種障碍的。照這樣說去。上大靜脈和一部分的頭部毛細管也是鬱血了。重以腦神經之受了刺激。試問怎得不發狂呢。所以要用攻血的藥去把靜脈裏鬱滯的血排通了。使血行暢快。……神經當然也可恢復原狀。……考癲狂夢醒湯裏最主要的藥。首爲桃仁次則甘草之類。桃仁具有攻瘀之力……」按丁君所言。明白了當。所謂舉一反三者非歟。古人言教學相長。孔子稱啓予者商。余不禁亦有此感想焉。惟此湯雖爲癲狂之良方。（因有經驗有理論。故可稱爲此症之良方。至黄芪赤風湯。不過可用爲善後方。非必用之劑。此病果用夢醒湯治愈後。即不用此湯。而用其他方劑調理。亦無不可，故存而不論。）而方中之桃仁用至八錢。恐無知淺識。畏而不敢服。而市醫方肆其如簧之舌。多方阻撓。致良藥見疑。沉痾難起也。特更爲辨之如下。（以下論藥性處略採勞郎心之說。）

醫林改錯諸方。用桃仁紅花最多。而此湯中桃仁尤重。人多畏之。此實由誤會李時珍本草綱目之贅說。且誤於景嵩崖尊生集之臆說耳。綱目云。桃仁補少而攻多。紅花合當歸能生血。多服能行血。夫曰補曰生曰行。明謂去瘀生新矣。又云過服。能使血下行不止。此贅說也。夫病除藥止。凡藥皆然。况二味非常食之品。何必慮其過服而開後世之疑乎。亦讀者之不善悟矣。景嵩崖謂桃仁紅花。止用一二錢。亦未細讀本草經之故。經云。主癥瘕。徐靈胎於桃仁斷曰。去舊而不傷新。古方多用於傷後產後。可知二味為去瘀。非敗血也。加以此方藥味頗多。如桃仁用之太少。必難見功。故其方歌有「癲狂夢醒桃仁功」之語。固明示此味之須重用也。更考之本草桃花條。范純佑女傷夫發狂閉之室中。夜斷窗櫺。登桃樹食花幾盡。自是遂愈。亦可為桃仁能治此病之一證。審此又何疑乎。又何疑乎。

總之此症始由神經影響血液。繼則血行障碍。亦更影響神經。交相影響。病斯日進。而不得自復。此時重心已轉。非除去血行障碍。病終不除。故決非一單純的神經問題。彼西醫不知此理。徒用其鎮靜劑。一若此病之僅限於腦筋局部者然。而不思下求於臟腑之氣血。不將整個之身體。通盤籌算。若從皮相以觀其治法。似甚對症而合理。而不知其實為淺薄的近視的療法也。善夫日人和田啓十郎曰。夫腦神經衰弱之原因。決不在於腦。而在於五臟六腑血行呼吸等之運化如何。亦可以證吾言之不謬矣。

癲癇龍虎丸之功效

前人

余友沈君錦成杭郵務管理局職事人也。其長女患熱症。日久不愈。人已瘦弱不堪。始則由余診治。熱雖漸退而至常度。不數日轉爲神經病。再請診於余。即告以余對於症毫無經驗。除用鎭靜劑及增加其體力之法則外。別無他技。或爲代請催眠術家以試之。乃邀陳君召恩。以施是術。終無效。

厥後試以癲癇龍虎丸。竟得病愈。故錄之以供醫界之研究云。茲將其原方附後。

癲癇龍虎丸方　西牛黃三分。巴荳霜三分。水飛神砂一分。白信三分。酌加米粉爲丸。

此方邵小村中丞聶仲方廉訪所傳送。專治陰癲陽狂。不省人事。登高棄衣。笑歌不眠等象。或神呆靜坐。語言不發。皆痰迷心竅之患。患此者，輕則用藥二三丸。重則四五丸。遠年者須多服數丸即愈。以半溫開水送服。徐圖效驗。若不肯吃者。納丸於粉餅內食之。約半時許非吐即瀉。間有不吐瀉而愈者。愈後宜忌食猪肉一二年以免復發。孕婦忌服。體虛不忌。

谷幼香曰。癲癇之疾。皆由痰痰迷心竅之故。痰入心包絡。白信等能燥痰。以之爲君。巴荳霜辛熱破痰。導之下行。使白信之性過而不留。以之爲臣。反佐以牛黃之甘寒。通竅。辟邪。淸心解毒。制白信巴荳之猛烈。合硃砂爲鎭攝。故能奏效如神。眞聖藥也。或將白信減輕一分。便失製方本意。須照原方分兩配合。每料一百二十粒。每六粒爲一丸。願用此方者。勿以此藥猛烈爲疑。勿以吐瀉爲忌。庶沉疴可起。壽域同登也。再病大愈後。接服侯氏黑散方。以塡空竅。使包絡痰不復生。尤妥。

甘菊花四錢。細辛三分。乾薑三分。人參三分。黃芩五分。當歸三分。川芎三分。白朮六分。茯苓三分。礬石三分。桂枝三分。牡蠣三分。防風一錢。桔梗八分。

右藥共十四味。杵為散。日服一匙羹。芽茶溫湯調服。

再遠年者。痰竅閉。宜先服猪心丸。用猪心一個。男用雌猪心。女用雄猪心。以竹刀剖開。麝香三錢。外用黃泥封固。以絲綿裹之。火煅成灰。去泥研末。開水吞服一錢。次日再服龍虎丸。見效尤速。（以上錄自廣濟醫刊阮其煜先生原文）

（潤民按）此方之有效。理固可信。事實亦合。惟余對於邵小村聶仲方谷紡香諸先輩之解釋。謂癲癇之疾。皆由瘀痰迷塞心竅。痰入心包絡。白信專能燥痰。以之為君云云。總認為不滿意。大概中國人論癲癇。總脫離不了痰呀風呀的老論調。考其原因。由於無健全的學說。所謂覆巢之下無完卵。固不關乎人的問題也。而世俗不察。見其方之有效。信其事實。遂並信其理論。（以為眞有痰迷心竅矣。）不知其事實則合。而理論則非也。誠所謂差之毫釐。失之千里矣。余意此方以白信為主。白信即白砒。砒之為物。功用甚廣。（近代醫學家以為能治骨病。皮膚病。貧血病。黃病。梅毒。結核諸症。）而最明顯之功用。則為增進血行。有清血之功能。（故楊梅結毒用之。）又與神經有極大之關係。觀去歲申報自由談。范鳳源君所作啖砒記。自述日服亞砒酸鉀五六滴。不十日。容光煥發。精神振起。（可知砒爲極毒之物。余所引證。不過爲學理上之研究。非勸人服砒也。幸勿誤會。須知此物非經醫生指點。不可輕用。否則以生命爲兒戲矣。慎之慎之。）加以巴荳霜辛熱。亦能溫通活血。且可導瘀血下行。神砂與西牛黃能鎮靜神經。使其不錯亂。而西牛黃性涼。更可調劑巴豆白信也。其治癲狂有效，或即在此。世有好學深思之士。能於此方加一新注解者。企予望之。

癲狂之解釋

前人

癲與狂。人往往分之爲二。不知實爲一病。不過有輕重之分而已。蓋體質强者。正氣充足。得病之初。反抗力强。故其症象亦烈。是名曰狂。體質弱者。因正氣不足。反抗力弱。甚至無所謂反抗。僅癡呆而已。是名曰癲。故狂病之久者恒入於癲。（其有初起即癲者。亦因其人本來正氣不足。）癲比狂爲重。狂比癲爲輕。狂可治。癲難治。敢以質之海內醫學家。

西醫於精神病。解剖上無變化者。稱之曰官能病。所以別於器質病也。然解剖上無變化云者。特今尚未能發見其變化耳。非眞無變化也。前見時賢吳有恒君「著生理之疲勞現象」一文。頗可以證吾言。其文節錄如下。「……人疲勞之原因。在於神經。蓋神經細胞。本甚圓滿。勞動過甚。則或變爲長形。或變爲月形。原形質即不復如前。此爲最親切之證據。如蛙之爲物。殺之不即死者也。試剖其腹。用顯微鏡窺之。細胞必皆圓滿。腹用電氣通其腹內。使之運動。約五時四十分。細胞盡成狹小。又試取晨起之鳥。而剖其胸。細胞亦皆圓滿。或不即剖視。閉於室內。迫之使飛。迨其困倦。接後剖視。則細胞無不變形矣。推之於人。亦復類此。平常人之運動。所以有益而無損者。以眠食二事。一養一息。抵力適均。故細胞旋缺旋圓。若眠食改常。或過於勞苦。則神經遂至衰弱。……」夫偶一疲勞。神經細胞。尚變其形。況受大刺激而至發狂乎。恐不祗變其形。將一時死去者。不知凡幾矣。願以質之海內醫學家。

（志一按）癲狂之病理與治療。楊王二君論之綦詳。此外普明子定癇丸。亦爲治癇（俗名羊癲瘋）良方。爰錄如下。以資參攷。

普明子定癇丸方　明天麻一兩。膽南星五錢。姜半夏一兩。陳皮七錢。蒸茯苓一兩。蒸茯神一兩。酒蒸丹參二兩。麥門冬二兩。石菖蒲（石碎取粉）五錢。遠志　去心甘草水洗）七錢。全蝎（去尾甘草水洗）五錢。僵蠶（甘草水洗去嘴炒）五錢。眞琥珀（腐煑燈草研）五錢。辰砂（細研水飛）三錢。川貝母一兩。上十四味。共研細末。外用竹瀝一小碗。姜汁一杯。甘草四兩熬膏。和藥爲丸。如綠荳大。辰砂爲衣。每日早晚各用開水送下數分。至多以一錢爲度。

腦膜炎

(一)結核性腦膜炎

結核性腦膜炎之診斷

盧壽籛

(一)徵候未顯以前　小兒排靑便吐乳者。即腦膜炎最初發作之徵候。但有時或便秘。或發熱。醫生亦不知小兒爲何病。至歷時旣久。此徵候或繼續之一星期。即可判定爲腦膜炎。一般結核性之腦膜炎。大都如是。

(二)痙攣前之狀態　結核菌腦膜炎爲慢性。並非立時即生痙攣。其初必晝夜貪眠。二三日不飮乳。或不思食物。不啼亦不笑。恍恍惚惚。見平日所喜之玩具。亦漠然置之。似覺頭痛。手足不便於伸縮。頂筋亦甚堅靱。爲父母者苟見此狀。延醫診察。必斷爲腦膜炎無疑。至於病勢漸進。乃起瘈攣。終不飲乳。而神志瞀亂。斯完全成爲腦膜炎。

(三)非必死之證　結核性之腦膜炎。什九失其生命。苟聽其就死。終不療治，情殊可憫。若盡力治之。或可苟延殘喘。以余之經驗言之。凡小兒患腦膜炎賴余診治之。亦有時可以挽回其性命。惟殘疾終不能免。

(四)日後終成殘疾　結核性之腦膜炎。雖可免生命危險。然日後終成殘疾。或失明。或失聰。或痴鈍。或失手足之自由。數者必有一於此。病之時期愈長。其殘疾亦愈甚。

慢驚卽結核性腦膜炎

尤學周

俗之所謂『驚』。乃『痙』字之轉音。『說文云痙。强急也。顏注。體强急難用屈伸也。頭項强直。其證最顯。然今之所謂驚者。不特有『痙』之現象。且有『攣』之現象。攣者。狀手足之抽搐也。故痙攣二字相連用。以此症既痙且攣也。驚有急慢之別。急驚狂風暴雨。飆然速舉。慢驚之來甚緩。大多由其他疾病轉變而成。

小兒慢驚。以吐瀉得之爲最多。或久痢。或瀉後。或痧後失於調理。或風寒飲食積滯。過用剋伐脾胃。或稟賦本虛。或誤服寒涼之藥。以致吐瀉無度。肢冷抽搐。角弓反張。唇口痿白。面黃或青。目光昏暗。啼聲如鴉。前人多以爲虛寒危症。其識見之勝人一籌者。知此症之運化失常。心臟衰弱。用理中湯四逆湯等以恢復其機能。粗工於此。不辯久暫。不問急慢。不明原委。概以回春丹。清心丸。抱龍丸等套藥投之。往往誤事。余於慢驚。有治愈。亦有不能治愈者。進而研究其理。知慢驚之原委。其端不一。如得之於吐瀉者。因血中水分。傾瀉過多。血液枯燥。筋肉失其榮養。則現抽搐之象。與霍亂之吊筋。同一理由。其稟賦本虛。或攻伐太過。或痘後痧後痢後得之者。因體內抵抗力薄弱。癆菌乘之。侵入腦部。即所謂結核性腦膜炎也。或爲一種病毒。刺激腦部所致。病之侵入腦部者。證重而不易療治。結核性腦膜炎大多不治。惟得之於一吐瀉。或病後因榮養失常而致者。投溫補之品。以振起其循環與運化之功能。往往得效。

治慢驚最流行之方。一爲逐寒蕩驚湯。伏龍肝三兩。(研)丁香十粒(研)炮姜一錢。胡椒一錢(研)肉桂一錢。(研)先將伏龍肝煎水澄清。即用此水煎藥。一爲加味理中地黃湯。熟地五錢。萸肉錢半。枸杞三錢。炮姜錢半。黨參二錢。肉桂一錢。補骨脂二錢。胡桃肉二個。棗仁三錢。白朮四錢。炙芪三錢。炙草一錢。生姜三片。仍用伏龍肝煎湯代水。然此二方。偏於溫補。祇可暫時用之。如藥力得效。神情大轉。即當從病原上着想。以去其根源。病可漸退。若一味溫補。雖見效於一時。必有反復之虞。

泄瀉轉變慢驚乃結核菌爲祟

尤學周

泄瀉之轉變爲慢驚。一由於水分失去太過。同時因消化無權。不能攝取養分。以營養筋肉。故四肢發生痙攣現象。如以治急驚法治之。必生大變。故當以逐寒蕩驚湯。加味理中湯等法用之。一面促起其消化機能。一面加增其心臟之活力。養料得以運輸。泄瀉可止。痙攣亦可平復矣。然小兒體質有不同。病情亦各異。所謂慢驚者。其病理決不如是之簡單。即因泄瀉而起之慢驚。於臨診上所見。亦並不如此一致。變化多端。治療亦頗不易。

小兒久瀉之後。體力衰退。易爲癆菌所侵襲。發生結核性腦膜炎。亦意中事也。如以逐寒蕩驚湯治之。亦勞而無功。蓋慢驚之由於結核性腦膜炎者。及現痙攣徵象。已入於危險狀態。神情朦朧。意識減低。多致不救。

泄瀉之起於飲食不愼者。由於腐敗發酵。刺激腸胃而起。往往有發熱現象。日久不巳。成爲慢驚。而熱度仍未消滅。脈雖細弱。尙帶數象。小便黃而不清。此種証候。所見最多。投以溫補之劑。如理中湯。逐寒蕩驚湯等。必不能收效。然病情不起何種變化。如以治急驚法投之。服回春丹。抱龍丸。清心丸等。於短時期間。亦不起何種變化。當此時也。宜溫涼雜投。附子與黃連。可以同用。一面恢復其機能。一面清解其熱毒。自能漸漸收效。

慢驚發熱。有屬於陰虛者。陰者。指人身內之液體而言。泄瀉則液體缺乏。往往發生內熱。方中熟地一味。尤不可少。

泄瀉過多。神虛體乏。以致睡中驚悸。或有誤認爲慢驚之呈兆者。如以治慢驚之法治之。難於見效。或有害焉。可用六君子湯（黨參。白朮。雲苓。半夏。陳皮。甘草。）加北五味。茯神。棗仁等投之。

每當夏令酷熱。無論大人小兒。多喜貪涼。夜睡不覆被單。食物好嗜生冷。最易感涼而起泄瀉。失於治療。變症蠭起。而於小兒爲尤甚。爲父母者。其當愼之。

(二)流行性腦膜炎

流行性腦脊髓膜炎之病理

章次公

（病理簡說）流行腦脊髓膜炎爲一種急性傳染病。病原菌名腦膜炎雙球菌。此菌最初染及人體之地位爲鼻道。由鼻道進入血運。成爲血液傳染。繼即染於腦膜及脊髓膜而發現本病各種定型症狀。但此病流行之際。甚多鼻道內染得此雙球菌。而不定爲患。一旦因噴嚏或咳嗽。乃將病菌散播他人。致他人感罹或爲患矣。是病主徵。由腦膜及脊髓膜發炎而來。如高熱。劇烈頭痛。頸項及背脊劇痛沿脊柱上部疼痛。四肢搐搦。感覺敏銳。昏迷。而至人事不省。病程自數小時至數日。結果凶多吉少。

（學理解釋） 一般民衆。對於流行性腦脊髓膜炎。莫不談虎色變。較之霍亂白喉。尤且逾焉。但民衆僅知腦膜炎而不知腦脊髓膜炎。此二名實大有分別。腦膜炎乃一混統名。且其病竈僅限腦膜。不及脊髓膜。若結核性腦膜炎。則指由結核菌染及腦膜而起。非流行性也。至流行性腦脊髓膜炎。其原因一定。並係流行性。病竈之廣播。一如其命名。此病最近中醫界稱爲疫痙。疫即流行性。痙則言其症狀。取義簡明。易於記憶。痙字見素問至眞要大論。及靈樞經筋篇。痙或作痓。見素問五常政大論。或冠以柔字。爲柔痙。見素問氣厥論。下此則金匱痙濕暍病脈證篇云。病者身熱足寒。頸項强急。惡寒。時頭熱面赤。日赤獨。頭動搖。卒口噤背反張者。痙病也。又云痙爲病。胸滿口噤。臥不著席。脚攣急。其所述證象。與今之流行性腦脊髓膜炎不謀而合。金匱又以惡寒者爲剛痙。不惡寒者爲柔痙。巢氏病源。又有金創痙。剛柔二痙之證狀。非今之流行性腦脊髓膜炎。所謂金創痙。如今之破傷風。蓋雖以痙名。病理實逈不相同也。

流行之腦膜炎

楊志一

腦膜炎。原名驚。驚者。狀其發病時之現象。腦膜炎者。指其結癥之所在。命名不同。其病則一。非於驚之外。另有腦膜炎之一症也。惟近年流行之腦膜炎。與普通所稱急驚慢驚之腦膜炎。雖同有急慢之分。其病原則大異。其最著之點。在流行與不流行之別。普通之急驚慢驚。雖間有因傳染病而起者。並無流行性。此則傳染迅速。頃刻生變。

腦膜炎以二三月及九十月爲最流行。大約此時之病毒。醞釀最盛。故易於流行。病發時。往往突然而來。亦有於先一二日間呈惡寒。不安。頭痛。背痛。四肢痛之現象者。通常之證候。猝然頭部劇痛。嘔吐發熱。同時頸項強直。角弓反張。若欲使向前方屈曲。或轉動其頭部。則發劇痛而叫喚。知識有時糢糊。有時清晰。甚者於短時期間。即失其知覺。

急性腦膜炎。往往不及救治。在普通人家。因治療本病之藥品。不論國醫與西醫。皆甚昂貴。無力醫治。遷延誤事。其輕淺者。生命上之危險。略爲減少。多數之證候。則亙數星期乃至數月。其間或輕快。或增重。互相交代。反復無常。此亦一特異之點。在此種徵象之下者皆易治。

流行性腦膜炎病勢雖驟。不必驚惶恐懼。如急於醫療。危險甚少。且全愈後身體上所留之殘疾亦不多。至於預防之法。當本症流行之時。流行區域。固不宜涉足。而劇場游戲場等多人屯集之所。亦宜少入。以防傳染。口罩一事。尙屬理想。能否可防止該病毒之侵襲。尙未可必。其在平日。宜節飲食。健腸胃。營活潑之運動。鍛鍊身體。得使强壯。致病毒無侵襲之路。亦預防之一法也。

流行性腦脊髓膜炎

陳汝廉

初起頭痛。身熱。胸悶。即服後方。如至神昏囈語無及矣。

初起時。即服辟瘟丹半粒。或續進半粒。並飲白蘭地酒少許。一面趕服後方。蓋被取汗。俟胸悶瘥。即無虞矣。

淡豆豉　四錢至八錢。川　朴　一錢至二錢。姜半夏　二錢至四錢。苦杏仁　三錢至八錢。

廣鬱金　三錢至五錢。蘇　梗一錢至二錢。加葱白三四枚。此方祗用在初起一二日內。

流行性腦脊髓膜炎原因及症候

按此症之流行時節。多在春冬兩季寒冷之時。大概細菌由口鼻而入。侵襲男性之小兒居多。

第一日先戰寒。繼發熱。體温達至熱度表四十度。第二日。即呈腦症狀。頭痛薦骨痛。倦怠。神昏囈語等。其中症狀之最著者。爲劇烈之頭痛。而以後頭部爲尤甚。小兒往往初起時發痙攣。且常限於一側。有時發大聲號叫。西醫所謂腦水腫性號叫。至第三日。即現項强直症狀。患者頭向後屈。常作仰面狀。試以手扳使向前。則抵抗甚强。而患者呼痛。此時轉側尚覺自由。病侵脊髓膜。則起背强直。患者將脊柱挺直。軀幹翹起。其狀如棒。不能起立。此外如下症各筋。起强直。脚前向屈。上肢亦屈曲不能運動。顏面痛苦。牙關緊閉。時發鬭牙之音。若侵及腦底之視神經聽神經。則化膿作用。沿神經而進。眼與耳內。漸起化膿。神經麻痺。腦之實質中。已成膿瘍，此時全身及局部。發作痙攣。髓腦之病處。亦種種不同。此病之經過。大有差異。一星期至三星期後。解熱者有之。或發輕微之頭痛。及脊柱痛。熱度不高。數日即愈者有之。或淹纏枕席。長亘十星期者有之。而以二星期間無變動。則有再生之望。且此病往往不能恢復。而致視聽障礙者甚多。或病後常覺頭痛眩暈。久而不愈。或身體之一部，仍覺麻痺。或腦力減弱。間發癲癇。精神病。種種貽後症。

腦膜炎在中醫的治法

陶俊時

此病在中醫。尚未得相當名詞。鄙意以爲中醫即不識爲何病。亦可以治愈。欲知中醫之見長於西醫者。在原因療法之對證用藥。非如西醫。必先識其病爲何而後始敢投藥。延誤病機。莫此爲甚。中醫之治此病。亦有相當成績。茲擇最有價値之二効方。錄之於左。以便醫界應用。幸毋忽諸。惲鐵樵氏云。患此病者。多兼肝陽。參用川連胆草苦以降之。收効極良。可於二十四小時內。完全除去其病。

□處方　胆草五分　滁菊三錢　鮮生地五錢　犀角三分　歸身二錢　川連三分　回天丸半粒

右七味爲必用要藥。其餘可以隨症加減。胆草不得過七分。否則反化火。歸地滁菊。即爲胆草而設。若單用胆草。則嫌尅伐。且不能取効。犀角所以弛緩神經。且與胆草協調。則升淸降濁。回天丸所以開閉。亦所以弛緩神經。他種香藥。如紫雪丹。回春丹。祇能洞開門戶。引邪深入。無弛緩神經之作用。不適用也。一劑不足。則繼進二劑。以知爲度。若遇大腦炎則須重用羚羊。亦不過三分。且羚羊只用一次即得。凡犀羚。回天丸。必須見抽搐之後方可用。若僅僅發熱後腦脹頭痛。與尋常疏解藥中加胆草二三分即得。不得遽用丸藥及犀羚。

祝味菊先生云。此病見症是發熱惡寒自汗出。角弓反張。頭痛項强。可用桂枝湯去甘草。加葛根、原附片、川芎、當歸、羌活。若兼見腦炎者——神昏譫語。瞳孔散大——輕則加羚羊。重則犀角。定能挽救。若果無汗。則原附片可勿用。改用麻黃以發汗也。

大衆醫藥顧問

答張之綱君　初生男孩。左目起翳。並無紅腫之象。恐難退去。宜就眼科診治

答顧文麟君　令弟龜頭時有白物。乃包皮內皮脂腺之分泌物。宜常洗拭。不必服藥。

答徐修雄君　右胸乳下三寸許。氣悶刺痛。兼患便秘。當以通絡潤腸爲治。用旋覆花(包)二錢。新絳一錢。參三七八分。鬱金二錢。杏仁泥五錢。大麻仁四錢。煎服最宜。

答田正常君　貴友鼻端生泡變紅。起于早年嗜酒。此名鼻齇。宜用瀉白散（桑白皮、地骨皮各三錢生甘草一錢）清解之。

答陸　翶君　胃病得食即止。飢寒則劇。此爲中虛。宜桂枝一錢。酒炒白芍三錢。炙甘草一錢。煨姜三片。紅棗四枚。水煎服。忌生冷堅硬等物。

答盧嘯鳴君　令正經水兩月未臨。如腹無痕痛•反見嘔噁。乃姙娠之象。（參閱本社出版之婦女良方一書）勿藥可也。（以一問爲限）。

答張潤芝君　所述頭痛心悸失眠多夢等症狀。無非神經衰弱之象。根本治法。莫妙于精神攝養。（本社出版之神經衰弱淺說。論列甚詳。可供參考。）非專恃藥石所能奏效也。

答凌泰盛君　病後兩脚虛腫。亦屬脚氣之類。用甲魚一只。去腸雜。入砂鍋內。酒水各半。淡煑

糜爛。連湯服食。良效。

答李玉泉君　令堂久患白帶。近且頭眩目花。精神不佳。此衰象也。簡效治法。用生白果六七枚。去殼剝衣。挖心。滴開水少許。研爛。用鷄蛋一個。流取蛋清。（黃不用）拌入白果。仍入蛋殼內。置飯鍋上蒸熟。空腹頓服一個。連服多日。自效。（婦科良方一書。集白帶方甚詳。宜參閱）

答熊兆周君　所述各症。亦屬神經衰弱。除力行攝生外。並宜多服滋養品。（如牛乳、鷄蛋、淡菜、甲魚等）

答趙福臻君　遺精爲神經衰弱之症象。捨努力攝生而外。並無斷根治法。攝生方法。見「神經衰弱淺說」「性的衞生」青春寶鑑各書。（以一問爲限）

答張先覺君　嗜酒與生育。雖有關係。但未必如李君所說之甚。引以爲戒則可。反以爲憂。則大可不必也。

答朱道一君　頭痛且暈。夜不得眠。此虛陽上浮也。用磁硃丸。每次三錢。早晚開水送服。

答謝巽言君　手心熱。陽易興。頭痛腿疼。乃陰虛濕火爲患。常服大補陰丸。每次三錢。淡鹽湯送下。乃效。

答祁紹顏君　貴恙症情複雜。所述尚欠明瞭。難加診斷。宜就醫診察爲是。

楊志一診所遷移通告

本診所因診務日煩。原址不敷應用。現遷至『本埠白克路寶隆醫院西首西祥康里九十號』照常應診。特此通告•

（新電話三四一七三號）

國醫出版 大衆醫刊社遷移通告

本社現已遷至『本埠白克路西祥康里九十號楊志一診所內』照常營業。嗣後惠顧或賜書。均請改投該處可也。

神經衰弱淺說

嚴獨鶴題

楊志一著

每冊洋四角寄費九分

上海國醫出版社發行

全書價目

◉神經衰弱種種現象

（上編）精神方面

甲 感覺過敏……
乙 感情反常……
丙 行為乖謬……
丁 認識錯誤……
戊 態度消極……
己 記憶減退……
庚 睡眠不安……

（下編）身體方面

甲 頭部……
乙 五官……
丙 脊髓……
丁 心臟……
戊 胃腸……
己 生殖器……
庚 分泌機能……

◉神經衰弱預防法

甲 規定正則生活……
乙 注意精神養生……
丙 愛好自然之美……
丁 常抱快樂觀念……
戊 節制性慾妄動……
己 防止疾病發生……

◉神經衰弱治療法

（上編）一般治療法

甲 感情療法……
乙 安靜療法……
丙 暗示療法……
丁 作業療法……
戊 運動療法……
己 按摩療法……
庚 水治療法……
辛 鑛泉療法……
壬 氣候療法……
癸 食養療法……

（下編）對症治療法

甲 頭痛
一 痛感之意義……
二 神經衰弱與頭痛……
三 頭痛者之衛生……
四 頭痛者之藥物療治

乙 失眠
一 睡眠之重要……
二 睡眠與思慮……
三 安神藥之作用……
四 安眠之精神統一法……
五 失眠之成方……

丙 怔忡
一 怔忡之原因……
二 怔忡之為害……
三 怔忡者之鍛鍊法……
四 怔忡之藥物療法……

丁 記憶力薄弱
一 腦與記憶之關係……
二 健腦之大要……
三 記憶法十則……

戊 脾胃衰弱
一 脾胃衰弱之原因……
二 脾胃衰弱之症狀……
三 脾胃衰弱之治法……

己 胃氣痛
一 胃氣痛以女子特多
二 雅片能否止胃氣痛
三 胃氣痛之處方
四 胃氣痛之簡治法

庚 盜汗
一 汗之由來……
二 汗與神經之關係……
三 何謂盜汗……
四 盜汗治驗案……
五 盜汗之簡治法……

辛 遺精
一 遺精之第一大原因
二 遺精者所感之痛苦
三 練精之法……
四 遺精之標準治法……

壬 早泄
一 早泄與快感……
二 早泄與成孕問題……
三 早泄之原因及調治
四 早泄之處方……

癸 陰萎
一 陰萎與性慾過度……
二 陰萎不可服壯陽藥
三 陰萎之攝養
四 陰萎三治案

子 目疾
一 目疾與腦病之關係
二 目疾之種類……
三 目疾之衛生……
四 目疾之治療……

丑 耳鳴
一 耳鳴之原因……
二 耳鳴之症狀……
三 耳鳴之治療……

尚有細目。不克備載

大衆醫刊價目表

定價

時間	冊數	書價連郵費
每月	一冊	大洋二角
全年	十二冊	大洋二元

國外照表加倍寄費在內郵票代價十足通用

廣告價目

地位	一冊	三期	六期
一頁	二十元	五十四元	九十六元
半頁	十元	二十七元	四十八元
四分之一	五元	十三元半	二十四元
特別地位	封面反頁及底面為特別地位照表加二分之一		
附注	木刻銅版加印彩色費須外加常年惠登價目面議刊費先惠		

中華民國二十三年七月一日出版
大衆醫刊第九十期合刊
實售大洋四角

編輯者 楊志一
發行所 大衆醫刊社 上海西藏路平樂里 國醫出版社內
印刷所 與羣印刷所

代售處
千頃堂書局 上海三馬路
現代書局 上海四馬路
時代圖書公司 上海四馬路
雜誌公司

楊志一醫士診例

主治

傷寒時症肺癆吐血胃病
腎病神經衰弱婦人經帶
胎產小兒痧痘驚疳

時間

門診上午九時至下午四
時出診下午四時至七時

診所

上海西藏路二馬路口平
樂里一弄四家
電話九二七六六號

診金

● 門診　一元

● 出診　四元

△路遠遞加拔號加倍

● 改方　六角

● 膏丸方　四元

● 通函論症　四元

△診費先惠原班還件

楊志一醫士編

大衆醫學月刊

第一卷第十一二期合刊

（中藥專號）

內政部登記警字第二一三二號

本刊緊要啓事

今夏天氣苦熱。溽暑蒸人。本刊編輯部同人。輒多告假旋里。復以主編楊志一醫士。入夏診務忙碌。無暇兼顧。故特於第十期後。暫停一月。藉資休息。此次出版延期。良非得已。尚希　讀者諸君鑒諒爲幸。

讀者諸君注意

本合期爲中藥專號。內容共分強壯劑・健胃劑・解熱劑・發表劑・攻裏劑・利尿祛濕劑・鎮痛鎮靜鎮痙劑・鎮咳祛痰劑・理血劑・收濇劑・滋補劑・殺蟲劑等十餘章。舊藥新解。名貴非常。惟因稿件過多。特分上下兩卷。本期僅登上卷。其餘下卷。准下期登完。希各注意。

歡迎續定　繼續半價

大衆醫刊

宣傳醫藥常識
促進民衆健康
是學醫之良師
是家庭之顧問

〔定價〕全年十二期連郵費大洋兩元
國外加倍

茲奉上郵匯票計銀　圓　角續定
貴刊　年　份自　卷　期起即請將定單
迅予塡寄並盼按照下列地址付郵爲荷此致
上海白克路西祥康里九十號
大衆醫刊社定報處
續定者　（舊定單號數　）
通訊處

緊要通告

頃査　閣下所定本刊。已於第十二期滿期。如認本刊確有續定之價值。祈卽匯款續定。（連郵仍收一元）。幷希不吝賜教爲荷。

大衆醫刊社謹啓

中藥常識上卷目錄

第一章 強壯劑

第二章 健胃劑

第三章 解熱劑

第四章 發表劑

第五章 攻裏劑

第六章 利尿祛濕劑

第七章 鎮痛鎮靜鎮痙劑

第一章　強壯劑

人參之研究

趙藎臣

〔名稱〕神草　土精　血參

〔世界產地〕日本產者。多用人工栽種。名爲東洋參。法蘭西產者。名爲西洋參。朝鮮產者。名爲高麗參。

〔本國產地〕關東野生者最佳。福建產者名新羅人參。太行山產者爲柴團參。潞安澤州產者名爲黨參。在古時代產者。功效特著。五台產者。名爲台參。功效尤著。惟產量最少。

〔形態〕高麗參苗一莖直上。葉于一柄。四五相對。生花紫色。上黨參苗。初生三四寸一椏對生五葉。五年後生兩椏。每椏五葉。未有花莖。至十年後生三椏。年深者生四椏。各五葉。中心生一葉一莖。莖上端三四月開花細小如粟。花蕊如絲。紫碧色。秋後結子。七八枚如豆。嫩青熟紅。名曰參子。翌年可種。亦可爲方劑之用。

〔習性〕參苗多生深山背陰潤濕之地。背陽向陰。其他普通植物。多背陰向陽。以受光熱而成長。

〔採取之法〕土人上山採取之法。掘土一二尺。不使損其根莖。用水清潔。以備製造。

〔採取時期〕二月四月八月上旬採根。

〔炮製〕竹刀刮。陰乾。勿令見風日。凡生用宜切碎。熟用宜隔紙焙之。或用純酒潤濕。切碎焙乾。煎熬宜忌鐵器。

〔性味〕味甘微寒。

〔主治〕（本經）補五臟。安神定魂魄。止驚悸。除邪風。明目益智。久服輕身延年。

〔別錄〕療腸胃中冷。心腹鼓痛。胸脅逆滿。霍亂吐逆。調中消渴止。通血脈。破堅結。令人不忘。

〔甄權〕五勞七傷。虛損瘦弱。止吐。消胸中痰。治肺痿及癇疾。冷氣逆上。傷寒不食。凡虛而多夢紛紜者宜之。

〔唐李珣〕止煩躁。變酸水。

〔宋日華子〕消食開胃。調中治氣。殺金石藥毒。

〔金張文素〕治肺胃陽氣不足。肺氣虛促。短氣少氣。補中緩中。瀉心肺脾胃中火邪。止渴生

津。

〔明李時珍〕治男婦一切虛證。潮熱自汗。眩暈頭痛。反胃吐食。痎瘧。滑瀉。久利。小便頻數。瘰癧。勞倦。內傷中風中暑。痿痺。吐血嗽血下血淋血血崩胎前產後諸病

〔用量〕 大量五錢至一兩。中量一錢五分至三錢。小量五分至一錢五分。

〔功效〕 增進血液 升高體溫。

〔近世應用〕 脫血症。凡吐血衄血下血崩漏金瘡諸血減少者。諸小兒慢驚。痘瘍虛陷。癰疽。已潰膿不厚。產後。心悸怔忡脈結代。

〔藥徵考徵〕 主心下痞硬痞堅支結也。而不食嘔吐喜唾心痛腹痛煩悸等。所以爲其傍治矣。

〔近人研究〕 高思潛曰。人參之有效成分，至

今尙未得充分之報告。卡里苦司氏。就北美產人參。而研究其成分。發見噴那寬依龍。其後日人藤谷功彥氏。就朝鮮產及日本產人參而研究之。亦得同樣之結果。又日人朝比奈泰彥。及田文太兩氏。于鬚人參中。發見撒帕凝。井上圓治氏所研究之人參。亦得一種糖原質。爲撒帕凝之屬。

由發見噴那依龍者之報告。此藥之價值全與甘艸相同。由發見撒帕凝者之報告。謂在藥物學上。毫無趣味。吾人對此。當須知彼等化驗之結果。無充分之成績。其所報告。當然不能有多大價值。取供參考，未始不可。若根據其說。以反駁中醫。則斷斷不能。

人參爲中藥中最著名之强壯藥。能恢復身體。及神經之疲勞。且有健胃之效。其有效成分。在化驗上。雖未能顯出。然于臨床上。則實例甚多。古今關于人參治驗之案。殆不勝枚舉。即近日之業西醫者。亦有不復迷信西醫之說。而謂人參在臨床上實有效驗。富田長壽成氏之人參報告云。脈微弱而易壓迫者。用之則血壓漸增進。用脈波計。見脈波漸漸高起。此即人參大補氣血之顯徵也

藥學家猪子氏之言曰。人參爲興奮强壯藥。爲漢醫所珍重。然徵諸病床上。無顯著之效。在病危急時毫無作用。惟數日至數週接續服之。始覺榮養稍佳。氏之此言。最可訾議。爰條辯之于下。

(一)凡補藥之獲效。非旦暮可期。不若吐瀉發

汗等藥。可以隨服而隨應也。人參在病床上無顯著之效力。何足爲病。

(二)人參在病症急時。愈顯其效力。如獨參參附之應用。即其鐵證。氏之此言。蓋誤會人參宜于百病。且只使用單味故耳。不知溫病之宜用人參者。數本不多。即宜用者。亦有配合之妙。如參附湯。配以附子。三才丹。合以地黃天冬。其他方劑。以人參爲主。而加以配合者不可勝數。蓋必君臣佐使備。而後始能與之泛曲當耳。今當病症危急之時。不問其原因。如何一概以人參投之。所云毫無作用。亦無怪其然耳。

(三)接服數週。始覺榮養稍佳。凡強壯劑皆然也。

猪子博士爲日本惟一之漢藥研究家。著有和漢藥論。死年甚早。若天假之年。吾知其對于和漢藥物。必有極大且多之發明。且因繼續化驗之故。對于早年未定之說。亦必能自行矯正之也。

〔製劑〕人參膏　用人參十兩。砌碎以河水二十盞浸透。傾銀鍋內。桑柴火緩緩煎去十盞。濾渣存汁。再以水五盞。煎渣濾汁。與前汁合煎成膏。盛玻瓶封固。隨症化湯應用。凡房事過度。昏暈不知人事。或脈過大。或腎氣衰憊。均可服。此皆陰虧陽絕之症也。

〔代參用品〕黃耆十分。附子二分。可代人參。此爲陳修園說。

〔鑑別〕(一)參條　橫生蘆頭上者爲條參。氣味甚薄。其性横行。手臂手指無力者服之甚效。

(二)參鬚　橫生參之主根旁之細毛根。其性與參條略同。用于胃虛。嘔逆咳嗽失血有效。用于下血下痢等症。每至增劇。因其味苦。其性專下也。

(三)參葉　味苦微甘。氣清香。其性培補元氣。兼帶表散。生胃津。祛暑水。降虛火。利四肢。入藥用尚能止渴。按人參三椏五葉。得稟三才五行之精氣。象形于草質。故爲百艸之王

(四)參子　人參種子。其形如腎臟。其色如鮮血。用于痘症。發痘行漿藥由病間經過可無下陷搔癢之患。

(五)西洋參　味苦而甘。性微寒氣薄。補肺降火。生津液。凡虛症而有火。用之相宜。

(六)東洋參　產日本北部近奉天旅順等處。皮上有紅紋者最好。性温氣平而帶清香。小兒痘症。婦人產蓐。用之有奇效。現在吾國人士。以爲不甚補膩。最喜用之。不惜貴價。本國產者。廢棄而不用。日本近集資設場。耑門種植。參量每年輸入中國之數。將達百萬餘元之多。

黨參效用之攷證

時逸人

「荳科參與五加科參之區別」據趙氏黨參之研究云。黨參爲荳科植物。人參爲五加科植物。在植物學上。分明兩種。五加科參。苗叶分數柄。每葉分五岐。根長數寸。荳科參、苗生繁盛。簇生如豌豆。根長數尺。觀察植物形態。顯然可資鑑別。此不能認兩種爲一物者一。五

加科參爲强壯兼峻補劑。荳科參爲强壯平補劑。其藥效成分。功用各異。不能認兩種爲一物者二。又凡參類。其根偶而長成人形者。方可謂之人參。不成人形者。只可謂之參。不可謂之人參。（荳科參五加科參。同一植物也。何時何地。不可生長。在古時山西太行山一帶。潞安遼縣等處。焉知不產五加科參。焉知其時吉林長白山等處。不有荳科參。）彼時即有荳科參。而偶成人形者。亦不能與爲五加科參。將其名稱主治。加以混合也。在彼時長成人形之參。是五加科參之根。抑是荳科參之根。因無典籍可稽。未能決定。但據現在出產地之調查。在上黨一帶。所產之參。完全屬於荳科參者。

（又據荳科參之根。即使長成人形。亦不足爲怪。例如何首烏之根。經過數十年後。亦有長成人形者。他如枸杞之根成犬形。冬虫夏草之根成虫形。植物之根。偶然而成異形者。亦爲極尋常之事實。）

「編者意見」按趙氏云。五加科參。東西各國。已研究分析。改良種植。現今出產額甚多。銷途專在吾國。已成經濟侵略工具之一。反觀吾國不但不知研究改良種植方法。以抵禦之。而且對於五加科參、荳科參、之界限。尙多未能分別。洵吾國研究藥學者之缺點。趙氏研究中藥詳細分析其種植形態。辨明其所以各異之點。然形態雖有別。其功用主治。則大略相同。玆特爲之搜採考證如下。故世以荳科參爲五加科參之代替品。苟非有確實可靠之經驗。誰能敢以無用疲藥以誤病機。其能推行數十省。歷世數百年。傳之久遠莫之或替。實緣本品種植易。生殖繁。功效確實。品質純良之所致也。

〔性質氣味〕 味甘微寒無毒。本經 熟則甘溫。綱目

編者按。古代之參。多掘自天然生長者。故尙能保全其微寒之本性。若近代之參。多係由人工種植者。必取硫黃馬糞爲肥料。其微寒之性。已渺不可得。是當謂其「味甘微苦性溫」

〔用量〕 入煎劑。一錢半、至三錢。然獨參湯獨用多用。亦有至一兩以上者。

〔泡製〕一種用生者焙乾或用土炒。〔用土炒已去黨參內之油質。而期其增促進乳糜吸收之作用〕

〔成分〕本品含有澱粉糖質。及少量脂肪。微兼酸性。故有補益身體。生津止渴強健消化之效用。忌鐵。參無論生熟。經鐵器則發黑。大抵植物中。含有酸性成分者均忌鐵器。參其一也。試以茶葉用鐵器烹之。何首烏用鐵器切之皆變黑色。因相感而變色。則其有效成分。必起變化。此所以忌鐵之理由。

〔本草效能〕 補肺氣。強心臟。補中健脾胃。安神止驚悸。

〔本草主治〕 胸脇逆滿。肺氣虛促。短氣少氣。陽虛自汗。及一切虛勞內傷等證。

〔近世應用〕 大失血證。面白少氣者。崩漏金瘡。出血過多。身體虛爲少氣者。小兒慢驚。

及痘瘡虛陷。不能灌漿者。癰疽外證已潰。膿稀體弱者。產後去血過多。心悸怔忡、脈結代者。

〔生理上之作用〕興奮肺部組織補氣恢復神經疲勞安神。增加血壓强心。促進分泌生津；補益膵液强健消化補脾。振興新陳代謝機能之衰減。大補元氣。

〔健肺作用〕或謂參能補肺。載在中醫之典籍。然則服參後。在生理上如何顯著其補肺之成績。但以參之效用推之。凡肺部組織萎縮。發生呼吸力弱。或短氣失音。無力發音等證。服參後則以上諸證均見減退。足見參之效用在興奮肺臟之細胞而且能强健肺部之組織。故古人試驗參能補氣與否。使二人競走同度之里數。一含參。一則否。結果含者氣息自如。不含者必作氣喘。於此可見參有健肺之效也。

〔恢復神經疲勞作用〕勞動過度。神經必有疲倦之感覺。其原因在心臟衰弱。血液運行。不合常度。參之效用在興奮肺部組織。旺盛細胞之活動。强健心臟動作。促進血液循環。心肺之作用健全腦部神經得充分之接濟。自無疲勞之感。或有疑其作用等於嗎啡者。不知嗎啡之作用在麻醉。參則有强壯興奮之效也。

〔强心作用〕血液循環週身。心藏實爲其主宰。心室弛張。以容納大靜脈之血液。心房收縮。以注射血液於大動脈。假使此種弛張收縮之作用。稍形衰弱。則動脈血壓減低。靜脈血液沉滯。體中必起重大變化。西醫名此證。爲心藏衰弱。宜用强心劑。中醫謂此證。爲中氣下陷。又爲中氣虛弱。宜用獨參湯。以補中氣。徵之於日本富田長壽成氏之報告。謂〔用參則血壓增進〕又井上圓治氏化學試驗之成績。謂參含淡灰色之糖原質。（爲沙泡甯屬）爲血行器之要藥云云。

〔復脈作用〕脈之原。根於心藏。凡結促代散等脈。有因心藏衰弱。致血液循環。不能整齊劃一。脈波因而有顯著之變化者。參之效用。在强心健肺。促進循環。增進血壓。故脈波自能恢復。張仲景治傷寒脈結代心動悸炙甘草湯。張潔古治傷暑無脈用生脈飲。其復脈及生脈之效用。皆藉參之力也。

〔止渴作用〕渴因生理上分泌液體。不足供體內之消耗。遂致口渴。思飲水分。參能旺盛分泌。則口渴自止。按此項效用西洋參較優。黨參較次。

〔醫療上實驗報告〕患者心臟衰弱。血壓低降之時。服參有振起心臟機能促進血液循環之效用。依日本富田長壽成之報告。脈搏微弱者。服參後。則脈波漸漸高起。是參能增進血壓。信而有徵。（張仲景治傷寒脈結代心動悸之炙草湯。重用參。以奏增高血壓之效。惟脈搏有力者。忌用。）

肺氣虛弱少氣呼吸無力之時。服參後則肺部功用振作。呼吸力量漸漸恢復。至若風寒感冒之肺氣不舒。胸悶氣喘。肺部分泌痰濁甚多。倘誤用參劑藥品。則其病必致增劇。肺部功用。因鬱滯而致壅遏。與參之興奮强壯效用。不能相宜故也。

〔施用禁忌〕 參之效用。即在補虛。苟不因身體虛弱。而誤服參。必有胸脘脹悶之感。服參過多。能引起腦部充血。發生頭暈頭重等證候。是皆參之副作用。

又日人依豬子氏。以參在病證危急時。毫無作用。此迷信參藥萬能之說。而疑可以概治百病之誤會。蓋用藥治病。重在配合。（因病有兼證夾證之故）若無適當之配合。宜其無效也。

〔處方配合〕 配龍齒治精神不寧。配五味子治肺氣喘。配白芍治內有虛熱之自汗。配黃蓍治中氣虛弱。心藏衰弱之自汗。配熟地治肺氣弱而腎氣虛者。配半夏止嘔吐。配陳皮。化滯氣。配升麻治中氣下陷。配蘇木治產後肺部鬱血之氣喘。配代赭石。治心下痞鞕。配蘇葉、治氣虛感冒脈弱者。配生石膏、治身熱自汗脈弱。配白朮治大便瀉脈弱者，配茯苓、治脈弱而小便不利。配厚朴、治虛人脹滿。配附子、治陽虛氣弱怯寒者。

〔新舊與藥效〕 大抵植物之有效時期。在一年之內。不至喪失。黨參爲荳科植物之一。當然不能例外。故其效用。以才年採取者爲最佳。質柔而潤。藥效充足。若經過在三年以上者。雖收藏妥當。倘可入藥。但不如鮮者力强。若經過六七年以上。雖未霉朽蛀爛。亦不宜入藥。•其有用成分。完全喪失故也。

〔製膏〕 〔流動膏〕 取鮮黨參壓榨其汁液熬膏

最佳。如非出產地。當用乾黨參切碎用熟水浸數日。煎濃汁。熬至稠厚爲度。

大抵鮮黨參一斤。可熬純膏八九兩之譜。乾者可熬純膏五六兩之譜。（如量加白蜜。則膏量必可增加如白蜜之量數。）用量每服二分至五分。

（硬固膏）取前項煎成之稠厚流動膏。盛模型中。入乾燥器烘乾爲度。貯藏備用。用量。每服一分至二分。

肉桂新研究

馮瑞生

（產地）本品產自中國南部。如廣西。廣東。安南等處。日本之收買廣西肉桂極多。歐洲以錫蘭島之西南海岸桂樹園所出者。爲佳。自西歷一千六百五十六年。經葡萄牙人輸出者甚多。惟經一千七百九十六年。英人占領錫蘭。至一千八百三十三年。英國政府持許東印度商會。爲專賣特權。又德國藥局方第五版。專收載錫蘭桂皮效用者甚多。法國專收中國南部所產者亦甚多。

（形狀）本品爲植物樟科之一種。專採其皮成管狀。或半管狀。外面帶灰褐色。內面帶赤褐色。以顯微鏡檢查。第一期內部有纖維樣體成輪層。第二期皮部中有髓線包藏。內皮纖維細胞。粘液細胞。由分泌細胞。排出桂皮之特異芳香。

（成分）肉桂之主要成分。即桂皮油。其含量約百分之一·五。其餘之成分。尙有鞣酸。粘液。樹脂。澱粉等。

（效用）本品爲芳香健胃藥。矯臭藥及矯味藥。藥局方配合有芳香散。芳香精。酸性芳香酒。桂皮油等。

〔最新效用〕肉桂之成分內。有一種肉桂酸發明於瑞士康佛生氏。證明此種肉桂酸。確有減退肺癆病骨蒸潮熱之功効甚大。查肺病之潮熱。起源本因人體內肺結核菌毒之影響所致。欲使肺病熱度平復如常。又非抵抗此毒質。歸於消滅不可。再肉桂酸與安息香酸配合。能使結核菌。或其他病原菌。如連鎖狀球菌。葡萄狀球菌等之毒性。完全減弱。且服此品後。並可使濃厚之痰。化爲稀液。足證肉桂酸之功效。對於肺癆病之骨蒸潮熱。實爲近世新藥中最好之良藥也。

附子之研究

沈仲圭

〔釋名〕附子。即烏頭之子。因其附生於正根之旁。故曰附子。正根。即烏頭也。附子如芋子。烏頭如芋魁。同爲一物之根。功用亦無大別。另有白附子。故別此爲黑附子。昔爲野生。今皆種者。產陝西者。曰西附。產四川者。曰川附。製法。以極濃甘草湯泡浸。剝去皮臍。切作四塊。再濃煎甘草湯浸透。然後切片。文火炒黃。放泥土上。以出火毒。惜產地土人。先以鹽醃之。藥肆復以水漂之。則氣味寖失。功效大減矣。

〔性質〕辛甘大熱。有毒。純陽善走。

〔功用〕補元陽。除沉寒。縮小便。逐風寒濕。主治自汗水腫。久痢霍亂。心腹冷痛。洞泄完穀。癥堅血瘕。腰脚疼痛。

〔用量及配合〕　一錢至三錢。得肉桂則入命門。益相火。引人參。挽回散失之元陽。同生姜。發散在表之風寒。佐白朮。善除寒溼。得甘草能緩熱性。伍六一散。治痰飲。合人參橘皮。主久病嘔噦。

〔禁忌〕　陰虛內熱。血液衰少。吐衄腸紅。均爲大戒。老人精絕。少年失志。以及暑月濕熱。亦不可誤服。

〔方劑〕　一、附子七味丸。治陽虧畏冷。二、六味丸加附子。每服三錢。淡鹽湯下。三、霹靂散。治陰盛格陽（其人躁熱而不飲水脈沈手足厥逆）。四、大附子一枚。燒存性。爲末。蜜水調服。

〔雜論〕　諸家對於附子之藥理。頗多發明。茲摘其要如下。

凡用烏附藥。並宜冷服者。熱因寒用也。蓋陰寒在下。虛陽上浮。治之以寒。則陰氣益甚而病增。治之以熱。則拒格而不納。熱藥冷飲。下咽之後。冷體既消。熱性便發。而病氣隨愈。不違其情。而致大益。此反治之妙也。

附子秉雄壯之質。有斬關奪將之氣。能引補氣藥行十二經。以追復散失之元陽。引補血藥入血分。以滋養不足之眞陰。引發散藥開腠理。以驅逐在表之風寒。引溫煖藥達下焦。以祛除在裏之冷濕。

烏附非身涼而四肢厥者。不可輕用。服附子以補火。必防涸水。若陰虛之人。久服補陽之藥。則虛陽益熾。眞陰愈耗。精血日枯。而氣無所附麗。遂成不救者多矣。附子性悍。獨任爲難。必得大甘之品。如人蔘熟地炙草之類。皆足以制其剛而濟其勇。斯無往不利矣。

附子應用標準

湯本求眞

吾人之心力。若較常態沉弱。則流入動脈系血量。及速度爲減。因而脈現沉微弱遲等象。末稍部及體表由於血量減少。在該部之新陳代謝及發溫機。隨而減弱。因起惡寒。或厥冷。此際靜脈血及淋巴之歸流。亦不活動。致停滯於末稍部。(下肢尤甚。而覺沉重。滲漏機亢盛。則爲浮腫。又靜脈血中之炭酸。及其他老廢物質。若刺戟知覺神經則發生疼痛。此刺戟强且久。則知覺麻痺。又局部由於營養不足。運動神經及筋肉亦致麻痺。倘心力比前更爲衰微。此等之症狀不僅限於末稍及體表部。遂波及於腹部。發生疼痛麻痺下利等症。此時若用附子。則心力旺盛。血行恢復。鬱滯之水毒。或爲汗。或爲嘔吐。或爲下利。或利尿。而排出於體外。諸患頓如雲消霧散矣。故附子一物乃當心力沉衰。脈象沉微弱遲等將脫之候。兼發惡寒或厥冷。或知覺不全麻痺。或全麻痺。或運動不全麻痺。或全麻痺。或沉重疼痛。或攣急。或腹痛。或下利。或浮腫。或失精。至一二證至數證之時。而應用者也。如前述附子之證。乃因新陳代謝及發溫機減衰。而不混他症。純粹附子劑稍重篤症。在於此症呼氣寒冷。舌不生胎。(舌無胎。其色恰如混合墨汁。而潤濕者即附子證也。）且濕潤。肌膚粟起而厥冷。腹部輭弱無力而尿色清白者也。

淫羊藿

葉橘泉

〔別名〕剛前　三枝九葉草　黃連祖　乾鷄肋　棄杖草　仙靈脾　放杖草　千兩金　槀藥尊使　日本名碇草

〔產地〕陝西　山東　湖南　四川諸山中均產之

〔形態〕本品爲生於山野間之多年生宿根草。自舊根叢生數細莖。春日生葉。莖如粟桿。高達二尺許。葉二回掌狀複葉。自九小葉成。小葉心臟形。邊緣有細鋸齒。類杏葉。葉之中央。抽出一花梗。夏月開總狀花序。花瓣四。紫或黃白色。花瓣長而有距。倒垂似鐵貓狀。根紫色。有鬚似黃連。

〔藥用之部〕葉及根

〔修治〕夏季採其葉。剪去邊緣及花梗。以羊脂拌炒。或酒浸用之。

〔性味〕味微苦。

〔功效〕主治陰萎色傷。莖中痛。利小便。益氣力。强志。（本艸經）入肝腎。補命門。益精氣。堅筋骨。利小便。治絕陽不興。絕陰不產。冷風勞氣。四肢不仁。（本艸從新）

〔驗方〕牙痛不紅腫。而遇冷遇熱。或吸風飲食均痛者。謂之虛痛。本品煎湯頻漱。極驗。

〔禁忌〕虛火易動。及夜熱盜汗者勿用。

〔畏反〕配互他藥無畏反。合山藥同用爲良

〔用量〕五錢至一兩。

〔仲圭按〕民廿秋。余承乏上海國醫學院教授。有國文助教曹君湘人。年逾不惑。因嗣育艱難。納村女爲小星。性交時陰莖舉而不堅。服育亨賓及炙治均無效。商治于余。余勸食淫羊藿。重用一兩。雜于大隊補腎劑中。越日來告。服後同房。逈異平時。據此可見本品確爲助陽藥。而克治陰萎也。

虎骨之功用

許叻勤

虎屬脊椎動物。形略似貓。體軀甚長。頭圓。四肢粗大有力。爪牙銳利。性殘暴。常噬食獸類及其他動物。產於亞美兩洲。在亞洲以東印度爲最。中國如雲貴等省。亦多產之。其功用甚廣。如皮、肉、骨、血、脂、膏、睛、鼻、鬚、牙、爪、膽、腎、胃、糞、均可療疾。尤以脛骨爲佳。頭骨脊肋骨次之。考方書所載。凡用虎骨製藥。如虎骨丸虎骨丹……等。名目繁多。不勝枚舉。茲將最普通應用數種。如虎骨膠虎骨木瓜酒養血愈風酒百益長春酒活絡丹虎潛丸。其配合主治。略述如左。亦關心醫藥者所當知也。

〔四腿虎骨膠〕治風溼流注。腰脚不遂。臂脛疼痛。用腿骨者。因虎騰躍善走。力聚腿足。追風定痛。功效較勝。故對於上述各症。誠獨一無二之妙劑。不可多得之良藥。

〔虎骨木瓜酒〕治風溼流入經絡。拘攣疼痛。脚膝乏力。方內配川斷、牛膝、木瓜、芎、歸、紅花、玉竹、天麻、桑枝、等藥。合之爲驅風活絡養營潤燥之劑。其性味王道。功效專著。凡血虛風溼痺着者。可購備之。

〔養血愈風酒〕 治風溼痺着。氣血凝滯。以致肢節疼痛。拘攣委廢。此酒用鱉甲當歸、牛膝、紅花等分。深得古人治風先治血。血行風自滅之祕旨。其功用爲藥酒中之馴良者。宜乎人多購用之。

〔百益長春酒〕 治風寒溼着而爲痺。或癱或瘓。日積月累。延成損怯。此酒有驅寒搜風滋補氣血之功。用得其當。不但起沉痾於一旦。且益壽以延年也。名曰長春。洵非虛譽。

〔聖濟大活絡丹〕 治頑痰惡風熱毒瘀血。竄入經隧。釀成癱瘓。方中搜集蠕動異靈寒熱溫涼疎達攻逐之藥。譬如賊寇憑藉山險。强頑抵抗。出奇兵以迅掃其巢穴。此方奄有之矣。若類似癱瘓。並無邪實。恐過於峻利。非所宜也。

〔健步虎潛丸〕（即丹溪虎潛丸） 治腎家陰陽並虧。溼熱留着。不能步履。成爲痿症。方中知柏清火。龜地填陰。牛膝入肝舒筋。歸芍佐之。陳皮疏之。又慮熱則生風。遏留關節。則用虎骨以驅之。純陰無陽。不能生發。則用鎖陽以溫之。補之以味。故以羊肉爲丸。急於入腎。故以淡鹽湯下。此方闡究造化。奧理無窮。爲丹溪得意之作。以之治溼熱痿症。宜乎奏效如神也。

按人體力之强弱。在乎骨之堅脆。虎之力大無比。故其用亦全在乎骨。醫藥家稱虎骨爲驅風健骨之藥。徵諸實驗。確鑿不謬。第其性辛熱。善於走竄。凡陰虛火旺。血不養筋。而致筋脈攣痛者。不可擅用。

鹿角膠之特效

徐究仁

今之談軟骨病者。鮮不以維他命（D）爲治療之要素。且爲最新之聖劑。而孰知吾華夏天然之產物。其成效有遠超於此者乎。即鹿角膠是。請假一事以徵之。余同鄉有許昶者。諸曁靑丁山人也。於民國十二年春。負笈越中。四月間。忽得脚軟不能行。迭經醫治罔效。或以爲風。或以爲溼。無有能識其病者。旋至八月返里。乞余往診。余診其脈。沉濡而細。周身肥白。飮食如常。惟下肢輭弱。跬步不能。毛竅豎起。冷汗時出。按之肌肉。且失溫度。余斷爲腎陽虛衰。氣化失周。即唐韓昌黎所謂軟脚病也。爲疏金匱腎氣湯十劑。幷囑續服鹿角膠。當自效。許依法施治月餘。效獲全痊。迨十七年春。而舊恙復發。兩足軟冷如故。時許方肄業北平燕京大學也。校醫英人Leaimanfh施治半月。未見端倪。不得已轉投協和醫院神經診治部醫治。又無效。當由該部主任美人某。（忘其名）召集院中醫士。環共研究。結果謂係特種之Beriberi（即軟脚病）針藥並進。幷食以富於維他命之食料。許方私心自慰。以爲認症眞確。用藥的當。勿藥之期。當不在遠。奈聽治月餘。仍無絲毫之效果。於是嗒喪歸校。因循以冀自痊而已。頤意余前次爲其治愈之方。雖已忘却。尙記有鹿角膠一物。遂購服試之。詎服未一月。竟日臻痊愈。昔之擬於天步艱難者。一變而爲慶忌之捷走矣。快慰之態。何

中国近现代中医药期刊续编·第三辑

可言喻。後以聞諸校醫英人。及院醫美人。雖皆詫爲奇驗。終不能測其效用之所在。許今供職省府。歷歷爲余言之。且致感謝之忱。並丏研究之術。余自惟末學。何敢妄置一喙。祇將聞見之愚。約略貢之。按鹿角膠鹹温無毒。神農本經名白膠。李時珍謂其純陽。能通督脈。別錄主腰脊痛折傷。日華主脚膝無力。孟詵主强骨髓。益陽道。蓋腎主骨。骨爲幹。腎藏精。精生髓。以其有强壯腎命之功。故皆主之也。又嘗考其成分。內含燐質•石灰質•膠質•軟骨素等。夫燐質爲人身之要素。尤爲骨質中運用之靈魂。鹿角膠有增進燐質之功能。又能使石灰質之運化健全。故於軟骨症。有特效也。且據近年西人之研究。謂軟骨症之發生。除食料偏乏維他命外。而悶居幽暗之處。亦爲一大原因。嘗實驗之於動物。如將該動物飼於暗處。雖食料如常。亦能使生輭骨之病。再次如用充足光綫。施於動物之身。則雖常飼以完全不含維他命之食物。該動物亦不至生軟骨之病。其尤奇者。但須將飼養該動物之食料。暴於日光中。即該動物不受日光。亦不至發生軟骨病云云。由此言之。益信軟骨病爲陽虛之症。而日光非陽氣之精英乎。鹿角膠非補陽精之藥乎。彼協和醫院之美人。徒知有維他命之聖劑。而不知有鹿角膠之特效。惜哉。

余以鹿角膠治愈軟脚病者。連大人小兒。不下十餘人。固不僅許君一人已也。惟許君經過周折獨多。故特記之以見吾中藥之眞價値耳。嗚

呼。黃鐘毀棄。瓦釜雷鳴。自古皆然。於今爲烈。普天下之軟脚病者。安得人人見此而讀之耶。（作者附識）

黃蓍

黃勞逸

〔別名〕 黃芪。戴椹。戴糝。蜀脂。百本。芰草。芰草。王孫。獨椹羊肉。黃嗜。綿耆。戴粉姤婦。甘板麻。百藥綿。

〔種類〕 荳科蝴蝶花形類之宿根草。

〔產地〕 陝西白水鄉產者。名白水蓍。良。赤水鄉出者。名赤水芪。較次。又山西沁州綿上產者。名綿黃蓍。最良。或云。因其根皮折之。柔靭如綿者。故名。

〔形態〕 葉似槐葉而微尖小。又似蒺藜葉而微闊大。色青白。開黃紫花。大如槐花。結小尖角。長寸許。根長三四尺。以緊實如箭簳者良。市上販賣者。切成六七寸許。外面淡褐色。有螺旋狀之隆起線。內部爲黃白色。折之柔靭如綿。破折面爲纖維形。

〔鑑別〕 近來恒有奸商。採苜蓿根充售。但苜蓿根堅而脆。肉色黃。味苦。而黃蓍質軟如綿。直長而無枝。細皮縐紋。切斷有菊花紋。兼有金井玉欄之紋。色黃白。味甜鮮潔。帶有綠豆氣爲最佳。皮粗而細。枝短味淡者。略次。質硬筋多而靭。內部黃色者次之。質硬味極甘者更次之。枝短皮粗無枝者又次之。皮紅黑色。筋靭如麻。有青草氣者爲最下品。服之腹脹。不堪入藥。

〔性味〕 呈弱酸性反應。味微甘。而稍有綠豆之香氣。

〔成分〕 據袁淑範試驗之結果。曾報告謂其主要成分爲Alkaloid;然依余分析之結果。除Alkaoid 外。倘有 Glycosid 反應。而Glycosid 在生藥學中。亦不得否認其爲非主要成分。

〔生理作用〕 袁氏曾將酒醇製黃蓍越幾斯。行動物試驗時。僅現著明之血壓降下。及呼吸微强之作用。此雖不足以判定黃蓍之全效。但其不如中醫所謂延長氣息之功也。明矣。

〔醫治功效〕 本經云。主治癰疽久敗瘡。排膿止痛。大風癩疾。五痔鼠瘻。補虛。小兒百病。藥徵曰。主治肌表之水也。主治身體腫。或不仁。

別錄云。婦人子臟風邪氣。逐五臟間惡血。補丈夫虛損。五勞羸瘦。止渴。腹痛洩痢。益氣。利陰氣。

丹溪曰。大補陽虛。溫分肉。實腠理。排膿內托。瘡瘍聖藥也。痘疹不起。陽虛無熱者。宜之。

好古曰。黃蓍治氣虛盜汗。兼自汗。及膚痛。是皮表之藥。

〔驗方〕 經久潰瘍。膿水清冷。凹陷不能收口者。用生黃蓍一兩。炮附子三錢。濃煎服大效

〔又〕 小便不通。綿黃蓍二錢。水二盞。煎一盞。溫服。

〔又〕 荷蘭藥鏡。治梅毒諸症。用黃蓍一盎斯。加水適宜。煮濾過。取二磅。朝夕各服一磅

。

〔修治〕去頭上纚皮。搥扁。用蜂蜜水拌蒸。切片。或用鹽水潤透。隔湯蒸熟。切用。亦有生用者。

〔禁忌〕陰虛身熱者勿用。表實有熱。積滯痞滿者忌。本品功專補氣。肥白有多汗者爲宜。若面黑形實而瘦者。誤投之。令人胸滿。宜用三黃湯瀉之可解。

〔用量〕小量一錢至二錢。大量三錢至六錢。

〔畏反〕惡。龜版。白蘚皮。

〔著者按語〕古人所謂黃耆大補陽氣。逐水。排膿。生肌。長肉。實腠理。止汗。溫分肉。治羸瘦云云。蓋本品有補益成分。能使肌肉細胞恢復生活力之功效也。肌肉細胞强壯。則膿可排。水可逐。肌肉溫暖。腠理緻密。汗自止。虛弱羸瘦亦自復元矣。然返觀古人論藥效極不一致。且似空泛。如「大補陽虛」等說。驟視之。幾令人迷離惝恍。故日人東洞氏。力闢補虛。謂只能治肌表之水。鄙意此物究是一種略含興奮性之强壯藥。牠的營養素。內强心肺。健腰腎。外走肌表。直接供給營養分於肌肉細胞故耳。

女貞子（即冬青子）

沈仲圭

〔釋名〕此木負霜葱翠。振柯臨風。清士欽其質。貞女慕其名。得名之由。蓋以是也。

〔產地〕處處有之。

〔性質〕甘苦而涼。

〔功用〕益腎除熱。明目黑髮。

〔用量及配合〕　三錢。同地黃、何首烏、人蔘、麥冬、旱蓮草、南燭子、牛膝、枸杞子、山藥、沒食子、桑葚。黃柏、川椒、蓮鬚。爲烏髮要藥。同甘菊花、生地黃、蒺藜、枸杞。能明目。同旱蓮艸、桑葚、治虛損。

〔方劑〕　加減地黃丸——大熟地一斤。白茯苓、生山藥、丹皮（酒浸一宿晒干）山茱萸、何首烏（同黑豆九蒸九晒）金櫻子、（去刺蒸女貞子（酒浸蒸）枸杞子（蒸）各八兩。配地黃煉蜜爲丸。梧子大。每日空心白湯下八九十丸。

（按）此方即六味地黃丸去澤瀉。加首烏、金櫻、女貞、枸杞四味。六味丸原爲三陰虧損之良方。今加首烏枸杞女貞以補肝虛。金櫻子以澁精管。則於遺精種子。尤有卓效。山萸首烏枸杞之性皆溫。女貞丹皮之性俱凉。合而用之。性臻中和。乃可久服而無流弊矣。

〔禁忌〕　此物性稟純陰。味偏寒滑。脾胃虛人服之。往往減食作瀉。

山茱萸

〔釋名〕　此物木高丈餘。叶似榆。花如杏。實類酸棗。故有酸棗肉棗之稱。至名山茱萸者。其義未詳焉。

〔產地〕　江蘇海州。山東兗州。

〔製法〕　去核。（核能滑精。）

〔性質〕　酸微溫。

〔功用〕　溫肝補虛。濇精氣。煖腰膝。

〔主治〕　耳鳴耳聾。腦痛遺精。月事過多。小便不節。

〔用量及配合〕　一錢至二錢。同人參。五味子、牡蠣、益智仁、治老人小便淋瀝。同人參、沙苑蒺藜、熟地、人乳、麥冬、牛膝、甘菊花。治腦骨痛。同石菖蒲、甘菊、地黃、黃柏、五味、治腎虛耳聾。同杜仲、牛膝、地黃、白膠・山藥、治腎虛腰痛。

〔方劑〕　草還丹——山茱萸酒浸取肉一斤。破破紙酒浸焙乾半斤。當歸四兩。麝香一錢。爲末。煉蜜爲丸。梧子大。每服三錢。臨臥鹽湯下。功能壯元陽。固精氣。爲延年續嗣之方。

〔吳昊扶壽方〕

〔按〕　山萸補少陰而濇精氣。破故紙壯元陽而治精冷。當歸補血以生精。下元虛寒者服之。誠有益壽種子之效。惟麝香辛温香竄。以通經絡開諸竅爲用。幷無補益之功。用于是方。其意何居。愚意不若去之爲佳。

〔禁忌〕　命門火熾。强陽不痿者忌之。膀胱熱結。小便不利者。法當清利。此藥味酸主斂。不宜用。陰虛血弱。不宜用。即用當與黃柏同加。

〔編者意見〕　本品微溫之性。不敵酸斂之味。故固濇腎氣之力。實較滋陰補精爲尤大。王好古曰。「滑則氣脫。濇劑所以收之。山茱萸止小便利。秘精氣。取其味酸濇以收滑也。」寥寥數語。直將是物之功用。和盤托出。近人治遺精多用六味丸。蓋賴萸肉酸收之功。以固封藏之本也。且其收濇之力。不僅止遺。幷可斂汗。而爲勞熱汗出之妙藥。張氏壽甫曰。「虛勞之症。有易出汗者。其人外衛氣虛。一經發熱。汗即隨熱外泄。治之者宜于滋補藥中。加萸肉、生龍骨、生牡蠣、以斂其汗。有分毫不出汗者。其人陰分虛甚。不能應陽分而化汗。灼熱之時。肌膚乾澁。亦宜加前藥。以防出汗。緣其汗久蓄不出。服藥之後。陰分滋長。能與陽分洽浹。恒有突然汗出者。若為解肌之微汗。病或因之減輕。若為淋漓之大汗。病必因之加重。是以治此等症。至脈有起色時。當預備淨萸肉二兩。龍骨牡蠣各一兩。殆將出汗時。（必有煩熱發熱之先兆）即將所備之藥。煎湯兩盅。微見汗時。溫服一盅。服后汗猶不止。再進一盅。即出汗亦不至虛脫也。」。張氏此言。既為先賢所未逮。亦盡山萸之妙用矣。

枸杞子

〔釋名〕枸杞二樹名。此物棘如枸之刺。莖如杞之條。故名。

〔產地〕陝西。甘肅產者尤良。

〔性質〕甘而微溫。

〔功用〕生精養血。明目滑腸。

〔主治〕虛勞遺精。血衰目昏。

〔用量及配合〕三錢至四錢。同熟地補肝腎。同地黃、五味子、地骨皮、青蒿、鱉甲、牛膝、除虛勞潮熱。

〔禁忌〕質潤利腸。洩瀉忌用。或與山藥、蓮肉、茯苓、同用。則可不瀉。

〔編者意見〕本品之氣味。有謂微寒。有謂甘平。有謂甘微溫。何舍何從。當由實驗。攷劉潛江本艸述曰。「有一紳從甘肅來。語余云。彼中枸杞子。出極邊得來者更佳。多煎膏以饋人。食多衄血。」觀此一節。可知枸杞實係溫性。而「離家千里。勿食枸杞」之古諺。爲不訛也。

本品之功用。補血二字。足以括之。因其補血。故能生精。因其生精。故治遺精。欲明補血即是生精之理。當知身之血。無處不到。行至陰囊。其中之精液細胞。攝取血汁。製爲精液。由輸精管運入精囊。以備生殖之需。故西諺有「十滴之血液。僅抵一滴之精液」之言。而縱慾遺泄者。輒多肌瘦面黃也。

胡桃功能益腦

唐吉父

胡桃爲落葉喬木。其種來自西域。今河南陝西等省。產生最多。幹高二三丈。葉爲奇數。羽上複葉。夏初開花雌雄。皆成穗下垂。爲淡黃綠色。秋時結實青桃。熟後漚爛皮肉。取其核中有仁。內含脂肪油極豐富。仁外有皮。性味皆不同。

『桃的成分。脂肪爲『五九・一八』。蛋白質爲『二八・四七』。無窒素有機物爲『三・一九』水爲『四・七四』。纖維爲『一・五四』。灰分爲『二・八八』。若以胡桃壓榨而得的脂肪油。爲之胡桃油。色淡黃。置日久變爲深黃色。易變性臭味一如胡桃。

性味溫而無毒。仁味甘微苦。皮更苦濇。功用益氣養血。溫肺助腎。強陰潤燥。補腦安神。化痰定喘。爲心肺腎腦的特效藥。今醫皆忽之不用。仁外之皮。很富收斂性。仁中的莢。更甚於皮。時下歐西各國。皆提取其精。作爲產婦收縮子宮的注射液。

本埠王姓婦。因生育過多。患貧血症近復生產。卒不眠歷十餘日。合眼即夢驚而睡。心悸不安。震及臥床。體態日益消瘦。苦患怔忡。延醫無非皆用安神的藥品終不能取效。繼延余至。望其色。面青顴紅。目睛外露。聞細語甚微。脈細如浮絲。舌色淡白無津液。問之始知爲產後亡血症。即爲其開歸脾湯。倍用人參黃耆當歸之品。雖服數劑。但收效很小。復以其經濟不充。改人參爲黨參。效更不逮。因思蘇省陳主席果夫氏嘗言『胡桃的形態。很像人腦。仁中的油。能滋神經之燥。且復價廉』。故囑其試之。取仁一兩。搗亂和糖開水沖服。每日三次。是晚已能稍睡。惟時時驚醒。不久又睡。像這樣次日已得酣睡。但不過二三小時。故即停藥而專食胡桃一物。未及月餘。始能安寢如故。形態日復矣。

大棗之研究

沈仲圭

〔別名〕良棗　美棗　乾棗　紅棗

〔產地〕青州　晉地

〔種類〕鼠李科棗屬

〔形態〕樹高二丈餘。葉長卵形。有三大脈。互生。初夏新枝出葉時開花。花小黃綠色。雄蕊五枚。與花瓣同數。對生。入秋結實。形橢圓。或長橢圓。色初黃綠。熟則赤褐。外皮甚厚。燥後有皺紋。肉層作髓狀。呈黃白色。中有淡褐色扁平卵圓形之核仁。

〔藥用之部〕實

〔性味〕呈酸性反應。味甘。

〔成分〕含有糖質及粘液質。其營養成分。爲水一五•二%蛋白質二•一%脂肪五•一%含水炭素七六。三%灰分一•三%

〔生理作用〕入胃後。與胃酸起作用。而成有效之糖素。至腸。被腸壁吸收而達血中。使血中氮化力增加。細胞繁殖力擴大。

〔醫治功效〕主治攣引强急。旁治欬嗽、奔豚、煩躁、身疼、脅痛、腹中脅。（藥徵）

補心脾。逐水。（山田業廣）

有甘和滋潤功效。緩解傷冷毒之酷厲液。療欬嗽、聲嗄、咽喉刺痛等胸肺諸證。（荷蘭藥鏡）用於身體各部痙攣。鎮靜欬嗽。制止胸痛及腹痛。（和漢藥物學）

係緩和藥。治胃病、聲嗄、咽喉痛。又爲祛痰藥。治咳嗽胸痛。並治凍瘡、皸裂。（民間藥及其利用法）

可作陰萎强壯劑。亦治便秘。又可用於解熱劑。（自療與民間藥）

〔驗方〕1.歇斯的里　大棗十枚。小麥一升。甘草三兩。以水六升。煎取三升。分三次服。

2.大便燥塞　大棗一枚。去核。入輕粉半錢。（主按宜用甘汞〇•二）縛定。煨熟食之。仍以棗湯送下。

3.凍瘡皸裂　以大棗和甘草煎汁罨之。

4.欬嗽　大棗二十枚。去核。以酥四兩。微火煎。入棗肉中。漬盡酥。取收之。常含一枚。微微嚥之。

〔用量〕小量四枚。大量三十枚。通常十二枚

〔按〕傷寒論用大棗之方凡三十九。計十二枚者二十九方。四枚者三方。二十五枚六枚者各二方。三十枚十五枚者各一方。金匱要略用大棗之方凡三十五。除薯蕷丸大棗百枚不計外。其餘十二枚者二十方。十枚者七方。十五枚者四方。三十枚七枚六枚者各一方。復歸納之。得其用量標準如上。

〔用法〕劈開煎服。

〔禁忌〕齒痛。又瘦人食之。有起熱之患。

〔畏反〕忌與葱、魚同食。

〔編者按〕凡緩和藥多有減弱身體各部緊實性之作用。故湯本四郎右衛門云。「甘草大棗、蜂蜜溫服。能鎮痙」。吉益東洞以攣引强急。爲本品之主治也。至其祛痰之理。與麥門冬相近。無非由所含之粘液質。促進氣管之分泌耳。

日人謂本品可用於解熱劑。此說未可盲從。蓋體溫既已增高。更服大棗以助血液之養化。豈非倒行而逆施乎。

回憶少年時代。極嗜甜味。家母常手製桃棗圓〔製法。紅棗三分。胡桃二分。先將胡桃搗爛入棗再杵。爲圓。仍如胡桃大〕。餉余。當時未解醫理。僅讚歎其甘美可口而已。今考二物皆滋養强壯。〔大棗之營養成分見上。胡桃爲水四·七四蛋白質二八·四七脂肪五九·一八

炭水化物三•一九纖維一•五四灰分二•八八）本草且稱「食胡桃令人肥健。潤肌膚。墨鬚髮。其皮濇可止欬。（和漢藥物學云。胡桃之主成分爲脂肪油。此外含有胚乳、糖分、單甯等。本草載洪輯幼子病痰喘。夢觀音令服人參胡桃湯。服之而愈。明日。剝去皮。喘復作。仍連皮用。信宿而瘳。蓋皮能斂肺也。由此推想。頗疑本品所含之單甯酸。或多在皮中也）。其油滑可通腸。（大棗也能祛痰。治便秘）。是則此桃棗圓者。不但爲滋養之藥用食物。亦簡效之家用良方。編食譜者。盍採入之。

上文所述之桃棗圓。不僅治欬嗽便秘。且可作條蟲驅除藥。因胡桃仁中之脂肪油。有通便殺蟲之作用也。

三伏日。取大棗。以生薑自然汁拌之。曝乾。更拌更曝。三次爲度。收密器中。名薑汁棗。（服時須經蒸煑）。祛痰開胃。並擅勝塲。可作風邪咳嗽之便藥。小兒老人之游食。

本品八兩。合紅蓮子四兩。梨二枚。煉白蜜一兩。以枇杷葉五十片煎湯。代水煑果。即王孟英杜癆方。治骨蒸癆熱。羸弱神疲。腰痠脊痛。四肢軟痿。咳逆嗽痰。一切陰虛火動之症。其中大棗。亦以滋養祛痰爲目的。本方除蓮子。用作熱性病後便閉。常習性便秘之食餌療法。亦頗佳妙。

曩時習醫。見名醫處方。每用大棗不過三枚。心竊非之。以爲棗乃吾人常食之乾果。一啖十餘。習以爲恒。區區三枚。焉能已疾。今統計仲景方大棗之用量。以十二枚爲常。益信予昔日之懷疑。爲有價值矣。

第二章 健胃劑

白朮

阮其煜

本經原文：氣味甘温無毒。治風寒濕痺。死肌。痙。疸。止汗。除熱消食。作煎餌。久服輕身。延年不飢。

(一)味甘性温。味甘指此藥有强壯劑之作用。性温者表示能治體温減低之慢性虛弱病。不宜於急性病。

(二)風寒濕痺。指慢性羅麻質斯。此藥內服有效。然因性温二字。表示急性羅麻質斯。忌用

(三)死肌。指慢性日久不愈之潰瘍。內服有收口之效。

(四)痙。指抽筋。慢性抽筋症。服之有解抽之效。然因『性温』二字。故急性抽筋症。以及體温增高者。不宜用之。

(五)疸。指人體虛弱性之面黃症。可服之。

(六)止汗。自汗症。盜汗症。可作主藥。可作副藥。

(七)除熱消食。因胃腸消化不良而發生之熱度。方可用之。對於急性熱症忌服。除熱消食。也可以說對於小腸消化不良。而現腹瀉者。有止瀉。扶助消化之作用。

(八)此藥俗名『健脾藥』。中醫所謂脾虛者。指胃腸吸收性不足而現腹瀉之病也。健脾者。即

能增加胃腸之吸收性而止其腹瀉。又因其能增加胃腸之吸收性。故而用『甘溫』二字代表之。

劑量　一至三錢

禁忌　熱度高而脈搏快者。忌用之。

蒼朮

前人

本經原文：氣味苦溫無毒。主治風寒濕痺。死肌。痙。疸。除熱消食。作煎餌。久服輕身。延年不飢。

蒼朮與白朮之功用相似。其不同之處如下：

(一)白朮甘溫。蒼朮苦溫。

白朮的甘。表示對於胃腸有強壯劑之性質。白朮的溫。表示可用於慢性的虛弱症。以及熱度減低之病症。

蒼朮的苦。因有排泄。如排泄汗液。故曰苦。

蒼朮的溫。因有興奮性。如興奮汗腺而使其出汗。故曰溫。

倘汗腺之功用缺乏之時。用之。因能興奮汗腺。故能出汗。然有時患『濕溫』。熱度低而汗液多。且其舌苔膩厚者稱爲濕重熱輕之現狀。可用蒼朮。有止汗之效。

按中醫素以蒼朮能燥濕。故能止汗。其實所謂燥濕。或即止汗之互詞也。其能止汗者。凡汗腺有痲痺傾向時。而致出汗者。服蒼朮能止汗。乃由於蒼朮之興奮汗腺之性質而恢復其常狀態之故。

(二)白朮止汗。蒼朮發汗。白朮對於皮膚有收斂性。故能止汗。蒼朮對於汗腺有興奮性。故能發汗。

(三)對於胃腸。白朮補脾。蒼朮運脾。補脾者。指白朮能增加胃腸之吸收性。運脾者。指有扶助消化之作用。然胃液過多者可用之。胃液缺乏者。不能用。

(四)蒼朮有燥濕之效。燥濕就是指『止汗』。與增加小腸之吸收性。排除胃液之過多。

劑量　八分至三錢

禁忌　(1)熱度過高者。(2)胃液缺乏而現舌燥者。(3)汗液過多者。均忌用。

附註　濕温者。有汗之熱症。患於五六月黃霉時間者。

山藥之研究

章次公

〔釋名〕小泉榮次郎曰。山藥本名薯蕷。因唐代名預。避諱改爲薯藥。因宋英宗諱署。又改爲山藥。見和漢藥考后編二六八頁。

〔形態〕植物學大辭典薯蕷科。薯蕷屬。多年生。蔓草。莖細長。葉長心臟形。有尖端。葉柄長。對生。夏日葉腋生花。呈穗狀。花小單性。淡黃綠色。植物名實圖考曰。薯蕷生懷慶山中者。白細堅實。形扁。

〔產地〕山野處多有之。

〔成分〕和漢藥考後編藥學的有效成分未詳。根中含有粘質物稱爲「ヽヽエミン」又乾根中。有一種蛋白質。約含百分之六〇云。又依榮養價分析之。水分八〇・七四。脂肪〇・一六。炭水化合物。一五・〇九。纖維〇・九〇。灰分〇・六四。

〔性味〕甘温平。

〔主治〕本經傷中補虛羸。除寒熱邪氣補中益氣力。長肌肉强陰。

別錄　主頭面遊風。頭風眼眩下氣。止腰痛治虛勞羸瘦。充五臟。除煩熱。

甄權　補五勞七傷。去冷風。鎭心神。安魂魄。補氣不足。開達心孔多記事。

大明　强筋骨。主泄精健忘。

時珍　益腎氣。健脾胃止泄痢化痰涎。潤皮毛。

震亨　生擣貼腫硬毒。能消散。

〔用量近世應用〕補肺脾腎。澀止精帶。小量三錢。中量五錢。大量兩許。

〔入藥部分〕根。

〔方劑名稱〕懷山藥。炒山藥。

〔入製〕竹刀刮去黃皮。切片。洗去粘涎。焙乾。名炒山藥。切片晒乾。名生藥。

〔禁忌〕鉄　脾虛有濕之人。

〔著名方劑〕妙香散—山藥人參黃耆遠志茯苓神曲桔梗甘草木香麝香辰砂。治驚悸鬱結。夢遺失精。八味腎氣丸—山藥地黃茱萸丹皮澤瀉茯苓附子肉桂。治虛勞裏急。少腹拘急。小便不利。

〔驗方〕儒門事親　小便數多。山藥以礬水過。白茯苓等分。爲末。每水飲服二錢。

簡便單方　痰風喘急。生山藥擣爛半碗入甘蔗汁半碗。和勻燉熱飲之立止。

普濟方　脾胃虛弱。不思飲食。山藥白朮一兩。人參七錢半。爲末。水糊丸小豆大。米飲下四五十九。

〔醫按示例〕　鎮江蔣寶素頻年泄瀉。脾腎久虧。倉廩不藏。胃關不固。清氣反從下降。法當益火爲本。兼理中陽。

大熟地人參白朮炮姜炙草山萸肉茯苓製附子油肉桂山藥—見問齋醫按

葉天士渴飲頻飢。溲溺渾濁。此屬腎消。陰精內耗。陽氣上燔。舌碎絳赤。乃陰不上承。非客熱也。此乃藏液無存。豈是平常小恙。〔按此即糖尿病〕山藥。熟地萸肉茯神牛膝車前。

〔前代記載〕　——節錄張秉成說——山藥……養胃健脾益肺陰。固腎陰。凡脾虛泄瀉。肺虛咳嗽。腎虛遺滑等證。皆可用之。……但性偏膩濇。脾虛濕勝之人。則不可用。

——節錄黃宮繡說——……且具性濇。能治遺精不禁。味甘兼鹹。又能益腎强陰。故六味地黃。用此以佐地黃。然性强陰。而滯不甚。故能滲濕以止泄瀉。生搗敷癰瘡。消腫硬亦是補陰退熱之意。……

〔近人研究〕　張錫純曰山藥色白入肺。味甘益腎。能滋潤血脈。固攝氣化。甯嗽定喘。强志育神。性平可以常服。多服宜用生者。煮汁飲之。不可炒用。以其含蛋白質甚多。炒之則其白蛋質焦枯。服之無效。若作丸散。可軋細蒸熟用之——見衷中參西錄山藥解。

吾家太炎先生曰。薯蕷一味。開血痺特有神效。血痺虛勞方中。風氣諸不足。用薯蕷丸。今雲南人患脚氣者。以生薯蕷切片。散布脛上。

以布纏之。約一時許。脛上熱痒即愈。——節錄章氏醫叢書脚氣論。

華實孚先生爲述天廚味精創製人吳蘊初君患糖尿病。延醫診治。注射糖尿病最新特效藥（因蘇林）無效。——Nswir

遂有人勸吳改服中方黃芪山藥。吳君曾留學日本。精解化學。乃日服黃耆。而親驗其小便。一星期病如故。吳再易山藥服之。亦日驗其尿。自服山藥後。尿中糖分逐漸減少。未幾。病即霍然。

實孚先生又謂。西人論糖尿病。療法之外。以戒糖及禁止五谷粉食爲緊要攝生法。因澱粉經消化作用。可變爲糖而使糖尿增劇也。余以爲糖尿病絕對忌糖。乃西醫因噎廢食消極的辦法。須知糖尿病之原因。爲澱粉質新陳代謝機能不趨正軌所致。蓋患者腸內所吸收之澱粉質。已不似常時之貯藏於肝內。其大部分均入血液而自尿質排出。今再禁絕食料中之糖質。是出納不相符。而人體中需要之糖質。必日形虧乏故凡患糖尿病者。若將澱粉類食物完全禁止。即將發生危險。國醫以山藥治糖尿病。一以山藥富於澱粉能增加人體中缺乏之糖質。一以山藥有收濇之性。更能遏止人體向外滲漏之糖質。準以上言之。西醫治糖尿病禁止食糖未必於病有益。國醫用含有澱粉之山藥而病竟能愈。嗣山藥治糖尿病。果屢試而屢驗。則西醫治糖尿病絕對忌糖之學理。將有根本動搖之一日也。

〔編者按〕近世治胸痺。胃脘痛嘔吐清水呑酸煩雜等症。一例用辛香開泄。或辛開苦降為治。於是呑酸煩雜之胃病。竟無適當治法。臨證指南醫案脾胃病門。曾以脾胃分治立論。其言曰。太陰濕土。得陽始運。陽明陽土。得陰自安。以脾嗜剛燥。胃嗜陰柔也。葉氏此言予嘗嘆為卓絕。故予每遇呑酸煩雜。恒和其胃而不運其脾。山藥扁豆衣雲苓苡仁粳米甘草。穀芽。均和胃之妙品也。治呑酸煩雜。雖不能立時見效。其病亦必稍殺。間嘗考之西醫籍。胃酸過多證。其痛常發於食後二三小時。或空腹時。如投以蛋白質。或亞爾加里劑。—按即小蘇打之類——痛可緩解。夫山藥固富有蛋白質者。以其治胃酸過多之煩雜。豈不甚妙。倘醫者不解此。以芳香運脾。或辛開苦降之法。治呑酸煩雜。勢必亢進胃膜之分泌。而病益甚。吾兄衡之嘗言葉天士雖不能治傷寒病。雜病則固有可采處。今觀葉氏脾胃分治之論。信然。

桂枝之健胃作用

高思潛

五苓散。利尿劑也。而用桂。桃仁承氣湯。下劑也。而亦用桂。此其理由。千古以來。諸說紛紜。雖各執一是。而終無正當之解決也。考西洋藥學家言。凡以健胃劑之藥物。加入於他種藥物中。則可以促他藥之吸收。又加入於下劑中。則可以刺戟其腸而助長其效。執是言也。則五苓及桃仁承氣用桂之理。不難解決也。

夫桂芳香性。健胃藥也。用於五苓者。所以促進四苓之吸收。用於桃仁承氣者。所以協助硝黄之作用也。

他如麻黄湯。發汗劑也。而用桂。炙甘草湯。强壯劑也。而用桂。桂枝湯。芍藥所以退熱也。而以桂枝爲主藥。皆可以上說通之。

麥芽之研究

章次公

張石頑曰。素問云。麥屬火。心之穀也。鄭玄云。麥有孚甲。屬木。許愼云。麥屬金。金旺而生火旺。而死。三說各異。而別錄云。麥養肝。與鄭說合。孫思邈云。麥養心氣。與素問合。參考其功。除煩、止渴、收汗、利溲、止血、皆心之病。當以素問爲準。蘇恭曰。小麥作湯。不令皮圻。圻則性溫。不能消熱止渴也。可知方中用麥。皆取外麩之力。仍取性溫內存。以輔助之。愚按穀食中。惟麥得春升之氣最早。故爲五谷之長。察其性之優劣。則南北地土。所產之不同。北麥性溫。食之益氣添力。南麥性熱。食之助濕生痰。故北人以之代飯。大能益人。養肝氣。去客熱。止煩渴。利小便。止漏血唾血。令婦人得孕。南方氣卑地濕。久食令人發熱。鄉土不同故也。干麵益腎强肝。濕麵生痰助濕。初夏新者尤甚。新麥性柔。亦助濕熱。而收穫時遇雨。色變者。食之令人作嘔。能傷胃氣。

郭受天曰。麥芽在吾國藥物學上。亦頗有極大之價値。本草云。其鹹溫能助胃氣上行。而資健運。和中下氣。消食除脹。散結祛痰。化一切米麵果食積。可見自古以來。即以麥芽爲消化之良藥。至近世西洋醫學之論麥芽適應症。亦與吾國本草所云。功用相等。其言曰。吾人胃內之澱粉變化。常受唾液基亞斯達在之變化。致唾液基亞斯達在之減少或變性者。常以麥芽基亞斯達在補之。次之二例。其適應也。

(一)急速食事之人。唾液量之不全。唾液混和。與食块滯留于口腔內之時間。爲此例。

(二)分泌過多症、之唾液性不全。胃內之鹽酸過剩。則減損唾液酵素之作用。或破壞之。故西洋藥物學云。基亞斯達在于澱粉不消化之胃病有卓效。因米飯之胃病。投以本品。無不立止。單用者稀。常與百布聖等配伍用之。按百布聖爲胃液腺所分泌之胃液。治病後續發之消化不良。及常人消化機之衰弱。與吾國本草之論麥芽。所謂久服消腎氣者。大致相同。李時珍曰。無積而服之。消人元氣。與白朮諸藥。消補兼施。則可無害。按白朮爲補益脾胃虛弱之要品。與西洋基亞斯達在之配伍百布聖者。用意相同。執此以解。中西二大醫學。雖遠隔數萬里之遙。而用藥之大意。猶能如出一轍。誠匪夷所思。

麥芽含有亞基斯達在之成分。爲消化不良之聖藥。郭君言之詳矣。此外有爲吾人亟當知之者。即大麥、小麥、麥芽麩。都含有多量的維他命。且所含維他命之種類。殊不一致。茲特列表如下。

	維他命 A	B	C		維他命 A	B	C
大麥	十	廿	!	穀芽	廿	卅	? /

麥麩麵包　十廿?　小麥粉

綠色麥芽　十?廾　小麥粉　十?!

表中符號。計分五種。「十」表示食物。中含有某種活力素。「廾」表明此食物。所含之活力素比較爲多。「卅」是活力素最多的表示。「!」是表示極微量的符號。有「?」的是表示活力素的有無。還是一個疑問。

廣陳皮（去白曰橘紅）

蘇錦全

〔科類〕芸香科　橙屬　果木類。

〔原植物〕橙之變種之唐柑（C. b. garadia, Duham, Var. Sinensis, Gall）果皮也。

〔釋名〕以色紅日久者最佳。故曰紅皮陳皮。爲漢藥中六陳之一。

〔產地〕產中國之廣東潮州四會浙江四川等處。日本各地亦有產。

〔形態〕本品乃剝離其漿果即柑之皮。而切斷乾燥之。廣東製者皮紅。臺灣製者皮黑。

〔性味〕味辛帶苦。性溫質輕。

〔成分〕主成分爲右旋利莫廉（Rechts-Limonen $C_{10}H_{16}$）配糖體苦味質。

〔應用〕能發散氣。催進食慾及消化。制止嘔吐。爲發汗祛痰。健胃苦味藥。

〔用量〕一回一瓦至二瓦。漢方輕用四五分。重用至一錢。

〔主治〕開肺發汗。頗有輕揚之妙。消痰止嗽。尙無峻猛之嫌。降逆氣燥脾胃寒濕。而利水止嘔。散滯積除膀胱留熱。而破癥消瘕。

〔經藥〕入脾胃肺三經。爲發表散寒宣氣豁痰之藥。補脾胃和中則留白。理肺氣消痰則去白。

〔配合〕 配生薑治胃逆嘔呃肢厥。合枳實治胸痺氣塞而短。配桔梗治肺鬱不舒。合薑夏治胃寒停飲。配白朮則補脾燥濕。合甘草則理肺消痰。配藿香水煎。時夕溫服。治霍亂吐瀉。合杏仁蜜丸。米飲三十。治脚氣衝心。同泄氣藥則破氣。同補氣藥則益氣。合消痰藥則祛痰。合消食藥則化食。

〔修製〕 補中留白。發表去白。治痰積薑汁合炒。治痰咳童便浸晒。入下焦鹽炒。宜上焦蜜炙。

〔禁忌〕 味辛性溫。長於發散。凡胃虛有火嘔吐。忌與溫熱香燥藥同用。陰虛咳嗽生痰。忌與半夏南星等同用。瘧非寒甚者忌。氣虛不歸元者。亦忌與耗氣藥同用。西醫謂脫汗盜汗禁用。

〔比較〕 此藥市肆近有五種。(1)賴橘紅又名化橘紅。廣東化州賴家園所產。味甚辛。氣甚香。最良。(2)廣橘紅即陳皮去白。廣東新會縣所產。又名新會皮。氣味亦甚清香。尚良。(3)福橘紅亦假稱化橘紅。皮厚色青。味苦辛。氣亦濁。最劣。(4)衢橘紅浙江衢州所產。味極苦辛。氣又濁。亦劣。用蜜炙略減其辛味。(5)臺灣本產。惟名陳皮。有生製兩種。生者以柑皮映乾用。色青褐色。味辛苦尚堪用。而製者則先以尿浸。再濕鹽醋薑汁以蒸。取出晒乾用。色黑而味極辛。氣極濁。不堪用。又聞化州橘紅。乃得礞石之培植。故能滌化老痰。因礦性已通過植性。而爲化合之體。乃具自然化學之物類。所以治病之效力較强。

生薑之研究

沈仲圭　葉橘泉

〔別名〕子薑　薑根　百辣雲　勾粧指　因地辛　炎涼小子

〔產地〕亞洲熱帶地方

〔科屬〕蘘荷科蘘荷屬

〔形態〕多年生草本。高二三尺。葉作廣披鍼形。葉脈行。夏秋之際。自根莖抽出花軸。頂端開花。花被淡黃色。不整齊。根莖肥大有肉。色黃白。塊根橫列如掌。狀扁平。莖之近根處紅色。宿根則爲淡黃色。

〔藥用之部〕根

〔眞僞鑑別〕生於暖地者。根肥多肉。佳。若

栽培寒地者。常不生花。根莖小而纖維多。較劣。

〔性味〕有特異之芳香性。苛烈如灼。味辛而帶甘。經霜老熟。則兼苦味。

〔化學分析〕有效成分爲揮發油。其含量不定。大抵爲一%至二%之淡黃色稀薄油液。沸騰點爲百六十度。其餘爲軟性樹脂。越幾斯質。澱粉。巴蜀林等。

〔藥理作用〕刺激皮膚及粘膜。使局部充血潮紅。入胃後。能使胃部覺暖感。促進消化。刺激造溫中樞。興奮血行。使體達表。易於作汗。

〔醫治功效〕除風邪寒熱。傷寒頭痛鼻塞。欬逆上氣。止嘔吐。去痰下氣。（本經別錄）

益脾胃。散風寒。(張元素)
治痰喘、冷痢。(張鼎)
生薑爲治嘔聖藥。能解半夏。南星。諸菌等毒。(本草便讀)
止惡心。嘔吐。進飲食。(荷蘭藥鏡)
綜合上列各說。可知本品爲(1)驅風藥。(2)祛痰藥。(3)健胃藥。(4)鎮嘔藥。
〔處方〕 小半夏湯 治吐而不渴者。
半夏 二錢四分 生薑 一錢六分 水 一盞八分煎取六分服。
治欬嗽不止
生薑 一錢 糖餳 五錢和溫食之。
〔製劑〕 薑艾丸 治老少白痢。
陳艾 四兩 炮薑 三兩爲末蜜丸
生薑酒 健胃
生薑粗末 一分 稀酒精 五分 浸成黃褐色。每用半瓦至一瓦。
〔禁忌〕 腸結核、胃出血、失眠。
〔畏反〕 黃芩、黃連。
〔用量〕 三片至五片。汁用四五滴至半小匙。
〔用法〕 分四種。(一)切片用。(二)搗汁用。(三)晒乾用。(四)炙黑用。(名黑薑)

韭白

王治華

〔科屬〕 百合科。葱屬。
〔別名〕 (1)草鐘乳(2)起陽艸(3)嬾人菜
〔釋名〕 一種而久生。故謂之韭。稱草鐘乳。起陽草者。以有溫補之性而起陽也。曰嬾人菜者。因洗煮甚易耳。

〔產地〕浙江、江蘇、安徽、諸省多有之。

〔形態〕多年生艸本。春月苗葉叢生。高至一尺餘。細長而扁。花有花被。六片。白色。雄蕊六枚。集於花莖之頂。繖形花序。此與絲葱有異者。蓋絲葱形狀略似於薤。葉細有空洞。花被呈帶紫色是也。

〔性味〕味辛氣臭。性溫質滑。

〔成分〕含揮發油。此油之主成分。爲硫亞立耳。

〔主治〕療胃寒脘痛。開風痰失音。疏泄敗精。溫化瘀血。洗腸痔脫肛。熏產後血暈。

〔用量〕輕用一錢。重用二錢。（法國）乾燥者一日服五十格蘭姆。

〔處方〕（1）治傷寒勞復。陰陽易。配猳鼠矢。（2）治產後嘔水。赤白帶下。合生姜汁。（3）治怒鬱血瘀。胃口作痛。配桔梗、乳香、沒藥。（4）治熱入精室。腎莖作痛。合滑石、槐米、白薇。（5）治噎膈。食入即吐。胸中刺痛。取韭汁合鹹梅鹵汁少許細呷。得入漸增。吐盡稠痰即愈。

〔禁忌〕（1）肝陽犯胃。脘中熱痛者忌。（2）男女陰虛火旺。因而夢遺精滑、白帶、白淫者忌。

〔辨眞〕（1）韭之莖曰韭白。功詳本章。（2）根曰韭黃。有生髮之功。（3）花曰韭青。有動風之弊。綜觀上說。一物三名。功效有殊。須分別之。

〔按〕韭白入肝胃•子宮•四經。生則辛濇。熟則甘酸。辛能散血。甘能補中。既能助胃中消化力。又可利莖中穢濁物。故爲通陽泄濁。利竅滑精之品也。

石菖蒲

葉橘泉

〔品考〕近今藥肆所售。分三種。鮮石菖蒲、乾石菖蒲。九節石菖蒲。鮮菖蒲。取盆栽之細葉如韭者。連苗根用。即俗名韭葉菖蒲。乾菖蒲即溪間中菖蒲之根乾而切片用者。又名菖蒲根。九節菖蒲即菖蒲根。取其一寸九節者。乃爲上品。本品隨處有產。出池州者爲上品。

〔形態〕屬天南星科。爲多年生草本。自生於池沼之水濱。亦有種以供玩賞者。根莖長大。葉長如劍。中其肋脈。大者長至三四尺。皆簇生。根莖俱有一種香氣。初夏葉間開小黃花。相綴而成穗狀。然盆玩者葉細而短。祇二三寸耳。

〔異名〕荃 白菖 菖本 昌陽 宅護 泥蒲 堯韭 蓀蒲 紫耳 簪蒲 水劍草 石上草 松衣芥 望見消 陽春雪 蘭蓀芷 綠劍眞人

〔性味〕辛香。微苦溫。

〔主治〕本經、風寒溼痺。欬逆上氣。通九竅。明耳目。出聲音。

別錄、四肢溼痺。不得屈伸。小兒溫瘧。身積熱不解。可作浴湯。

好古、心積伏梁。

大明、除煩悶。止心腹痛。霍亂轉筋。及耳痛。

〔古人記述〕楊士瀛曰。下痢噤口。亦熱氣閉隔心胸所致。用木香失之温。用山藥失之閉。惟參苓白朮散加石菖蒲。粳米飲。調下。或用參苓石蓮肉少入菖蒲服。胸次一開。自然思食。道藏經有菖蒲傳一卷。略云菖蒲者水草之精英。神仙之靈藥。久服消食除痰。充髓澤色。白髮變黑色。齒落更生云。又葛洪抱朴子云。韓衆服菖蒲十三年。冬袒不寒。日記萬言等。此皆道家服食者言。語涉謊誕。無與醫事。蘇東坡云。凡草生石上。必須微土以附其根。惟石菖蒲濯去泥土。漬以清水。置盆中。可數十年不枯。忍冬淡泊。不待泥土而生。延年終養之功。良非昌陽可比。

〔特效單方〕(健忘)石菖蒲根研。每日服一錢。「鼻塞不利。香臭不聞。」蒼耳子七錢。辛荑。石菖蒲。各七分。水煎温服。「氣膨肚痛。胃不消化」乾菖蒲根研末二十分。燒酒一百分。同浸四五日常服效。

〔用量〕七分至二錢。

〔泡製〕五月採其根。銅刀刮去皮蚪。微焙用

〔成分〕菖蒲之根中。除含有多量之澱粉外。尚有芳香性揮發油。安息香酸。樹脂。及一種苦味質之亞哥甯。對於弛緩性之消化不良。及胃加答兒。最有效驗。故用爲清涼健胃藥。殊有驅風之效。

〔歸納效能〕清涼健胃。開鬱利竅。

〔編者按〕本品具苦味健胃。芳香開鬱。「和胃利九竅」。考九竅不利。俱屬胃病。胃和則

九竅自利。此雖是舊說。殊合生理。胃壁滿佈神經。耳目口鼻。亦悉佈神經。所謂耳之聽覺。目之視覺。舌之味覺。鼻之嗅覺。雖各有統系。要皆與胃部神經有密切關係。胃部得佳快氣味清涼健胃之物。則胃之神經舒適。而耳目口鼻諸竅自利。煩悶、心腹痛、霍亂、亦胃病也。風寒濕痺。肌肉神經痲痺也。上氣欬逆。肺胃病也。芳香性揮發油。能刺激肌肉神經。亞哥寧當能清胃退熱耳。至古說開心益智。達鬱利竅。換言之。就是快胃助消化利神經耳。

馬錢子毒質不去之研究

王熾

世皆稱馬錢子有大毒。人不可服。凡欲用以療病者。必先投火上燒焦。用刀刮去其毛。乃可入藥。毛不去則毒不除。服之於人有損也。今考此物外皮光硬。有毛粘裹。而不甚顯。剖視其仁。色白而味苦。化驗成分。內含士的軍精。可知其毒不在皮外之毛。而在皮內之核。但用其核以治病。自不能不去其毛以求純潔。如枇杷葉去毛之意。非去毒也。夫豈惟不去其毒。尤必利用其毒。發生種種治病之功能。如俗傳方治耳內刺痛。用馬錢子醮水磨汁滴入耳中。初甚覺熱。後漸轉涼。如風出狀。則痛止病愈極效。其所以能獲此效者。蓋以馬錢子汁滴入耳中。毒性發作。始呈興奮性而發熱。繼則轉爲痲痹。而涼生痛止矣。且近時藥學大家。咸推此物善於行氣。爲興奮劑中之要品。大能感動背脊髓相屬之腦筋。故舊年相傳天罡併力丸內。以馬錢子爲主藥。久服者恒生奇效。歷歷不爽。再李時珍本草。載馬錢子治傷寒熱病、咽喉痹痛、消痞塊。印度人亦常用治瘰疾。是其滅熱之功。固因於味苦。而又能開痹止痛消痞塊者。則以其苦質內含士的寧精。毒即質也。其質既能行氣。即能消痞。既能感動脊髓腦筋而爲興奮神經之劑。自必能通其血脈。暢其消運。舉凡臟腑肢體內外之生機有所阻滯。咸得依其毒性。刺戟之而宣通之。使其阻者立行。滯者立開。故日本醫者以馬錢子爲健胃劑。於消化不良便祕等症用之。又治經久癱瘓病、膀胱麻痹、小便不利。或遺尿等症。服之均效。惟腦部有炎未清者。不可與服。以其爲腦筋之行氣藥。興奮腦筋故也。由是觀之。馬錢子之毒。即其功用之妙處。服者奚可取其毒哉。

第三章　解熱劑

桑葉

沈仲圭

〔性質〕甘涼而苦。

〔功用〕涼血去風。明目清肺。

〔主治〕熱勞咳嗽。肺經風溫。盜汗赤眼。

〔用量及配合〕錢半至三錢。同芒硝煎湯洗風眼多淚。煎飲代茶。止渴。研汁治小兒吻瘡。

〔方劑〕扶桑丸黑芝蔴。桑葉等分蜜丸。功能烏鬚明目。

（按）桑葉涼血去風。芝蔴滋肝益腎。而皆有明耳目烏鬚髮之特效。蓋黑睛屬肝。髮爲血餘。時珍云。髮者血之餘。埋之土中千年不朽。以火煨之。凝成血質。煎之至枯。復有液出。」可知其與血同類也。肝陰不足。肝陽上時。遂至目昏髮斑。補陰涼血。自復原狀。蓋與杞菊等分爲丸。同一用意也。

〔編者意見〕本品近世。只用于辛涼解表。法以治風溫。實則對於盜汗。效驗甚著。本草從新載嚴州有僧。每就枕。汗出遍身。比旦。衣被皆透。二十年不能療。監寺敎采帶露桑葉。焙乾爲末。空心米飲下二錢。數月遂愈。故盜汗一症。以火逼津液外出者爲多。涼血分之火。即是止皮膚之汗。桑叶味甘寒。善涼血。此甘載沉痾。所以數日而瘳也。

山梔（亦名卮子）

沈仲圭

〔釋名〕卮、酒器也。卮子象之。而以生山中。皮薄圓小。房星七棱者爲良。故曰山卮。後人以其爲木類。乃加木作梔。

〔製法〕內熱用仁。表熱用皮。炒黑、治血熱。姜汁炒、止煩嘔。燒灰吹鼻。止衄。

〔性質〕苦寒。（苦寒之物。性本就下。惟其質輕飄。故功用反在上焦。）

〔功用〕瀉心肺之熱。清胃脘之血。解心煩悶。利小便。

〔主治〕黃疸不眠。心痛五淋。吐衄尿血。

〔用量及配合〕錢半至三錢。同連喬、麥冬、竹葉、燈芯草、生甘草、黃連、瀉心火。同丹皮清肝熱。同茵陳、治黃疸。

〔方劑〕治胃脘火痛。（丹溪纂要方）山梔七枚炒焦。水一盞。煎七分。入生姜汁飲之。立效。

復發者加玄明粉一錢。立止。
（按）語云不通則痛。痛則不通。蓋寒甚則血凝。熱盛則氣滯。血氣壅塞。痛楚乃作。寒痛宜乾姜之温散。熱痛宜山梔之清化。（朱震亨謂山梔解鬱熱。行結氣。）生姜辛温善散。元明粉、鹹寒瀉熱。一治痛之標。一治痛之本。乃必加之藥也。
〔禁忌〕脾胃虛弱。血虛發熱。小便不通。非由熱結。俱不宜用。
〔編者意見〕本草從新引本草滙「治實火之血。順氣爲先。氣行則血自歸經。」及丹溪「治血不可純用寒凉」之言。而云本品不宜於血症。斯則未免鰓鰓過慮矣。攷失血一症。雖病原各殊。而內熱熾盛。絡傷血溢者。山梔實爲對症之藥。如欲其降氣。可佐赭石。如防傷胃。可勿重用。若以一眚而掩大德。余期期以爲不可也。

地骨皮

沈仲圭

〔釋名〕本品即枸杞之根皮。枸杞之有效部分凡三。葉子根是也。
〔製法〕以甘草水浸一宿。焙乾。
〔性質〕甘淡而寒。
〔功用〕凉血。除虛熱。
〔主治〕虛勞發熱。吐血尿血。
〔用量〕一錢至三錢。
〔方劑〕瀉白散——桑白皮、地骨皮、甘草、粳米、能清肺火。
〔禁忌〕性利潤腸。中寒者忌。
〔雜論〕李時珍曰。枸杞之葉根子。氣味稍殊。

而主治不能不分。蓋其葉名天精。苦甘而涼。上焦心肺客熱者宜之。根號地骨。甘淡而寒。下焦肝腎虛熱者宜之。所謂熱淫於內。治以甘寒也。至於子則甘溫而潤。性滋而補。不能退熱。止能補腎。所謂精不足者。補之以味也。分而用之。則各有所主。兼而用之。則一舉兩得。世人但知用黃芩、黃連、以治上焦之火。黃柏、知母、以治下焦之火。謂之補陰降火。久服致傷元氣。（因芩連知柏。味俱苦寒。損脾敗胃）而不知枸杞地骨甘寒平補。使精氣充而邪火自退之妙。惜哉。

石膏功用之研究

賈燮卿

（西說）本品之成分。爲鈣屬化合物。係石灰質。因與硫酸合化。故化學名硫酸鈣。

（中說）石膏性寒。味甘而淡。寒能清熱降火。辛能發散解肌。甘能緩脾益氣。生津止渴。治傷寒發熱。陽明頭痛。日晡潮熱。肌肉壯熱。小便赤濁。大渴飲水。高熱自汗。爲發斑疹之要藥本品在二十年前。各國醫生。皆視爲不堪入藥。現今發明加爾叟謨。（屬鈣質）在臨床上應用頗廣，故視爲新藥。其醫治作用有八。

（一）鎮靜作用　減退大腦皮質興奮性。

（二）鎮痛作用　減退神經末梢部興奮性。

（三）鎮痙作用　減退神經末梢部及橫紋筋興奮性。

（四）止瀉作用　減退腸蠕動機能。抑止一般粘膜分泌。

（五）强心作用　對於心臟。能强盛其收縮力。

(六)止血作用　對於血液有增進其凝固力。

(七)强盛作用　强盛一般組織之活動。以增高其抵抗力。

(八)消炎制泌　防遏炎症滲出液之發生。而對于凝液膜腔滲漏之生成。亦能制止。

(按)中說謂石膏爲清火重劑。西說謂加爾叟謨有消炎之作用。名詞雖異。功効則一。中西學說。皆能相合。況西說知其有鎮痙、鎮靜、强心、止瀉等作用。較之中說。尤爲詳備。此實中學發明於前。西說光大於後也。

柴胡

張壽頤

柴胡芳香馥郁。體質輕清。氣味俱薄。稟春升發之性。能提邪外達。味雖微苦。然與其他苦寒泄降者。性情功用。大相逕庭。其主治約有兩端。一爲邪實。外邪將陷入裏。引而出之。使還之表。而外邪自散。一爲正虛。清陽陷陰。舉而升之。使返其宅。而中氣自振。故仲師立小柴胡湯。以治傷寒少陽寒熱往來之症。東垣立補中益氣湯。以治勞倦傷脾。清陽下陷之症。蓋亦有取於是耳。此外則有肝絡不疏。在上爲脅肋搘痛。在下爲臍腹作脹。實皆陽氣遏鬱。木失條達所致。於應用藥中。少入柴胡。以爲佐使。奏効亦捷。此皆柴胡之實在功用。以外別無奧義。凡古今各家之議論。苟有不合此三層作用者。縱說娓娓動聽。終是玉巵無當。不適病情。玆就管見所及。縷晰言之。

凡治外邪寒熱之病。則必寒熱往來。邪氣已漸入於裏。不在肌表。非僅散表諸藥。所能透達。則以柴胡之氣味輕清。芳香疏泄者。引而舉之以袪邪。仍自表而解。故柴胡亦爲解表之藥。據日本近今研究。亦謂柴胡爲傷風之特効藥。然與麻桂羌防專主肌表者不同。學者不可因其可以達表。遽認爲發表之品。一見發熱。信手拈來。流弊百出。誤人不少。

仲景小柴胡湯主治。以胸脅滿痛。心煩喜嘔等爲柴胡症。本爲外感之邪遏抑正氣。肝胆剛木。不得條達。故以柴胡疏散其邪。使肝胆之氣條暢。而諸症自安。乃淺者誤認柴胡能統治肝病。凡肝火淩厲。化風上揚之頭痛眩暈。耳鳴耳聾。胸脅作脹等症。亦復援用柴胡。則外無感邪之遏抑。內係木火之鴟張。法宜潛藏龍相。鎮攝陽氣爲亟。妄與升散。教猱升木。張其烈焰。不至痛徹頂巔。痞塞胸膈不止。是又藉寇兵而賚盜粮。治病反以增病。皆粗心讀書知其一。不知其二之弊。然潔古亦止謂柴胡治心下痞。胸脅滿。瀕湖綱目且謂平肝胆三焦包絡相火。及頭痛眩昏暈。目昏赤痛障翳。耳聾耳鳴。景岳亦謂治肝胆火炎。胸脅結痛。少陽頭痛。又皆渾圇吞棗。最易有抱薪救火之禍。俗醫之不知辨別。實即諸先輩有以教之也。

仲景於少陽寒熱往來用小柴胡湯。後人目光淺短。錯讀本論。見瘧病之寒熱往來。概以柴胡通治之。夫瘧之爲病。虛實寒熱。始傳末傳。進退無常。源流各別。爲雜病中一大門類。見症既萬有不齊。用藥宜因之而異。安可拘執不化。浪用柴胡。所以古人論瘧。從未聞執定柴胡一物。而斷斷以爭者。有之皆出乾嘉以後之書。斯亦談醫之一則魔道矣。徐迴溪之評臨症指南。譏葉老治瘧不用柴胡爲可怪。且謂小柴胡湯治瘧。天經地義。不可移易者也。於是葉徐兩家。遂以柴胡一物。造成門戶之見。實則皆一偏之見。未能允當也。夫瘧病凡蘊暑積濕。痰熱膠固於裏。外邪乘之者。居其多數。治此症者。徒知柴胡之達表。勢必幷其痰熱濕濁。一倂升之於上。而橫决泛溢。變幻莫測。此葉老不用柴胡是也。若寒熱發作。而日至日晏。則邪入已深。正氣不足。清陽下陷之候。所謂陽病漸入於陰。非柴胡升舉清陽。提邪外達。不能奏功。又病瘧已久。暑濕痰濁。皆已泄化。邪勢已衰。正氣亦憊。所謂清陽不振之候。亦必以柴胡升舉中氣。使其清陽敷布。而後寒熱可止。須與補脾諸藥。並轡而行。東垣之補中益氣最爲合拍。是乃虛瘧之宜柴胡者也。學者不可因噎廢食。徵羹吹齏矣。

黃蘗

李乃賢

〔異名〕黃柏、蘗木、山屠、川柏。

〔種類〕黃蘗屬。芸香科。（亦作秦椒科）

〔形態〕生於山地。落葉喬木。莖高三四十尺。葉爲奇數羽狀復葉。小葉之下面。帶白色。夏日枝稍開花。花單性。帶黃色。雄花與雌花異株。雄花五雄蕊。與花瓣同數互生。雌花至秋月結圓實。成熟後。呈黑色。大莖之內皮。黃色。供藥用。亦供染料。木材供造器具之料。

〔藥用之部〕皮。

〔鑑別〕外皮黃黑色。有深裂痕。內皮作黃色者。爲最佳之上品也。

〔性味〕味苦寒無毒。

〔成分〕有效成分爲「祕魯培林〔Berberin.與黃連相同。而含有植物樹膠液。約七至八%。

〔効能〕用作變質强壯健胃藥。

氣味苦寒。入足少陰腎經。爲足太陽膀胱引經藥。（生用則清實火。熱用則不傷胃。酒制則治上。鹽制則治下。蜜制則治中也。）惡乾漆。伏硫黃。其用有六。瀉膀胱龍火。一也。利小便結。二也。除下焦濕火。三也。治痢疾。先見血。四也。治臍中痛。五也。補腎不足。壯骨髓。六也。乃癱瘓必用之藥也。治口瘡如神。

〔驗方〕「身黃。發熱。心煩」黃蘗二錢　甘草一錢　肥梔子三錢　以水煎服。極効（見仲景傷寒論）

〔局部發炎、膚灼、紅腫。」黃蘗一錢　研極細末。用冷開水調和。搽炎處。連搽三四次。炎消腫退。靈効非常。編者親自試用。屢試屢效也。

「小兒臍生瘡。不合者。」黃蘗末塗之。有奇効。（廣益本草大成）。

〔禁忌〕忌乾漆。

〔編者按〕本品之主要作用。爲苦味健胃。疎洩肝胆。能消胃腸內膜炎熱。以排除其間之有害物。故能治臍中痛。利小溲。下焦濕腫。膀胱炎等症。皆能奏効也。

黃連之研究

章次公

〔釋名〕其根如連珠而色黃。故名。

〔形態〕多年生草本。莖自高三四寸至一尺許。爲羽狀複葉。其小葉多少不一。春日莖梢着花。花小色白。

〔產地〕黎伯概曰。黃連有三種。一川連。二西連。三雲連。西連之中。又分爲二。共爲四種也。川產產四川雅州眉州等地。南海陳君仁山著「藥物出產辨」。謂西連爲夔州所出。有南北岸之分。雲連當亦多種。余所驗祇一種。細小薄弱。根連及莖。折視不見黃色。浸水纔出。色味俱弱。——醫藥月刊十七號。

〔品考〕曹炳章曰。近有日本產者。曰洋連。形色略同。皮光而有毛刺。內色淡黃微白。更次不堪入藥。服之害人。醫者與病家皆宜注意。——僞藥條辨。

〔性味〕苦寒。

〔成分〕含有植物之類鹽基。貝爾貝林。(Berberin)

〔主治〕「本經」熱氣目痛。眥傷淚出。明目。腸澼。腹痛下痢。婦人陰中腫痛。

「別錄」五臟冷熱久下洩澼膿血。止消渴大驚。除水利骨。調胃厚腸。益胆療口瘡。

「元素」治鬱熱在中。煩躁惡心。兀兀欲吐。心下痞滿。

〔藥徵考徵〕主治心下煩悸也。旁治心下痞。吐下。腹中痛。

〔入藥部分〕根。

〔近世應用〕瀉火 化濕 止嘔 解毒止痢
〔用量〕三四分至三錢
〔方劑名稱〕川黃連 川雅連 小川連 酒炒
黃連 薑川連 吳萸拌川連
〔炮製〕薑汁炒 吳萸拌炒 酒洗 鹽水炒
〔名方〕左金丸 吳萸。黃連。平肝熱
香連丸——黃連。吳萸。木香。治赤白痢。芍
藥湯——黃芩。黃連。當歸。芍藥。肉桂。甘
草。檳榔。木香。錦紋。治痢下赤白。裏急後
重。
普濟消毒飲——黃芩。黃連。鼠粘子。玄參。
甘草。桔梗。殭蠶。薄荷。柴胡。升麻。陳皮
。馬勃。連翹。板藍根。治大頭瘟。
三黃石膏湯——黃芩。黃連。黃柏。梔子。石
膏。麻黃。豆豉。發表清。
黃連解毒湯——黃連。黃柏。黃芩。梔子。治
大熱症。
〔近人研究〕章大炎先生曰「中土治濕溫者術
雖未工。然非經誤治。則絕無下血出血之候。
蓋時醫於此。無不以黃連主療。黃連性能解毒
厚腸胃。則腸中自無生瘡之患。」
黃勞逸曰「黃連能增加胃液之不足。使消化機
能亢進。又能刺激脈管運動之中樞神經。而使
腸壁之脈管收縮。如與痢病菌相遇。有制其繁
殖力。幷限止其本身之活動力。」(新中藥)
顧子靜曰「黃連爲健胃强壯藥。用於消化不良
。慢性下痢與胃弱等症。但用大量則惡心嘔吐
呼吸困難。全身震顫。以致不起。此外用爲眼

藥風眼用之」（新本草教本）

張錫鈍曰。「善治腦膜生炎。腦部充血。時作眩暈。目疾腫痛。肉遮睛。…目生雲翳者忌用……及半身以上赤遊丹毒。……西人以黃連爲健胃藥。蓋胃有熱則惡心懶食。西人身體强壯。且多肉食。胃有積熱。故宜黃連淸之。……更由胃及腸。治腸辟下痢膿血治濕熱鬱於心下作痞滿。……仲景小陷胸湯諸瀉心湯皆用之。……女子陰中因濕熱生炎潰爛。（衷中參西錄）

（編者案）黃連在前代藥物分類。屬於瀉火門。夫所謂火者率含有「動」「刺激」「亢進」「興奮」一幾種意義。又與熱字比較爲深一層之意。「熱」字限於周身現象。火字則限於局部性。從黃連可以瀉心火肝火胃火濕火幾種證象研究之。黃連確能減低局部充血。及消除局部生炎。若周身體溫亢進之熱性病。黃連無効。

黃連既可以平肝胆上衝之火。而治頭暈頭脹。目痛目赤。人將疑黃連苦降之說爲有根據。其實上部充血。黃連能減低之。上部炎性證狀。黃連能消除之。則誠含有降字意味。然於降字實際。仍屬無關。或曰黃連既非苦降。何以嘔吐用之有效。予以爲黃連之止嘔。仍是健胃與消炎之作用。

時醫多謂黃連能敗胃。而和之者。衆口一辭。然徵之古說。則別錄謂其調胃厚腸。徵之新說。則列入健胃之劑。敗胃之說亦不可通。或謂少用健胃。多用敗胃。則是事實。蓋多服黃連。刺激胃膜。發生炎症。反礙食慾故也。

嘔吐用黃連爲要藥。考黃連含鞣酸。有收斂作用。凡鞣酸屬之藥物。內服能收斂胃之粘膜。倘若胃粘膜以受刺激。而鹽酸分泌增多。用黃連以收斂胃粘膜之血管。則分泌之力當因此減少。故病者酸液得以消除（鞣酸屬之藥物。亦能保護炎證部分。使炎證得以速治。詳藥理學）

濕溫症以黃連爲要藥。以濕溫病灶在腸。黃連能清化腸中溼熱故也。但溼溫一病。動輙遷延數十日。如每方皆用黃連。病人之食慾。因之不能恢復。故用黃連必與厚朴幷用。或苦寒藥與芳香藥淡滲藥相間用之。則無此弊。此編者之絕大經驗也。

投黃連於溼溫。認爲能清化溼熱者。亦非無故。蓋黃連既具制酵與收斂之作用。以消其炎症。復使腸部淋巴球增殖。以益其抵抗力。則傷寒桿菌活動之能力。受其制裁。或竟能撲滅之。此等積極的療法。爲國醫所特有。與西醫一較優劣。固不待辭費而決也。

常山

許小士

〔釋名〕李時珍曰。常山乃郡名。豈此藥始產於此地而得名歟。

〔品考〕常山之苗曰蜀漆。其功用與常山同。—藥徵續編—按張石頑李時珍俱同此說。

〔科屬及名稱〕本品爲芸香科。常山屬。有—恒山—互草—雞尿草—鴨尿草—翻胃木等別名。

〔產地及形態〕本品生於山野中。爲落葉灌木。葉橢圓形。略如楔狀。光滑有透明之小點。發惡臭。春暮開淡黃色小花。雌雄異株。結實成蒴。

〔性味〕苦平有毒。

〔主治〕本經—主治傷寒寒熱。發熱。温瘧。鬼毒。胸中痰結。吐逆。—常山條。

本經—主治瘧。及欬逆。寒熱。腸中癥堅痞積聚。邪氣蠱毒。鬼疰—蜀漆條。

別錄—療鬼蠱往來。水脹。洒洒惡寒。鼠瘻。

甄權—治諸瘧吐痰涎。治項下瘤癭。

本草通元—消痰至捷。截瘧如神。

〔近世應用〕截瘧退熱藥。

〔入藥部分〕根。

〔用量〕生服五分至錢半。入煎極量三錢。

〔禁忌〕惡甘草。

〔單方〕肘後—常山一兩　秫米一百粒　水六升。煎三升。分三服。先夜未發服。臨發時服盡。

肘後—常山一兩　酒一升　漬二三日。分做三服。平旦一服。少頃再服。臨發又服。

外臺—常山三兩　漿水三升　浸一宿。煎取一升。欲發前頓服之。服後微吐瘥止。

千金—常山三兩研末。鷄子白和丸。梧子大。瓦器煎殺腥氣。則取出晒干收之。每服二十九。竹葉湯下。五更一服。天明一服。發前一服。或吐或否則止。

宋俠經心錄—常山一錢二分。水一盞半。煎半醇。發日五更温服。再以水一盞。煎減半醨。未發時温服。

〔前代記載〕楊仁齊曰。常山治瘧。人皆薄之。瘧家多蓄痰涎黃水。或停瀦心下。或結癖脅間。乃生寒熱。法當吐痰逐水。常山豈容不用。水在上焦。則常山能吐之。水在脅下。則常山能破其癖而下其水。

李士材曰。常山祛痰療瘧。無他藥可比。須在發散表邪之後。用之得宜。立見神功。世屬聞雷斅老人久病之戒。遂視常山爲峻劑。殊不知常山發吐。惟生用與多用爲然。與甘草同行亦必吐。若須浸炒透。但用錢許。余每用必建奇功。未有見其嘔吐者也。不一表明。將使良藥見疑。沉痾難起。抑何其愚耶。

高士宗曰。今人治瘧。不用常山。以常山爲截瘧藥。截之早。恐成鼓脹。豈知常山乃治瘧之要藥。三陽輕淺之瘧。不必用也。若太陰脾土虛寒。而爲脾寒之瘧。必須温補之劑。佐以常山。方能從陰出陽。散寒止瘧也。

吳遵程曰。瘧必有黃涎聚於胸中。故曰無痰不成瘧。常山能去老痰積飲。故爲諸瘧要藥。

鄒潤安曰。凡藥物非鱗介飛走。未有云氣腥者。惟仲景用蜀漆。必註曰洗去腥。則可見其氣之惡劣。異於他草木矣。人身惡劣之氣爲病者。在肺無如痰涎。在腸胃之間。無如膜原之邪。在肝膽之間。無如積聚之凝爲腹中癥堅與痞。蜀漆并能治之。

〔近人研究〕劉曜曦曰。常山屬於芸香科植物之一種。由此常山所抽出之結晶體。其性狀與鹽酸無異。丹波氏瘧疾時用之每收效。

郭受天曰。余當歐洲戰爭時。外貨來源短少。規那(即金雞納霜)價値奇貴。乃以常山一味。仿西法製成丁幾劑。令患者一日三次分服。多獲奇效。故數年來。每遇瘧疾。毫不感規那之必要。

岳啓明曰。常山一名蜀漆。爲中國治瘧之良藥。歷代醫學家。均有論述。如本經曰、主治瘧及欬逆。寒熱。腹中癥堅痞積聚。均爲瘧病中常有之證狀。又陳修園謂一切瘧疾。欲急取效。三發之後。以小柴胡湯加常山三錢。服之自愈。他如葛稚川。王燾。孫思邈。諸大家。治瘧彙方。十九以常山爲主要藥。足徵古人之重視常山一斑矣。

但歷來醫家。雖明知常山治瘧之特效。然終不敢輕於嘗試。對於老人幼兒久病。以及孕婦。更絕對謹愼忌避。何也。蓋應用分量而未確定。往往發生劇烈嘔吐之副作用故也。余治男子謝某。年二十二。患間日瘧。已發作三次。無其他合併症狀。予以常山三錢。分作三包。授之。囑分三日。煎作茶飲。頻頻飲之。服後全愈。足徵常山治瘧之效能矣。

〔編者按〕「常山之治瘧發明。可謂甚古。本經別錄甄權不云乎。攷之歷代治瘧藥物。非參用本品不爲功。此則一勘古書之治案。即可得也。」

瘧爲胞子蟲 (虫名痲拉利亞 Plasmodium

Malariae） 在血液中作祟。已成爲今日鐵案。然則常山有撲殺血液中之胞子虫之能力乎。「據劉曜曦君之研究。則本品實無治瘧之成份可言。然而我人在平日之經驗。古人之成案。及郭君之報告。尤其是丘君之詳細病案證之。實不能不令人對於本品治瘧之特效有所懷疑者矣。」

瘧有日日瘧間日瘧三日瘧之分。其病原係由痳拉利亞原虫侵入人體血液中之赤血球。其傳染之媒介爲蚊。蚊名曰安俄裴雷斯 Anopheles 此痳拉利亞原虫之侵入赤血球後也。乃在此赤血球內營其增殖繁族之作用。及至成爲多數之幼虫。赤血球即爲其所破壞。當此之時。此種痳拉利亞原虫乃遊走血液中。而產生一種毒素。人體因其毒素之刺激。遂發寒熱。故名爲瘧。脾爲無管腺之一。其實蓋一較大之淋巴腺耳。有製造白血球及淋巴球之功能。據一般醫學家之研究。凡人體感傳染病時。而脾臟常腫大。所以然者。因脾細胞有吞噬細菌之作用—淋巴腺則在人體中。有吸收水份及雜質之特能。其次。凡有害於身體之細菌。亦多爲淋巴球所困。使不致有蔓延作祟之虞。

綜上所述之生理病理。及證之余個人臨床之經驗。確知常山之有治瘧效能者。第一。即能中和痳拉利亞原虫在血液中分泌之毒素。并有撲殺瘧原虫之可能性。第二。當有刺激淋巴盡量吸收毒素及排除毒素等抗毒作用。故凡患者。服用常山後。血液中之痳拉利亞毒素。被其中和。精神不受刺激。其寒熱當不發。故脾腫亦消。其有患久瘧之緩性脾腫者。則常山服之無效。因此時脾臟內之血管。以發生栓塞。故必須用去瘀藥攻之。常山無蕩滌瘀血之功能。故服之不效也。

陳金汁治大腸鬱熱之特效

金澄甫

本草云。金汁與人中黃同功。性味甘寒。解五藏實熱。又治天行熱狂。僕家有週歲餘姪孫。今夏長熱不退。紋紫舌燥。夜臥啼哭不安。爲進辛涼藥罔效。因思前數歲大姪孫。亦長熱數日。病勢危急。服小兒回春丹即痊。乃仿前法令服二丸。熱如故。不得已。姑以陳金汁一兩與服。即熱退而神安。越數日又發。仍令再服又愈。此殆邪熱鬱於陽明之症。故服之奏效如是。

元參功用之詮釋

王治華

元參味苦微鹹。性寒質滑。平和無毒。爲藥物中常用之品。功效之夥。筆難盡述。其治溫邪煩渴。喉痺咽痛。退熱明目。理虛骨蒸。療風熱頭痛。除胸中氤氳之氣。降無根浮游之火。屢奏鉅功。醫恆知之。但多以其有降火之勳。爲治標之需。所以能治以上諸症。殊不知其更有滋水之力。爲治本之用也。蓋元參色黑入腎。腎脈上貫肝膈。入肺中。循喉嚨。系舌本。腎水虧於下。則相火越於上。故上說諸症。因以蜂起。元參以腎藥而治上焦火炎之症者。乃壯水制火。育陰潛陽耳。即內經所謂病在上取之下之意也。抑亦與黃芪治下焦帶濁崩淋。清陽虛陷。升提乃瘳。內經所謂病在下取之上之義。固無或爽者耶。至若其能散瘰癧。消癰腫。治血瘕。潤腸燥。通小便者。以其苦能泄能降。鹹能軟堅。寒能解熱之效也。但元參雖爲藥物中穩品。亦須對症施用。方得無害。如脾弱便溏。中有溼熱。停飲寒熱諸症。切勿妄投。世之慣用是品者。不辨病症。信手隨投。貽誤實多矣。

苦丁茶

蘇錦全

〔科屬類〕小蘗科　小蘗屬　山木類

〔原植物〕本品乃常綠灌木之苦丁〔Borberis Bealei,Fort.(Berberis hepalensis,Spreng.)〕之葉與茶葉同焙而成者。

〔別名〕角刺茶　老鼠刺葉　苦丁　根名十大功勞。

〔釋名〕葉有鋸齒如角刺狀。故名角刺茶。老鼠刺葉。

〔產地〕產安徽　江蘇　浙江等各山地。惟徽州歙縣出產最多。

〔形態〕本植物乃栽植於庭園間供觀賞之用。莖高四五尺。葉奇數羽狀復葉。各小葉長橢圓形或卵形或廣披針形。革質。有光澤。緣邊有疎鋸齒如針狀。無柄。初夏每自莖頂上之葉叢間垂出數根花軸。着以黃色。爲總狀花序。果實卵圓形。長三分許。熟則呈紫黑色。

〔性味〕味甘苦。性大寒。氣清香。無毒。

〔成分〕未詳。

〔應用〕爲解熱劑而治流行性熱病。

〔用量〕一回三瓦至十瓦。漢方一錢至三錢。

〔主治〕散肝風。淸頭目。治耳鳴耳聾。聤耳流膿。活血脈。涼子宮。能通經墮胎。終身絕孕。

〔經藥〕入肝子宮二經。爲驅風泄熱活血通絡之藥。

〔配合〕配青菊葉荷葉邊。治腦熱頭風。合鵝管灰百草霜。能終身絕孕。配生石膏肥知母。治天行狂熱。合蒼耳子京元參。治耳中發炎。

〔修製〕二三月採茶時。兼採十大功勞葉。和勻同炒焙成茶。

〔禁忌〕本品甘苦大寒。能涼血行血。爲孕婦之禁藥。即虛弱丈夫亦忌用之。

〔比較〕本植物之葉。名老鼠刺葉。又名苦丁。根名十大功勞。茶葉與苦丁同炒焙成茶。即名苦丁茶。

〔附說〕本品昔時皆由製造者。貨與尼庵。轉售名望家或富豪家之室女寡婦爲避孕藥。

第四章　發表劑

麻黃之研究

佚名

〔形性〕本品屬麻黃科植物。產于我國中部各省歐洲印度等處。正二月生苗。五月長至一尺許。莖空有節。節甚顯。節間有小葉如鱗片。幷生小枝。有雌雄兩種。雄者不開花。不結實。雌者三四月莖開黃色單性小花。六月結實。狀如覆盆子。皮紅子黑。味甜可食。根皮黃赤。長者近尺。立秋采莖入藥。性溫質輕。味苦微辛。具刺戟性之藥力。有麻醉藥之香氣。其主要有效成分。爲愛非特林。

（發明）麻黃正月生苗。六月結實。得完全春夏之氣。故有升散透發之效用。氣味俱薄。體質甚輕。得純粹清輕之氣。故有輕揚宣發之能力。愛非特林。爲一種植物性鹽基。能刺戟中樞神經。感動汗腺之分泌。收縮末梢血管。增進血液之循環。

（功用）（一）發汗（二）定喘（三）消腫（四）利尿

（發明）神農本經曰。麻黃主治中風傷寒。頭痛溫瘧（溫瘧當是溼瘧之誤）發表出汗。去邪熱氣。除寒熱。簡言之。即主發汗也。第其性溫。僅可發風寒之汗耳。其發汗作用。由於麻黃中之愛非特林。刺戟中樞神經。收縮末梢血管。血壓上昇。迫汗外泄。故能發汗也。喘由於肺循環之血液。鬱遏不暢。腫由於大循環之血液。輸送無力。小便不利。由於腎脈管之排泄不良。麻黃能增進血液之循環。催送血液之排泄。故又能定喘消腫利尿也。傷寒論曰。發汗或下後。不可更行桂枝湯。汗出而喘。無大熱者。可與麻黃杏仁甘草石膏湯。金匱曰。裏水一身。面目黃腫。其脈沉。小便不利。宜甘草麻黃湯。此古方以麻黃定喘消腫利小便者也。

（禁忌）血虛不可用麻黃（一）不宜單用麻黃。須佐甘草。

（發明）麻黃之治病。不外乎增進血液之循環。增高血壓之度數。而起種種治療之作用而已。但血虛之人。血脈空虛。强用麻黃迫之。必起痙攣之變端。且汗液由血液中排泄而出。血虛而用麻黃發汗。尤爲大忌。故傷寒論曰。假令尺中遲。不可發汗。何以知其然。以榮氣不足。血少故也。麻黃性慓悍。佐甘草之和緩。使其有利而無弊也。故傷寒金匱千金方用麻黃多以甘草爲佐也。惟前人謂有汗不得用麻黃。。此言未可拘執。傷寒論之麻杏石甘湯證。金匱之越婢湯證。皆有汗出。西醫用麻黃越幾斯。(即麻黃膏)亦不拘有汗無汗。可以證明有汗亦可用麻黃也。或謂麻杏石甘湯及越婢湯之用麻黃。因有石膏制之。失其發汗之效也。然大青龍湯爲發汗之大劑。方中亦有石膏。何以不失其發汗之效耶。

〔用量〕每次三分。至一錢八分五厘。

〔發明〕夫藥物固有治病之功用。然過于多用。則反起中毒之危害。如本品僅用二分。則無發汗定喘消腫利尿之效力。若用一錢九分。則瞳孔散大。全身發痙攣。不可不愼也。日本藥劑師小泉榮次郎行動物試驗。而定中國藥物之用量。以麻黃每次用六分六厘至一錢八分五厘。然以余之經驗。治肺氣憤鬱之氣喘。取上焦如羽非輕不舉之意。僅用麻黃三分。即能起治療之作用。故余定爲三分至一錢八分五厘。

〔附按〕麻黃根節。本草謂麻黃根節。甘平能止汗。以余之經驗。麻黃根節。祗可用于風濕家之自汗。即玉屛風散用防風之意。非眞能止汗也。用者愼之。

麻黃去沫之研究

徐世昌

嘗考傷寒論及金匱二書中。每有麻黃之方。其煎法皆云先煑麻黃去上沫。再入各藥云云。此爲仲景之法概如此也。讀者只知其當然。不知其所以然。泊參考本草綱目等書。俱云麻黃不去上沫。令人心煩。愚數年經驗以來。即不去上沫。亦並無心煩之弊。偶有愈後遺剩微邪之患。以此考之。方知諸家之言心煩者。皆理想耳。考仲景用麻黃之去沫者。蓋因本經此藥列爲中品。氣味苦溫。而不言辛。今實驗之。確有辛味。辛主散。去其上沫者。乃去其辛散極烈之味。獨取冲和之性。使其從容逐邪外去。而無遺留之患。此則麻黃去沫之理也。後人健脾之藥。煎去頭渣不用。但取一派冲和淡味。而喻嘉言極贊其妙者。實從仲景用麻黃之法悟出耳。愚謂一藥各有特效。必須實地考察。方能得其眞理。若一味遵信各家註解。未有不受其愚者。如後世言麥冬不去心。令人心煩。細辛過一錢。令人氣閉不通昏悶而死。恐皆理想之言耳。

麻黃與附子

高思潛

凡麻醉藥與發汗藥同用。則其發汗力量更大。西藥方中有阿片吐根散。以阿片與吐根佐用。即根據此理也。

傷寒論中發汗之方。如麻黃湯。如大小青龍湯。如麻黃附子細辛湯。如麻黃附子甘草湯皆是也。諸方並以麻黃爲主藥。以麻黃爲發汗特效藥也。其實此外尚另有作用。所以助成麻黃之功者。是不可不知也。今將上列五方。分作三組。而各說明之。

第一。麻黃湯之桂枝。大青龍之薑桂。皆健胃藥也。佐之以助麻黃之吸收者。其說另見他篇。

第二。麻黃附子細辛湯之辛附。麻黃附子甘草湯之附子。皆麻醉藥也。佐之以刺戟發汗神經中樞。而麻黃之作用。乃由之而大活動焉。

第三。小青龍湯既用薑桂半夏之健胃藥。又用細辛附子之麻醉藥。蓋參合上列二法而組織者。

薄荷之研究

黃勞逸

〔別名〕 蕃荷菜。吳菝蕳。南薄荷。金錢薄荷。英生。菝葀。蔢蕳。菝蔄。蔢荷。冬蘇。鷄蘇石薄荷。冰喉尉。

我國處處產地均有。以四川、湖北、江西、浙江等省。所產爲最佳。江蘇、湖南、安徽等產者次之。

〔栽培〕「氣候」凡溫帶潤濕之氣候。皆合其生長。稍寒地方。亦可使其生育。而以過潮濕之境候爲不佳。

「土質」 土質以膏沃之粘質土爲最適生長。砂質土次之。餘均不適栽培。

「整地」 耕起粘質之壤土。必需耕深七八寸方可。打碎土塊。使成粉細。並耙平土面。再作畦幅一尺五寸至二尺。作畦既畢。可以擇時栽種也。

「時期」 栽植分春秋二期。春植於冬季即宜耕地作畦。畦之幅約一尺二寸至一尺五寸。每株距離約三寸。於三月下旬。可栽植其種。秋植者之畦稍闊於春植。約一尺七寸至二尺。每株距離約四寸。於七月下旬八月上旬。

「植法」取薄荷每隔四五寸處切斷之。而後栽植於既竣之畦上。俟其漸漸生長可也。

「施肥」肥料以人糞尿油粕堆肥爲主。每畝地積。約需人糞尿七百餘兩。堆肥六七百斤。油粕八九百兩。油粕與堆肥。混和而堆積之。使之腐熟。而後於未植以前施之。作爲基肥。待既栽之後。施以稀薄之人糞尿。分三次施之。

「中耕」中耕於栽後三四十日時行之。

「除草」栽後二十日間。即宜除草。除草之際。見有根大之草。宜用手拔去。不可用器刨除。蓋根大之草。其入土亦深。如器掘除之。則有害於薄荷之根。故用手拔之爲佳。

〔收穫〕收穫之期。亦因其供用之目的而異。例如供食用者。當五六月之交。取其葉以供肉汁中之用。若充製油之用。則分七月上旬與十月上中旬二次。以上系指春植者而言。採取之法。專以銳鐮刈採。亦間有拔取者。採後。將其葉陰乾。貯于器內。不宜暴露空氣間。每畝收穫之量。佳者可得千餘斤。次者。亦可得四五百斤。

〔種類〕唇形科薄荷屬之宿根草本。

〔形態〕春日由宿根抽芽。至夏莖高達一二尺。形方。葉兩兩對生。形圓而尖。直徑三至七糎。邊緣有鋸齒。葉面散有毛茸。附着多數腺鱗。秋初開小花於葉腋。爲輪繖花序。花形頗小。花瓣淡紫色。唇狀花冠。雄蕊四枚。雌蕊一枚。

〔藥用之部〕葉與莖。

〔性味〕呈微酸性反應。味辣而稍苦。觸舌上。有清涼之感。氣芳香。

〔生理作用〕本品外用。不使血管擴張而反收縮。並令該處涼爽。內服少量。則增加脈搏。用大量則緩徐呼吸及心動。低降體溫及血壓。或竟至呼吸麻痺而死。且同時似不但不能增加白血球之數。而反有減少之概。

〔效能〕唐新本草載云。「賊風傷寒發熱惡氣心腹脹滿。霍亂宿食不消。下氣。煮汁服之發汗。大解勞之。亦堪生食」。孫思邈曰。作菜久食。却腎氣。辟邪毒。除勞氣。令人口氣清潔。煎湯洗漆瘡」。甄權曰。「通利關節。發毒汗。去憤氣。破血。止痢」。陳士良曰。「療陰陽毒傷寒頭痛。四季宜食」日華子曰。治中風失音吐痰。」蘇頌曰。「主傷風。頭腦風。通關格及小兒風涎爲要藥」孟詵曰。「杵汁服去心臟風熱」。李杲曰。「清頭目。除風熱」李時珍曰。「利咽喉口齒諸病。治瘰癧瘡疥風瘙癮瘮。擣汁含漱。去舌胎語澀。挼葉塞鼻。止衄血。塗蜂螫蛇傷」。上列均古人所述本品之藥效。立說繁多。莫敢盡信。惟據近世科學醫言。「本品除外用百分之五。作爲防腐劑。貼顏面之一部以治喘息及內服用以治胃痛與疝痛外。餘無特殊之功效矣。

〔製劑〕薄荷丸　薄荷四兩。百藥煎二兩。桔梗、兒茶各五錢。砂仁、訶子、硼砂各二錢。右爲末糊丸。治痰嗽。解酒毒。

薄荷散　薄荷半兩。羌活。殭蠶。全蝎。麻黃。天竺黃。白附子各二錢。甘草一錢二分。右爲末。每服一錢。治小兒風熱。痰涎壅盛。

薄荷煎　薄荷一斤。川芎半兩。龍腦半錢。縮砂半兩。甘草半兩。古爲末。煉蜜和勻。任意噍嚼。治咽喉腫痛。

薄荷通經散　薄荷三錢。攝綿施那。山奈。白桂各一錢。鐵屑末二錢。右爲散劑。分爲二十四服。每一小時服一份。治胃痛及虛弱之經閉。

〔用量〕每服自二分至一錢。外用隨意加減。

〔忌症〕經疏載曰。「凡虛人不宜多服。令人汗出不止」。此言甚是。本品鎮靜作用外。尚有放大毛細管。以促汗液排出之能。虛弱者。大汗後。必陷于衰脫現像。故極宜避用之。

〔反藥〕本品有效成分。系一揮發性物質。一遇高溫。即行揮散。故宜避火。

淡豆豉（附鹽豆豉）

蘇錦全

〔科屬類〕荳科　大豆屬　穀類

〔原植物〕本品乃一年生或二年生草本之陸田耕作物之大豆（Glycinehispa,Maench.）之黑色者。

〔別名〕深香豉。大豆豉。

〔釋名〕豉。嗜也。調和五味。可甘豉也。因不配鹽薑椒等合製。其味不鹹。故曰淡豆豉。

〔產地〕原產於日本。中國印度。高加索等地方。而日本與中國已自古代廣行栽植於田園。俗呼踐豆者是也。於西歷一八七三年墺大利萬國博覽會時。因我邦之出品。而歐米人始悉之。可見本植物甚適於我邦及中國之氣候也。而豆豉[illegible]中國各地皆有製造。惟製於中國江右者最良。

〔形態〕本植物夏至前後下種。苗高三四尺。葉莖密生稍剛硬之毛。葉成自三小葉。各小葉爲全邊三角形卵狀。由長葉柄而互生。根有根瘤。中有共棲根瘤墨克得里亞。夏日由葉腋開數個之紫色小蝶形花而成叢。花後結有毛茸之莢果。莢長寸餘。中藏數個種子。即大豆也。而大豆有黃黑數種。製豆豉者。則宜黑大豆。

其製成品。仍黑色有皺襞。較大於生大豆。

〔性味〕苦澁。性寒。無毒。

〔成分〕未詳。但大豆含有多量之蛋白質。茲就各種大豆之成分略述於左。以爲參考之資。詳在後述之大豆條。

大豆成分種別

含	黑大豆	黃大豆	綠大豆
水分	一一・〇九	一三・四六	一三・二八
蛋白質	四〇・二五	三六・七一	四二、八五
脂肪	一八・二六	一七・四三	一三・五九
含水炭素	二一・九七	二四・九三	二三・六八
纖維	三・八八	二・四七	二・九一
灰分	四・五五	五・〇〇	四・七〇

〔應用〕爲解熱劑。而[illegible]傷寒頭痛等症。

〔用量〕一回六瓦至十二瓦。漢方二錢至五錢。

〔主治〕解肌發汗。頭疼與寒熱同除。下氣消煩。滿悶及溫寒並妙。疫氣瘴氣恰合。痢疾瘧疾咸宜。

〔經藥〕入肺胃二經。爲解表除煩下氣清中之藥。

〔配合〕陳豆豉配葱白則發汗。治溫病兼寒。新豆豉合食鹽則涌吐。療傷寒胸悶。配薤白則治痢。合大蒜則止血。配陳酒則散風。合人乳則解毒。配人中黃。山梔。芽茶。治溫熱疫症。合生玉竹。桔梗。甘草。治風熱燥嗆。配白朮片酒浸。能辟除瘟疫。合鹿角末水煎。止胎墜下血。旣曉生用有發汗之能。須知炒熟反止汗之功。

〔修製〕夏日取黑大豆淘淨。水浸一宿。瀝乾。蒸熟取出攤席上。候微溫。以蒿覆其上。（吾臺則以竹葉覆其上）三日。候黃衣布滿。不可太過。即取出晒。簸淨黃衣。以水拌之。令乾濕得中。安甕中築實。桑葉蓋厚三寸。口以泥密封。七日後取出曝一時。又以水拌入甕。與前法同。如是者七次。再蒸。攤去火氣。藥實甕中。封口備用。

〔禁忌〕本品味苦能泄肺。性寒能勝熱。故能治傷寒瘴氣。肺氣有餘之喘促煩悶諸症。即經所謂。『肺苦氣上逆。急食苦以泄之』之義也。若傷寒傳入陰經。與直中三陰者。皆不宜用。即熱結胸中。煩悶不安之欲成結胸症者。亦不可用。蓋此症療法。宜下不宜再汗也。

〔比較〕豉有淡豆豉。鹹豆豉。蒲州豉。陝州豉等種。而鹹豆豉加鹽。薑絲。椒。橘。蘇。茴。杏仁拌製。故其味鹹寒。功能調中發汗。通關節。殺腥氣。蒲州豉則先以酒醋浸透。蒸製後再加薑椒末同貯。陝州豉亦以鹽椒薑和製。故兩者之性質功用。亦與鹹豆豉同。而淡豆豉則獨以黑大豆水浸蒸製。不和他品。故其味苦甘。與諸豉之味鹹者不同。故其功用亦稍異。淡豆豉入發散藥陳者勝。入涌吐藥新者優。入發汗藥則生用。入止汗藥則炒用。

〔附說〕豉既可充爲食品。亦可供爲藥用。誠家庭應用之要品也。

豆豉餅　治瘡瘍腫痛。硬而不潰。潰而不斂。並一切頑瘡惡瘡毒癬。以江西淡豆豉。研爲末。唾和成餅如瘡大。覆患處。以艾舖於上灸之。未成者即消。已成者祛逐毒邪則愈。

豆豉膏　黑豆豉一勺。田螺十九個。葱一大把。共搗爛。芭蕉汁調。貼臍下。能治淋。

牛蒡子（附根莖葉）

〔科屬類〕菊科　牛蒡屬　隰草類

〔原植物〕本品乃二年生草本之牛蒡（ArctiumLappa,L)之種子。

〔別名〕惡實、惡疾、鼠粘、鼠黏、牛蒡、牛榜、牛旁、牛菜、牛子、牛菜子、大牛子、大九子、大刀子、天龍子、鼠黏子、黍粘子、夜刃頭、夜叉頭、道人頭、便牽牛、蝙蝠刺、蒡翁菜、茅翁菜、辟蝨胡麻。

〔釋名〕其果實形惡而多刺鈎。故名惡實。惡疾者。訛音也。其根葉皆可供食用。人呼為牛菜。牛蒡。術人隱之。呼為大力。俚人謂之便牽牛。河南人呼為夜叉頭。實殼多刺鈎。鼠過之則綴惹不可脫。故謂之鼠粘子。

〔產地〕原來自生於本邦北部、北亞米利加、歐羅巴等處。因可供為蔬菜。現時各地皆有栽植。日本則勿論。中國則產於湖北省宜昌府。其他宜都、資邱、山東、四川、陝西、漢中均有出產。而滿洲則產於奉天吉林。

〔形態〕本植物乃栽植於園圃之蔬菜。莖高二三尺乃至四五尺。葉為廣大心臟形而互生。緣邊有鋸齒。葉柄長。葉面綠色。裏面密生白色毛茸故色白。初夏由葉間抽出長達六尺左右之

花莖。莖梢之分歧處開帶紫色之筒狀花冠。排列為頭狀花序。總苞簇生細小鱗片。花後結細瘦果實。外面附着短鈎。形甚惡。果實內有種子數十顆。

種子外皮為黑灰色。長二三分。廣一分許。為扁平舟底狀。有縱走之稜線。質硬。

根深入地中。概為直根。長達一二尺。周圍有肥大至六七寸者。皮部帶黑色。內部類白色。

〔性味〕味苦辛。性平。質輕。無毒。

〔成分〕種子含有古勒得腦爾（Klettenol）。果實含有脂肪油二五乃至三〇%）

〔應用〕為緩下劑、利尿劑而治浮腫。為解熱劑而治咳嗽及咽喉疼痛。其他用為化膿劑而治癰腫。

〔用量〕一回四瓦至七瓦。漢方一錢至三錢。

〔主治〕上宣肺氣。散風熱而清咽喉。外達皮毛。發痘疹而消癰腫。筋骨煩熱可除。血熱經閉亦通。旣能散風腫水腫。亦能解蠱毒蛇毒。

〔經藥〕入肺胃三焦三經。爲散風除熱解毒發疹之藥。（或曰通行十二經）

〔配合〕配雄雞冠血胡荽子發痘陷不起。合活水蘆筍連翹殼消瘄毒內壅。生研外敷。治癰瘍毒盛。即出瘡頭。酒炒單服。祛皮膚風熱。能清斑毒。配荆芥穗炙甘草療懸癰喉痛。合苦桔梗生國老治咽頭發疹。配麝香少許。陳酒溫吞。療婦人吹乳。合浮萍等分。薄荷湯服。治風熱癮疹。

〔修製〕七月採其子。晒乾。凡用須揀淨。以酒拌蒸。待有白霜重出。以布拭去。焙乾。搗粉用。或以陳酒微炒香。搗碎用亦可。

〔禁忌〕本品味苦而辛。性冷而滑。能瀉熱涼血。散結除風。功專發散。故能疏散上焦之風熱。透發經絡之壅滯。爲瘡瘍痘疹咽喉諸病之要藥。惟發熱便閉者宜之。若瘡家氣虛色白大便泄瀉。及痘症虛寒或癰疽已潰而作泄者均忌之。

〔比較〕牛菜雖爲牛蒡之別名。亦爲牛黃之異稱。而牛蒡子功專發散。牛黃則惟清涼。學者其可不留意別之乎。

〔附說〕李東垣曰。本品效能有四。㈠治風濕癮疹。㈡療咽喉風熱。㈢散諸腫瘡瘍之毒。㈣利凝腰腰膝之氣。

1，牛蒡根　苦寒無毒。含有植花粘液質。糖分。單寧酸。苦味質及依偶林（Inulin.）等成分。又分析其營養價之成分。則爲水分七〇・五三、蛋白質一・三六、脂肪〇・〇七、含水炭素二五・二三、纖維二・一八、炭分〇・六三。供藥用須乾燥之。或蒸熟曝乾用。否則令人吐。爲健胃健腸强壯藥。而愈胃腸病。補精力。但不易消化。供菜食。須擇其柔嫩者。又臘煮之爲塗布藥。敷疥癬有特效。其他生嚙之而嚥其汁亦可。製爲牛蒡丁幾亦可。又於脚氣水腫惡瘡癰疽。亦有奇效。每用三瓦至八瓦爲一日分。煎汁分三四回服。十月采之最良。

2.牛蒡莖　性質功用與根同。

3.牛蒡葉　性質與根同。療一切金木傷。同惡實風乾爲末摻之。勿犯他藥。葉宜六七月採之。（含有粘液、單甯、精油等）

〔牛蒡酒〕　用牛蒡根切片浸酒。故名。飲之能治諸風毒。利腰脚。

紫背浮萍　　前人

〔科屬類〕　浮萍科　水萍屬　水草類

〔原植物〕　本品乃屬於浮萍科之浮萍（Spirodela polyrhiza,Schleid）之小而紫背者之全草。

〔別名〕　荇、水萍、水花、水衣、水蘇、水白、蛙食、魚食、池星、鴨蓐、浮草、浮藻、莓水簾、九子萍、水遍地錦、水中浮子草。

〔釋名〕　萍草屬。生於水。浮在水平線上。故字從草、從水、從平。因名曰萍。又浮在水面。或左或右。故曰荇。臺北曰水遍地錦。背紫者曰紫背浮萍。

〔產地〕自生於各地湖沼池澤或溝渠水田之水上。我臺出產亦不少。中國則以廣州府出產爲最多。

〔形態〕夏季浮生於水面。葉爲扁平倒卵圓形。大二三分許。有光澤。表面綠色。背面紫赤色。由三葉集合而成體。葉下有許多之鬚根。夏日開淡綠色之小花。

〔性味〕味辛。性寒。體輕。質浮。無毒。

〔成分〕未詳。

〔應用〕爲解熱劑、利尿劑、而治風濕癱瘓。

〔用量〕一回一瓦至三瓦。漢方五分至一錢。

〔主治〕發汗勝於麻黃。專治暴熱身癢。惡疾厲風。利水捷於通草。善除消渴酒毒。風濕脚氣。丹毒水毒有效。蛇傷打傷亦靈。

〔經藥〕入肺胃腎膀胱四經。爲驅風泄熱勝濕利尿之藥。

〔配合〕配苦杏仁石膏甘草療風濕煩渴。合五加皮赤苓猪苓治水腫尿閉。濃煎沐浴療遍體厲風。搗汁嚥服治全身癢痺。燒煙能辟蚊。搗汁塗蛇傷。研末蜜丸名去風丹。約重五分。豆淋酒下三丸。善治大風癩風癱風緩風及三十六種風皆驗。晒乾合括蔞根等分爲末。人乳汁和丸梧子大。空腹飲服二十丸。能療消渴飲水。病三年者數日愈。

〔修製〕夏七月採之。揀淨。以竹篩攤晒。下置水一盆映之。即易乾也。

〔禁忌〕本品發汗利水之功。勝于麻黃通草。

故非大實大熱症者。不可輕用。若風病氣虛者。忌。表虛自汗者尤忌。

〔比較〕萍有數種。茲比較之。萍青者。葉有脈三行。表裏皆綠色。與紫背浮萍之葉有圓形脈七行。表綠背紫爲異。品字藻者。祇有兩葉。對生于基部之附近。宛如品字狀。根祇於葉下各生一條。與紫背浮萍之三葉多根鬚爲異。

〔附說〕蘇頤曰。用治時行熱病。亦有奇功。之頤曰。水萍味專辛發。藉金水之相滋。爲逐風清熱。解表出汗。下水氣。止消渴之要藥。

荊芥發汗之研究

李健頤

本草備要云。『荊芥入肝經氣分。其性升浮。能發汗。』夫汗與尿。皆血中廢料。由皮膚之汗竅。以排出者爲汗。由腎臟所濾之廢物。入膀胱。而出於小便爲尿。夏大炎熱之時。汗多者。其尿必少。飲茶多者。尿量必多。此爲無病以言。如或受風寒。風化爲熱。熱氣鬱於腠理之間。衞氣被熱氣之堅固。皮膚失排泄之能。血中廢料無由以出。廢料與血液互相追逐。脈絡失運行之力。故身體倦怠。頭痛體痛。熱氣與血相逼。榮衞不和。故惡寒發熱。荊芥之性。能直入血分。通榮出衞。開發汗竅。鼓動血中之徵生蟲。變化爲汗。發出體外。又能退熱解毒。功力之偉。誠非虛語。夫荊芥特效經驗之功。鄙人發明加減解毒活血湯一方。治鼠疫最靈。曾著鼠疫新篇一書。內分十二篇。條分縷析。說明眞理。雖然此書未敢稱爲救世善書。而平潭各處宗此法而著效者甚多。其方中用荊芥三錢爲君。即藉其入血分。鼓動血中之毒菌。變化爲汗。有汗則毒邪自有出路。邪若外出。而病可愈。蓋荊芥發汗之力。比麻黃爲善。麻黃專走氣分。性質猛烈。有傷榮耗氣之弊。誠不如荊芥爲妥也。

第五章 攻裏劑

大黃

顧子靜

大黃爲中國中部幷北部高嶺（亞細亞高地）所產蓼科植物之大宿根草。及其他大黃屬植物之根莖。去其皮而乾燥之。或堅硬之截片。其形狀有種種。外面類黃色。多帶白色粉點。內部之實質白色。而錯雜以帶褐赤色之髓線。紋理一如大理石。有特異之臭與苦味。粉碎之。則

成淺褐黃色之粉末。歐洲產者。其根細長。無中國產之固有紋理。質亦較劣。藥用上皆中國大黃。大黃之成分。最著者有四種（一）爲有瀉下作用之卡泰林。（二）爲苦味質。（三）爲大黃鞣酸。（四）爲格里索弗盎酸。此外尚有格里索弗盎。泛厔來馨。愛莫琴等。但不甚重要。

上述之四成分。格里索弗盎酸。有强刺戟作用。但含量極少。因其吸收甚速。故稍能瀉下。又此質與格里索弗盎。皆爲大黃之染色成分。吸收後分泌或排泄物。如尿汗乳汁糞便。呈顯著之黃色或黃褐色。此尿若加鹼性溶液。則變赤色。他三者相合。另有一種作用。於用少量大黃時見之。（即一日數次一厘半至一分半。）則苦味質與大黃鞣酸。制止胃內之異常醱酵

中国近现代中医药期刊续编·第三辑

。亦抑止惡心。噯氣及下痢。而健全之人。可因此增進食慾。阻遏便通。稍大量。（二分七厘至五分四厘）卡泰林遈作用。服食後五時至十時。下粥便。並不障礙食慾。但卡泰林極易排出體外。即瀉下全止。轉因滯留鞣酸。有起輕度之便秘者。

大黃之醫療應用。少量爲消化藥止瀉藥。一日數次一厘半至九厘。用於消化不良兼下痢者。大量一日數次九厘至一分四厘。則緩下。更大量。一次五分四厘至一錢三分五厘。則强瀉下。凡老人。小兒。貧血家。病弱者等。常用之。以大量不害消化也。又用於常習性便秘。但久用。有反成便秘者。

蘆薈

顧子靜

蘆薈有兩種。（一）爲喜望峯地方所產百合科植物蘆薈屬諸種肥厚肉狀之葉。榨取其津汁。煎至濃稠。成暗褐色之塊。易於破碎。其碎面呈貝殼狀。有玻璃狀光澤。邊緣映視之。呈類赤色或淡褐色。粉碎之。成黃色無晶形粉末。有特異之臭氣。與極苦味。難溶解於冷水。入二倍之沸湯中。殆成透明之溶液。是所謂透明蘆薈也。主成分爲阿路愛馨。有强瀉下作用。幷含多量弱瀉下性之薈脂。此外更具沒食子酸。蛋白質狀物質。脂肪等。

（二）爲東西印度地方所培植之蘆薈屬植物。製成不透明之塊。是稱肝狀蘆薈。含少量之阿路因。無光澤。色黃褐乃至黑褐。粉末爲橙黃色乃至褐色。此外之性質及成分。與透明蘆薈無異。蘆薈之作用。其少量自三毫至一厘五毫。能興奮食慾。促進消化。但不甚確實。稍大量。自三厘至一分三厘。發生噯氣。胃部壓重。服用後經十時至十五時。排粥狀暗色便數次。時或腹痛。其三倍量即四分。通利較速。排泄液便。腹痛極强。併發裏急後重。但瀉下量因人而異。瀉後毫無便秘之患。久用大量。則下腹臟器。易至充血。以腎臟與小骨盤腔內之直腸并生殖器之血管爲甚。因此誘起子宮出血。尿意頻數。痔疾。痔出血等症。少量久用。亦直腸血管擴張。難於回復。成爲痔疾。是由蘆薈之直接刺戟直腸也。

蘆會之醫療應用。最常用者爲瀉下藥。尤適於常習便秘。可以久服。以無須增大用量也。但有出血之傾向者。（如痔疾。月經期。慢性子宮病。姙娠等。）皆當禁用。

芒硝 （即元明粉）

顧子靜

芒硝之成分。爲硫酸鈉。係無色透明之結晶體。在氣中失水分。風化而成白色粉末。溶解於三分之冷水。有清涼性鹹味。

芒硝之作用。少量一錢三分以下。一次內服。不呈作用。即隔五時而數次內服。亦作用毫無。若一時內數次服之。則一如大量之瀉下。大量四錢至八錢。一次。或分數次。於短時間內服食。則發雷鳴泄氣。（一部爲硫化輕）通常不衆疝痛。不發裏急後重。半時至三時後。排泄富於水分之液便數次。即由此藥液。使腸之蠕動極盛之故。而食慾及胃消化。所受之障礙甚少。但時有發生惡心者。是由味官所受之反射作用而起。然長時間連續服食。則障碍消化。成慢性腸炎。而身體瘦削。服用中止。則貽留頑固之便祕。

芒硝之醫療應用。(一)一時性之便祕。適於一次或數次之內服。其功效迅速。不發副作用。然頑固之便祕。則爲著名之機械障礙。殊不適當。又腸管之內外。有急性炎症。幷潰爛性疾患(如傷寒腸癰等)者。禁用。(二)鉛之急性中毒。適用此溶液。(三)急性炎性熱病。如肋膜腹膜之蓄有水分。有排便之必要者。適用此藥。硫酸鈉之用量及用法。以四錢至八錢。溶於熱湯。早朝空腹。一次頓服。

巴豆

王治華

【科屬】大戟科

【別名】巴菽　草兵　㠯剛子　江子　老陽子

【釋名】原產巴蜀。形如豆。故名。

【產地】生於中國。錫蘭。馬路古。麻剌拔爾。等處。

【形態】爲巴豆樹所產。長約四分。闊約二分五厘之卵圓形種子。稍帶扁平。邊緣稍隆起。有縫線。外被赤褐色之皮。中有黃褐色之仁。

【性味】味辛質滑。性熱有毒。

【成分】含有脂肪油揮發油。樹脂等。其主成分爲巴豆酸。

【主治】攻堅積。破痰癖。直可斬關奪門。盪五臟。滌六腑。幾於煎腸刮胃。逐寒水。消冷滯。一攻殆盡。殺魚蟲。除蠱症。傾倒無遺。

善去惡肉。立能爛胎。

〔用量〕輕用三厘至五厘。重用八厘至一分。

（法國）極量一次〇，〇五克。（〇，〇五與一滴相當。〇，一與二滴相當。）

〔修製〕去殼及心。炒紫黑。或燒存性。或研爛。紙包壓去油。取霜妙。

〔處方〕（甲）內服（1）攻一切積滯。合蛤蛤黃柏。（2）通喉痺氣閉。配鬱金。腰黃。（3）開寒飲結胸。合桔梗。川貝。

（乙）外用（1）塗各種惡瘡。合硫黃。輕粉。（2）療新久疥癬。擦之奇效。合大黃。蓖麻子。黑胡麻。

〔禁忌〕其性最烈。大能傷陰。不可輕用。無寒積及孕婦均忌之。

〔辨眞〕有雌雄二種。雌者稍尖。雄者緊小而力稍遜。

（按）巴豆入胃大小腸三經。爲掃盪寒積。攻逐陰水之品。性降屬陰。峻厲無匹。重用有刼病之功。微用有調中之妙。與桔梗杏仁同用。則爲峻吐劑。與大黃輕粉相合。則爲峻下劑。與雄黃輕粉相配。則爲殺菌劑。路玉曰。巴豆大黃。同爲攻下之劑。但大黃性寒。府病多熱者宜之。巴豆性熱。臟病多寒者宜之。是不可不熟識之也。

厚朴之研究

時逸人

赤朴—厚朴—重皮—樹名榛

〔釋名〕李時珍曰。其木質朴而皮厚。味辛烈而色紫。故有厚朴。烈朴。赤朴。諸名。按近今通稱厚朴。

〔形態〕 圖攷云。其木高二三丈。徑一二尺。春生。葉如槲葉。四時不彫。花紅而無青皮。鱗皺而厚，紫色多闊者良。薄而白者不堪入藥。

〔植物學〕 厚朴生於山地。落葉喬木。高至四五十尺。葉大而長。倒如卵形。中肋之兩側。有廿內外之側脈互生。花大。花瓣篦形帶白色。此植物供觀賞之用。木材供印板器具之料。其炭用以磨物。樹皮供藥用。名見本草經。又有「烈朴」。「赤朴」。「厚朴」。「重皮」。等名。

〔產別〕 別錄曰。厚朴生交趾冤句。蘇頌曰。今洛陽。陝西。江淮。湖南。蜀川。山中往往有之。而以梓州龍州者爲上。

按近今通以川產者爲佳。其薄而白者。據藥肆中人云。爲溫州所產。奸商以生薑自然汁浸之。紅糖水浸之。其色味雖相同。以枯燥無油爲別。

〔採製〕 別錄曰。宜在九十月間採皮陰乾。去粗皮剉之。浸於生薑汁內。宗奭曰。味苦。不以姜製則辣人喉舌。

〔性味〕 苦溫。微辛無毒。

〔主治〕 「本經」中風。傷寒。頭痛。寒熱。驚悸。氣血痺死肌。去三虫。

「別錄」溫中益氣。消氣下痰。療霍亂。及腹脹滿。胃中冷逆。胸中嘔不止。洩痢淋露。除驚。去留熱。心煩滿。厚胃腸。

〔功用〕 溫中下氣散滯。

〔近世應用〕 脘腹脹滿。（旁治）寒溼腹痛。
〔用量〕五分至一錢。極量至一錢五分。
〔禁忌〕非脘腹脹滿者不用。非寒溼凝結之腹痛亦不可用。脹滿之病。其原因成於津液衰少。血絡燥結者。亦非厚朴所可治。張元素曰。孕婦忌用。以其散血故也。
〔處方〕 配蒼朮陳皮除溼滿。配川連治滯下腹脹。
配杏仁下氣定喘。配乾姜茯苓治寒痰凝結之腹脹。配硝黃通腸中燥結之腹痕。配半夏治梅核氣之胸滿心下堅。配烏梅治寒濕之白濁。配滑石黃芩治濕溫之腹脹。配石羔知母治白虎證具腹脹滿者。
〔著名方劑〕 仲景方見藥徵。藿香正氣散。平胃散。厚朴蒼朮陳皮甘草
〔驗方〕 上川朴五分。研成細末。凡因寒溼停積之脹滿。服之即效。（壽甫）
〔前代記載〕 張潔古云。寒脹之病。佐以厚朴。功效甚宏。乃結者散之法。寇宗奭云。平散中以厚朴爲主藥。至今此藥盛行。既能溫脾胃。又能去冷氣。故爲世所需也。王好古云。本經言厚朴治中風傷寒頭痛。溫中益氣。消痰下氣。厚腸胃。去腹滿。至泄氣平。抑益氣平。蓋與枳實大黃同用。則能泄實滿。所謂消痰下氣是也。若與橘皮蒼朮同用。則能除溼滿。所謂溫中益氣是也。與發散藥同用。則能治傷寒頭痛。與止瀉藥同用。則能厚腸胃。成無己曰。厚朴之苦以洩腹滿。張璐云。厚朴苦溫。先

升後降。爲陰中之陽藥。故能破血中滯氣。本經主治中風傷寒頭痛寒熱者。風寒外傷陽分也。其治驚悸逆氣血痺死肌者。寒溼內傷於腠理也。溼濁內著腸胃而生三決。厚朴辛能散結。苦能燥溼。殺虫。故悉主之。

〔近人研究〕張壽甫曰厚朴色紫而含有油質。故兼入血分。甄權謂其破宿血。古方治血閉。亦有單用之者。諸家多謂其誤服能脫元氣。朱震亨氏主張尤力。獨葉香岩謂多用則破氣。少用則通陽。誠爲確當之論。愚治衝氣挾痰涎上逆之證。重用龍骨牡礪半夏赫石諸藥。重墜鎮降之品。必加少量厚朴以宣通之。則收效更捷。

〔辨誤〕元素云。雖除脹滿。若虛弱人宜斟酌用之。誤服則脫人之元氣。吉益氏辨曰。此無稽之言也。古之疾醫備列毒藥以攻病邪。方疾之漸也。元氣爲其所抑遏。醫以毒藥攻之。病去而正自安。何怖之有。厚朴脫人之元氣。徒空語耳。

〔編者按〕大毒治病。十去其六。小毒治病。十去其八。穀肉果菜。食以養之。無使過之傷其正也。古醫以約方爲藥囊。諄諄然以勿過劑爲訓。後世醫者。可任情縱意。數典忘祖哉。故凡以瞑眩之藥。瞻慮却顧。逡巡畏縮。避不敢用者。實非醫之上乘。即用之太少。或以他藥制之。猶縛賁育之手足。不可使之戰鬥。用與不用等耳。而矯枉過正者。孟浪圖功。大劑妄投。傷人之元氣。背毒藥十去其六之訓。致蹈過劑傷正之愆。亦非醫之良也。即如畏厚朴而不敢重用。固謬。喜厚朴而任意多用。尤謬。以病情而定取捨。折衷至當。斯無惑矣。

枳實

沈仲圭

〔釋名〕　枳字從木從只。木爲只之形。只爲木之聲。蓋六書中之形聲字。實者枳之果實也。

〔實殼之辨〕　寇宗奭曰。枳實。枳殼。一物也。小則其性酷而速。大則其性和而緩。李時珍曰。后人因小者性速。又呼老者爲枳殼。蓋枳木高五七尺。如橘而小。春生白花。至秋成實。七八月采者。小而色青。中實少穰爲實。九十月采者。大而色黃紫。多穰爲殼。

〔製法〕　取翻肚如盆口唇者。去核。以麩拌炒至麩焦黑爲度。

〔產地〕　江左。

〔性質〕　苦微寒。

〔功用〕　破氣散結。消積導滯。

〔主治〕　痢疾食積。水腫痰癖。嘔逆腹痛。

〔用量及配合〕　一錢至三錢。同大黃、蕩泄腸垢。同麥芽、和中消食。合芩連、清溼中之熱。合姜橘、化痰涎之壅。伍肉桂。治脅痛。伍黃連、槐花、乾葛、防風、荊芥、芍藥、黃芩、當歸、生地、地榆、側柏、療腸風。伍三稜、莪朮、青皮、檳榔、消堅積。

〔方劑〕　枳朮丸——白朮二兩。枳實一兩。麩炒爲末。荷葉。陳米飯。煨乾爲丸。功能健脾進食。除溼消痞。（張潔古方）

〔按〕白朮之功用有二。（一）爲補脾。（一）爲燥溼。枳實之功用亦有二。(一)爲消食。(一)爲除痞。故本方既能健脾進食。又堪除溼消痞。荷葉升清陽。粳米和胃氣。所以佐白朮以益脾也。若以枳實逐停水爲主。白朮燥脾溼爲輔。(原方枳實七枚。白朮三兩。水一斗。煎三升。分三服。按中等之枳。約重一錢五分。七枚共重一兩五分。徐大椿謂三代至漢之分兩。較今日不過十之二。則白朮三兩。適得今之六錢。)即仲景之枳實白朮湯。治心下堅。大如盤。水飲所作。君臣一易。主治遂異矣。

〔禁忌〕 本品性專破氣損真。觀朱丹溪「瀉痰能衝牆倒壁」一語。可知其性之勇悍。凡中氣虛弱。勞倦傷脾。發爲痞滿者。當補中益氣。培其不足。則痞自除。若施枳實之攻破。是猶雪上加霜矣。即邪實脹滿。亦須察其大便數日不解。脹處手不可按。方爲對症耳。

〔編者意見〕 李時珍曰。「枳實枳殼。氣味功用俱同。上世亦無分別。潔古張氏。東垣李氏。始分殼治上。實治下。大抵其功皆在利氣。氣下則痰喘止。氣行則痞(痞氣聚成塊也。)脹消。氣通則刺痛止。氣利則後重除。(後重者肛門氣墜覺重也。乃痢疾之特徵。若謂殼治胸膈之疾。實療腸胃之病。則仲景治胸痺痞滿。何以枳實爲要藥。諸方治大便秘塞。腸風脚氣。又以枳殼爲逆用乎。」李氏此言。執簡馭繁。洵非常人所能道矣。

胡麻之研究

沈香圃

〔氣味〕甘平。

〔名稱〕巨勝子。方莖。油麻。脂麻。若俗作芝麻者則非。

〔主治〕潤藏府。息內風。補腦髓。長肌肉。

〔辨別〕八穀之中。以胡麻爲最良。純黑者爲巨勝。巨者大也。本生大宛。故名胡麻。蘇恭謂其角作八稜者爲巨勝。四稜者爲胡麻。雖然。其烏者爲良。白者爲劣。則皆同也。

〔考證〕時珍曰胡麻服食。以黑者爲良。所以然者。取其黑色入通於腎。而能潤燥之義也。若夫錢乙治小兒痘瘡。變黑歸腎。百祥丸內用脂麻煎湯服。蓋亦取其解毒之功。五符經謂久服巨勝。可以知萬物。通神明。與世常存之說。予則以爲未必有此神效。唯能補益身體。而蘇東坡與崔正輔書云凡痔疾宜斷酒肉厚味粳米。惟服九蒸胡麻(即黑脂去皮)加茯苓。日久痔除而力强。按于此說。確是長生要訣。豈僅治痔。但知易而行難耳。

〔忌禁〕大小便自利不禁者。不宜服此。

大麻之研究

沈香圃

〔氣味〕甘平。

〔名稱〕火麻。黃麻。漢麻。雄者名牡麻。枲麻。雌者名莩麻。苴麻。

〔主治〕麻仁潤燥結。利大腸。下氣生津。療乳閉熱淋。逐身中伏風。療女人經候不通。

〔辨別〕麻從兩木在廳下。象屋下治麻之形也。朮音派。廳音儼。儀禮曰。茸麻蕢者。有子之麻爲苴。皆謂子也。若陶私景以蕡爲麻勃。

謂勃勃然如花者。復重出麻子。其說誤矣。又本草謂蕡麻味辛。黃子甘味。則麻子蕡似一物。然藥性論又說麻花味苦。主諸風。及經水不利之症。則花也子也蕡也。三物其同乎不同乎。以予之臆測。則以麻勃是花。麻蕡是實。麻仁這實中之仁。

〔考證〕仲景之麻仁丸。即此大麻子中仁也。夫麻仁乃平陽明足太陰之藥也。陽明病。汗多胃熱便難之症。皆燥熱內灼也。故用之以通潤大腸而約脾。故又名之曰。脾約麻仁丸也。成無已曰。脾急。急食甘以緩之。蓋取麻仁之緩脾潤燥之意義也。

〔禁忌〕麻仁若久藏地中者。不可食。食之可殺人。不可多食。多食則損血脈。滑精陽痿。婦人多食則發帶下病。

〔畏反〕麻仁畏牡蠣白薇。

第六章　利尿祛濕劑

茯苓新研究

沈仲圭

日醫系左近曰。『余之曾祖父。醫術之能手也。當時富山之領主。全身水腫。招幾多之醫師。用種種之藥。毫無效力。且增衰弱。偶然聞曾祖父之高名。來乞診治。曾祖父曰。「他醫因混種種之藥而爲一包。故其量不足。不能奏效。余以茯苓一味。立刻治之。」領主從其言。每日煎服茯苓十錢。遂得次第奏功。後果全愈。』（丁譯普通藥物教科書續編頁十二）

仲圭按水腫之原因雖不一。而治療之方法不外發汗利尿通便三途。使停滯組織間之水分。有外洩之機。茯苓無發汗通便之力。而竟起領主之沉痾。則其奏效之理。當爲利水。查利水之藥物。必具下列三個條件之一。(甲)能擴張腎藏之血管者。(乙)能加速腎藏之血流者。(丙)能增益血中之水分者。蓋三者均能使腎中之馬爾比芬球 maldighian corpuocle 之濾血作用加强。使水分由膀胱而出耳。(腎之組織。分爲皮部。髓部。腎壺三層。製造尿液之細尿管。發源於皮部。終於髓部之圓錐體。而開口於腎壺。此管初呈球狀。名鮑孟囊。capsule of bowman 繼則屈曲蜿蜒。名近心彎曲部與遠心彎曲部。終則成爲較粗之管狀。名收集管。而皆有數多來自腎動脈之微血管。包圍出入於鮑孟囊及彎曲部。以濾透水分、無機鹽。尿素、尿酸。經收集管而入腎壺。復由腎壺之收縮作用與輸尿管之蠕動機能。將尿液送至膀胱。)神交黃勞逸。杭之藥學家也。近著一書曰新中藥。謂『茯苓入胃極無變化。由腸壁吸入血中。能增高血壓。使腎藏之分泌機能抗進。』據此。茯苓之所以能利尿。蓋屬於上述之乙項矣。

諸家本草區茯苓爲三種。即赤茯苓。白茯苓。抱木茯神、是也。所載功用。各不相同。然則領主所服者。赤苓乎。白苓乎。抑茯神乎。亦當急行討論者。和漢藥攷曰。『松樹截斷後。約經五六年。上中之松根。生出一種如菌蕈之物。即謂之茯苓。生於黑松之地者。名白茯苓。生於赤松之地者。名赤茯苓。其抱松根而生者。則名茯神』又曰『白者質堅實。名曰茯苓。上品也。淡紅者。質輕虛。名赤茯苓。下品矣。』觀此。可知茯苓無論赤白。或抱木者。同爲寄生松根之菌類植物。功用大致相同。固不必隨俗浮沉。而將白者補。赤者瀉。抱木者安神之說。深印腦海也。

本品配猪苓、澤瀉、白朮、肉桂、(原方爲桂枝。治水腫應易肉桂。)名五苓散。可治水腫。因二苓澤瀉皆能利水。由下竅出。肉桂强心。則循環加速。白朮補脾。則吸收「水分」增强。方理既圓滿。治效自準確矣。又本方去肉桂之辛熱。療急性白濁亦良。(急性白濁爲雙球菌盤踞前尿道。治法重在利尿。故「五苓」「八正」——瞿麥、扁蓄、車前、滑石、木通、山梔、甘草、大黃、——乃對症之藥。

(附註一)馬爾比芬囊即鮑孟囊與包圍鮑孟囊之微血管捲之合稱。

(附註二)尿之分泌有三說

A機械說　水分及無機質有機質。俱由馬爾比芬囊滲透。但流至細尿管之屈曲部時。復吸收其有用之一部分還入血中。

R分泌說　水及無機鹽。馬爾比芬囊表膜分泌。尿素、尿酸、及肌酸乾。由屈曲部分泌。本文所採用者。即係此說。

調和說　液固由馬爾比芬囊排出。但屈曲部不但有吸收能力。且具分泌作用。俾有用之物(如水分、鹽基酸、糖質、綠化納等)還入血中。有害之物(即尿素尿酸)排諸身外。蓋折衷於

AP二說也。

防己之成分及效驗

黃國材

防已者。屬植物防已料。

〔形態〕本品之根。類於南天之幹。外部類白色。內部黃白色。橫斷面有放線狀之紋理。其質堅。爲利尿藥。去水腫之外。兼治慢性胃加答兒。及四肢之拘攣。又急性僂麻質斯神經痛有特效。然未經化學之分析。未能確知其有效成分之所在。今日醫石割學士。遵化學分析。發現一種植物鹽基。稱爲希歐美甯。對於僂麻質斯神經痛。謂有特效。兼爲緩下藥。據學士之實驗。鹽酸希歐美甯。有亢進腸蠕動運動之作用。以三%一立方仙迷入於玻璃管。每日或隔日注射一筒於皮下。治療中。宜避其他之療法。注射部位。殆選患部。

〔局所反應〕有於注射部訴輕疼痛者。又有訴發赤癢感感蕁麻疹樣發疹者。或有無何等變化者。或有訴輕頭痛者。有尿變爲赤褐色訴溷濁者。

〔效果〕注射後一日至二日間。疼痛減退。又其後有再起如前之疼痛者。又有由一回或數回之注射而全治者。要之用於神經痛。關節僂麻質斯。筋肉僂麻質斯。腰痛。認有相當之效果。

左秦艽

蘇錦全

〔科屬類〕毛茛科　附子屬　山草類　〔或云牛扁屬〕

〔原植物〕本品爲多年生草本或云乃屬於牛扁(Aconitum Lycotonum)之根。然尙未可從。

〔別　名〕秦札。秦糺。秦爪。秦膠。秦仇。網草。產家大器。

〔釋　名〕艽音交　又觓也。本品出秦中。其根作羅紋交糺。故名秦艽　秦糺。糺與糾同。故又名秦糾。秦膠者乃訛寫也。

〔產　地〕自生於山地。以陝西漢中府產者爲正地道。名曰西秦艽。其次雲南產者爲多。四川產者少。總其名曰川秦艽。氣味不及西秦艽之佳。日本未有出產。

〔形　態〕牛扁形類烏頭。莖高約二尺。葉多五裂爲掌狀。各裂片有銳頭之缺刻或齒牙狀。花淡紫色或綠黃色。自春至秋開花。爲總繖形花序。

〔性　味〕味苦辛。性平質滑。無毒。

〔成　分〕未詳。

〔應　用〕爲驅風劑、利尿劑、而治僂麻質斯、及熱病、酒毒、黃疸等症。

〔用　量〕一回三瓦至七瓦。漢方八分至二錢。

〔主　治〕祛風活絡。定肢節之痠痛。養血舒筋。解通身之攣急。療風無問久新。頭風與腸風並效。祛濕不拘表裏。黃疸與酒疸皆治。既可榮筋。並能養胎。

〔經　藥〕入肝膽脾胃大腸五經。爲祛風濕熱洩散疏利之藥。

〔配　合〕配川芎當歸入肝而舒其經絡。合滑石通草入胃以祛其濕熱。配蟬蛻殭蠶治風熱之口噤牙痛。合生地白芍除腸風之瀉血腹疼。配冬葵子治小便艱難、合炙甘草療暴瀉引飲。配鱉甲、歸身、銀柴胡、地骨皮、知母、青蒿、治骨蒸。盜汗。面頰赤唇紅。合白朮、歸尾、皂角子、地榆、桃仁、枳實、療痔漏有膿血、而便結腹痛。

〔修　製〕每於春季或秋季採其根。陰乾備用。本品有左文右文二種。凡用揀形作羅紋、色黃白、左文者良。去蘆洗淨。以布拭去黃白毛。酒或還元湯（即童便）浸一宿。晒乾用。

〔畏　惡〕菖蒲爲使。畏牛乳。

〔禁　忌〕本品乃風藥中潤劑、散藥中補劑。善祛風濕。故爲三痺必用之藥。惟味極苦、質亦滑、故胃腸虛寒大便滑潤者忌。氣虛下陷、小便不禁者尤忌。血虛體痛、下體虛寒痠痛者亦忌。

〔比　較〕和產秦艽。多以牛扁、白頭翁之根充用。其藥效與漢產秦艽異。

〔附　說〕沈金鰲曰。感受風寒。遍身疼痛。必以秦艽治之。以其能散結除邪也。並能養胎。

滑石之研究

季愛人

〔產地〕本品以沂州產者爲佳。今秦甯產者亦佳。川產者力薄性劣。不堪入藥。若以興化之白土製成者。有弊無利。採無時。

〔性狀〕本品。爲色白質重。天然之石質物。浸於水中。不散不燥。味淡。性涼。無毒。

〔生理作用〕（一）利水。本品有增加水量。及排除血內雜質。故爲利小便之主藥。

(一)清熱。本品味淡性凉。其清熱力甚微。方書云。其能止渴退熱者。乃濕去熱除之意。

〔醫治作用〕(一)通小便。 小便不通。則濕熱壅滯。誘起水腫。、黃疸、脚氣、淋閉、口渴、身熱、嘔吐等症。因本品有利尿作用。則小便暢而諸疾除矣。

(二)治瘡毒。諸瘡腫毒。由於濕滯熱壅者。用之頗效。

(三)止泄瀉 膀胱排洩力弱。致成便泄。利小便。則泄自止。

(四)本品外用於小兒陰部。及肛門之糜爛擦傷。或皮脂漏。天泡瘡等。爲無害性之蓋覆藥。

〔用量〕 內服每次二錢。至六錢。外用粉未不一。

〔禁忌〕 (一)無濕。(二)脾虛下陷。(三)精滑。(四)當汁之症。

〔處方〕本品六錢。生甘草一錢。名六一散。研末包煎。善治受暑及熱痢。暑多夾濕。故宜。若兼熱者。宜本品石羔各半。合甘草。方爲得體。

〔修治〕 本品有白綠、烏黃、等種。惟白色如方解石於石上畫有白膩文者爲佳。以刀刮如粉。以牡丹皮同煎一伏時。去丹皮。再用水飛。日中晒乾用。

梗通不能代通草之我見

姚祖耀

抗日聲中之抵制日貨。由來久矣。考中國之藥物上。亦有幾種出自日本者。通草即其一也。

此物爲中醫藥中應用最廣之品。一經抵制。將何物以代之耶。蓋通草性寒味甘淡。物質透明而輕。細視之。且有微孔爲通利水液之品。今吾紹之醫。皆以梗通代之。余察其形如粟梗。色糙白。外皮堅厚。中空質鬆軟。嘗其味。淡而濇。可見梗通並非滲濕利水之品。乃是收斂之藥也。余自考驗之後。決不以梗通代之矣。然則代通草之品。果何物耶。曰、莫如燈芯爲善也。燈芯其性甘淡。亦爲通利水濕之品。其物質與通草同。其功用亦初無二致。

赤小豆

王治華

〔科屬〕豆科。茱豆屬。

〔別名〕（1）赤豆（2）紅豆（3）野赤豆（4）杜赤豆

〔釋名〕其色甚紅。故有赤豆紅豆之名。

〔產地〕浙江。江蘇。諸省多有之。西洋亦有是品。

〔形態〕一年生草。本莖高二尺餘。葉爲複葉。由三小葉而成。夏日葉腋開黃花。花冠爲蝶形。結實成莢。長二三寸。中含赤色種子。即赤小豆也。

〔性味〕味甘微酸。性平質燥。

〔成分〕含有多量之澱粉。子皮含赤色素。

〔主治〕利水殺蟲。排膿消癰。除痢疾。止吐逆。通乳汁。下胞衣。行津液而止渴。涼血熱以清煩。

〔用量〕通用二錢至三錢。重用四錢至六錢。

〔修製〕或杵或研。或發芽用。

〔處方〕（甲）內服（1）治胞衣不下。合杜牛膝。（2）治腸癰便紅。合當歸。（3）胃癰成膿。合薏苡仁。防己。甘草。（4）治酒痔。合生地黃。黃芪。赤芍。白蘞。桂心。當歸。黃芩。爲散。

（乙）外用（1）治一切癀毒。合野苧麻根。同研末。和鷄子清調敷。一日一換。（2）治一切無名大毒。赤豆一斗。略焙研細。用葱汁。好醋。酒。菊花根搗汁。靛青。俱可調敷。中留一孔透氣。初起則消。已成立潰。

〔禁忌〕降性太過。滲津泄液。久服令人枯瘦。

〔辨眞〕形同食米略大。色外紅內白。微帶黃色者爲佳。入藥以緊小而赤黯者良。藥肆中往往以半紅半黑之相思子冒充。但相思子不能出芽。即此可以證僞。

〔按〕赤小豆入心腎小腸三經。能治下痢腸澼。解酒止吐。胃癰除腫。排膿散血。通乳汁。下胞衣。催難產等有形之病。總之赤小豆爲行水散血。燥濕殺虫之要品也。

茵陳蒿

王治華

〔科屬〕菊科　艾屬

〔別名〕（1）因塵（2）茵蔯（3）日名川原蓬

〔釋名〕此雖蒿類。經冬不死。更因舊而生。故名因陳。後加蒿字。

〔產地〕原產於山東、江甯、和州等處。近來蘭溪滁州出產最多。

〔形態〕宿根草本。葉似胡蘿蔔。密生白毛。

梢葉分裂。細碎如絲。夏月莖高二三尺。其分椏處。著細小之頭狀花。點綴如穗狀。花色帶綠。香氣似艾。

〔性味〕味苦氣芳。性涼質輕。

〔成分〕含有苦味素。

〔主治〕治黃疸。清溼熱。利小便。通關節。醫頭疼眼痛。療瘴瘧氣瘕。

〔用量〕輕用錢半至二錢。重用三錢至四錢。日本自五·〇至一〇·〇瓦。

〔處方〕（1）治便秘陽黃。合枳實、厚朴、焦梔、黃柏、大黃。 （2）治陰黃脈沉細。合附子、乾姜、草蔻、白朮、枳實、半夏、澤瀉、茯苓、橘紅。 （3）治齒痛齦腫。及骨槽風熱。合連翹、半夏、荊芥、麻黃、升麻、黃芩、

丹皮、射干、羌活、獨活、薄荷、殭蠶、大黃、細辛、牽牛頭末。 （4）治時氣瘴氣。黃病瘧疾。赤白痢。合山梔、鱉甲、玄明粉、常山、杏仁、大黃、巴豆、豆豉爲丸。

〔禁忌〕蓄血發黃者。非此所宜。

〔辨眞〕（A）葉細如靑蒿。乾之作淡靑白色。形如綿糯者。名『綿茵陳』。又曰『西茵陳』。本章所載。皆指綿茵陳而言。今人呼爲『羊毛茵陳』。此爲最佳。 （B）生子如鈴者。名『山茵陳』。又曰『鈴茵陳』。味辛苦有小毒。專於殺蟲。

〔按〕茵陳入脾胃膀胱三經。爲淸熱利尿。除溼去疸之藥。而藥徵謂專治發黃者何耶。蓋緣黃疸之原理。由於停溼蘊熱。既不得從汗腺而

分泌。又不得由小便而排泄。鬱遏蒸發。如罨醬無異。遂使周身發黃。而成疸症矣。茵陳蒿味苦性寒。長於利尿。俾鬱遏之溼熱。得從小便而排泄。疸斯漸癒。長沙用治陽黃。義亦如是。

車前草有效成分之生理作用

蔣桂堂

車前草本屬唇形花植物亞族之車前科。本經名當道。詩經謂之芣苡。爾雅又有馬舄。牛遺等別名。今到處產之。春初生苗。葉狀如匙。布于地面。中抽數莖作穗如鼠尾。花細密。青赤色。結子小圓扁。色赤黑。古用全苗。今則用子。本經謂主治氣癃。止痛。利小便。除溼痺。陶宏景別錄謂治男子傷中。女子淋瀝。不欲食。養肺強陰益精。令人有子。明目療赤痛。鄉里間人有用之作止欬消食藥者。近來日本高橋統閭氏。曾就車前草。作科學的研究。檢查其成分及效用。並實驗之成績。如左例各條所云。

(一)本草中所含之有效成分。屬於配糖體。名曰樸蘭泰根Plantagin味微苦。易溶解于水及酒精中。水溶液無臭無味。色黃褐。呈中性反應。

(二)無刺激粘膜面之性質。

(三)雖屬配糖體。但無溶解血液之作用。

(四)本成分之小量。能使心臟搏動整規強大。搏動數減少。大量則能使心臟來一過性之擴張期靜止。但不起心臟痲痺。是等作用。大部分因迷走神經末梢之興奮。小部分則由心筋之自動而起。

(五)小量能致血壓上昇。大量則血壓沉降。

(六)本成分能使呼吸運動深大。呼吸數減少。鎮欬作用甚顯著。小量易現溶解性祛痰作用。

(七)本成分能使腸胃子宮之運動亢進。消化液之分泌旺盛。

(八)本成分藥用量之十數倍。能使動物服之。不現危險之中毒症狀及副作用。

觀右例之四五條。可知車前草之利尿。蓋由心臟收縮之整規强大。及血壓上昇。而六七兩條。則車前草止欬健胃之所由來也。(按車前子用通經種子方中。頗有效。蓋即高橋所謂亢進子宮之運動也)。

薏苡仁之價値

西神

漢醫學家。謂用薏苡仁治盲腸炎。十人九愈。醫治盲腸炎。本爲漢醫學家之特長。其成績實較西醫爲佳。凡病人經西醫診斷後。謂必須施行外科手術。方能治愈者。用漢藥治之。大都痊愈。又盲腸炎用漢藥完全治愈之後。決無再發之虞。此漢藥之主要材料。即爲薏苡仁。有用薏苡仁治肺癰者。然其治肺癰之效力。不及除疣爲大。薏苡仁治疣。其效驗之卓著。即西洋醫生。亦多承認之。用科學方法考驗。薏苡仁之功能。勸人食用者。爲醫學博士岡崎桂一郎博士。曾於實驗醫報載有「薏苡仁爲除疣藥而患肺病及瘤腫者亦均宜食之」一文。今摘錄其要點如下。

治疣力

凡生疣者。欲除去之。可取薏苡仁木賊各等分。煎成湯飲下。有效。又用單味炒成粉。每日三四次。每次一匙。白湯化服。經十四五日。即愈。

赤黑忠宜氏著之外科說約。謂醫生治疣。自昔即喜令病人內服薏苡仁。余初因其理由不甚充足。不信其說。後有病人五人來求余治。其所患之症。均爲全部生有小疣數個。擬除去之。余均令內服薏苡仁。以考驗其效力。其結果中有二人經三四月後。疣即全數脫落。

故寺國尾平氏於臨床藥石新報。載有「薏苡仁之消疣作用」一文。略謂用薏苡仁治疣。效驗視疣之種類而不同。疣有二種。一隆起爲半球形。其質柔軟。表面滑澤。一形尖疣面斷裂。現鋸齒狀。前者用薏苡仁治之。經數日至十數日即愈。後者無效。

成分

明治十九年六月十九日之官報。載有農務省之報告。謂薏苡仁在禾木科植物中。爲最富於滋養。且最易消化之穀類。含有蛋白質之多。爲他種穀類所不及。而含夸里雅丁之多。則與小麥相等。脂肪亦含有多量。其質透明。殆無色。纖維極少。其有機分中脂油之多。則類似燕麥。而其滋養則超過之。

岡畸博士之意見。謂薏苡仁在穀類中。既最富於滋養。且最易於消化。並含有多量之夸里雅丁及可溶性脂油並蛋白質。久服之。定能暢進新陳代謝之機能。提高筋肉之興奮性。增加白血球催進炎症之自然治愈。且既能因角質之異常發育而祛疣。則彼上皮簇集之瘤腫。或有脂油感作之肺病患者服之。或能奏預防及治愈之效。據此可知薏苡仁中所含之營養價。在穀類中實居首位。無怪馬援常食之以避瘴氣也。

效能

保健雜誌載有「肺病之療法」一文。謂取燒鰻鱺十錢。薏苡仁五錢。研成粉。每次一錢。白湯化服。奇效。又近有某醫學博士新發明一種注射藥。名米阿特寧。觀其說明書。知乃用薏苡仁製成者。略謂本品爲一種注射液。係吸抽薏苡中之有效成分製成者。其吸收作用。能增高筋之興奮性。使其易於運動。血行佳良。其局所作用。則來實性充血。白血球增多。局所溫之昇騰。治腫瘍。消炎鎮痛。因在常賣之列。故其製法甚秘」。小兒消化不良。達於極度。諸藥無效時。可取薏苡仁之糠與麥粉各等分。煎而飲之。有奇效。薏苡仁既有此種之效力。故多用以供食用。或煮爲粥飯而食之。或和入飯中而食之。惟其味則較米飯爲劣。然日日食之。頗能增進人之健康。

品質

米有白米與半搗米之別。薏苡仁亦然。凡色白而有光澤者。無論用以治病或供食用。效力均甚微。故醫生應用薏苡仁時。宜擇黑色（即半搗品）者用之。米之滋養分在糠。薏苡仁之特色亦在糠。彼名米阿特寧之注射藥。即自薏苡仁之糠製成者。故供食用者。亦以半搗品爲佳。

薏苡仁春播而秋結實。其實略平扁。一面凹陷。形較川穀爲小。殆似麥。故往往與麥相混亂。所不同者。麥之豎筋較多。且皮硬而已。

第七章 鎮痛鎮靜鎮痙劑

蚌殼治胃痛之研究

黃國材

自來慢性胃神經痛。及慢性腸神經痛。均無根治之法。惟以麻醉劑。僅能遏止一時耳。愚曾診治多人。能受溫補者按症調治。亦能告痊。然間有復發者。必二三年後。因體質衰弱而然。若不受溫補者。雖如法調治。僅愈於一時。難免復發。近見患是症者。往往以蚌殼燒灰服之。立可止痛。然初不解其理由。及查牡蠣成分。爲炭酸石灰。能中和鹽酸。則知蚌爲牡蠣類。其成分自相同。嗣有是病者。命服牡蠣。亦收同一之效。可見患是病者。爲鹽酸過多症。又見患是病者。服重炭酸曹達亦驗。蓋以其善解酸汁及胃中粘液。蚌亦有此性。是以見效。由是以觀。蚌灰可代重炭酸曹達之用。可無疑義矣。

川楝子

王治華

〔科屬〕 楝科楝屬

〔別名〕 苦楝子 金鈴子 日名栴檀

〔釋名〕 以產於四川者良。故曰川楝子。此以地名。其味頗苦。故曰苦楝子。此以味名。其子如小鈴。故曰金鈴子。此以形名。

〔產地〕產於四川。及湖北等處。今有處甚多。

〔形態〕落葉喬木。高丈餘。葉爲複葉。甚繁密。春開淡紫花。單性。雌雄異株。實爲橢圓形。狀如小鈴。生青熟黃。

〔性味〕味苦性寒。兼有小毒。

〔成分〕含有一種苦味素。與西藥之括天亞木〔瓜沙〕有效成分同。

〔主治〕利小便水道。止下部腹疼。治諸疝虫痔。療熱狂躁悶。

〔用量〕輕用八分至二錢。重用錢半至二錢。日本用量。一日數回。自〇·五至二·〇瓦。每回量自〇·二至一·〇瓦。

〔修製〕酒炒或鹽水炒。

〔處方〕（1）治小兒癩疝。合木香。檳榔。三稜。蓬莪朮。青皮。陳皮。芫花。辣桂。牽牛子。巴豆爲丸。（2）治弔陰痛。不可忍。合豬苓。檳榔。澤瀉。麻黃。木香小茴香。白朮。烏藥。乳香。玄胡索。大茴香。（3）治臟毒下血。配炒槐米。（4）治腎囊冷痛。合吳茱萸。

〔禁忌〕（1）性甚苦寒。脾胃虛寒者忌。（2）核肉二者不可幷用。

〔辨眞〕以產於四川者爲佳。

〔按〕川楝子入心包肝小腸膀胱四經。安常謂其入肝舒筋。導小腸膀胱之熱。因引心包相火下行。故爲疝氣。及心腹痛之要藥。夫是品爲治疝要藥。人多知之。然不知其治疝之義果安在耶。要知疝由寒束熱邪。每多掣引作痛。必須川楝子之苦寒。兼茴香之辛熱。以解錯綜之邪。更須察其痛之從下而上行者。隨手輒應。痛之從上而下注者。法當辛溫散結。良非苦寒所宜。是又不可不知也。

延胡索之研究

冷翟仙

〔名別〕 玄胡索　元胡索　按近今通稱延胡索。

〔名因〕 本名延胡索。避宋眞宗諱。改玄爲延。因名之曰延胡索。

〔形態〕 屬延胡索科。爲不整圓之地下塊莖。表面起疣。多年生草。春日生苗。莖高六七寸。葉形似竹。爲複葉。春日莖頂開花。色紫綠。地下有塊莖叢生。如半夏。呈老黃色或金黃色。

〔產地〕 西北諸省。今山西上龍洞多種之。按每年在寒露後栽。至立春後生苗。

〔鑑別〕 色黃而堅者良。

〔藥用之部〕 根。

〔採製〕 立夏後掘起根。晒乾。用於上部宜酒炒。用於中部宜醋炒。用於下部宜鹽水炒。破血宜生用。調血宜炒用。（冷按生用力峻。今藥肆每多炒用。其力頗緩。鎮痛有效。解凝無力也。）

〔性味〕 味辛微苦。其性微溫。無毒。

〔成分〕 含有揮發性油。

〔生理作用〕 激動子宮之凝血。（行血）而使月經之來潮。（通經）排除血中雜物。（化痰）促進血液循環（利氣）。
〔歸經〕入肝經。兼入肺脾腎心包四經。爲利氣活血止痛之品。
〔主治〕心腹諸病。腹中結塊。癥瘕崩淋。月經不調。產後血暈。暴血上冲。折傷積血。脘腹脹痛。遍身疼痛。以及痰涎瘀積。凝滯中焦。脘滿腹脹。亦宜用此。除風痺。通小便。
〔禁忌〕妊婦忌用。凡非痰涎瘀血凝滯者不可混用。津液虛弱。血熱內壅。發爲心煩口渴。雖有肝胃氣痛。亦非延胡所可治。此藥性溫微辛。能走而不能守。故經事先期。一切血熱爲病。凡崩中淋瀝。產後血暈。皆應補氣血涼血清熱則愈。此均忌。
〔用量〕小量一錢。中量二錢。大量三錢至五錢。
〔處方〕配當歸桂心。治遍身作痛。配金鈴子治熱厥心痛。配茴香治小腸疝氣。配當歸橘皮。治婦女經來刺痛。配蒲黃芍藥薑黃當歸乳香木香官桂沒藥甘草。治婦人心腹疼痛。一切血氣經候不調。配沉香大黃當歸川芎芍藥桂枝。治產後穢物不盡。
〔著名方劑〕〇手拈散　延胡索一錢五分。五靈脂一錢。生沒藥一錢五分。草果仁九分。共爲末服。
治胃中瘀血作痛。好飲熱酒人多用此。幷治胃痛。胃潰瘍痛。
〇延胡索湯　延胡索一錢五分。當歸三錢。乾薑一錢。桂枝一錢。煎服。

治婦人經閉。時腹痛內急。自覺子宮寒冷者。冷按。婦人大全良方。以延胡加當歸川芎桂心木香枳殼赤芍桃仁熟地。治婦人血氣攻心腹痛。名延胡索散。又沈氏尊生書方。以延胡加當歸白芍厚朴川楝子蓬莪朮京三稜木香檳榔桔梗黃芩甘草。治產後瘀血心痛。及婦人七情六鬱。經候不調諸證。亦名延胡索湯。二方按證施治。頗有效果。

〔驗方〕延胡索金鈴子。各等分爲末。温酒一錢。治熱厥心痛。或發或止。延久不愈。身熱而小便不利者。（聖惠方）（名金鈴子散）冷按以延胡行其滯。金鈴子清其熱。而導其濁。故有效。

〔前人記載〕李杲曰。甘辛温。可升可降。陰中陽也。▲王好古曰。苦辛温。純陽。浮也。▲李時珍曰。延胡索味苦微辛氣温。入手足太陰厥陰四經。能行血中氣滯。氣中血滯。故專治一身上下諸痛。用之中的。妙不可言。一荊穆王妃胡氏。因食蕎麥麵着怒。遂病胃脘當心痛不可忍。醫用吐下行氣化滯諸藥。皆入口即吐。不能奏功。大便三日不通。因思雷公炮炙論云。心痛欲死。速覓延胡。乃以延胡索末三錢。温酒調下。即納入。少頃。大便行而痛遂止。又華老年五十餘。病下痢。腹痛垂死。已備棺木。予用延胡末三錢。米飲服之。痛即減十之五。調理而安。按方勺泊宅編云。一人病遍體作痛。殆不可忍。都下醫。或云中風。或云脚氣。藥悉不效。周離亭言是氣血凝滯所致。用延胡索。當歸桂心等分爲末。溫酒服三四錢。隨量頻進。以止爲度。遂痛止。蓋延胡索。能活血化氣。第一品藥也。其後趙待制霆。因導引失節。肢體拘攣。亦用此數服而愈。有此可見延胡止痛之作用也。

（按）延胡行血化瘀。當歸補血活血。桂心增加心臟之收縮力。扶助體溫之減弱。對於體冷身痛。奏功甚捷。故周氏離亭。治一病人遍身痛不可忍。趙待制霆。因導引失節。肢體拘攣。皆用此一服即愈。

（正誤）現代醫者。以爲延胡主治。除痛而已。餘無他長。其言皆以雷氏炮炙論。心痛欲死。急覓延胡之說。奉爲枕秘。且以該藥之能事止此矣。其餘悉皆抹殺。爲可惜也。夫延胡之能治。不獨心痛。如周氏離亭之治遍身痛不可忍。趙待制霆之肢體拘攣。聖惠方之治熱厥心痛。身熱而小便不利。他如衛生簡易方配茴香則治小腸疝氣。及小兒盤腸氣痛。濟生方之配當歸橘紅。則治婦人腹中刺痛。經候不調。其中皆以延胡行血化滯之妙爲主品。焉得謂之止能除痛哉。今正其誤。

（備考）日本之中將湯流行於我國。爲時已久。日本學者。迄今仍公認爲婦科之聖藥。而考其原料。則大部分爲當歸與延胡索。故中將湯之特效。即當歸延胡索之特效也。豈知我國醫婦科者。以延胡索當歸爲習用之常品。如婦人大全良方之延胡索散。治婦人血氣攻心腹痛。沈氏尊生書方之延胡索湯。治產後瘀血心痛。

及婦女七情六鬱經候不調諸症。是知當歸與延胡。確有其效果矣。

龍齒治效之徵驗

王治華

龍齒與龍骨。同出一處。世人多以爲相類。處方之際。顢頇混投。罕切病情。殊不知其有異點在焉。龍齒以安魂定神爲主。而兼及於腎。則其主治在肝。而治腎其副作用也。龍骨以固濇下焦精氣爲主。而兼及乎肝。則其主治在腎而治肝其副作用也。蓋肝者魂之居也。隨神往來者。謂之魂。故魂遊不定神亂不甯。肝陽衝動。厥逆以起之證。非治以龍齒。不爲功焉。經予治愈。難以枚舉。茲述數條。以徵實效。

（1）先母平素陰虧肝橫。當肝陽鴟張之際。厥證乍起。手足逆冷。人事不省。昏暈語澀。但一聞人聲之刺激。則厲叫不休。神魂飄搖。予重用龍齒。其證立愈。

（2）去年夏。何君玉瑞尊翁。魂揚不安。晝夜失寐。心神恍惚。語言錯亂。徧投諸藥。靡克有效。適予暑假返里。斷爲魂遊不藏。遂重用龍齒。病乃霍然。

（3）今歲秋。宣君思安之妻。始患溼溫。繼則動怒悲哭。經曰。肝悲哀動中。則傷魂。魂傷則狂妄不精。致厥死者。再語無倫次。頭疼異常。予於清宣溼溫劑中。重用龍齒。乃得厥回語清痛定之效。

總觀上說。龍齒爲安神鎮魂平肝之上品。寧不彰彰明耶。古諺云。虎睛定魄。龍齒安魂。洵不誤也。

牡蠣之鎮靜功用

章次公

凡海蛤殼中均含天然炭酸鈣。有解酸作用。我國醫藉謂牡蠣可以平肝。故肝氣犯胃之吞酸嘈雜。可用牡蠣治之。今乃知牡蠣之治吞酸。非平肝。實解胃酸之過度耳。從牡蠣解酸上着想。可以推知瓦楞子之治肝胃氣。亦解酸而已。

前人謂牡蠣能平肝潛陽。所謂「陽」。即指上部充血與神經衰弱之虛性興奮。即安魂定魄。亦屬之此種。

牡蠣外用可治大汗淋漓。內服可治帶下遺泄。蓋能吸收水分。吾常以龍牡粉。令病人吞服。治男子遺泄。遺泄止而大便燥結異常。故知牡蠣收斂之說。亦不誣也。

顴紅盜汗。乾嗆咯血。——是肺結核病的現象——前賢論此爲木火刑金。陰虛陽旺。恒用牡蠣育其陰。潛其陽。吾人已知牡蠣含有燐酸鈣炭酸鈣。有止血强壯包圍病灶防腐消炎諸作用。肺結核用之有效。殆以此也。

內經以肝脈貫膈布脅肋。故脅肋痛近世無不責肝病者。凡吾國醫學上之所謂脅肋痛。可概括西籍脅骨神經痛。肋膜炎之類。肋骨神經痛大部發于女子。牡蠣具鎮靜之功。故治之有效。然則前人謂牡蠣平肝之說確矣。

據吾人經驗。脅肋痛用芳香行氣藥。而其痛益劇。法當養血柔肝。就中可加牡蠣。吾嘗從西醫籍上推勘理由。蓋用芳香行氣藥而其痛益劇者。恐爲肋膜發炎。發炎而用芳香行氣藥。當然不效。以牡蠣之類授之必效。又肋膜炎其屬于漿液性者。鈣類有消炎製泌作用。故能治之。

綜合以上諸說。凡前人所稱牡蠣之功用。吾人苟能以牡蠣之有效成分互勘。皆可得一明確之解釋矣。茲再將鈣類必具之功用。錄之於下。以供參閱。（其所含之別種成分不同。其功用略異。但其主效無不同）。

（一）止血作用。（即血液之凝固催進作用）。

（二）消炎作用。

（三）對于或種之藥物性及細菌性中毒之解毒作用。

（四）對于神經系統之鎮靜作用。

（五）對于血管系統及心臟之緊張作用。

（六）强壯作用。（即身體之石灰新陳代謝機能及體力上之好影響）。

（七）對于結核灶能抑制浸出機轉及固結變性。（即組織之石灰化作用）。

琥珀之研究

俞慎初

（種類）屬松柏科植物之樹脂。埋入土中。年久而化爲石。遂名爲琥珀。

（別名）紅珠　江珠　丹珀　南珀　明珀　蠟珀　香珀等。

（產地）產於東洋之海岸各地。俄德波蘭瑞典丹麥等之砂石中或海水中。漢書西域傳所載。謂琥珀從外國來。

（形態）扁平或不正圓形之脆塊。色淡黃或淡紅。質透明似松脂有光澤。遇酒精松脂柏油稍溶解。加熱則化。

〔性味〕甘平。

〔採製〕常在地下第三第四兩地層。散布與砂粘土石灰之小石塊間。其海濱者。當自由地層來也。琥珀酸即由琥珀中抽出。

〔成分〕樹脂。揮發油。琥珀酸。斯可企涅及硫黃等。

〔功效〕安五臟。定魂魄。殺精魅邪鬼。止血生肌肉。清肺利便。壯心。明目。磨翳。對於局部痲痺及慢性關節風濕痛尤爲特效。

〔主治〕五淋心痛。結瘕。金瘡。癲。蠱。

〔處方〕配沒藥。海金砂。蒲黃。治五淋。配鼈甲。大黃。治瘀血積滯。腹內作痛。老人及虛弱者小便不通。用琥珀末一錢。以人參。茯苓。煎湯空心服。

〔按〕琥珀眞的甚鮮。藥舖所售皆僞品。因尋求不易得。日用藥品考云『琥珀品類極多。雷斅謂紅如血色。以布拭熱。吸得芥子者爲眞。日本進口之琥珀。皆透明作深紅色。國人稱爲血珀。亦名金珀。此爲上品。其色稍淡者名銀珀次之。淡黃者名蠟珀又次之。帶黑者爲下品。凡日本產皆重濁不透明。不堪入藥。

羚羊與犀角

王治華

羚羊與犀角。同爲藥物中之珍品。出產甚鮮。而價值奇昂。對症用之。洵有起死囘生之功。以深切之研究。而明其眞諦。諒亦吾醫藥界所樂聞也。茲就所知。分述於下。

羚羊爲反芻動物。齡草類。產於歐洲、亞洲、陝西、蒙古、深山中。其嗅覺銳敏。夜則懸角於木而棲。故精氣集聚於角。角爲細長形。長尺許。徑寸餘。微有光澤。呈黃褐色。末端略彎曲。兩節纏繞爲螺狀。角彎中深銳而緊小有掛痕者爲眞。疏漫無痕者爲僞也。其味鹹性寒。體輕質堅。用量輕則四分至八分。重則一錢至錢半。方書所載。功用甚多。走經非一。吾獨歸納其效能。實爲專治肝經所生諸病而已。試條述以明之。

（一）舒小兒驚癇。婦人子癇。大人中風搐搦。及筋脈攣急。歷節掣痛。此均筋病也。筋者、肝之合也。是可徵其能治肝經所生之病者一。

（二）熄溫熱之邪。逼入營陰。津液消亡。刼動肝風。發痙抽搐。此內風也。風者、肝之應也。是可徵其能治肝經所生之病者二。

（三）散瘀滯下注。疝痛毒痢血衝。此皆血病也。血者、肝之所藏也。是可徵其能治肝經所生之病者三。

（四）安驚駭不甯。狂越僻謬。魘寐卒死。此魂病也。魂者、肝之神也。是徵其能治肝經所生之病者四。

（五）平目暗障翳。視物糢糊。此目疾也。目者、肝之竅也。是可徵其能治肝經所生之病者五。

（六）降煩懣氣逆。噎塞不通。此由怒發也。怒者、肝所主也。是可徵其能治肝經所生之病者六。

綜觀以上六說。何一而非治肝經所生之病耶。故余謂羚羊角專入肝經之品。乃涼肝清熱熄風鎮痙之物也。但血虛無熱。肝經無熱。氣虛無汗者。不堪妄用耳。

犀爲哺乳動物。奇蹄類。產於中國雲南、暹羅、安南、蘇門答臘。及印度、緬甸者。爲印度犀。鼻上生一角。出自非洲者。鼻上有二角。角形爲尖形。微彎曲。有剛毛。牡者短。牝者長。最長可二三尺。普通多七八寸。或尺許。底部闊五六寸。色有黑白之分。入藥以角尖色黑者爲佳。其味苦酸鹹。性寒質堅。呈酸性反應。含有炭酸石灰、燐酸石灰、膠質等成分。用量輕則三分至五分。重則六分至八分。極重一錢。爲通竅透熱涼血解毒之上品。故善透腦絡。直入心臟。定心神。鎮驚悸。止血如神。殺蠱亦驗。除大熱而止煩躁譫語。破畜血而療身黃發狂。治中風不語。祛目昏障翳。能消癰化膿。可達斑透疹。其功效之大。極爲醫家所重視。但用之得當。固有起死囘生之力。用之失宜。亦有禍不旋踵之險。故巳陷之邪。犀角即能透出。未陷之邪。犀角亦能送入。若誤投於熱在氣分。不涉血分之時。送邪入內。深陷難出。卒致於死。我見實多。又如傷寒陰證發躁。脈沉細足冷。渴而飲不多。且復吐出者。及痘瘡氣虛。婦人妊娠。均須愼用之也。

大衆醫刊價目表

定價

時間	冊數	書價連郵費
每月	一冊	大洋二角
全年	十二冊	大洋二元

國外照表加倍寄費在內郵票代價十足通用

廣告價目

地位	一冊	三期	六期
一頁	二十元	五十四元	九十六元
半頁	十元	二十七元	四十八元
四分之一	五元	十三元半	二十四元
特別地位	封面反頁及底面為特別地位照表加二分之一		
附注	木刻銅版加印彩色費須外加常年惠登價目面議刊費先惠		

中華民國二十三年十月一日出版

大衆醫刊第十一二期合刊

實售大洋四角

編輯者　楊志一

上海白克路西祥康里

發行所　大衆醫刊社

國醫出版社內

印刷所　興羣印刷所

代售處

上海三馬路　千頃堂書局

上海四馬路　現代書局

上海四馬路　時代圖書公司

上海四馬路　雜誌公司

中華民國二十四年三月十五日出版

大衆醫刊第一年彙訂

定價大洋兩元四角

特價大洋兩元

編輯者 楊志一

發行所 國醫出版社 上海白克路西祥康里九十號

代售處 千頃堂書局

印刷者 興羣印刷所